全新第4版

海蒂
怀孕大百科

What to Expect When You're Expecting

〔美〕海蒂·麦考夫　莎伦·梅泽尔　著
王智瑶　译

南海出版公司

新经典文化股份有限公司
www.readinglife.com
出　品

致 谢

如果说过去的23年里我只懂得了两件事，那么它们就是：第一，孩子不可能自己长大；第二，书不可能自动写成（无论你对着白纸看多久）。

幸运的是，我获得了大量帮助，完成了这两项工作。我的孩子已经长大了（成人礼已完成，不过让我们面对现实吧——孩子的成长怎么可能有所谓的终点？），为人父母，我有最好的同伴——丈夫埃里克——他也是我创作本书过程中的搭档。在写作上，我有众多伙伴和朋友全情投入——在《海蒂怀孕大百科》第4版的创作过程中，他们不断为新的创意提供支持、观点和建议，让我的思维不断燃起火花。

身边提供帮助的人太多，但有一部分朋友从第一天起就一直陪在身边支持着我。在此，向你们致以诚挚的感谢：

感谢桑德·哈撒韦，你为这本书的诞生做出了巨大贡献。你是了不起的姐妹，更是了不起的朋友。

感谢苏珊娜·雷弗编辑，我亲爱的朋友。你是《海蒂怀孕大百科》创作过程中最伟大的指导员。从书稿的构想到4个版本的面世——你字斟句酌，删除每个有误导含义的双关语。在你的努力下，《海蒂怀孕大百科》创造了一个奇迹——感谢你，是你的努力使得这一系列图书发行2900万册成为了现实；感谢你的无数创意，贡献了这本书几百个醒目的标题、令人过目难忘的卡通形象。

感谢彼得·沃克曼——你是个异类，一个坚持承诺、永不妥协的出版商；你是那个当书店对我们的信任开始动摇时却仍然坚信我们的人；你是那个让这本书的星星之火慢慢燎原的人，你是那个不愿放弃任何所谓“小众”图书的人。

感谢在最新一版中帮助过我的

所有沃克曼出版社的员工：勇于创新的戴维·马特，你善于抓住机会，并非常重视我们这次面临的挑战——事实证明我们的挑战非常成功——《海蒂怀孕大百科》第4版是颠覆性的成功改造。感谢约翰·吉尔曼，在颠覆性创作中表现出的极度耐心，并首次展示了插图的神奇魅力。感谢丽萨·霍兰德和韦伊格·唐，我永远那么喜欢你们的设计。感谢蒂姆·欧布赖恩，为我介绍了这次再版中启用的两位重量级模特，封面上的妈妈和她的宝宝——他们亲自上阵的热情让我非常感动。也要感谢琳内特·帕尔芒捷耐心地重新创作了这一版标志性的封面插图。感谢模特卡伦·库彻——我们的封面"辣妈"（甚至让我有了再怀孕的冲动），也要感谢小汤姆·纽瑟姆，你是我们最完美的模特宝宝。感谢艾琳·德希夏恩一直跟踪这本书的创作进展。沃克曼出版社还有太多敬业得令人吃惊的朋友，他们是苏茜·博洛廷，海伦·罗斯纳，贝丝·多蒂，沃尔特·温特斯，珍妮·曼德尔，金·斯莫尔，以及埃米·科利。

感谢我的另一个同伴，莎隆·马泽尔。我能在你身上看到自己的影子，总觉得你是另一半的自己，永远的挚友——我爱你。此外，感谢美丽的丹妮科、阿里安娜、基拉以及索菲娅与我分享你们精彩的育儿经历。还要感谢家庭医生杰伊——感谢他精彩的生物课，以及无与伦比的好脾气——更重要的是，他让我分享了莎隆的生命中最重要的一段经历。

感谢查尔斯·洛克伍德医学博士，我们卓越的医学顾问，感谢你简洁精确的建议，感谢你对细节的敏锐洞察力，以及对妈妈和宝宝们深厚的爱心。你所知所做的一切让人佩服得五体投地。

感谢史蒂文·彼得罗、迈克·克里埃科、本·沃林、吉姆·柯蒂斯、萨拉·赫特以及那些在海滨媒体公司工作的朋友，是你们为我们开通网站whattoexpect.com，并让《海蒂怀孕大百科》从构想成为现实。同时也要感谢这样一群母亲——不仅将我们的网站放入了收藏夹，还每天跟我分享你们肚子的变化、宝宝的变化及学步宝宝的经历。

我的生命里还有两个意义非凡的人：感谢马克·钱伯林，你有如鹰般敏锐的法律视角、敏感的商业神经，以及永不枯竭的友情支持；感谢艾伦·内文斯，感谢你精湛的管理才能、惊人的谋划力、无止尽的耐心、坚持和援助。

感谢珍妮弗·格迪斯和弗兰·克里茨帮助我们如实记录。感谢杰茜卡·吴医学博士，你是无懈可击的妊娠期皮肤护理顾问。还有豪伊·曼德尔，感谢你在运动知识方面权威的解答，你总能帮助我想到切合实际的话题。感谢总鼓舞大家的What to Expect基金会的行政总监丽萨·伯恩斯坦，以及佐薇、特迪和丹·达布诺，你们的辛苦工作让《海蒂怀孕大百科》奇迹般地面世，并保持丰沛而长久的生存力。

感谢埃里克，我有幸在做所有事情时都有你的陪伴——你随时在我身边，并将永远在我身边。我想感谢你的理由太多，除了上文列出的所有理由外，还有很多无法一一罗列。没有任何一个人能让我如此欣然合作，我永远爱你。谈到“爱”——我此生最大的骄傲和快乐：艾玛（我的第一个孩子）和怀亚特（我的第二个孩子），我爱你们——你们让我成为一个幸运的妈妈。

感谢可爱的霍华德·艾森伯格，父亲和朋友们；感谢维克托·夏盖（和约翰·阿尼耶罗）的爱和支持；感谢我亲爱的嫂子和弟妹——阿比·麦考夫和诺曼·麦考夫。感谢雷切尔，伊桑和丽兹，感谢蒂姆。

感谢维护母婴权益的美国妇产科医师学会。感谢所有为了准父母们每天努力工作，让生育更安全、更快乐的医生、助产士、护士和护师们。最后，感谢所有曾经帮助每一版《海蒂怀孕大百科》不断进步的读者妈妈们（以及爸爸们）。我说过，现在还要说一遍，父母们是我最宝贵的资源——所以继续发来卡片、信件和电子邮件吧！

再次感谢每一个人，希望你们所有最美好的憧憬都能成真！！！

目录

第一部分：最重要的事

第4章　孕期生活

第5章 饮食良好的 9 个月

第二部分：9 个月倒计时

——从怀孕到分娩

第6章　第1个月（1~4 周）

第7章　第2个月（5~8 周）

第8章　第3个月（9~13 周）

第11章　第6个月（23~27 周）

第12章　第7个月（28~31 周）

第 13 章　第 8 个月（32~35 周）

第14章　第9个月（36~40 周）

第15章　阵痛和分娩

第三部分：两个宝宝，三个宝宝或更多宝宝

——当你怀了多胞胎

第16章　怀了不止一个宝宝

第四部分：生下宝宝之后

第17章　产后第1周

第18章　产后最初的6周

第五部分：写给爸爸们

第19章　爸爸们也怀孕

第六部分：孕期保持健康

第20章　如果你病了

第21章　如果你患了慢性病

第七部分：复杂的妊娠过程

第22章　应对复杂的妊娠

第23章　积极面对妊娠失败

第四版 前言

前几天，我收到一封非常真诚的感谢信，是过去的病人写给我的。信封里有一张照片，照片中是一个高大魁梧的大学曲棍球运动员——19 年前，我帮助了他的妈妈，为她助产。我拥有世界上最好的工作：我总能分享人类生命中最快乐、最激动人心、最奇妙的那一刻——一个新生命的诞生——并且只有我，可以一次又一次地去经历这一切。当然，做一名产科医生也非常辛苦——凌晨 3 点还在继续疲惫地工作；碰到产妇分娩不顺时的种种挫折与沮丧；有时候还会遇到产妇由于肾上腺素急剧增加而容易激动，甚至有些产妇还不可避免地突然出现负面情绪。不过，总的来说，这个工作很愉快。

某种程度上来说，我的工作不像你可能会经历的妊娠过程那样每天都像一场充满快乐的小冒险。而《海蒂怀孕大百科》就像私人产科医生一般带领并指导你安全地在这场冒险中取得胜利。长期以来，我一直在强烈推荐这本书。这次，我又一次非常认真而彻底地阅读了本书的第四版（每一次再版都是精益求精）。本次再版还加入了很多你十分希望从最好的医生或助产士口中听到的全新信息和建议。这些建议理智客观而生动有趣，理论详尽而贴近实际，经验老到又热情洋溢，富有条理又充满感情。

本书的精彩阅读之旅将以怀孕前作为起点，书中提出了很多很好的建议告诉你在有宝宝以前应该注意的事项——什么应该做,什么万万不可。接下来，它会从怀孕开始逐步指导，直到你第一次拜访医生，并从生活方式、工作、饮食等细节方面告诉你应该作些什么改变。本书一个最大的特色就是逐月进行指导，实际上，甚至是逐周指导。这样就可以非常及时地告诉你，宝宝发育到什么程度了，他此刻正在子宫里做什么。书中通过描写你的变化而让你清楚地知道自己处于怀孕的哪个阶段，并以此获得最恰当的指导。这些细节变化不仅指肚子的变化，也包括从头发、脚趾到每一次主观感受的变化。书中会告诉你每一次拜访医生时他都会做什么，需要预约什么检查，以及做这些检查的原因，稍后将会告诉你对于最后的大日子该如何准备——包括顺产或剖宫产的准备事项。你将学会制订分娩计划，学会辨别真宫缩和假宫缩，以及产前阵痛的发生部位。你的所有问题都将获得详细解答，例如过期分娩、胎心监护、会阴切开术、如何缓解疼痛、手术麻醉等。另外，《海蒂怀孕大百科》将带领你考察分娩这个奇妙过程的每一个细节。

同时，本书还包括了产后阶段，提供了各种方法教你学会辨别“抑郁状态”和产后抑郁症。还有非常重要的一章提供了所有并发症的相关知识。如果有相关并发症，可以仔细查阅这部分内容；当然，如果很幸运，没有相关情况，可以跳过这一章。关于常见病状态下的妊娠，本书提供了丰富的知识，你可以查阅到患哮喘、高血压、糖尿病等疾病时的孕期注意事项，以及如何在正常怀孕时最大程度地改善病情。本书还谈到了如何现实而积极地面对流产。同时也没有忘记准爸爸们，提供了大量实际经验，帮助他们成为准妈妈孕期的指导员。同样，本书也为多胞胎父母提供了大量知识，用整整一章来解答他们的疑问。

作为一名母婴药物专家，书中对医药手段的详细解说给我留下了深刻印象，让我十分惊喜和欣慰；作为一名编辑，本书清晰、简洁、有说服力的描述深深地打动了我；作为一位丈夫和父亲，本书中准父母们需要知道的众多知识令我敬佩不已。然而，对于本书最好的评价，应该是那些为数众多的读者向我、我的同事，还有其他人的强烈推荐。

如果你正在看这本书，很有可能刚刚怀孕或者正打算要一个宝宝，请继续看下去——你将开始生命中的一次探险。

美国耶鲁大学医学院妇产科主任

查尔斯·洛克伍德医学博士

为什么这本书多次再版

24年前，我生了个女儿。在后来的几小时里，我构思出了这本书(那真是很忙的一天)。我把《海蒂怀孕大百科》当成我的孩子——养育它和我的几个孩子真是一个令人激动又筋疲力尽，很有满足感又充满各种挫折，暖人心房又伤脑筋的过程。和任何一个家长一样，我绝不愿意交换掉其中一天（尽管在女儿埃玛13岁那年，我真感觉一周相当于一年，甚至是两年)。

现在，我非常激动地宣布另一个孩子的诞生——我最自豪地想向你展示、与你分享的一本新书:《海蒂怀孕大百科》第四版。这是一本从封面到封底，从头到尾完全经过修订的新书，或者说，这本书从开始到结束，已经完全跳出了旧版的框架重新编写——一本以新鲜的外表、新鲜的视角、比以往更强的亲和力为特征的新书，写给新一代的准父母们（不用怀疑，就是为你们而写)。

新版《海蒂怀孕大百科》有什么新内容呢？实在是太多了，多得让我激动。本书会逐周告诉肚子里的宝宝有什么变化——从他还是显微镜下才能看到的细胞，一直到经历无数不可思议的变化而发育为一个呱呱坠地的新生命。看到这些，你会发现怀孕时所有的烧心、所有因不断呕吐而频繁奔入卫生间的苦恼、所有的胀气、所有的疼痛、所有的失眠都是那么值得。说到烧心和胀气，你会发现本书提到了更多孕期可能会有的症状和更多的解决方案；同时，还提到了更多你可能有的疑问和解答（很多问题周到得你自己都想不到)。本书还有一个扩展章节专门提供了孕期工作的相关注意事项，看完你会发现，其实怀孕也不是那么辛苦的事，完全可以不影响工作！除了一些基础而实际的要点外，本书加了整整一章让孕妈妈们过得更加安逸，主要介绍了一些孕期美容保健的知识，教你如何打扮，或者至少在皮肤出现问题的时候如何处理——这样即使在孕期你也能拥有完美的皮肤。你将学会：出现雀斑、痤疮、粉刺、瘙痒、皮肤过油或过干等问题时如何应对；哪些用于皮肤、头发、指甲护理的化妆品应该在分娩前戒掉，哪些可以放心大胆地使用。从性生活、旅游、运动到装扮，本书将会指导你的孕期生活方式，也会告诉你：妇科病史、产科病史，以及病历资料会对你的妊娠有什么影响。同时，本书还将教你如何处理夫妻关系及情绪波动。还有更实际的一章来介绍孕期的饮食习惯——包括吃饭方式（坐在桌前慢慢吃到边走边吃）、饮食方案（覆盖人群范围非常广，从素食者到低碳水化合物饮食者，从咖啡因上瘾人群到垃圾食品迷）。另外，还有全新的一章专门为怀了多胞胎的妈妈们准备。准爸爸们是养育子女的重要角色，本书强调了更多准爸爸应该做到却常常忽略的内容。当然，本书也提供了最新的孕期知识，包括可以参考的最新新闻、最新的产前检查和分娩手段等。

从我开始构思《海蒂怀孕大百科》以来，就怀着一个单纯的信念：希望本书能够帮助准妈妈们在孕期少担心一点，多享受一点。这份信念日益加深，却从未改变。和前三版一样，第四版的宗旨依然未变：解决你的问题、帮你重建信心、成为你的亲密伙伴、关心你的感受、帮你获得更好的睡眠（在你需要频繁出入卫生间、不得不与腿抽筋和背痛作斗争的夜晚也尽可能获得良好睡眠）。

我希望你能够像我创造出这个“宝贝”的过程一样享受这本书，同时这个精彩的阅读过程会让你在孕育自己宝贝的过程中受益良多。希望你成为最健康的孕妇、最快乐的家长，祝你梦想成真！

海蒂

第一部分

最重要的事

第1章　怀孕前的准备

看来，你已经决定要一个宝宝了——这是非常棒、非常令人兴奋的第一步！但是，在精子和卵子结合创造出你梦想中的宝宝之前，一定要把握孕前的机会做好充足准备，尽可能创造最健康的孕期，孕育最健康的宝宝。

本章将帮助你（和准爸爸一起）进入最佳孕前状态，帮助你完美受孕，并带着一切就绪的你来到怀孕的第一道大门前。

如果你尚未怀孕，放轻松，继续不断尝试（别忘了尝试的过程中要尽情享受）。如果你已经怀孕，错过了孕前准备这一步的话也不必担心。怀孕常常会让你不知不觉地跳过能注意到的孕前阶段，让很多本应注意的孕前事项无从谈起。如果孕检已经清楚地告诉你怀孕这个好消息，请跳过本章直接阅读第2章吧！要相信，自怀孕那天起，每一天都是最好的日子！

妈妈们的孕前准备

“妈妈船”已经做好准备接纳可爱的小乘客了吗？你可以在孕前采取以下方法确保“妈妈船”处于良好状态。

做好孕前检查。不必一定要挑选一名产前医生，强烈建议你找妇科或内科医生进行详尽而彻底的体检。这些检查可以帮助你找到所有在孕前需要纠正或者在孕期需要严密监测的小毛病。另外，医生也能帮助你远离孕期及备孕阶段禁忌的药物，同时确保你拥有免疫接种的最新信息，告诉你体重、饮食及其他生活习惯方面的注意事项，以及一些关于怀孕的知识。

开始寻找产前医生。相对于你突然意识到自己需要进行产前检查，趁着怀孕的百米赛跑还没有真正开始，找一名产科医生或者助产士会简单得多。如果你继续选择过去的妇产科医生作为孕期顾问，那么恭喜你，这是一个正确的开头。或者，你需要四处打探，多花点时间慢慢挑选一名真正适合你的医生（参考第27页关于如何挑选医生的相关内容）。接下来，安排日程拜访医生，并进行孕前检查。

对牙医微笑。在怀孕前，拜访牙医和拜访产前医生一样重要。因为将来的怀孕进程会影响你的口腔——同样，口腔也极有可能影响到将来的怀孕。孕激素会加重牙龈疾病，进而使得口腔状态很糟糕，不利于长期的怀孕进程。另外，有研究发现，牙龈疾病和一些妊娠期并发症有密切联系。所以，在你急于要宝宝之前，抓紧时间保证口腔处于健康状态。同时，拍X光片、补牙及牙科手术都要在怀孕前完成，避免留在妊娠期解决。

查看家族病史。认真研究你和配偶的家族病史。及时发现家族病史中是否有医疗问题、遗传性疾病和慢性病至关重要。例如：唐氏综合征、黑蒙性白痴，镰状细胞性贫血、地中海贫血、血友病、囊性纤维化、肌肉萎缩症、脆性X染色体综合征等。

检查孕史。如果你之前有过任何妊娠期并发症、早产史、最近一次怀孕流产，或者曾多次流产，一定要告诉医生，以采取一切有效措施防止再次出现此类情况。

如果有必要，进行遗传筛查。同样，咨询医生并结合你的民族背景进行常见遗传性疾病的筛查。比如，如果夫妻双方中任何一方来自高加索地区，尤其要注意筛查囊性纤维化；如果夫妻双方有东欧犹太人、法裔加拿大人，则需要注意筛查黑蒙性白痴；非洲后裔发生镰状细胞性贫血的可能性较大；如果拥有希腊、意大利、东南亚人的血统，要注意筛查地中海贫血。

需要注意遗传咨询的人群还包括：曾经出现过产科相关问题者，比如两次及两次以上的流产、死胎、较长时期的不孕症，或者已育子女有出生缺陷。此外，近亲结婚也应进行遗传咨询。

常规检查。虽然每个孕妇都要进行许多常规检查，但记住，在拜访医生并检查家庭健康背景的同时，咨询一下你能否尽早接受这些检查。它们大都比较容易进行，常常抽一管血就

整理一下避免遗忘

看完这些你是不是意识到在精子和卵子结合前就已经有太多的注意事项？现在的你是不是已经觉得没有头绪、不知道从何开始？做记录吧！记下在选择产前医生的时候需要问什么问题；完整地记下你的个人病史、家族病史，以及其他一些有用的信息，制订一个造人的长期计划。

可以完成，却可以排除很多重要的疾病：

● 血红蛋白（血色素）或者红细胞压积。可以判断你是否贫血。

● Rh 因子。检查血液中的 Rh 因子是阳性还是阴性。如果是 Rh 阴性血，那么检查你的伴侣是否为阳性。（如果夫妻双方都是 Rh 阴性，就不用过多考虑 Rh 因子带来的烦恼了。）

● 风疹滴度。可以检查对风疹的免疫性。

● 水痘滴度。可以检查对水痘的免疫性。

● 结核（如果你居住在结核高发区需要特别注意）。

● 乙型肝炎（如果你是高风险人群要特别小心，例如医疗工作者、没有经过免疫接种的人群等）。

● 巨细胞病毒抗体。检查你是否对巨细胞病毒（参考第 495 页）免疫，如果发现感染巨细胞病毒，通常建议 6 个月后再考虑怀孕。

● 弓形虫滴度。如果你养猫，并且它经常在户外活动，爱吃生肉或不常见的肉类；如果你经常在花园里劳动且不戴手套，要注意进行弓形虫感染的相关检查。如果检查证明你已经对弓形虫免疫，从现在起就不必担心弓形虫的影响了。如果还没有免疫，立即采取预防保护措施（参考第 82 页）！

● 甲状腺功能。甲状腺功能对怀孕影响很大。如果你正患或曾患甲状腺疾病，或有甲状腺家族病史，或者出现了甲状腺疾病的相关症状（参考第 178 页和第 521 页），甲状腺功能检查非常重要！

● 性传播疾病。所有孕妇都需要进行性传播疾病病原体检查，包括：梅毒、淋病、衣原体、人乳头状瘤病毒、艾滋病病毒。怀孕前进行这些检查更好（预防人乳头状瘤病毒感染，可以注射疫苗，参考第 10 页）。为了安全起见，即使非常确定你不可能感染这些疾病，也仍然要进行相关检查。

治疗。如果任何一项检查显示需要治疗或调理，确保在怀孕前完成。同时也考虑配合医生处理掉无足轻重的择期手术，以及你曾拖延下来的所有药物治疗。为了不妨碍怀孕和孕期进程，现在也正是时候治疗相关的妇科疾病，包括：

● 子宫息肉、纤维瘤、囊肿，以及良性肿瘤。

● 子宫内膜异位症（即本应只出现在子宫里的正常子宫内膜组织出现在体内的其他部位）。

● 盆腔炎。

● 反复发作的尿路感染，以及其他感染性疾病，例如细菌性阴道炎。

● 性传播疾病。

升级免疫系统，增强抵抗力。如果在过去 10 年内你没有注射破伤风白喉联合疫苗，现在去注射吧。如果你知道自己没患过风疹，也没有对它产生免疫，或者检查结果显示你没有对风疹免疫，去注射麻疹－腮腺炎－风疹三联疫苗吧。注射后一个月就可以尝试要宝宝了（如果稍早了一点意外怀上宝宝，也不用太担心）。如果检查结果显示你从未患过水痘，或者你是乙肝高危人群，也建议你在怀孕前采取免疫措施。如果你不足 26 岁，建议注射人乳头状瘤病毒疫苗，不过你需要在怀孕前系统地接受完 3 次注射，所以请根据实际情况合理计划。

控制慢性病。如果你患有糖尿病、哮喘、心脏病、癫痫或其他慢性病，确保怀孕前咨询医生，在怀孕前要详尽地了解和监控身体状况。如果你没有照顾好自己的身体，从现在开始，好好照顾自己并调整好自己的状态！如果你患有先天苯丙酮尿症，怀孕前就应该开始严格的无苯丙氨酸饮食，并且整个妊娠期都继续坚持。尽管这听起来让人非常难受，但对宝宝未来的健康状况至关重要！

如果需要过敏原注射脱敏治疗，现在就开始好好配合医生吧（现在就开始脱敏治疗，怀孕后可能需要继续治疗）。另外，我们都知道抑郁症会影响受孕，所以要保证开心、健康的怀孕之旅，如果有相关症状也需要在孕前接受治疗。

准备停止节育措施。扔掉最后一盒避孕套和子宫帽吧！如果你采用的避孕方式是避孕药、阴道避孕环或者避孕贴，一定要和医生沟通。对于使用激素避孕法的人，通常建议将怀孕计划推后几个月，在停止激素避孕后至少让你的生殖系统重建两个自然周期，而在这些等待的日子里，请使用避孕套避孕。当然，也有人认为这无关紧要，你可以在有了要宝宝的想法之后就开始尝试。但要注意，不管怎样，等到你的生理周期恢复正常，开始正常排卵，通常需要几个月甚至更多时间。如果你使用避孕环避孕，请在试图怀孕前取环。此外，在停止注射甲羟黄体酮避孕针后耐心等待 3~6 个月再试图怀孕（一般女性在停止注射甲羟黄体酮避孕针后平均需要 10 个月才能怀上宝宝）。

改善饮食。尽管现在还没到“一人吃两人补”的阶段，但为了怀宝宝的计划，现在就开始改善饮食一点也不早。最重要的是，一定要保证现在就开始每天坚持摄取足量叶酸。坚持摄取足量叶酸不仅可以显著提高生育能力，还有研究显示，女性怀孕前和妊娠早期的饮食中含有足量叶酸可以明显减少胎儿患神经管缺陷（如脊柱裂）和早产的可能性。粗粮和绿叶蔬菜都含有很多叶酸，不过现在部分细粮在制作过程中也加入了叶酸。目前，科研人员推荐孕前每日叶酸摄入量应不少于 400 微克（参考第 106 页）。

你还应该尽量少吃垃圾食品和

高脂肪食品，尽量多吃一些粗粮（全麦制品）、水果、蔬菜及低脂乳制品（对于胎儿骨骼发育很关键）。可以根据本书的建议制订一份妊娠期食谱作为基础饮食方案（参考第5章），以平衡饮食摄入。但在怀孕前，应该注意每天只摄入2份蛋白质、3份钙和不超过6份的全麦制品，而且完全没有必要再额外摄入其他食物以增加热量（如果孕前你还有瘦身计划，需要从食谱中去掉部分食物以减少热量摄入）。根据本书建议的准妈妈饮食原则，你需要调整饮食结构中鱼肉所占的比例（参考第118页）。但是千万别不吃鱼肉，因为它是宝宝发育过程中非常重要的营养来源。

如果你有一些不太健康的饮食习惯（例如周期性断食），曾患或正患有饮食失调症（例如神经性厌食症或神经性暴食症），或者正采取特殊饮食（例如素食、长寿食谱、糖尿病饮食等），一定要及时告诉医生。

服用孕期维生素。即使你一直吃很多叶酸含量高的食物，依然建议最好在怀孕前2个月起每天再补充400微克叶酸。此外，研究表明，女性在怀孕前或妊娠期前几周每天都服用含10毫克维生素 B_6 的复合维生素，在妊娠期恶心呕吐的概率更小。补充剂中还应该包含15毫克锌，以增加生殖能力。不过怀孕前要停服其他的营养补充剂，因为某些营养的补充过犹不及。

检查你的体重。体重过重或过轻都会降低怀孕概率，而且怀孕后体重问题会大大增加妊娠期并发症的风险。所以，必要时请在怀孕前适当调整饮食中的热量比例，并确保循序渐进而合理地进行——虽然这有可能意味着怀孕计划将会推迟几个月。还有，营养不平衡的饮食（包括低糖饮食、高蛋白饮食）会使怀孕困难，还有可能造成营养不良，不利于开始妊娠计划。如果你最近进行了比较极端的节食，在打算怀孕前要正常饮食几个月，以帮助身体恢复平衡。

保持身材，也保持冷静。好的锻炼计划不仅可以让身体进入怀孕轨道，还可以锻炼肌肉使你可以胜任接下来的怀孕和分娩过程，帮助你减去多余的体重。然而，也不要做过头了，过量的运动（尤其是如果过量的运动会导致你过于苗条的话）会影响排卵。你应该知道，如果不排卵，怀孕就无从谈起了。所以，在制订运动计划时，一定要保持冷静：注意持续升高的体温会影响怀孕（所以尽量避免泡热水澡、桑拿，避免直接接触加热垫和电热毯）。

检查你的药品柜。妊娠期使用某些药物非常不安全。如果你正在服用某种药物（不管是常规用药还是偶尔服用，包括所有处方药和非处方药），请咨询医生，看看这些药物在怀孕前

两个人的努力

当然，这段时间你们可能在身体上前所未有地亲近，但是感情呢？当你们努力去形成完美结合体的时候（精子和卵子的结合），是否忽略了其他方面重要的结合（夫妻双方的感情）？

当两性生活成了你们的第一要务，当性更多地成为一种功能而不是消遣和放松，更多地成为一种需要完成的任务而不是刺激的享受（甚至前戏都会变成匆匆跑进浴室检查你的宫颈黏液），你们之间的关系有时可能会变得有些紧张。其实完全不必这样，事实上，夫妻关系可以比以往更健康和谐。当你们试图怀孕的同时，请保持良好的感情联系。

外出游玩。过来人都会用经验告诉你，现在正是你和另一半外出游玩的时候——就算不出城游玩，至少也要走出房门进行户外活动。一旦宝宝出生，你们所有的休息时间就屈指可数了。（产假？应该更像产后值班吧！）所以，好好利用难得的小假期吧，可以把它当成第二个蜜月。没有时间休假？周末尝试一些新活动吧，当然最好是一些怀孕后不太方便进行的活动（骑马、漂流，哪个更适合你）。喜欢两个人一起进行一些更安静的活动？周末下午去逛逛博物馆、看一两部午夜场电影、或者挑选一家你们最喜欢的餐厅共进晚餐，餐后随便散散步（可别散步到婴儿用品店里去）。

加速浪漫。排卵试纸和想要宝宝的压力会使性生活变得像一项艰难的工作。所以多增加一些闺房之乐吧，别墨守成规，试着让两个人的关系升温——一件性感的睡袍、一部情欲电影、一两件成人玩具、尝试一下新体位（当肚子大起来之后就要面对更多挑战了）、一个新地点（例如在餐桌上），或者采用新招数（用热奶油巧克力代替冰激凌涂在对方身上）。觉得在熟悉舒适的环境里没有冒险的刺激？在月光下散步，在烛光中晚餐，在壁炉前拥抱，这一切都能给你们的浪漫加温。

保持同步。担心另一半对股市曲线比对你的基础体温图更感兴趣？感觉他已经对要宝宝这件事厌烦了？放轻松，事实上，他对你的排卵周期没有多大热情，他路过婴儿用品店时不像你一样每次都那么激动，这并不能说明他不像你一样渴望宝宝的降生，也许仅仅因为他是个男人（心态轻松平和而不容易紧张激动），也可能因为他把怀孕的压力都放在了自己身上（因为他不希望你对此有压力），或者他的注意力都集中在了有宝宝之后的事情上（他长时间工作就是想给你们小巢里的每个人提供足够的食物）。不管是上述哪一种情况，请记住，愿意主动承担起家长的责任对你们双方来说都是非常巨大的一步——但你们是一个团队，将一起承担这个责任。保持同步，在你们试图要宝宝的时候一定要加强沟通。当得知对方就在自己身边时，你们都会感觉更好——即使会用稍有不同的方式达到这样的效果。

和孕期是否安全。如果你的常规用药不安全，现在应该及时用相应的药物代替。草药和其他类似药物也不应该占据药品柜里的重要位置。草药的确很天然，但天然并不意味着安全，而且很多常见草药，例如紫锥菊、银杏、贯叶连翘等都会妨碍受精卵形成。除非有非常了解这些草药药性及其对妊娠影响的医生允许，不要服用任何这类药物和含这些药物的补品。

减少咖啡因的摄入。如果你正计划怀孕或者已经怀孕，其实没有必要完全戒掉心爱的拿铁（或者用脱咖啡因咖啡代替）。大部分专家认为，每天喝2杯咖啡（或者含等量咖啡因的其他饮品）不会有太多危害。但是，如果你的习惯量已经超过了这个限度，立即开始减量是明智的选择。部分研究已经证实，低生育力和摄入过量咖啡因有关。

减少酒精。喝酒前请三思。虽然每天一杯酒对备孕阶段并没有太大危害，但是摄入大量酒精会扰乱你的生理周期。而且，一旦开始尝试怀孕，十有八九会成功，所以强烈建议孕期别饮酒。

戒烟。你知道吗？吸烟不仅会影响生育能力，也会加速卵子老化。30岁吸烟者的卵子看起来就像40岁非吸烟者的卵子，使怀孕更困难，流产的可能性也随之增大。戒掉这个不良爱好不仅是你给未来宝宝的最好礼物，也会让怀孕更容易（参考第77～78页可以找到更多实用的戒烟办法）。

对违法毒品说不。大麻、可卡因、海洛因，还有其他一些非法毒品都会严重危害你的妊娠。这些毒品不同程度地妨碍受精卵形成。就算怀孕成功，它们也极可能对胎儿有害，造成流产、早产，甚至死胎。如果你有使用毒品的习惯，不论是偶尔还是规律性的，应该立即停止。如果你戒毒有困难，请在试图怀孕前寻求帮助。

避免接触不必要的射线。如果因为必要的医学原因需要进行X射线检查，注意保护好你的生殖器官（除非它们是检查对象），同时与医生沟通，尽可能选择最低辐射程度的射线。

准确测定排卵期

知道何时排卵是受孕的关键。下面是一些帮助你推断排卵期的办法——也就是你们每一次“造人运动”的合适时间。

查看日历。排卵通常会发生于月经周期的中间。从本次月经开始到下次月经第1天，称为1个月经周期，平均1个月经周期为28天。不同的人的月经周期有很大差别（从23～35天不等）。而对同一个人来说，每个月的月经周期也有细微的差别。在日历上记录几个月的生理周期，就可以了解自己正常生理周期的情况（当你怀孕后，这份日历还可以帮助你估算宝宝的发育时间）。如果你的周期不太规律，就需要对其他一些排卵症状保持警觉，发现自己的排卵期。

测量体温。坚持记录基础体温可以帮助你推算出排卵期（为了测量基础体温，需要购买一个体温计）。基础体温是指清晨经过至少3～5小时的睡眠醒来，在你起床、说话之前测出的体温。基础体温随整个生理周期而变化，记录下这些变化，曲线最低点就是你的排卵日。根据体温曲线，基础体温会在排卵后一天之内突然上升（大约0.5℃）。记住，绘制基础体温曲线图不能帮你预测排卵的发生，只能在排卵2～3天后证明已经排卵。几个月之后，它会帮你看出生理周期的大概变化，从而帮助你于未来的几个周期中预测自己的排卵期。

检查你的内裤。另一个可以提示你排卵的征象是宫颈黏液的性状变化：量增多、黏稠度增加（它会让你的内裤变得非常黏而潮湿）。一般在月经结束时宫颈黏液不会有很多，甚至一点都没有。随着生理周期的变化，你会注意到分泌的宫颈黏液逐渐增多，外观逐渐变白，可以用手指拉断。当接近排卵日的时候，宫颈黏液进一步增多，变得更加稀薄，呈乳白色，用手指可以拉出细丝。这是排卵前的另一个征象，也是你们应该离开卫生间开始在床上忙活的时候。一旦排卵，你的分泌物又将会减少或者浓度升高，阴道可能变得干燥。将宫颈位置、基础体温的变化情况画在一张表上，宫颈黏液是非常实用的工具，帮助你推算哪一天最有可能排卵——这将大大帮助你们及时完成计划。

了解你的宫颈。当一个卵子即将从卵巢里释放出来的时候，身体会感受到激素的变化，做好准备以迎接一群精子进入，让卵子在最佳条件下受精。预示卵子即将释放的一个信号是宫颈本身的位置。宫颈是连接阴道和子宫的颈状通道，分娩时会拉伸以让宝宝的头部通过。在生理周期的开始阶段，宫颈处于低位、质地比较硬，同时宫颈口关闭。当排卵期到来时，它会拉向高位，并且会轻微变软，同时宫颈口会适度开放以方便精子进入去往目的地。部分女性很容易感觉到这种变化，但大部分女性较难发现这种感觉。如果你决心尝试一下，可以每天都用一两个手指轻轻检查自己的宫颈，并在表格上记录检查结果。

身体的报告。有 20% 的女性在排卵时身体会给出信号。排卵日时，她们的下腹部会产生轻微疼痛和肌肉痉挛（通常发生于排卵一侧）。这种疼痛叫做排卵痛，是卵子成熟后从卵巢中释放出来的结果。

排卵试纸。排卵前最后一种达到分泌高峰的激素是促黄体生成素。通过测量促黄体生成素的水平，排卵试纸能够提前 12～24 小时告诉你排卵日期。你需要做的就是将排卵试纸放入清洁的尿液里，并等待它显示你是否即将排卵。

感应腕表。检测你是否怀孕的利器，就是戴在手腕上以检测汗液中氯离子、钠离子、钾离子含量的腕表。在每个月的不同阶段，汗液中这些电解质的含量都在变化。相对于检测雌激素和促黄体生成素来说，这种感应腕表通过汗液中的氯离子来预测排卵,可以提前 4 天预测你的排卵日期。而标准排卵试纸只能提前 12～24 小时预测。使用这种最新科技手段的要求是必须确定你的基本电解质水平，也就意味着需要一直佩戴这种腕表至少 6 个月，以获得一个准确的基线。

一点唾液。另一种排卵预测办法是唾液检验。唾液检验通过测定唾液里的电解质含量来预测排卵。排卵的女性可以在唾液检验的专用显微镜下看到自己的唾液结晶类似羊齿植物或霜状。不是所有女性都可以看到典型的“羊齿植物结果”，但由于这种检测手段可以反复利用，相对排卵试纸来说会便宜一些。

一旦你打算怀孕，每次做 X 射线检查时都告诉做检查的技师你可能怀孕了，并要求他们采取一切必要的防护措施。

避免环境污染。某些化学物质在大剂量使用时会危害你的卵子，进而影响到发育中的胎儿。虽然大多数情况下，卵子受到污染的风险非常小，甚至有待证实，但是在工作中要注意远离可能有害的环境。在特殊场所(例如医院、画展、摄影展、交通工具上、农场、景区、建筑工地、美容美发店、干洗店和某些工厂）工作需要采取特殊保护措施。在一些情况下，如果条

关于怀孕的误解

你一定听过很多老人的说法和现在网上流传的如何更容易怀孕的秘方吧。下面我们就一些典型的说法来分析一下是否合理。

秘方 1：天天做爱会减少男方的精子数量，使怀孕更困难。

真相：尽管这个说法曾经被人们深信不疑，但是近期研究表明，相比在其他时期天天做爱来说，排卵日前后每天做爱的确可以稍微提高怀孕的可能性。可见，性生活次数多明显能提高怀孕的可能性。

秘方 2：男士穿平脚内裤可以增强生育能力。

真相：科学家们在男士穿平角内裤和三角内裤哪个会更有利于生殖这个问题上展开了很多讨论，但是似乎大部分专家们都认为，男性更偏爱穿哪种内裤基本对生殖能力没什么太大影响。然而，从某个角度来说，还是应该给睾丸留下足够多的空间透透气，让它们保持凉爽（参考第 18 页）。

秘方 3：男上女下体位最有利于精子到达它们的目的地。

真相：排卵前后，宫颈黏液变得稀薄而有弹性，成为精子完美的媒介，帮助它们游过阴道、穿过宫颈、到达子宫，最后和输卵管里等待的卵子结合。除非精子运动出现障碍，否则无论你们采用什么体位都不会影响它们到达自己的目的地。当然，做爱后也可以躺下来休息会儿，以防精子们尚未起跑就被抛出了阴道。

秘方 4：润滑剂有助于精子搭顺风车到达卵子处。

真相：这句话完全说反了。润滑剂会改变阴道内的 pH 值，这样的环境并不利于精子存活。所以，在怀孕的任务完成之前请暂停使用润滑剂。

秘方 5：白天做爱有利于更快受孕。

真相：清晨的精子水平的确比较高，但目前尚没有临床证据支持白天做爱可以增加怀孕概率。（如果你们喜欢午饭前好好来一场的话，别停下！）

件允许，应该在怀孕前申请换到别的岗位或者采取特殊保护措施。

怀孕时，孕妇体内的血铅含量高会对宝宝造成危害，如果你曾经因工作环境或其他原因（例如饮用水的水源地或家庭居住地等）暴露在高铅环境下，要进行血铅含量检测（参考第 83 页）。同样，注意避免过度暴露于其他来自家庭中的毒素。

做好财务计划。要宝宝的代价是

昂贵的。和配偶一起重新评估你们的财务状况，并制订一项更合理的财务计划。作为这项计划的一部分，应该仔细考察自己的医疗保险是否涵盖了产前保健、分娩和宝宝保健的花销。如果保险日期有特定要求，不妨稍稍推迟你们计划的怀孕日期。对于一些想更换保险的夫妻来说，最好在怀孕前变更，因为一些保险业务会把怀孕当做重要的限制条件。如果你们还没有相关保险，现在也是时候挑选一份合适的了。

制订工作计划。仔细研究孕期的相关劳动权益。如果你正打算换工作，可能需要考虑换一份更方便在家办公的工作，这样就不必挺着大肚子去面试了。

开始做记录。熟悉自己每个月的生理周期及排卵征象，可以帮助你及时要宝宝（参考第 14 页）。同样，记录同房时间也可以帮你们推算出怀孕时间，从而很容易估算出预产期。

耐心点。记住，健康的 25 岁女性平均需要 6 个月的尝试才能受孕，随着女性年龄的增加，怀孕需要的时间也相应延长。同时，如果配偶的年龄较大，需要的时间也较长。所以，如果没有很快怀上宝宝，千万别给自己压力，你们需要做的就是继续开开心心地尝试，同时给自己留下至少 6 个月的时间，如果还不成功再去咨询医生或生殖方面的专家也不迟。如果你已经超过 35 岁，可以在尝试 3 个月尚未怀孕成功的情况下咨询医生。

放松。这也许是所有环节中最重要的一步。毋庸置疑，即将怀孕的你会非常激动，同时可能会感到紧张，但紧张的情绪会影响受孕。学着做一些放松运动、冥想，并尽可能减少日常生活中的压力。

写给准爸爸们：怀孕前的准备

作为准爸爸，你不需要立即提供未来宝宝的衣食住行花销，但在怀孕的过程中却有至关重要的贡献。以下准备工作可以帮助你们尽可能健康地怀孕。

就医。虽然你不是怀宝宝的人，但在有宝宝之前，你也需要做详细的检查，毕竟生一个健康的宝宝需要两个健康的成人共同参与。彻底的体检可以发现任何不利于怀孕的身体状况，例如睾丸未降、睾丸囊肿或睾丸肿瘤。同时，如果患有慢性病，也可以及时得到控制。例如，抑郁症如果得不到良好控制，就会影响生育能力。记住咨询医生你正在服用的药物（包括所有处方药、非处方药、草药）会不会对生殖方面有副作用。一些药物会引起男性勃起功能障碍和精子数量减少——这都是你们打算要宝宝时不希望发生的。

如果需要进行遗传筛查。如果你

的配偶要去做遗传筛查，跟她一起去。尤其是有家族遗传病史或有患病可能性的人更不能忽略这一步。

改善饮食。你的营养状态越好，精子就越健康，你们怀孕的概率也会相应增大。应该准备一份健康而营养平衡的食谱，包含足够的新鲜蔬菜和水果、全麦制品（或其他粗粮）及瘦肉。为了确保每天摄入足量的重要营养素（尤其是维生素C、D、E，锌、钙等会影响生殖能力和精子活力的元素），计划怀孕期间你需要每天服用复合维生素矿物质补充剂及叶酸——准爸爸缺乏叶酸也会降低生育能力，同时会增加胎儿出生缺陷的可能性。

审视自己的生活习惯。虽然还没有最终定论，但已有科学研究表明，男性在怀孕前使用毒品（也包括过量酒精）会妨碍妊娠或导致出现不好的妊娠结果。有证据表明，使用毒品和每天酗酒会对精子结构造成明显损害，同时减少精子数量，改变睾丸功能，降低睾酮水平（在你们试图怀孕时绝不想看到这样的结局）。怀孕前一个月大量饮酒（每天两杯或者任何一天喝了5杯以上）也会影响宝宝的出生体重。这里对一杯的定义是：啤酒（酒精含量约5%）360毫升；葡萄酒（红葡萄酒或白葡萄酒，酒精含量约13%）150毫升；烈酒（威士忌，酒精含量约45%）45毫升。而且请记住，你减少饮酒或者彻底戒酒的行为也会对配偶产生正面影响，如果她也有饮酒的习惯会很容易和你一起戒掉。当然，如果你在戒毒或戒酒方面有困难，现在就应该寻求帮助。

保持正常体重。体重指数（BMI）过大的男性患不育症的可能性明显高于体重正常的男性。体重指数是根据身高和体重计算出的衡量身体肥胖程度的一个指标。研究发现，超重9千克就会增加10%的不育可能性。所以，在试图怀孕前请检查自己的体重是否正常。

戒烟。不要再找任何借口了！吸烟绝对会减少精子数量，并且使怀孕更困难。另外，戒烟有利于每个家庭成员的健康，因为二手烟对于其他家庭成员的危害并不亚于吸烟对你的危害。事实上，吸烟会增加未来宝宝患新生儿猝死综合征的风险。

注意别中毒。含铅量高的东西和一些有机溶剂（比如一些油漆、胶水、指甲油和金属去污剂）、杀虫剂和其他化学物质都会影响男性的生育能力，在备孕阶段应该尽量避免接触这些物质。

保持生殖器官凉爽。睾丸温度过高会影响精子产生。其实它们比你全身上下任何一个器官都更喜欢凉爽的环境，这就是它们天生就长在外面的原因。所以，尽量避免泡热水澡和过热的淋浴、桑拿、电热毯和紧身衣（例如紧身牛仔裤）。也尽量少穿合成纤维材质的贴身内裤，天气热的时候它们会将你捂得更热。笔记本电脑尽量别放在腿上使用，它散发出来的热量会导致你的阴囊温度升高，从而减少精子数量。成功怀孕前把笔记本电脑当成台式机来用吧！

保障生殖器官的安全。当你剧烈运动时（包括足球、橄榄球、篮球、曲棍球、棒球、骑马等），记住带好保护装备以保护生殖器，不要因此影响了生育能力。骑太久自行车都有可能引发问题：一些专家认为，长时间骑自行车时，自行车座会对生殖器产生持续的压力，从而损害动脉和神经。如果你曾经感到生殖器有麻木感、针刺感等不适症状，可以考虑给自行车换车座，或者在骑自行车的时候间断性地离开车座站起来骑，这些都是你们在备孕阶段减少自行车影响的有效方法。生殖器麻木不是正常现象，如果麻木感(也包括针刺感等不适症状)持续，需要及时就医。

放松。在你考虑要宝宝时应该已经有了很多想法和心理准备，然而在真正实施行动之前，你已经有了一份待办事项清单去做好孕前准备，但是也别忘了花点时间放松一下自己。压力不仅会影响你的性欲和床上的表现，也会影响睾酮水平和精子产生。你担心得越少，你们就越容易怀孕。放松尝试吧！

第 2 章　你怀孕了吗？

可能你的月经晚来了一天，也可能晚了 3 周。可能到目前为止，你的所有症状就只是月经没有如期而来，也可能是肚子（确切地说，是消化道）已经开始有了反应——你会感觉自己的消化系统里有东西在长大，就像烤箱里正在膨胀的面包一样！也许迄今为止，宝宝只给了你月经没来这一个信号，或者你已经出现了怀孕该有的所有症状。你可能已经为了要宝宝做了 6 个月甚至更长时间的准备，当然也可能因为 2 周前那个晚上你们第一次没有采取任何避孕措施同房而怀疑自己是否“中奖”了，又或者你们尚未开始积极地行动……总之，不管是什么原因促使你买了这本书，都会好奇地问：我怀孕了吗？好的，请继续阅读解决你的疑问吧！

你可能关心的问题

早孕征象

“一个朋友告诉我，她在做早孕测试前就感觉怀孕了。究竟有没有办法尽早知道是否怀孕了？”

需要一个阳性结果证明你怀孕了？唯一可以尽早知道结果的办法就是进行早孕测试。并不是每个想成为妈妈的女性都会很快怀上宝宝，但早孕测试的确可以给已经怀孕的女性提供一些证据。尽管很多女性几乎没有任何早孕症状（或者妊娠几周之后才有感觉），但一部分女性认为她们很早就能发觉自己怀孕后的细微变化。如果你有以下感觉或迹象，就该去买早孕试纸了：

乳房和乳头疼痛。你了解自己每次月经来临之前的那种疼痛感吗？怀孕后的乳房疼痛和它有几分类似。对于某些女性来说，在卵子和精子结合后会感觉乳房变得敏感，有胀痛或刺痛感，或者一碰就痛。这种疼痛感最早会在怀孕几天后发生（大部分女性在几周后才会有感觉），随着妊娠发展，这种感觉会越来越明显。

乳晕颜色加深。除了乳房疼痛之外，乳晕的颜色也会加深。怀孕几周后，乳晕颜色发生变化，甚至乳晕增大都很正常。这些现象是因为孕激素分泌增多，同时，随着孕激素在接下来的几个月里进一步增加，其他部位的皮肤也会发生相应变化。

鸡皮疙瘩？其实没这么夸张，但是妊娠早期你会留意到自己乳晕周围的小疙瘩数量增多、形状增大。在怀孕前，可能你根本没看到过这些小疙瘩，它们的学名叫“蒙哥马利结节”，长得很像鸡皮疙瘩，但实际上是一种腺体，可以分泌油脂以润滑乳头和乳晕。宝宝出生后如果你选择母乳喂养，当宝宝吮吸乳头时，你会发现这种润滑多么重要！上述征象又一次告诉你，身体正在提前做准备。

着床出血。一些女性在受精卵着床后会有少量出血。这种着床出血会发生于预期的月经之前（一般是怀孕后 5～10 天），看上去应该是浅粉或粉色（不会像月经那么红）。

尿频。最近马桶是不是快成了你的专座了？出现于妊娠早期的情况（一般发生在怀孕后 2～3 周）应该就是频繁小便。想知道为什么？翻到第 139 页看看原因吧。

疲惫。极度疲惫让你感觉筋疲力尽，反应超级迟钝。无论怎么描述这种感觉，你都会觉得身体是个累赘。随着身体开始为怀宝宝加速运转，你会越来越疲惫。

恶心呕吐。又一个理由让你恨不得搬到卫生间去住——至少在孕期最初 3 个月这个想法都不会消失。这个时期的恶心呕吐也就是所谓的妊娠期晨吐（要是真的只发生在早上该多好）。尽管你很可能在怀孕 6 周后才会出现这种感觉，但每一个刚怀孕的孕妇都会因此受到沉重打击。想知道确切原因请参考第 134 页。

嗅觉敏感。有一部分孕妇反映，她们怀孕后的第一个变化就是嗅觉变得敏感。如果你的嗅觉突然变得敏感，空气似乎都在告诉你怀孕的好消息。

胀气。感觉自己像一个会走路的浮标？在妊娠早期，胀气感会悄悄来袭，然而你很难区别妊娠胀气和生理期胀气。现在时间还太早，不能认为这种胀气是胎儿发育造成的，你可以把这笔账算到激素分泌的头上。

体温升高。如果你每天早上都坚持记录基础体温，就会留意到孕期基础体温会升高 1℃左右，并持续保持这样的较高温度。虽然这不是一个万无一失的信号，但它也能帮助你确认孕期是否能继续发展。

停经。这一点太显而易见了。如果已经有一次月经没来（尤其是生理周期向来很规律），你就可以在早孕测试结果出来之前大胆地猜测自己怀孕了。

妊娠诊断

“我如何才能确定怀孕了？”

有的女性直觉非常灵，怀孕后很快就能“感应”到。但是除了这种非常规的诊断方法外，要精确诊断是否怀孕还要依靠现代医学。幸运的是，现今有很多医学方法可以帮助你判断是否怀孕：

家庭早孕测试。家庭早孕测试简单到取一点尿样就可以，而且自己在卫生间里就可以完成，非常简单便捷还很隐秘。早孕测试很快就能得出准确的结果，甚至在停经第一天就可以做（再等几天结果会更精确）。

早孕测试通过检测尿液中的人绒毛膜促性腺激素（hCG）来判断你是否怀孕，hCG 是一种由胎盘分泌的孕期激素。受精卵形成 6～12 天后会在子宫着床，进而形成胚胎，几乎在胚胎形成的同时，hCG 就存在于血液和尿液中了。只要尿液中检测出 hCG，早孕测试就可以得到阳性结果（理论上是这样）。然而早孕测试究竟能多早得到准确结果还有一些局限——它们的确很灵敏，但不总是那么灵敏。怀孕一周后尿液中的确已含有 hCG，但浓度尚不足以检测出来。所以，如果在你预期经期的 7 天前进行早孕测试，极有可能得到一个假阴性结果。

等不及要用验孕棒测一下？部分早孕测试能在下一次经期的 4 天前就获得 60% 的准确率。如果你不愿意赌一赌，那么耐心等待吧，等到停经第一天再用验孕棒，有 90% 的可能性获得准确的结果。如果再多等一周，准确率可以提高到 97%。不过无论你决定什么时候在家进行早孕测试，一个好消息是：这种测试方法的假阳性率比假阴性率低很多，也就是说，一旦检测结果是阳性，那就是阳性。另一个好消息是：因为早孕测试能在妊娠早期给你准确的结果（至少会早于你去咨询医生或者过来人），你就可以很早开始积极地照顾自己。然而，测试后续的相关医疗措施也要跟上。如果测试结果是阳性，要再抽血检查确认，并进行完整的产前检查。

验血。更为成熟的血检在怀孕后一周就可以 100% 准确地测出你是否怀孕了，而且只需要几滴血。根据血液中 hCG 的确切数量，甚至可以帮助你推算确切的怀孕日期，因为随着妊娠进展，hCG 值在不断变化（参考第 144 页了解更多关于 hCG 水平的知识）。许多医生会参考尿检和血检两个结果来确诊是否怀孕。

体检。体检也可以确认妊娠。它通过查看你身体的怀孕征象来确定怀孕。怀孕征象包括：子宫变大、阴道和宫颈颜色变化、宫颈质地改变等。不过，现在有了准确的早孕测试和血检，体检显得无关紧要了，但第一次早孕测试和开始规律的产前检查仍然非常重要（参考第 26 页）。

生理周期不规律者的早孕测试

你的生理周期不太规律？那么对于你来说安排测试日期会比较困难。毕竟，如果你从来都不确定哪天可能会来月经，又怎么可能知道自己下一次经期从哪天开始，从而推算自己应该哪天做早孕测试？对于生理周期不规律的人来说，最好的办法就是多等一段时间，大概相当于之前 6 个月最长的一次生理周期的时间。如果到那时测试结果是阴性但月经仍然没有来，那么一周后再测一次（如果实在等不及，几天后再测也可以）。

弱阳性线

“早孕测试的结果是弱阳性，我到底有没有怀孕呢？”

早孕测试能得到阳性结果的唯一原因是你体内有足够多的 hCG。而体内出现 hCG 的唯一原因就是你怀孕了。所以，无论测试中得到的那条线多么不清楚，只要出现了线就意味着你怀孕了。

但为什么这条线这么不清楚呢？为什么不像你期待的那样明显而清晰？这和你选用的早孕试纸有很大关系（一些早孕试纸比另一些灵敏度要高），同时也取决于你做测试时怀孕了多久（hCG 水平会随着怀孕进展而升高，所以如果你测试得比较早，尿液里自然只有少量的 hCG）。

查看早孕试纸外包装的说明可以知道它的灵敏度有多少。判断灵敏度的方法是看它最少能测出多高浓度的 hCG，单位是毫国际单位 / 升（mIU/L），该数值越低说明其灵敏度越高（例如 20mIU/L 比 50mIU/L 的早孕试纸更灵敏，可以更早告诉你是否怀孕）。还有一点并不奇怪，一般灵敏度越高的早孕试纸价格也越高。

请记住，怀孕时间越长，hCG 值越高。如果你刚怀孕没多久（比如预期经期前后几天）就做了早孕测试，尿液中的 hCG 应该不足以得到强阳性线。等几天再测试一次，你一定会看到一条清晰的线，从而消除所有的疑问。

阳性结果消失

“我第一次早孕测试的结果是阳性，

但是几天后又测了一次却变成了阴性，而且我的月经虽然推迟了几天但还是来了。这是为什么？”

看上去你似乎经历了一次“化学性妊娠”（chemical pregnancy），即一次妊娠尚未开始就结束了。在化学性妊娠时，卵子已经受精形成了受精卵，并在子宫着床，但由于某些原因，它没有完全着床，不能发展为成功的妊娠，并以月经到来告终。虽然专家们估计有 70% 的妊娠都是化学性妊娠，但绝大多数经历过化学性妊娠的女性都没有意识到自己曾经怀孕了（因为大部分化学性妊娠都发生得很早，很多人还没有做早孕测试，生理上也没有相应的怀孕征兆）。通常，出现得非常早的阳性测试结果和推后的月经（晚了几天或几周）是化学性妊娠的唯一表现，所以如果早孕测试结果有变弱的趋势，你可能经历了一次化学性妊娠。

从医学角度来看，化学性妊娠更像一次正常的生理周期而不是真正意义上的流产，只不过成功的妊娠没有经历这一周期而已。但是站在情感角度上，早孕测试已经得到了阳性结果的女性却不会这么乐观，眼睁睁看着即将成功的怀孕就这么失败了，你和配偶一定会感到不安。参考第 565 页关于如何应对流产的知识可以帮助你处理化学性妊娠的相关情绪问题。请谨记，你已经成功地怀孕，所以很快再次怀孕的可能性极大，而且下一次怀孕的结局应该就是健康完整的妊娠。

阴性结果

“我觉得自己怀孕了，但是早孕测试的结果都是阴性。我该怎么办？”

你有很明显的早孕症状并且确信到觉得做不做测试都一样，结果却还是阴性，于是你不相信，一遍又一遍地做测试，做了 3 次都没有区别。同时，你也非常严格地遵照孕前要求：服用维生素、戒酒精饮料、戒烟、改善饮食，等等。但早孕测试并不是万无一失的，尤其如果测试的时间很早的话。你一定比早孕试纸更了解自己的身体。想知道自己的感觉是不是比试纸更精确，等一周后再测一次吧，也许现在只是时机未到。或者，也可以让医生给你验血，验血比尿检要灵

如果你没有怀孕……

如果早孕测试结果还是阴性，但你又迫不及待想快点怀孕，请根据第 1 章的要点积极做好孕前准备。充分的孕前准备可以帮助你在怀孕后得到更好的妊娠结果。

聪明地测试

早孕测试可能是你能采取的最简单的方法（不用研究其原理，但需要仔细阅读产品说明并按照要求操作，以保证测试结果精准）。下面这些注意事项似乎谁都知道，但是在检测结果快出来的兴奋之时（我会怀孕吗？我不会怀孕吧……），还是提醒你别忘记：

● 根据产品不同，你需要直接在验孕棒上排尿，或用容器搜集尿液后将早孕试纸放进去。大部分验孕棒都要求最好用中段尿，因为中段尿受到细菌污染的可能性较小。搜集中段尿的方法是：排尿时先尿 1～2 秒，憋住，然后再将验孕棒或搜集尿液的容器放在下方搜集后面的尿液。

● 如果测试有时间要求，请把早孕试纸放在一个平整的台面上，不让其受任何干扰，同时远离高温环境。一定要在建议的等待时间之后再去看检测结果，以防时间不够或时间太长，因为两者都会影响检测结果。

● 测试并不是必须用晨尿，但如果你测试得比较早（例如下一次经期之前），那么至少 4 小时没有小便后再搜集的尿液会得到更精确的结果（因为那时候尿液里会有更多的 hCG）。

● 检查观察窗的标志（根据产品不同，结果标志可能为水平线、垂直线或者圆圈，在数码验孕棒中还可能是闪烁的图标），说明测试有效。

● 下结论前要看仔细。你看到的任何一条线（粉红或蓝色的、阳性标志、数码验孕棒的读数等），不管你觉得它看起来多么不清楚，都意味着体内有了 hCG，也就是说开始孕育一个宝宝了。恭喜，你已经怀孕了！如果测试结果是阴性，而你的月经迟迟未来，建议多等几天再测，也许现在为时太早。

敏很多。

当然，也可能你只是有一些早孕体征和症状，却没有怀孕。毕竟，单单有体征或症状都不足以证明你怀孕了。如果测试结果一直都是阴性而你的月经又迟迟未来，让医生帮你检查一下，并排除其他可能引起你这些症状的生物学因素。如果所有客观因素都排除了，那么你的症状很有可能源于心理作用。有时候，思维活动会对身体产生不可思议的影响，当你太渴望（或太害怕）要一个宝宝时，甚至可以在没有怀孕的情况下出现怀孕的症状。

安排第一次就医时间

“我刚才做的早孕测试结果是阳性。应该什么时候去医院呢？”

良好的产前检查是生下健康宝宝的一个重要因素，所以不要拖延。一旦你感觉自己可能怀孕了，或者早孕测试已经有了阳性结果，应该尽快去医院。至于需要多长时间才能去医院当面见到医生，取决于当地的政策和交通状况等因素。有的医生可能马上根据你的时间安排检查，也有医生遵守常规，要孕妇怀孕6～8周后才安排第一次正式产前检查，还有些医生为女性提供产前咨询，以帮你进一步确认是否怀孕了。

即使你到怀孕一个多月时才去做第一次产前检查，并不意味着可以将照顾好自己和宝宝的任务推后。无论什么时候去医院，从你的早孕测试得出阳性结果开始，就应该扮演好孕妇的角色。你可能已经很熟悉一些基本的注意事项了（产前服用维生素、戒烟戒酒、改善饮食等），当你对于更好地完成妊娠过程有任何特殊问题时，不要犹豫，向医生咨询。你也可以提前购买孕期指导书籍解答疑问，书上一般会给出比较全面的建议，包括孕期饮食宜忌、孕期维生素的推荐剂量、安全的医疗检查等。

尽管等待检查很难熬，但是从医疗角度看，低危妊娠的孕妇第一次产前检查并不需要太早。如果这个等待阶段给你造成了太多焦虑，或者怀疑自己是高危妊娠（例如有流产史或异位妊娠史等），请联系医生看看能否早些检查（想知道更多第一次产前检查时都有什么内容，参考第128页）。

预产期

“医生告诉了我预产期，这个日期准确吗？”

如果分娩总是准确地发生在预产期那一天，情况会简单很多，但生活并不总是那么简单。大部分研究表明，只有1/20的宝宝真正出生在预产期那一天。因为正常的足月妊娠时间差异很大，从38～42周都有可能，但大部分孕妇最后的分娩日期都在预产期前后两周范围内，所以很多准父母仍然相信预产期。

这也是预产期之所以叫做“预”产期的原因，医生告诉你的日期只是理论上的估计值。它通常这样计算：末次月经日期的月份加9或减3，为预产期月份；天数加7，为预产期日。例如，你的末次月经是4月11日，往前数3个月，即1月；11日加7天，也就是18日。所以，你的预产期应该是1月18日。

这种日期估算方法对于生理周

期很规律的女性来说非常好用。但如果生理周期不规律，这样的估算就不实用了。例如，你经常 6～7 周才来一次月经，而现在 3 个月都没来月经了。通过早孕测试，你发现自己怀孕了，是什么时候受孕的呢？因为一个可信的预产期非常重要，你和医生都会想尽办法估算出一个。即使不能算出受孕时间，也不能确定上一次的排卵时间，下面仍有一些线索可以帮助你。

首先是子宫大小，在第一次产前检查的时候就会知道子宫大小应该和你的妊娠阶段一致。第二个线索是早期的超声检查，它可以帮你更精确地估算怀孕的时间（注意，不是所有孕妇都要做早期超声检查，有的医生会按常规推荐你做，但有的医生认为需要做的人群只有：生理周期不规律者，有流产史、妊娠期并发症，以及根据末次月经和体检无法推算出预产期者）。接下来，有一些标志性事件可以帮助你推算预产期：第一次听到胎心的时间（在怀孕 9～12 周的时候可以通过多普勒仪听到胎心），第一次感受到胎动的时间（16～22 周），以及每一次产前检查时的宫高（例如，怀孕 20 周的孕妇宫高平脐）。上述线索有一些帮助，但也不起决定性作用。只有宝宝确切知道自己的出生日期，但是……他不会告诉你。

选择并密切配合医生

我们都知道，怀孕必须依靠两个人的努力，但要想使一个受精卵转变成健康的宝宝平安降生，至少要 3 个人的通力合作——妈妈、爸爸和至少一名专业医护人员。假设你和另一半已经完成怀孕任务了，接下来要做的就是：为你的怀孕团队挑选第三名成员，并确保好好配合你选的这个人。

妇产科医生？助产士？

如何开始挑选最适合的医生来指导你的孕期？首先，你对能够满足需求的医疗从业人员要有一个大概的想法。

妇产科医生。你是在找这样一个人吗？一个受过专业培训的医生，能够成功地处理妊娠、阵痛、分娩及产后可能出现的方方面面的问题，包括那些最明显的问题和最隐蔽的并发症，那么你想要的就应该是一名妇产科医生。他不仅能够提供完整的产科护理，还能够处理你所有非怀孕时期的妇科健康问题（给你做子宫颈抹片检查、乳房检查等）。有些医生还可以提供常规医疗服务，因此可以作为你的主治医生。

如果属于高危妊娠，你应该非常需要，也想要一名妇产科医生。你甚至还想找一位专家中的专家，一位精通高危妊娠问题的专业妇产科医生，还要有母婴医护经验。有时你的妊娠看起来很正常，却仍然想找一名妇产科医生来照顾妊娠期的你（超过90%的孕妇会这样做）。如果你非常喜欢且尊重以前给你看过病的妇科医生，觉得非常适合你，怀孕后就没必要再找其他医生。但如果你以前没看过妇科医生，或者不能肯定以前的妇科医生是否真的适合做你孕期的指导医生，现在是时候四处寻觅一个适合的医生了！

助产士。如果你希望找到的孕期指导医生把你当做普通人（而不是病人），花很多额外的时间和你讨论身体状况，还包括你的感受、情绪，同时也给你一些营养建议和哺乳支持，分娩的时候更倾向于"自然的"阴道顺产，那么一名持有资格证的助产士应该是合适人选（当然也有很多医生符合这个要求）。助产士是专业医护人员，主要负责低风险孕妇的护理工作和无并发症的分娩工作，有的助产士在你分娩后会继续提供常规的妇科护理和新生儿护理。虽然助产士在很多国家也有权提供无痛分娩和一些减轻疼痛的医疗手段，并且有催产药物的处方权，但是她们参与完成的分娩却很少涉及这些。总的来说，由助产士参与的分娩，剖宫产率明显低于医生完成的分娩，而剖宫产后阴道分娩（VBAC）率相对较高。

选择沟通方式

如果你已经对选择产科医生还是助产士做出了决定，接下来就要选择在后续的医疗活动中哪种沟通方式让你感觉最舒服。下面是一些常见沟通方式的优缺点：

单个医生。在这样的模式下，医生独自负责你的产检等其他工作，当他不在或因为很忙顾不上你时，会找其他合适的医生暂时代替。产科医生一般是这样的模式；而助产士必须和一名医生合作。单个医生的主要优点是每一次检查都可以见到同一名医生，在分娩前你已经了解这名医生并感觉舒适放松。而最大的缺点是，如果分娩时你的医生恰好由于种种原因不能参与，就会有一个不认识的医生帮你分娩。这种单个医生的沟通方式有另一个缺点，如果在孕期中途你突然发现这名医生不太适合自己，又得重新开始寻找能满足需求的医生。

医疗小组。在这种模式下，两名以上有着相同特点的医生共同为孕妇提供服务。通常，他们会交替为你检查。小组沟通的好处在于：每次拜访不同的医生，你会对他们都有所了解，这意味着当你的阵痛越来越强烈，频率越来越快时，身边总有个熟悉的面孔一直陪着你，给你安全感。但是这种方式也有一个缺点，就是你不会同样喜欢两个医生，而且分娩时往往不

分娩方式的选择

如今，妊娠由始至终完全体现出个人选择的优势。当谈及分娩方式，会有太多的选择让你眼花缭乱。在医院是这样，离开医院你又会看到更多选择。

虽然对分娩方式的选择不应该成为你选择医生的唯一标准，但也确实有一定影响。下面给出一些供参考的选择，你可以咨询候选的医生的想法，看看有没有适合你的（记住一点：只有随着孕期发展，才有可能坚定地做出决定，很多决定只有到分娩的时候才能最终确定）。

产房。很多医院提供的产房让你可以从分娩到产后复原都只住在同一个房间（这样就不需要分娩前住一个病房，快分娩的时候又被轮椅推到别的地方了），而且宝宝出生后就可以睡在你身边。最好的一点是，这些产房非常安逸舒适。

一些产房只可以在你阵痛、分娩和产后短暂恢复时用。如果是这样，分娩结束大约 1 小时之后，妈妈们要从产房挪到产后病房，不再享受单独和家人待在一起的时间。而如果你足够幸运待在一个产房里度过阵痛、分娩和产后恢复的过程，从登记入院到出院这段时间都可以和宝宝待在一起。

大多数产房的布置都给人一种“医院如家”的感觉：柔和的灯光、摇椅、漂亮的壁纸、墙上抚慰人心的图画、窗帘和床等看上去像家具店样板间里的商品，而不是医院里的设施。虽然产房里的装备完全为低风险的孕妇分娩而准备，但房间里也有一些应对紧急情况的医疗设备，通常藏在门后的衣柜或是其他橱柜里。产床的前半部分可以升起，这样可以让产妇形成一种蹲或半蹲的姿势，床脚可以伸缩以给医护人员提供便利。分娩后，医护人员会更换床单，只是一转眼工夫，你就又回到了床上。很多医院和分娩中心在产房或其隔壁提供淋浴或盆浴设备，在你阵痛时能提供水疗放松。一些分娩中心和医院还有水中分娩（参考第 31 页）用的浴盆。很多产房为你的亲友团提供了休息用的沙发，有时候他们甚至可以在那里过夜。

一些医院的产房只面向分娩并发症风险低的孕妇；如果你不符合条件，还是需要选择传统病房，那里有更多现成的医疗设备。另外，剖宫产需要在手术室里完成。所幸，现在大多数产科病房也越来越人性化，在普通医院的病房里也能拥有轻松、亲切、没有外界影响的分娩过程。

分娩中心。分娩中心一般是独立机构（也可能附属于医院），它通常提供家庭式的、技术手段介入少的私人化分娩服务。你可以在独立的分娩中心得到一切产前服务：从医疗咨询到分娩培训、哺乳课程等。总的来说，大部分分娩中心会提供最舒适的分娩环境，有装修得很漂亮的私人房间，房间里有柔和的灯光、淋浴和盆浴设备，还提供厨房。分娩中心一般聘请助产士，但很多中心也会聘请随叫随到的产科医生，剩下的一般会建得离医院很近，以防紧急情况发生。一般的分娩中心不会配备胎心监护仪等辅助仪器，但肯定会准备常用医疗设施，例如静脉输液设备、急救氧气，以及新生儿急救设备等，以备抢救所需。尽管如此，只有低风险孕妇才适合在分娩中心分娩。

勒博耶分娩法。当法国产科医生费雷德里克·勒博耶第一次提出自然分娩法时，受到了当时医学界的怀疑。但是今天，他提出的很多旨在让新生儿更加平静地降生的建议成了产科的常规做法。现在许多产房都没有了以前认为必要的明亮灯光，这样做的依据是：柔和的灯光可以使宝宝更平缓地从黑暗的子宫转换到明亮的外部世界，减少他们的震惊和不安。如果新生儿没有自主呼吸，把他们倒提起来拍打的做法不再是分娩时的常规手段，人们更倾向于采用平和的方式帮助新生儿呼吸。在一些医院，脐带也不是马上剪断，而是等到妈妈见到宝宝时才把这根母子之间最后的生理纽带剪断。虽然勒博耶医生提倡的帮助新生儿适应从羊水到干燥环境的温水浴还不常见，但是把新生儿马上送到妈妈怀抱里的做法已经很普及了。

尽管勒博耶理论的很多做法受到越来越多的认可，但完整的勒博耶式分娩（包括轻柔的音乐、幽暗的灯光、给新生儿洗温水浴）并不普遍。如果你对这种分娩方式感兴趣，可以在见医生的时候咨询。

在家分娩。一些女性不喜欢住院，她们认为自己根本不是病人，没有理由住院。如果你属于这种情况，或者你觉得一个新生命的起点应该在家里，可以考虑在家分娩。这样做的好处是：宝宝会在家人和朋友的陪伴中来到一个温暖而充满爱意的世界。但坏处是：如果出现意外，手边一般没有紧急剖宫产或抢救新生儿的医疗设备。

根据美国护士助产士学会的说法，如果你想在家分娩，必须符合下面几项条件：

- 低风险妊娠。没有高血压、糖尿病或其他慢性病，没有难产史。
- 有一名医生或助产士参与分娩。如果你雇了助产士，同时还应该有一名医生在场（最好是你的产检医生，且与这名助产士共事过）。

●交通便捷。即使道路条件好、交通比较顺畅，也要保证家到医院的距离小于50千米，反之则应保证家到医院的距离小于16千米。

水中分娩。模拟子宫环境的水中分娩法在医疗机构中还没有得到广泛应用，但水中分娩让宝宝从温暖湿润的子宫过渡到另一个温暖湿润的环境中，为经历了分娩压力的宝宝提供熟悉的舒适感。宝宝出生后，医护人员会立即把他从水中抱出来放到妈妈的怀里。而且，因为宝宝没有接触到空气，还没有开始呼吸，所以水中分娩的宝宝很少有溺死的危险。水中分娩可以在家中进行，分娩中心和一些医院也提供水中分娩的选择。在分娩过程中，爸爸们也可以待在水中，从后面抱住妻子，给她支持。

只要医生和医院允许，大多数低危妊娠孕妇都可以选择水中分娩。但如果你属于高危妊娠，水中分娩就不是明智的选择。

如果找不到适合水中分娩的环境，也可以试着在浴盆里分娩。很多女性觉得水可以让自己放松、减轻疼痛、减少地心引力的作用，甚至还可以让生产过程更容易。一些医院和大部分分娩中心都在产房里配了浴盆。

会遇上喜欢的那个医生。同时，听到源于双方的不同意见也是一件有利有弊的事，可能会让你感觉安全可靠，也可能让你惴惴不安。

团队协作。一名以上的产科医生和助产士组成的团队为团队协作模式。优缺点类似于其他小组模式合作的情况。在这种方式下，好处是你可以用更多的业余时间和助产士交流，获得更多额外的信息。你可以选择由助产士指导分娩，而且一旦有危险情况发生，也会有医生在旁边时刻准备。

选择候选人

你已经想好需要什么样的医生，需要怎样的护理服务，到哪里才能找到合适的候选人呢？下面给出了一些好建议：

●你满意的妇科医生、家庭医生或内科医生。如果他们不提供分娩服务，也会推荐和自己有相似观念的其他医生。

●和你的性格、育儿理念相似的朋友或同事，如果她们最近生了宝宝会给你很好的建议。

●当地的产科护士。

●当地社区保健站的工作人员，

分工式分娩

虽然这种分工式分娩还不普遍，但一些医院已经有这样的趋势了。一些产科医生厌倦了长时间在办公室里或长期熬夜来接生，他们认为疲劳会影响工作质量，于是开始寻找更好的工作方法。不少产科医生只在医院里工作，仅参与分娩，他们没有固定的办公室，也不会在孕期为孕妇做检查。如果你的产检医生告诉你分娩工作将由这样一位"分娩医生"完成，别担心，先问问医生他们是否一起工作过，也可以向医院申请一份专门负责接生的医生档案，确保在分娩时这位医生对你来说不是陌生人。同时，让参与分娩的人熟悉你对分娩的看法。

如果你对这样的安排不满，赶紧换一位医生。但是，即使分娩有几名医生参与，到分娩的那一天，产检时经常出现的那名产科医生也不一定能参与。记住，"分娩医生"只参与分娩，他们会尽可能为你的分娩提供最好的护理，一般是轮班工作。

他们会提供很多医生的信息，例如谁生过宝宝，他们的医学背景、专长、特殊习惯、从医风格和资历等。

● 如果你对母乳喂养的知识非常感兴趣，可以联系国际母乳会当地分会。

● 附近医院或分娩中心的配套设施很重要。例如，产房是否带浴盆，是否允许母婴和爸爸同室，有无新生儿重症监护室。还应该打听清楚从业医生的名字。

做出选择

如果你知道了想选择的医生名字，打电话和他约个时间见面。要有备而去，问他一些问题，看看你们的育儿理念是否一致，个性是否可以融洽相处。不要期望在任何事情上都观点一致，因为即使是最和谐的合作关系也不会这么完美。注意观察，理解对话中隐藏的内容：这名医生/助产士是不是好听众？会不会耐心解释情况？他们是否既重视生理问题又重视情绪问题？现在是时候搞清楚这位候选人对你关心的问题的态度：例如分娩是采取无医疗手段介入、还是按需用药缓解疼痛、关于母乳喂养、是否催产、是否使用胎心监护仪和常规静脉输液、剖宫产问题，以及其他对你来说很重要的问题。知识就是力量，了解医生的行医风格能保证将来不会发生不愉快的意外。

和医生第一次见面最重要的事

就是：让医生知道你是哪种人，表明你对怀孕和分娩的看法，可以从他的回应上判断，他是否能与你和睦相处，是否会对你负责。

你也应该知道一些医院或分娩中心的情况，看看这家医院是否提供对你较为重要的一些特色设施，比如有没有足够的“一站式”产房，让你产前产后都在同一个房间？是否支持母乳喂养？是否提供水中分娩？有无最新的胎儿监护设备和新生儿重症监护室？在产检程序上是否足够灵活？是否允许陪产？

最后决定之前再考虑一下，这名医生是否让你信任？怀孕之旅是你人生中最重要的经历之一，必须要有一个信得过的向导。

充分利用医患关系

选择合适的医生只是第一步，下一步就要和医生建立良好的关系。以下是一些建议：

● 实话实说，让医生对你妇科、产科及其他方面的病史有准确而完整的了解。如果有饮食失调症或其他特殊饮食习惯一定要告诉医生。如果正在服药或者曾经服用过药物——无论是处方药还是非处方药，无论是合法药物还是非法药物，无论是出于治疗需要还是消遣，以及你是否吸烟喝酒，是否有其他病史或手术史，都要对医生坦诚相告。

● 如果两次就诊之间有什么问题和疑虑但不需要立即解决，就用一张纸记下来，下一次就诊时带过去咨询医生（随身携带电脑，或将便笺纸放在随手可及的地方，例如冰箱门上、钱包里、办公桌和床头柜上，这样可以随时做简单的记录），确保在下一次就诊时不会遗漏问题或症状（如果不记下来，一定会忘掉一些事，你很快会发现孕妇是多么健忘）。每次去医院时，除了带着这些问题，还要带笔和记事本以记录医生的建议。如果医生没有主动提供你需要的所有信息（治疗的副作用，何时停服之前开的处方药，出现问题何时复查），离开前一定要询问清楚，这样回到家才不会存疑。可能的话，和医生快速核对一下你的笔记，确保记录内容准确无误。

● 如果有什么疑惑，打电话给医生。出现了某种让你害怕的症状？某种药物或治疗似乎引起了一些不良反应？不要一个人坐在家里担心，拨电话给医生（如果医生喜欢在线解决非紧急问题，也可以发邮件）。虽然不必每一次盆腔疼痛时都要打电话或发邮件，但如果看这本书时有问题不能解决，又等不及下一次就诊，一定要毫不犹豫地给医生打电话。不要害怕你的担心听起来非常愚蠢，医生和助产士对准妈妈的大量问题做好了准备，他们知道第一次做妈妈的人问题尤其多。咨询医生时，一定要说清楚你的具体症状，准确描述疼痛发生的部位、持续的时间、什么感觉（剧痛、隐痛，还是绞痛），以及疼痛程度。如果可以的话，告诉医生做什么动作疼痛程度会变化（比如改变体位）。如果出现阴道分泌物，向医生描述它的颜色（鲜红、暗红、褐色、粉红色还是黄色），分泌物何时出现，程度如何。同时也要向医生汇报一下伴随的症状，比如高烧、恶心、呕吐、寒战或腹泻等（参考第 143 页“何时给医生打电话”）。

● 了解最新的信息。阅读育儿杂志，浏览有关怀孕知识的网站。但也要认识到一点：不要相信所有你看到的东西。尤其在今天这个年代，媒体总会在很多医疗技术还没有证实其自身的安全性和有效性时就已经抢先报道了；或者有时候会报道一些没有证据支持的孕期禁忌，让准妈妈们担心。在看到或听说一些产科方面的新东西时，咨询一下医生是否听说过，他是你最可靠的信息源。

● 当你听说的和医生告诉你的不相符，就去咨询一下，听听他的看法。不要以一种挑衅的方式询问，平和的口吻可以让你和医生坦率交流。

● 如果你怀疑医生可能误解了一些事（比如你有宫颈机能不全史，但医生却说没有问题），直接说出来，因为即使医生拿着体检表，他也不能保证对你的病史和个人背景记得一丝不差。作为妊娠保健团队中的一员，你有责任避免错误发生。

● 寻求解释。对于医生给你开的药，要搞清楚其潜在的副作用。此外，确保你知道为什么要做某项检查，检查都包括什么项目，有什么风险，何时通过何种方式才能知道检查结果。

● 把问题写下来。如果医生没时间回应你所有的问题和担心，提供一份问题清单，问问医生你能否过后打电话或发邮件，又或是在下次就诊时得到答案。

● 遵循医生的建议，例如就诊时间、体重增加情况、卧床情况、服药和维生素等问题。

● 记住良好的自我保健是孕期护理的重要组成部分。一旦你发现自己怀孕了，照顾好自己，保证充足的休息和运动，饮食得当，远离烟酒和非处方药，从准备怀孕就开始这样做会更好。

这样你就不会忘记了

在你阅读本书时可能想时常做些记录：简单记下妊娠期的症状，以便和医生共同讨论；记下这一周的体重，以便和下一周的作比较；记下应记的信息，以便你能记住所有应记的东西。

● 如果一些事让你对医生产生牢骚或不满（例如每次候诊时间太长，或者自己的问题没有得到清楚的回答)，尽量用一种温和的方式说出来。如果任问题发展，最终只会损害你们的关系。如果你觉得你和医生之间的问题通过良好的沟通也无法解决，请联系当地的卫生机构寻求帮助。

如果你觉得自己不能按医生说的做，或者不能接受他推荐的治疗方式，说明你和这位要在孕期和分娩时照顾你和宝宝的人有分歧。如果是这样，或者由于其他原因你和医生的关系破裂，可以换另一名医生。

第3章　孕期档案

检查结果出来了，消息已经确定：你怀孕了！随着子宫增大，你变得越来越激动，关心的问题也越来越多。毫无疑问，很多问题是你正在经历的让人发狂的症状，但也有很多问题与你的“私人孕期档案”有关。什么是“孕期档案”？它是你妇产科病史和基本医疗史的汇总——换句话说，就是你的怀孕背景。第一次产检时，医生就会和你讨论怀孕背景（它的确会对接下来的妊娠过程产生很大影响）。同时，本章将教你观察并评估自己的孕期档案，看看它会对长达9个月的妊娠期造成多大影响。

本章内容并非全部适合你——因为每一个孕妇的孕期档案都是独一无二的。在你接下来的阅读中可以选择适合自己的部分，跳过不需要的内容。

你的妇科病史

避孕时怀孕

“我在服用避孕药的时候怀孕了。因为不知道怀孕，后来又吃了一个多月的药。这会影响我的宝宝吗？”

理想的情况是，停止服用口服避孕药以后，至少等一次正常的生理周期后再试图怀孕。然而，怀孕不会总发生在理想状态下，偶尔有的女性也会在服用避孕药期间怀孕。尽管你可能已经看了药品说明书上非常吓人的警告，但其实没什么可担心的。现在并没有充分的证据证明，女性在口服避孕药期间怀孕会给宝宝带来很大风险。如果需要更大的信心支持，把你的情况告诉医生，相信会得到安心的答案。

“我在使用杀精避孕套的时候怀孕了，而且直到发现怀孕之前一直在用杀精剂。我很担心宝宝会有出生缺陷。”

没必要担心使用杀精避孕套、杀精子宫帽，以及单独使用杀精剂期间受孕会对宝宝有影响。目前没有证据表明使用杀精剂和胎儿出生缺陷有关，这一点你可以放心。事实上，最新且最具说服力的实验证实，即使在妊娠初期反复使用杀精剂，也不会增加宝宝出生缺陷的概率。所以，即使你觉得怀孕有些意外，还是好好放松下来享受孕期吧。

“我一直戴着节育环，最近却发现怀孕了，怎样做才能有一个健康的孕期？”

避孕期间怀孕是让人有些不安，但事情的的确确发生了。戴节育环时受孕的概率很低，大约1‰，并且和使用的节育环类型、放置的时间长短，以及放置的方式是否正确有关。

如果低概率事件发生了——戴节育环期间怀孕，你有两个选择，并且要尽早告诉医生，听听他的意见：是取出节育环，还是将它继续留在体内？哪种决定对你最有利要看医生能否通过检查看到节育环上的拉绳，那条拉绳是方便取环时用的。如果看不见拉绳，那么你的妊娠过程极有可能不会受什么影响。随着羊膜囊增大，节育环会被推向子宫壁，分娩时一般会随胎盘娩出。但如果节育环的拉绳在妊娠早期就能通过检查看到，感染的风险就大大增加。这种情况下，一旦确认怀孕，就应该尽早取出节育环，使妊娠更安全、更成功。如果不移出节育环，很可能会流产，移出后流产风险就降到了20%。如果你觉得这个概率还不够保险，请记住，在所有已知的妊娠中，流产率是15%～20%。

如果在孕期前3个月都保留节育环，要特别警惕出血、抽搐和发热，因为节育环未取出会导致你属于孕早期并发症的高发人群。如果出现这些症状，赶快告诉你的医生。

子宫肌瘤

“我患子宫肌瘤有几年了，一直没出过什么问题。现在怀孕了，会有什么影响吗？”

子宫肌瘤不会成为你顺利怀孕的障碍。事实上，多数情况下，长在子宫内壁的小型良性肿瘤根本不会对妊娠造成影响。

有时候，一些患子宫肌瘤的孕妇会感觉腹部有压迫感或疼痛感。如果你有这样的感觉，没什么好担心的，但还是建议你告诉医生。一般4～5天的卧床休息和安全的止痛药可以减轻症状。

偶尔，子宫肌瘤也会轻微提高一些并发症的风险，例如胎盘早剥、早产、臀位分娩，但只要做好预防措施，这些小风险就会进一步降低。和医生讨论一下，以便进一步了解一般孕妇的子宫肌瘤情况及可能的风险。如果医生检查后觉得你的子宫肌瘤会影响阴道分娩，他可能会建议你选择剖宫产。很多情况下，即使是较大的子宫肌瘤也能随着妊娠发展、子宫增大而为宝宝让出位置。

“几年前我通过手术摘除了几个子宫肌瘤，会影响我这次怀孕吗？”

多数情况下，摘除小型子宫肌瘤的手术并不会影响以后怀孕。但是大型肌瘤的广泛摘除术会使子宫变得脆弱，无法承受分娩。如果医生回顾你的手术史，认为子宫也许无法承受分娩，就会计划实施剖宫产。你应该熟知早产的征兆，以应对在预定手术时间之前发生宫缩的情况（参考第351页），同时制订应急计划，临产时可以立即赶往医院。

子宫内膜异位症

“我多年来一直被子宫内膜异位症折磨，现在终于怀孕了。我的孕期会有什么问题吗？”

子宫内膜异位症患者通常面临两个挑战：怀孕困难和疼痛。现在你已经战胜了第一个挑战，以后也会越来越顺利，怀孕还会帮你战胜第二个挑战。

子宫内膜异位症的症状在孕期确实会减轻，这似乎是因为激素的变化。排卵停止后，异位的子宫内膜通常会变小、变软。有些女性的好转更明显，很多女性在整个孕期都没有出现什么症状。有些人却因为胎儿生长及胎动变强越发不适，尤其是胎儿踢打到子宫疼痛的地方时。幸运的是，子宫内膜异位症不会危及妊娠及分娩（如果你曾经做过子宫手术，医生会更倾向于选择剖宫产）。

不过，妊娠只会暂时缓解子宫内膜异位症的症状，不会治愈它。妊娠期和哺乳期过后（有时候更早一点），这些症状又会重新出现。

阴道镜

“一年前我曾经做过阴道镜检查和宫颈活检，现在我怀孕了，孕期会有风险吗？”

通常，在常规宫颈抹片检查发现有不正常的宫颈细胞后会进行阴道镜检查。这种简单的检查使用了一种特殊的显微镜，能更好地观察阴道和宫颈。如果在宫颈抹片里发现了异常细胞，医生会为你做宫颈活检或宫颈锥切术（即在受检部位取适量活组织，送到实验室进一步分析评估）、冷冻手术（将异常细胞冷冻起来）或子宫颈高频电刀环切术（LEEP 刀手术，医生会用一种无痛的电流帮你切除受影响的宫颈组织）。好消息是绝大多数做过这些手术的女性都能正常怀孕。但根据手术中组织切除量的不同，部分女性的孕期并发症风险可能升高，例如出现子宫颈机能不全和早产。确保产检医生了解你宫颈的情况，才能更好地指导你的妊娠。

如果你第一次产检时就发现了异常细胞，医生通常会为你做阴道镜检查，而活检和其他进一步的检查往往会延迟到宝宝出生之后。

人乳头状瘤病毒（HPV）

“生殖器感染人乳头状瘤病毒会不会影响我怀孕？”

在美国，生殖器人乳头状瘤病毒是最常见的性传播病毒，影响了超过75% 的性活跃人群。因为 HPV 很少引起明显的症状，而且通常在 6～10 个月自愈，所以很多人虽然感染了病毒，自己却不知道。

但是，HPV 有时也会引发症状。一些病毒会引起宫颈细胞发生变化（通过宫颈抹片可以检查出来）；另一些则可能引起生殖器疣（外观上可能是难以分辨的皮肤损伤，也可能是柔软的绒毛样扁平突起或菜花状肿块，颜色由灰色到深红色不一）。生殖器疣一般会出现在阴道、外阴、阴蒂和肛门附近。虽然大部分生殖器疣都不疼，但偶尔也会出现烧灼感、瘙痒甚至出血。生殖器疣通常会在几个月之内自愈。

那么生殖器感染人乳头状瘤病毒会对怀孕造成什么影响呢？幸运的是，基本没什么影响。但是，有些女性发现怀孕加重了生殖器疣的症状。如果你属于这种情况，且生殖器没有自愈的倾向，医生可能会推荐一些适合孕期的治疗方案。生殖器疣可以通过冷冻、电疗、激光等方法安全去除。但也有些情况需要将治疗推迟到分娩后进行。

如果你没有感染 HPV，医生也会检查宫颈，确认你是否有不正常的宫颈细胞。如果发现异常，分娩后他会为你做宫颈活检，以去除异常细胞。

因为 HPV 具有高度传染性，坚持一个性伴侣及安全的性生活是防止复发的最好方法。

疱疹

“我患有生殖器疱疹，宝宝会被传染上吗？”

其他性传播疾病

大部分性传播疾病会影响怀孕，这一点也不奇怪。幸运的是，很多性传播疾病都很容易诊断出来并得以治疗，即使在妊娠期也不用担心。然而，由于很多女性都没有意识到自己感染了这些疾病，所以疾病预防控制中心建议孕妇尽早接受下列常见性传播疾病的检查：衣原体、淋病、滴虫病、乙型肝炎、艾滋病病毒和梅毒。

记住，性传播疾病不会只发生在某个群体或某一阶层中。任何年龄的人，无论种族和民族，何种收入水平，居住在小城镇还是大城市，都可能患上性传播疾病。主要的性传播疾病有：

淋病。很久以来人们就知道，淋病会导致结膜炎和失明，使通过被感染产道出生的宝宝受到严重传染。因此，通常在第一次产检时，孕妇就要做常规淋病检查。有时候，尤其是患病的高危人群，妊娠期间还会反复检查。如果发现淋病感染，医生会立即使用抗生素治疗。治疗结束后，还会再做细菌培养，以确定孕妇完全康复。为了谨慎起见，医生还会在新生儿的眼睛里涂抗生素药膏。

梅毒。因为梅毒会引起多种出生缺陷及死胎，所以关于梅毒的检查通常也是第一次产检的常规项目。病毒通常会在怀孕 4 个月时到达胎盘，在此之前加以治疗，几乎可以阻止它对胎儿的伤害。非常喜人的消息是：近几年，母婴间的梅毒传播概率正在迅速下降。

衣原体感染。衣原体感染是最常见的母婴间传播的感染性疾病，对妈妈和宝宝都有潜在危害，因此孕期进行衣原体筛查很必要，而且过去曾有多个性伴侣的女性感染概率更高。大约一半感染了衣原体的女性都没有明显症状，所以不检查一般不会发现感染。

孕前或孕期及时治疗衣原体感染，就可以预防分娩时传染给宝宝(衣原体引起的肺炎大都症状较轻，而眼部感染有时会很严重)。虽然治疗的最佳时间是怀孕前，但是给患病的孕妇使用抗生素（常用的是阿奇霉素）也可以有效防止宝宝感染。出生后立即对宝宝使用抗生素药膏，可以防止宝宝感染衣原体、淋病，以及眼部感染。

滴虫病。滴虫病是一种由寄生虫引起的性传播疾病（也称毛滴虫病），症状是白带呈绿色泡沫状，有腥臭味且通常伴有瘙痒。不过，大约一半的患者没有任何症状。虽然滴虫病不会引起严重疾病或其他孕期问题（妈妈感染了滴虫病也不会对宝宝有太大影响)，但是出现的症状非常恼人。通常，只有当孕妇出现症状时才需要治疗。

感染艾滋病病毒。目前，艾滋病病毒检查已经成了孕期的常规检查。美国妇产科医师学会也认为，不论风险有多高，每个孕妇都应该做这项检查。孕期感染艾滋病病毒，对准妈妈和宝宝都是很大的威胁。艾滋病病毒检测呈阳性而未治疗的妈妈所生的宝宝，大约有25%会在出生后6个月出现感染。幸运的是，根据现有的治疗措施来看，情况还比较乐观。但是，在采取行动前，所有艾滋病病毒检测呈阳性的人都应该考虑复查（虽然检查的准确度很高，但有时也存在假阳性的情况，没有感染的女性也可能检出阳性结果）。如果第二次检查结果还是阳性，咨询有关艾滋病的知识及其治疗方案就非常必要。对于艾滋病病毒检查呈阳性的孕妇，可以给予齐多夫定或其他抗逆转录病毒药物来治疗。这些治疗可以明显降低母婴传播的风险，也没有有害的副作用。剖宫产（在宫缩开始和羊膜破裂之前）可以大大降低传染的危险。

如果你怀疑自己曾经感染性传播疾病，向医生申请做相关检查。如果检查结果呈阳性，一定要接受治疗（必要时包括你的伴侣）。治疗不但会维护你的健康，也会保护宝宝的健康。

孕期患有生殖器疱疹确实让人担心，但是绝对不用害怕。事实上，如果你和医生在妊娠期和分娩中采取保护措施，宝宝非常有可能安全健康地降生，完全不受疱疹病毒的感染。以下是你需要了解的知识：

首先，新生儿感染的情况很少见，如果妈妈在妊娠期再次感染（也就是说曾经患过疱疹），宝宝感染的概率仅有不到1%；其次，虽然妊娠早期的原发感染(第一次出现的感染）会增加流产和早产的风险，但这种感染并不常见。即使是面临极高感染风险的宝宝（妈妈在临产时突发第一次疱疹)，仍然有50%的概率幸免；最后，疱疹虽然是较为严重的疾病，但对新生儿的危害比过去小多了。

所以，如果你在怀孕前感染疱疹，宝宝受感染的风险很小。现在有良好的医护条件，宝宝感染的概率会更小。

为了保护宝宝，曾患疱疹和孕期疱疹复发的妈妈们通常需要服用抗病毒药物。而那些分娩时有活动性皮损的孕妇一般应该采取剖宫产。一旦宝宝受到感染，应该立即给予抗病毒药物治疗。

此外，分娩后即使处于感染活跃期，也可以通过适当的预防措施让宝宝不受病毒传染。

生殖器疱疹的症状和体征

疱疹的初发感染（即第一次感染）最容易传染给胎儿，所以如果你有以下症状，一定要通知医生：发烧、头痛、萎靡、持续两天以上的身体疼痛，同时伴有生殖器疼痛、瘙痒、排尿疼痛、阴道或尿道流出异物、腹股沟触痛、创面出现水疱后结痂。疱疹通常在2～3周内可以痊愈，但这段时期也是传染期。

你的产科病史

体外受精

“我是通过体外受精怀上宝宝的，我的孕期会和别人不同吗？”

恭喜你！其实，只要平安度过孕期的前3个月，在实验室而不是在床上怀上宝宝对孕期并没有太多影响。然而，你早期的妊娠过程还是和他人有些不同：因为一个阳性孕检结果并不能完全保证顺利妊娠，而如果怀孕失败再次体外受精，无论从精神上还是金钱上都是一种损失。而且，植入的受精卵能否发育为胎儿还不会马上知道，所以体外受精的孕妇在孕期前6周往往比其他大部分孕妇更伤脑筋。另外，如果以前尝试体外受精但流产了，做爱及其他体力活动会受限。作为预防措施，怀孕前两个月医生会给你开黄体酮安胎。

一旦这个阶段过去了，就可以和其他孕妇一样享受孕期生活——除非检查结果发现，你和其他30%的体外受精妈妈们一样怀了多胞胎。如果你正属于这种情况，请参考第16章。

第二次怀孕

“这是我第二次怀孕，会与第一次怀孕不同吗？”

两次妊娠并不会完全一样，谁也说不好这9个月与上一次经历有多少不同之处。当然，对于第一次怀孕与之后的怀孕过程来说，还是有一些共同点：

- 你可能会更快“感到”自己怀孕了。第二次怀孕的准妈妈可能更容易识别出孕早期症状并与之和谐相处，这些症状可能会和第一次怀孕有很大区别——例如，晨吐现象、消化不良和其他胃部不适症状可能更重（或更轻）；你可能更疲劳（如果第一次怀孕时你会打盹儿，现在可能想整天躺在床上），也可能感觉好一些（也许因为你太忙了，或是习惯了这种疲劳才感觉不出来）；尿频症状也可能发生变化（可能会出现得更早）。

有些症状会在第二次及以后的

怀孕中明显减轻，比如贪吃或厌食、乳房变大且敏感，以及担心（因为你已经经历过这一切，知道怀孕不必惊慌失措）。

● 你会更早显怀，因为腹部和子宫肌肉更松弛，所以与第一次怀孕相比，这一次你会更早“膨胀”起来。于是，你也会注意到自己和上一次怀孕有所不同，这个宝宝似乎比上一个大。这种腹部肌肉松弛的另一个后果是背痛和其他孕期疼痛可能会加重。

● 更早感觉到胎动。同样是因为腹部和子宫肌肉松弛，你很可能早在16周左右就感觉到宝宝踢你了。另一方面，毕竟以前经历过，所以当你有同样的感觉时就知道这是宝宝的胎动。

● 你可能不会太激动。并不是说你不期待宝宝的到来，而是你会发现自己的兴奋度（和那种想要告诉身边所有人这个好消息的冲动）不太强。这是一种正常的反应，丝毫不会影响你对这个宝宝的爱。要记住，肚子里的宝宝已经完全占据了你的身心。

● 你的分娩过程可能会更快、更轻松。腹部和子宫肌肉松弛终于给你带来一个好处了——得益于上一次分娩，相关部位肌肉的松弛可以使第二个宝宝出来得更快，这样每个产程的时间都会相应缩短，分娩时间也会大大减少。

你可能会犹豫如何把这个家庭新成员到来的消息告诉第一个孩子，实事求是、入情入理地以其能接受的方式告诉他，让他在你怀孕期间就完成从独生子女到哥哥 / 姐姐的角色转变。

“我上一次的怀孕和分娩过程十分完美。现在又怀孕了，我担心这次不会像上次那么顺利。”

你这次很有可能还会非常顺利地生下这个宝宝，对于已经顺利生下一个宝宝的你来说，身体条件会更适应这一次怀孕。而且，每一次怀孕你都有机会把握自己的幸运指数，只要在医疗护理方面、饮食、运动、生活习惯等方面坚持良好的选择，顺利产下这个宝宝的可能性就会相应增加。

重复的孕期经历

“我第一次怀孕非常不顺利——几乎经历了书上描述的所有症状。这一次我还会这么不走运吗？”

总的来说，第一次妊娠基本上预定了之后所有妊娠过程的基调，所有的怀孕过程都差不多。但比起那些妊娠经历较为舒服顺畅的女性来说，你可能不如她们顺利；然而，你那一贯不顺利的孕期也有很大希望得到改善。每次怀孕经历就像每个宝宝一样各不相同。例如，如果第一次妊娠中让你吃不消的症状是晨吐和贪吃，这一次只会让你稍有点不舒服。尽管运气、遗传因素和曾经有过的孕期症状与这一次的孕期感受密切相关，还是可以通过一些可控的因素对自己的孕期加以改变。这些因素包括：

健康状况。良好的身体条件让你的妊娠过程更舒服。

体重增加。体重稳定增长并控制在一定范围内（参考第171页）能够使你避免或最大限度减轻如下孕期不适：痔疮、静脉曲张、妊娠纹、背痛、疲乏、消化不良及气短。

饮食。虽然我不能保证，但是健康饮食（参考第5章）能够让每个准妈妈的孕期生活更舒适、更健康。饮食得当不仅可以使你避免或最大限度减少晨吐和消化不良的痛苦，还可以预防过度疲劳、消化不良和痔疮，防止尿路感染和缺铁性贫血，以及头痛。即使你在孕期仍感觉不适，健康饮食也可以最大程度为宝宝健康出生保驾护航。

健身。适量的运动能够全面提高身体素质。在第二次及以后的妊娠中，因为腹部肌肉变得松弛，准妈妈更容易受到各种疼痛（尤其是背痛）折磨，运动就更加重要。

生活节奏。紧张而忙乱的生活很多情况下会加重，甚至会引发妊娠期最折磨人的症状——晨吐，同时也会加重其他症状：疲乏、头痛、背痛、消化不良。寻求家人的帮助、从折磨人的事情中脱身出来、减少工作量、把不重要的事务暂时放在一边、学习放松技巧或练瑜伽都可以帮助你感觉好一些。

其他孩子。一些已经有孩子的准妈妈发现，因为要养育大孩子，她们在孕期几乎没有感到不适。但也有部分女性觉得，成天围着孩子转加重了自己的妊娠反应。例如送孩子上学、忙着做饭等压力较大的时候，呕吐症状会加重；因为没什么时间休息，疲乏感会加剧；如果你经常要拉着或抱着大孩子，要小心背痛找上门；你甚至会因为没时间上厕所而患上便秘；同时，如果大孩子病了，你患感冒或其他疾病的概率也会增加（参考第20章关于如何预防和应对疾病的建议）。

在需要照顾其他孩子的时候（第一次分娩结束后这种日子就开始了），把怀孕的身体放在第一位显然不现实。但要记得多花些时间照顾好自己——给大孩子读故事书的时候把脚抬高，孩子小睡的时候你也打个盹儿；如果没有时间坐下来好好吃一顿饭，也要养成健康的吃零食习惯；同时要学会接受身边人的帮助——别人的举手之劳可以帮助你减轻身体的负担，也大大减少了妊娠期的烦恼。

“我第一次怀孕时有严重的并发症。这一次也会那么辛苦吗？”

一次妊娠有并发症并不意味着下一次同样如此。一些妊娠期并发症的确会重复发生，但并不会每次都出现。一些并发症是由于某次感染或突发事故引起，一般不会复发。对于因为曾经的生活方式（吸烟、喝酒、吸毒），曾经处于有害环境中（例如铅），或者是妊娠初期没有及时寻求医生帮助而引起的孕期并发症，如果现在改变了生活习惯，一般也不会复发。如果是因为慢性病（例如糖尿病、高血压等）引起的并发症，在怀孕前或妊娠早期得到治疗或控制，就可以极大地降低复发的风险。请记住：即使上一次怀孕时的并发症有可能在这次妊娠中复发，及早检查和治疗也会让结果完全不同。

和医生谈一谈你上次怀孕时出现的并发症，看可以采取什么措施来预防复发。不管你面临的问题及其起因是什么，回答上一个问题的指导性建议都有助于你和宝宝更舒适、安全地度过孕期。

接踵而来的妊娠

“我生第一个宝宝后不到10周就意外怀孕了，这对我和现在这个宝宝的健康状况有影响吗？”

家庭壮大比你预想得早了一点？尚未从上一次怀孕的辛苦中完全恢复过来，就匆匆进入了下一次妊娠的旅程，你首先要做的就是放松，放松，再放松。虽然两次太近的妊娠会损耗准妈妈的身体健康，但仍可以采取很多措施帮助身体积极面对接踵而来的妊娠挑战：

● 得到最好的产前护理。一旦察觉到自己怀孕了，就立刻开始做好产前护理工作。

● 尽量吃好（参考第5章）。你的身体很可能还没有机会储备足够的维生素等营养物质，这会导致你营养不良——尤其在还需哺乳的时候，你需要尽可能多地摄入营养物质，以防你和身体里的宝宝营养不良，尤其需要注意铁和蛋白质的摄取（咨询医生是否需要服用相关补充剂），同时继续服用孕期需要的维生素。不要因为没时间或疲惫而少吃，健康的饮食能够帮助你以足够的营养应对繁忙的生活。

● 适当增加体重。新宝宝才不会在意你有没有足够的时间把上一次怀孕时增加的体重减下去。除非你的医生有特殊要求，这一次怀孕同样也要求你再次增重。所以，从现在开始，暂时放弃减肥计划吧。在严密监控下循序渐进增加的体重，尤其是通过高质量饮食增加的部分，分娩后常常很容易减下去——而且，今后你需要同时照顾一个蹒跚学步的孩子和一个嗷嗷待哺的宝宝，更容易减肥。仔细观察自己的体重变化，如果发现体重秤上的数字没有照常攀升，要密切关注摄入的热量，参考第 185 页有关增加体重的建议。

● 公平地喂养。如果大孩子是母乳喂养，你完全可以继续哺乳，只要觉得自己能胜任。但如果你在哺乳过程中感到筋疲力尽，可以考虑加配方奶混合喂养或是断奶。可以咨询医生再决定。如果你决定继续母乳喂养，要保证摄入足够的热量，以满足大孩子和肚子里宝宝的营养。同时，足够的休息也必不可少。

● 休息。你比一般人和新妈妈更需要休息。获得充分的休息不仅需要自己的决心，也需要配偶和其他人的帮助——他们应该尽量帮你承担家务、做饭和照顾宝宝的工作。将事情按轻重缓急排好顺序：当你的宝宝小睡时，立刻放下手头那些不太重要的工作和杂务，让自己躺下休息。如果不是母乳喂养，让宝宝的爸爸负责夜间的喂养工作；如果是母乳喂养，至少在凌晨两点那次孩子哭闹时，爸爸应该负责将宝宝送到你怀里。

● 运动。注意保持适度运动以增加活力，但不要过量而让自己感觉筋疲力尽。如果你已经忙得没时间规律地做妊娠期运动，可以借照顾孩子的时候活动一下身体。比如，将宝宝放在婴儿车里推着散步，选择提供育儿服务的俱乐部或社区中心，参加孕期运动课程或游泳。

● 消除或最大程度减少妊娠期风险因素，例如吸烟、喝酒等。你的身体和胎儿承受不了过多的压力。

拥有一个大家庭

“我已经第六次怀孕了，这会给我和宝宝带来额外的风险吗？”

幸运的是，对于你和孩子们来说——接受了良好产前护理的女性即便在第六胎也有很大概率收获健康、正常的宝宝。事实上，除了怀上多胞胎这样的小概率情况，你的这一次怀孕依然是一次愉快的旅程，绝不会比第一胎、第二胎情况更复杂。

尽情享受你的孕期和大家庭吧！但是，请注意以下事项：

● 休息——好好珍惜能休息的所有机会。也许你觉得怀孕这件事是小菜一碟，但这并不意味着你可以忽略休息。每一位孕妇都需要足够的休息，而对于需要照顾一个大家庭的孕妇来说，需要更多的休息时间。

● 寻求帮助——充分利用能获得的所有帮助，这将有助于你获得需要的休息时间。你的伴侣应该肩负起照顾孩子和家务方面的责任，你也可以教大一点的孩子变得更自立，给他们安排一些符合年龄又力所能及的家务活。对于那些不重要又不能推给别人的家务活，暂时放在一边吧。

- 吃好。需要照顾好几个孩子饮食的妈妈最常忽略的就是自己的饮食。不按规律进食和嗜食垃圾食品的习惯很快会对你产生不良影响，还会影响到即将降临的宝宝。所以，一定要多花点时间好好吃饭。吃点健康的零食是个好习惯，对怀孕的你非常有利。

- 观察你的体重。多次怀孕的妈妈在每次妊娠时都会再重几千克，这非常正常。如果你正是这样，要格外注意高效的饮食计划，并将体重控制在目标范围内。另一方面，也要注意不要因为太忙没吃饱而没有增加足够的体重。

流产史

“我曾经两次流产，会影响到这次怀孕吗？”

发生在怀孕前3个月内的多次流产似乎并不会影响到后续的妊娠。所以，如果你之前的几次流产发生在怀孕第14周之前，就不用过于担心。然而，孕期中间的3个月（第14～27周）多次流产可能会轻微增加早产的风险。不管你属于哪种情况，必须确保医生了解你的流产史。医生越熟悉你的妇产科病史，对你的护理就越好。

早产史

“我第一次怀孕的时候早产了。我现在已经摆脱了所有的孕期风险因素，但还是非常担心这次怀孕会早产。”

恭喜你，为了保证这次的孕期健康，你已经做了所有努力——宝宝很有可能按时出生。这是非常棒的第一步。当然，你还需要完成一些重要工作，这样才能最大程度地降低再次早产的概率。

首先，咨询医生关于预防早产的最新科研成果。研究发现，对于有早产史的女性来说，怀孕16～36周时注射黄体酮（或使用黄体酮栓剂）可以大大降低再次早产的概率。如果你有早产史，记得咨询医生黄体酮治疗

告诉医生

不论你的妇产科病史怎样，现在都不是隐瞒它的时候。向医生坦白所有的妇产科病史，这比你想象的重要得多。妊娠史、自然流产史、人工流产史、手术史，以及感染等一切可能对这次妊娠产生影响的经历都应该告知医生。医生对你的了解越透彻，你能得到的照顾就越多。

是否适合你。

其次，目前已经有两项筛查可以预测早产风险，你可以咨询一下医生哪项适合你。通常，这些检查只建议高风险孕妇做——因为阳性检查结果并不能准确预测早产，不过阴性结果却可以避免一些不必要的治疗，以及不必要的焦虑。胎儿纤维连接蛋白检测（fFN检测）会检查阴道里一种特殊的蛋白质，这种蛋白质在羊膜囊和子宫壁分离时才会出现，可以作为分娩的早期指标。如果你的fFN检测结果是阴性，说明在检测后的几周内不会发生早产。如果结果是阳性，说明发生早产的风险很高，医生接下来可能会采取措施延长你的孕期，同时帮助胎儿肺部做好准备，以应对可能发生的早产。

第二项筛查是检查宫颈的长度。在通过超声测量宫颈长度时，如果发现宫颈变短或者出现宫颈口打开的迹象，医生可能会采取一些措施来降低早产风险。比如，要求你卧床休息，或对怀孕不到22周的孕妇采取宫颈环扎术。

知识就是力量——知识能帮助你的第二个宝宝不要太快出生，这真是个好消息。

宫颈机能不全

“我第一次怀孕5个月时自然流产。医生说是因为宫颈机能不全造成的。我刚才做早孕测试得到了阳性结果，现在非常担心这次又出现同样的问题。”

好消息是：这种情况不会再次发生。因为在你第一次妊娠失败时医生已经诊断出了宫颈机能不全的病因，那么医生一定有办法阻止另一次流产。通过恰当的治疗和细心的观察，这一次你很可能会健康度过孕期，平安生下宝宝。（如果这次你换了医生，要将宫颈机能不全的病史告诉他，这样才能得到最好的照顾。）

宫颈机能不全是指随着胎儿和子宫的增大，宫颈口由于压力过早打开。据推算，每100例妊娠中会发生1～2例这种情况，10%～20%发生在孕中期3个月的自然流产也是因为同样的原因。引起宫颈机能不全的原因有很多，包括遗传缺陷、先前分娩造成、广泛性锥切活检（取宫颈细胞活检以确认是否发生癌前病变的一种检查）、宫颈手术和激光疗法等造成的过度拉伸或严重撕裂。怀上多胞胎有时候也会引起宫颈机能不全，但只要之后的妊娠只怀有一个宝宝就不会再复发。

当女性在孕中期的3个月自然流产，且流产前出现无痛的宫颈管逐渐消失（缩短、变薄），以及不伴随明显宫缩的宫颈口扩张和阴道出血，即

孕期档案和早产

告诉你一个好消息：宝宝出生于预产期后的可能性远远大于早产。早产（怀孕不足37周分娩）的概率只有12%，而且约一半的早产孕妇具有高风险因素，例如曾怀有多胞胎等。

如果孕期档案显示你有早产高风险，怎样才能预防早产呢？某些情况下，即使确认了一个风险因素，也不必采取措施，但有时则需要对可能引发早产的风险因素加以控制，或至少最大限度地降低其对宝宝的影响。尽量消除已知的风险因素，就可以大大提高宝宝安安稳稳待到预产期的概率。下面是一些可能引起早产的可控风险因素：

增重太少或太多。体重增加太少会提高早产的概率，但这不意味着要你增重过多。根据你的孕期档案适当增加体重能够给宝宝创造更健康的子宫环境，让他可以好好在里面待到预产期。

营养不足。让宝宝的生命有个最健康的开端并不在于你增重了多少——而在于通过健康的饮食来增重。缺少必需营养素（尤其是叶酸）的饮食会增大早产的风险；营养充足的饮食则可以降低这种风险。事实上，已经有证据证明，规律的健康饮食可以降低早产风险。

站立过久和重体力劳动。问问医生你是否应该减少平时站立的时间，尤其是妊娠晚期。一些实验研究证明，长期的站立及重体力劳动和早产有关。

情绪压力过大。有研究证明，情绪压力过大和早产有关。你可以采取措施去除导致压力过大的因素，或将其影响降至最低（比如辞去不健康的高压力工作），但有些压力不可避免（比如失去工作、家庭成员生病或死亡）。然而，许多压力还是可以通过放松技巧、合理的营养，以及向配偶、朋友、医生倾诉等方式来缓解。

喝酒和吸毒。孕妇摄入酒精或非法毒品会极大增加早产的可能性。

吸烟。妊娠期吸烟和早产风险增加有密切联系。最好在怀孕前戒烟或怀孕后尽早戒烟，但任何时候戒烟都为时未晚，远远好于不戒烟的情况。

牙龈感染。一些研究显示，牙龈疾病和早产有关。研究人员怀疑，引起牙龈感染的细菌直接进入血液循环，到达胎儿处，从而引起早产。另有研究人员提出一种新的可能性：导致牙龈感染的细菌实际上激活了免疫系统，并诱发宫颈和子宫炎症，从而引起早产。所以，做好口腔保健并进行日常牙科护理可以预防细菌感染，进而降低早产的风险。孕前针对已有的口腔感染进行治疗，可以降低各种妊娠期并发症和早产的风险。

宫颈机能不全。由于宫颈机能不全导致的早产可以通过超声严密监控宫颈长度或缝合宫颈来降低风险（参考第48页）。但不幸的是，宫颈机能不全一般只有在发生过一次晚期自然流产或者早产后才能被发现。

早产史。有早产史的女性再次发生早产的概率更高，如果你有这样的经历，医生一般会在孕中期和孕晚期给你开黄体酮，以防早产再次发生。

下面提到的风险因素是不可控因素，但某些情况下可以通过适当措施加以改变。知道这些因素存在可以帮助你和医生更好地控制风险，即使早产不可避免，最终结果也能得到极大改善。

多胞胎。多胞胎平均会提前3周出生（通常认为双胞胎的孕期应该是37周，也就是说提前3周生产根本算不上早产）。孕晚期保证良好的产前护理、理想的营养状况、去除其他风险因素，同时注意多休息少运动，这样可以避免过早分娩。更多信息参考第16章。

宫颈过早消失及扩张。有些女性会出现原因不明的宫颈管变薄及宫颈口过早张开的情况，最近的研究发现，这种现象有时与宫颈过短有关。妊娠中期对宫颈的常规超声检查可以发现有高风险的女性。

妊娠期并发症。妊娠期糖尿病、先兆子痫、羊水过多，以及胎盘问题（例如前置胎盘或胎盘早剥），都会增加早产的可能性。对这些病症尽量加以控制，可以延长孕期，让宝宝如期出生。

慢性病。一些慢性病，例如高血压，心、肺、肾脏疾病，糖尿病等都会增大早产风险，而良好的医疗调理和自我护理措施可以降低风险。

一般感染。某些感染（一些性传播疾病，子宫、宫颈、阴道、肾脏和羊水感染）会导致准妈妈成为早产高风险人群。如果该感染对胎儿有害，早产就是身体为了保护胎儿离开有害环境的一种自救措施。预防感染或迅速治疗感染可以有效防止胎儿过早出生。

孕妇小于17岁。青少年准妈妈是早产的高发人群之一。良好的营养状况和产前护理措施可以保证妈妈和宝宝都能健康发育，从而降低早产风险。

可诊断为宫颈机能不全。

为了保护这次妊娠，在妊娠中期的3个月（12～22周）的某一天，产科医生可能会为你做宫颈环扎术

（一种将已经打开的宫颈口缝合的小手术）。虽然最新研究对环扎术的效果提出了质疑，但很多医生还是会选择这个常规做法。然而更多情况下，医生会先做超声或阴道检查，确认你的宫颈管正在变短或宫颈口打开后，才进行手术。这种简单的手术在局部麻醉下通过阴道进行，术后12小时就可以恢复正常活动，但是此后的孕期禁止同房，而且要经常接受医生的检查。拆线时间取决于医生，也取决于你的具体情况，通常在预产期前几周可以拆线。如果孕期没有发生感染、出血、胎膜早破等情况，也会等到分娩开始再拆线。

在妊娠中期的3个月和最后3个月，一定要注意以下可能有问题的征兆：下腹部有压迫感、阴道流血或有带血的分泌物、异常尿频、或者感觉阴道有肿块。如果出现了上述情况中任何一种，立即通知医生。

Rh 血型不合

“医生说我的血型是Rh阴性，这对我的宝宝意味着什么呢？”

幸运的是，这种情况不太严重，而且你和医生已经了解这一情况，具备相关知识，只要采取一些简单措施就可以完全有效地预防Rh血型不合对宝宝带来的伤害。

Rh血型不合究竟意味着什么？为什么要采取预防措施？一点生物学知识可以帮助你快速准确地理解这一问题。身体每个细胞表面都有许多抗原，是一种天线状物质，其中的一种抗原就是Rh因子。可遗传的血液细胞中有时有这种因子（Rh阳性），有时没有（Rh阴性）。怀孕时，如果妈妈的血液细胞没有Rh因子（Rh阴性），而宝宝的血细胞因为遗传了爸爸的基因有Rh因子（Rh阳性），妈妈的免疫系统将视宝宝（及宝宝的Rh阳性血液细胞）为“外来抗原”。作为正常的免疫反应，母体将动员全身的抗体攻击外来抗原。这就是大家熟知的Rh血型不合。

所有孕妇在妊娠早期（通常在第一次产检时）都要做Rh因子检查，85%的孕妇Rh因子检测结果呈阳性。如果你也是这样，母子血型是否相合就不太重要，因为无论宝宝血型是Rh阳性还是阴性，他的血细胞都不会激活妈妈的免疫系统。

如果准妈妈的血型是Rh阴性，就要检测准爸爸的血液以确定是阳性还是阴性。如果恰巧也是Rh阴性，你们的宝宝就一定是Rh阴性（父母都是Rh阴性不可能生出Rh阳性的宝宝），这也意味着你的免疫系统不会把宝宝误认为“外来抗原”；但如果准爸爸是Rh阳性，宝宝就很可能遗传他的Rh因子，从而导致你和宝宝血型不合。

Rh 血型不合在第一次妊娠中通常不会造成什么问题。麻烦从第一次妊娠和分娩时（包括人工流产和自然流产）宝宝的血液进入妈妈的循环系统之后开始：妈妈的天然保护性免疫反应会产生对抗 Rh 因子的抗体。如果妈妈没有再怀上一个血型是 Rh 阳性的宝宝，这些抗体本身没什么危害，可一旦怀上了宝宝，抗体的危害就出现了。在后续妊娠中，这些新抗体可能通过胎盘进入宝宝的循环系统并攻击红细胞，引起或轻（妈妈抗体的浓度低）或重（妈妈抗体的浓度高）的溶血，并造成宝宝贫血。极少数情况下，妈妈第一次怀孕时就形成了抗体，这发生在宝宝的少量血液通过胎盘进入母体循环系统的情况下。

发生 Rh 血型不合时，保护宝宝的关键是防止 Rh 抗体发展。多数医生会双管齐下，在孕 28 周时，给血型为 Rh 阴性的孕妇注射类似疫苗的 Rh 因子免疫球蛋白（RhoGAM），阻止抗体扩散。分娩后，如果宝宝的血液检测呈 Rh 阳性，则要在 72 小时内再给妈妈注射一剂免疫球蛋白；如果宝宝的血液为 Rh 阴性，就不需要再注射了。对于有过自然流产、异位妊娠、人工流产、绒毛活检（CVS）、羊膜穿刺术、阴道出血，或妊娠期外伤的女性来说，也最好注射这种免疫球蛋白，这样可以有效预防分娩时出现问题。

如果 Rh 阴性孕妇上一次怀孕时没有注射免疫球蛋白，且检查发现体内已经产生了能够伤害 Rh 阳性宝宝的 Rh 抗体，就要实施羊膜穿刺术来检查宝宝的血型。如果宝宝血型是 Rh 阴性，妈妈和宝宝的血型相合，就不必担心治疗；如果宝宝血型是 Rh 阳性，和妈妈的血型不合，妈妈必须接受定期监控以观察抗体浓度。如果抗体浓度太高可能引起风险，就要通过超声检查评估宝宝的状况。如果宝宝的安全因为溶血症或 Rh 血型不合的发展而受到威胁，需要为他输 Rh 阴性血。

因为使用免疫球蛋白，怀孕时因为 Rh 血型不合而需要输血的概率大幅降低，甚至已经少于 1%。将来，这种救命手段也许可以创造医学史上的奇迹。

类似的血型不合还可能由其他因素引起，例如 Kell 抗原，但这种血型不合比 Rh 血型不合少见。如果准爸爸有这一抗原而准妈妈没有，就可能出现问题。第一次常规验血中的常规筛查会在妈妈血液中查找是否有循环的 Kell 抗体。一旦发现这种抗体，接下来会检测准爸爸是否为 Kell 阳性，采取的医疗手段与 Rh 血型不合的医疗方式相同。

你的医疗背景

风疹抗体水平

“小时候我接种过风疹疫苗，但产前检查却显示我的风疹抗体水平低。该不该为此担心呢？”

其实不用过于担心，这不是因为风疹不会危害未出生的宝宝（在孕期前3个月还是有危害的，参考第498页），而是因为它很难根治。美国疾病预防控制中心认为风疹不能根治，但如今大部分孩子和成人都已经或即将接种风疹疫苗，患病风险也大大下降了。

虽然在妊娠期内你可能不会接种疫苗，但在分娩后可能会接种新的风疹疫苗。请放心，即使你是母乳喂养，接种也是安全的。

肥胖

“我超重大概27千克，在孕期会给我和宝宝带来危险吗？”

大多数超重甚至肥胖的妈妈（肥胖的定义为体重超过标准体重20%）都可以非常健康地度过孕期，并生下健康的宝宝。虽然如此，肥胖常常会对健康造成威胁，这也是孕期不能掉以轻心的问题。怀上宝宝后，体重超标会增加妊娠期并发症的风险，包括高血压和妊娠期糖尿病。超重同时会带来一些很现实的妊娠问题：首先，如果不依靠超声检查的话，准确推算你的孕期会很困难，一方面是因为肥胖导致排卵不规律，另一方面医生用来估计预产期的传统标准（包括腹围、宫高、子宫大小、胎心等）已经因为你的脂肪层太厚而难以奏效。同时，脂肪也使医生很难判断宝宝的大小和胎位（对于你来说，很难感觉到宝宝第一次踢你）。肥胖的女性产下的宝宝通常比一般的宝宝大（即使妊娠期不过量饮食也是如此，尤其是患有糖尿病的女性），这样就可能导致难产。而

妊娠期的免疫接种

孕期的各种感染都会引发问题，所以你应该在怀孕前关注所有必要的免疫接种。大多数减毒活疫苗不建议在妊娠期内接种，包括麻风腮疫苗（麻疹、风疹、腮腺炎疫苗）和水痘疫苗。

孕期前3个月过后，你可以安全接种破伤风、白喉及乙型肝炎灭活疫苗。美国疾病预防控制中心还建议，所有孕妇都应该在流感季节接种流感疫苗。

关于哪些疫苗可以在妊娠期安全接种，以及你需要哪种疫苗（尤其是要出国旅游的人）等知识，请具体咨询医生。

且，一旦必须实施剖宫产，肥厚的腹部会使手术更复杂，术后复原更困难。

接下来，还涉及一个关于妊娠舒适度的问题，准确地说，是不舒服的程度。很不幸，随着体重增加，妊娠期不舒服的症状也在增加。体重超重（无论是孕前还是妊娠期超重）会带来更严重的背痛、静脉曲张、水肿、烧心及其他更多症状。

吓坏了？其实不必担心。你和医生可以采取很多措施最大程度地降低你和宝宝面临的风险，缓解不适——只是需要你付出更多努力。从医疗护理的角度看，相比其他低风险孕妇，你可能需要接受更多检查：在孕早期进行超声检查可以更精确地推算妊娠日期；孕晚期的超声检查可以确定宝宝的大小和胎位；你需要至少做一次葡萄糖耐量试验或血糖筛查，以确定是否有患妊娠期糖尿病的可能；同时，在妊娠末期，无应激试验和其他诊断性测试可以监控宝宝的情况。

对于你来说，良好的自我护理可以带来很大变化。去除所有可控的妊娠期风险因素（比如吸烟和喝酒），将体重控制在目标范围内意义非凡——你的孕期增重目标要比普通孕妇低一些，而且应受到医生的严密监控。美国妇产科医师学会建议，超重女性孕期增加的体重应介于7～9千克，肥胖者则不能超过7千克。

虽然增重的范围缩小了，但日常饮食必须包含足够的热量，也要包含足够的维生素、矿物质和蛋白质（参考第5章的孕期饮食部分）。日常饮食要重视质量，而不是数量，这样可以帮助你计算摄入的热量，也有利于你和宝宝从中得到最多的营养。妊娠期坚持服用维生素可以给你和宝宝的营养再加一重保障。（注意，如果曾服用抑制食欲的非处方药，怀孕后请停止服用——它们对孕妇来说非常危险；也包括那些号称可以抑制食欲的饮料。）在医生的指导下适当运动，可以保证你摄入更多自己和宝宝都需要的健康食物，又不会增重太多。

如果你计划再生一个宝宝，在怀孕前尽可能达到理想体重，这会使你更容易怀孕。

偏瘦

“我一直都很瘦，这会影响怀孕吗？”

无论是瘦的人还是不太瘦的人，怀孕都是一个吃好变胖的绝佳机会。但如果你在特别瘦的时候怀孕（BMI ≤ 18.5，参考第171页如何计算BMI值），就需要摄入更多食物——因为过瘦时怀孕可能有一些潜在风险（例如宝宝可能会成为小于胎龄儿[①]），如果准

①即宫内发育迟缓的宝宝，有大约10%的宝宝出生体重小于相同胎龄宝宝的平均体重，多数在2500克以下。——编者注

妈妈营养不足的话，风险就会进一步加大。不过，你可以通过良好的饮食（不仅包括足够的热量，也包括新鲜的蔬菜水果，它们可以提供瘦人缺乏的维生素和矿物质）、孕期补充维生素、适当增重等手段去除这些风险因素。根据怀孕时的体重，医生可能会建议你多增加一点体重——从13~18千克不等（一般女性的增重范围是11~16千克）。如果你的新陈代谢天生很快，增加体重就会很困难，参考第185页获取相关建议。只要你体重增加正常，孕期就不会遇到别的障碍了。

饮食失调症

“过去10年，我一直在和神经性暴食症作斗争。现在我怀孕了，觉得应该改掉这个坏毛病，但似乎做不到，这会伤害到宝宝吗？”

如果你立即寻求适当的帮助就不会伤害到宝宝。长年的神经性暴食症导致身体的营养储备非常低，一旦怀孕，你的身体和宝宝都会立即处于一个不利的情况。幸运的是，妊娠早期对营养的需求比妊娠晚期少一些，所以在营养不足的情况伤害到宝宝之前，还有足够的机会补救。

迄今为止，关于饮食失调症对妊娠的影响几乎没什么研究。这很大程度上是因为饮食失调症导致女性月经周期紊乱，从一开始就降低了怀孕概率。不过，目前已经有一些研究给出了如下建议：

- 如果饮食失调症得以控制，你也可以和其他人一样生下健康的宝宝。
- 让产检医生了解你的病情非常重要，即使过去出现过这种情况，也有必要告知医生。
- 对于患饮食失调症的人来说，咨询一下治疗这种疾病的专业人士是明智的选择，对于患有饮食失调症的孕妇来说更是非常必要。一个专业的援助组织也很有帮助（你可以上网查一下，也可以请医生推荐）。
- 如果继续服用那些治疗神经性厌食症和神经性暴食症的通便剂、利尿剂等药物，就可能危害宝宝的发育。它们会将体内的营养物质和液体排出体外，而这些物质会给宝宝提供养分，孕晚期还会形成奶水，如果经常服用这些药物，可能导致胎儿畸形。这些药物和任何其他药物一样，除非由医生开具，否则禁止服用。
- 孕期仍然暴饮暴食，而后又采取催吐等措施控制体重（即神经性暴食症活跃期）会增加自然流产、早产及产后抑郁症的风险。现在就改掉这些不健康的习惯能让你为宝宝和自己更好地提供营养。如果你遇到困难，记住立即寻求帮助。

● 妊娠期增重不足会导致一系列问题，包括早产或产下小于胎龄儿。

战胜饮食失调症吧，这样才能给可爱的宝宝提供营养——这是你应该做的第一步，也是最重要的一步。同时，也应该时时了解孕期增重的情况。

记住以下要点：

● 众所周知，孕妇的身材公认为是最美丽、最健康的。圆圆的形状是正常的，说明你正在孕育一个宝宝。为这美丽的曲线骄傲吧！

● 孕期应该增重。适当增重对宝宝的发育和健康状况至关重要。

● 通过合理饮食以适当的速度增重，才会让营养到达正确的地点（宝宝和维系宝宝生命的周边环境）。如果你一直保持在推荐的体重范围内（对于怀孕时体重过轻的女性来说，推荐的增重范围更大），宝宝出生后这部分体重非常容易减下去。通过有营养的饮食逐步适当增加体重可以保证你在产后更快恢复孕前的身材，并使宝宝更健康。

● 你让自己挨饿的同时，也在让宝宝挨饿，因为你是宝宝的唯一营养来源。如果摄入的营养都排出去了(用呕吐、泻药、利尿剂等方式)，宝宝发育所需的营养就不够了。

● 运动可以帮助你合理增重，同时将增加的体重分配到合适的部位上。但是你选择的运动项目一定要适合孕期进行（运动前先咨询医生），剧烈运动（及过量运动）会消耗过多能量，也让体温过度升高，所以应该尽量避免。

● 孕期增加的体重不会在分娩后几天就立即减下去。只要饮食合理，一般女性会在产后6周左右恢复到接近孕前的体重。如果要减去孕期增加的所有体重并恢复身材，需要更长的时间，还要配合运动。基于这个原因，许多患饮食失调症的女性对自己产后的身材感到沮丧，又一次出现暴饮暴食后催吐或断食等极端行为。这些不良习惯会妨碍产后恢复、让你不能专心照顾宝宝，还会干扰母乳分泌——所以，对于饮食失调症患者来说，产后继续寻求专业咨询和治疗非常重要。

你要记住最重要的一点：宝宝的健康状况取决于你孕期的健康程度。如果你营养不足，宝宝要获得营养更无从谈起。积极的心理暗示十分有用，可以试着找一些胖嘟嘟的可爱宝宝的海报，贴在冰箱、办公室、汽车等任何可以提醒自己应该健康饮食的地方，想象一下你吃的食物正慢慢地到达宝宝身边，宝宝正狼吞虎咽地享受着大餐！

如果不能停止暴饮暴食、呕吐、使用泻药和利尿剂，且在孕期只吃半饱，问问医生你是否可以住院治疗，让饮食失调症得到有效控制。

35 岁之后怀孕

“我现在 38 岁，怀上了第一个孩子，很多书上都说 35 岁之后怀孕很危险，我应该担心吗？”

35 岁之后怀孕使你进入了一个不断壮大的群体。近几十年来，女性在二十多岁怀孕的比例有所下降，而在 35 岁之后怀孕的比例几乎提高了 40%。虽然四十多岁的女性生下的宝宝数量相对较少，但近年来已经增加了 1/3。

如果已经超过 35 岁，你可能会意识到生命中没有什么事情是毫无风险的。如今怀孕的风险已经很小了，但会随着年龄的增长有所增加。然而，在合适的时间组建家庭，其中获得的好处将远远大于包含的风险，得益于医学的快速发展，这些风险已经大大降低了。

因为生育能力降低，这个年龄段的女性面临的最大风险是受孕。即使你战胜这个困难怀上了宝宝，还可能面临更大的问题：宝宝很可能患有唐氏综合征。这种疾病的患病率随着妈妈年龄的增大而升高：25 岁的妈妈生下唐氏儿的概率为 1/1250，30 岁的妈妈为 3/1000，35 岁的妈妈是 1/300，而 45 岁的妈妈则达到了 1/35。据推测，虽然唐氏综合征及其他染色体异常疾病很少见，但高龄产妇生下的宝宝发病率仍然很高。因为高龄产妇的卵细胞也相应老化（每个女人出生时就储备了一生的卵细胞），受到 X 射线、药物、感染等有害因素更多的影响（不过众所周知，染色体异常并不总由卵细胞引起。据推算，至少 25% 的唐氏综合征与父亲的精子缺陷有关）。

还有很多妊娠期风险随着产妇年龄的增长而增加。超过 40 岁的高龄孕妇在孕期更容易患高血压（超重女性要特别警惕）、糖尿病或心血管疾病。不过，总体来说，这些疾病在老年人中更普遍，并且通常是可控的。大龄准妈妈们也更容易发生自然流产（也是因为卵细胞老化）、先兆子痫及早产，阵痛和分娩的平均时间更长，且容易伴随并发症，一般都需要实施剖宫产及其他助产手段（比如吸引器助产）。一些高龄产妇因为肌肉柔韧度和关节灵活性下降而导致难产，但是大多数产妇，尤其是那些因为规律的锻炼和健康的饮食而保持良好体型的准妈妈，则不会出现这个问题。

虽然超过 35 岁的准妈妈们的孕期风险略微增加，但也有很多好消息，因为今天的高龄准妈妈得到了更好的医疗护理。虽然唐氏综合征不能预防，但在孕期可通过多种筛查和诊断性检查准确鉴别。更好的消息是：孕期前 3 个月必需的许多非侵入性筛查（参考第 61 页）推荐所有孕妇（无论年龄）都做。相比过去，这些检查更精

35岁是个分水岭吗?

仅仅因为你的生理年龄到了35岁，并不意味着你需要比年轻的孕妇朋友做更多检查。事实上,不论年龄,每一位孕妇都应该接受筛查。而且,只有当筛查结果表明风险增大时，才需要考虑进一步的侵入性产前诊断。

确，从而筛查出不必接受进一步侵入性诊断检查的准妈妈（包括35岁以上的人)，这不但可以节约开支，也能减少准妈妈的心理压力。现在，高龄准妈妈一些常见的慢性病也能得到更好的控制。另外，药物及严密的医学监控有时能够阻止早产的发生，而且新的医学突破在不断降低产房中的风险。

医学手段能帮助你安全度过孕期并产下健康的宝宝，但绝对比不上你的努力（合理运动、健康饮食和优质的产前护理)。年龄增长不一定造成高危妊娠，但许多个人风险因素累积起来会将你置于“高危”之列。消除或尽可能降低众多风险因素的影响，可以使你走出年龄的阴影，像其他年轻妈妈们一样生出健康的宝宝。

所以，放松并享受孕期，对自己充满信心吧！超过35岁怀上宝宝，是人生最美好的事。

爸爸的年龄

“我只有31岁，丈夫却有五十多岁，他的年龄会影响宝宝吗？”

以前，人们认为父亲在繁殖过程中的职责只限于授精。直到20世纪，人们才发现父亲的精子对孩子的性别起决定性作用。而直到近几十年，研究者才怀疑高龄父亲的精子可能会增加妈妈流产或胎儿出生缺陷的风险。像妈妈的卵细胞一样，高龄父亲的初级精母细胞（未发育的精子）受到环境有害因素的影响更久，可能包含变异或损坏的遗传基因和染色体。事实上，研究人员发现，无论妈妈年龄大小，如果父亲年龄增大，孕妇自然流产的风险就会增加。另外，如果父亲年龄超过50或55岁（同样与妈妈年龄无关），宝宝患唐氏综合征的概率也会增大，尽管与高龄妈妈的情况相比，患病率更低一些。

不过，这些依据都不是决定性的，因为目前对高龄父亲的研究还比较少。尽管有越来越多的证据说明，父亲的年龄因素在自然流产和胎儿出生缺陷中的影响不可忽视，遗传学顾问却不建议单单因为父亲年龄大这个因素就实施羊膜穿刺术。目前对所有准妈妈（无论年龄）进行的常规筛查就可以让你安心了。只要筛查结果正常，就不用再做羊膜穿刺术，你也不必担心孩子父亲的年龄可能造成的影响。

遗传咨询

“我一直担心自己也许有不知道的遗传病。我应该进行遗传咨询吗？”

也许所有人都至少携带一种遗传病的基因，幸运的是，大多数遗传病都需要有两个相配的基因才会出现，一个基因来自于妈妈，另一个来自于爸爸，所以遗传病不太容易在孩子身上出现。父母双方都有可能在怀孕前或孕期中检查出有遗传病——但通常只有父母双方都可能携带某一特定基因，遗传筛查才有意义。遗传缺陷通常与种族和所处地理位置有关。例如，高加索人应该查一下是否有囊性纤维化（欧洲地区每25个高加索人就有1个携带囊性纤维化突变基因）；祖籍东欧的犹太夫妻应该查一下黑蒙性白痴、海绵状脑白质营养不良症及其他神经系统疾病。黑人夫妻应该做镰状细胞性贫血的相关检查，地中海区域居民和亚洲人需要检查地中海贫血（一种遗传性贫血）的可能。一般来说，检查的时候只查父母一方，只有一方检查为阳性时，再检查另一方。

只要父母双方有一个为携带者（例如血友病）或患者（例如亨廷顿舞蹈症），这些疾病就可能通过单个基因遗传给后代。而且，家族中以前应该有人患过此病，这一点不一定每个家里人都知道，这就是保存家族健康档案的意义所在。同时，一旦打算怀孕（或者已经怀孕），还需要尽可能深入地了解双方父母、祖父母及其他近亲的健康状况。

幸运的是，大部分准父母不用过

单身妈妈怀孕

你是单身的准妈妈吗？没有伴侣不意味着要一个人面对漫长的妊娠过程。你完全可以从别的渠道获得帮助——好朋友或相熟的亲戚都能拉着你的手，从精神上和身体上支持你度过孕期。这些人能在怀孕的9个月及以后的日子里扮演好配偶的角色——陪你做产检、上分娩培训课，在你需要倾诉担心、恐惧的问题和兴奋的期待时耐心聆听，帮你为家庭新成员的到来做好心理和物质上的准备，在分娩过程中可以指导你、支持你、为你加油鼓励。还有，没有任何人比单身妈妈更了解你的感受了，你可以参加一个单身妈妈俱乐部或单身妈妈网上互助组织。

于担心，遗传病的风险相对较低，并不是每对夫妻都需要进行遗传咨询。很多情况下，产检医生会和你们谈论的都是一些最常见的遗传病问题，如果你们符合以下条件，要尽量多咨询遗传病医生或母婴医学专家以获得更多信息：

● 夫妻双方验血结果显示都带有能遗传给孩子的遗传病基因。

● 已育有一个或多个伴有遗传性出生缺陷孩子的夫妻。

● 经历 3 次或以上连续自然流产的夫妻。

● 夫妻一方家族中出现过遗传病。很多情况下（例如囊性纤维化或地中海贫血），孕前就进行 DNA 检查比怀孕后检查胎儿要容易得多。

● 夫妻一方有先天缺陷（如先天性心脏病）。

● 出生缺陷筛查已经得到了阳性结果。

● 近亲结婚。近亲结婚所育子女患遗传病的风险非常高。

遗传咨询的最佳时机是怀孕前，对于近亲结婚且打算要宝宝的人，更应该在结婚前就进行遗传咨询。专业的遗传咨询顾问可以根据夫妻双方的遗传背景分析宝宝健康的概率，并指导你们做出是否要宝宝的决定。不过，即使已经怀孕，现在进行遗传咨询也为时未晚。咨询师会根据你们夫妻的遗传背景提供产前检查的建议，而一旦在检查中确认胎儿有严重缺陷，咨询师也能告诉你们接下来可以采取哪些措施，如何取舍。遗传咨询已经帮助无数父母免于生下带有严重出生缺陷的孩子，帮助父母们实现了养育一个健康宝宝的美好愿望。

关于产前诊断

宝宝是男孩还是女孩？头发会是黑色还是棕色？能不能遗传到妈妈漂亮的嘴巴和爸爸的酒窝？能不能拥有爸爸的磁性嗓音和妈妈的计算能力？

宝宝出生前（甚至是怀孕前），总能让父母一直猜来猜去（还有打赌）。但有一个问题是准父母们最担心却又从来不敢去猜测和谈论的：“我的宝宝健康吗？”

过去，这个问题不到宝宝出生那一刻得不到答案。而今天，通过产前检查，我们可以早在怀孕的前 3 个月得出结论。大多数准妈妈在怀孕的 40 周里要接受各种各样的检查——即使那些发生出生缺陷概率很小的准妈妈（年龄不大、营养良好，得到了很好的产前护理）也是如此。无论是孕早期的联合筛查还是晚些的超声诊断和唐氏筛查，适时接受这些检查不会对妈妈和宝宝有不良影响，还能让准父母更安心。

另外，有些确诊性检查不需每一

位孕妇都做，这些检查包括：绒毛活检、羊膜穿刺术、更为精确的超声检查等。对于那些筛查结果为阴性的准父母们来说，可以轻松愉快地继续等待一个健康宝宝出生。然而，有部分准父母总是过分担心，对于他们来说，产前检查的好处远远大于风险。产前检查适合的人群：

● 年龄大于35周岁（虽然产前检查对于高龄妈妈意义重大，也能让你安心，但咨询医生后，你可能不用做这些检查）。

● 怀孕后处于可能影响胎儿发育的环境中（根据每个人的特殊情况，咨询一下医生看产前诊断是否必要）。

● 有家族遗传病史或曾经确诊患有某病。

● 患有遗传病（例如囊性纤维化或先天性心脏病）。

● 曾处于可能引起出生缺陷的传染病环境中（例如风疹、弓形虫等）。

● 有流产史或胎儿出生缺陷史。

● 在产前筛查中出现阳性结果。

如果怀孕过程中有某些风险因素，何不进行确诊性产前检查呢？这类产前检查最大的好处是总能让你安心。绝大多数高危准妈妈接受了这些检查后，最终都能生下完全健康的宝宝——这也意味着准父母们可以安享孕期，不用过于担心。

孕期前3个月

孕期前3个月的超声检查

什么是超声检查？超声检查是最简单的筛查方法之一。超声波是一种频率很高的声波，超出人耳可听范围。超声波可以通过图像来检查胎儿的情况，从而不用X射线也能达到检查目的。尽管超声检查在大多数情况下已经相当精确，但在检查胎儿出生缺陷方面往往会出现假阴性结果（宝宝看起来一切都好，但事实上并非如此）和假阳性结果（似乎有问题，但事实上没有）的错误。

怀孕前3个月超声检查的目的：

● 确认怀孕。

● 推算预产期。

● 确认胎儿数量。

● 可确定出血等异常情况的原因。

● 确定怀孕时节育环的位置。

● 在进行绒毛活检和羊膜穿刺术之前对胎儿定位。

● 作为筛查的一部分评估染色体异常的风险。

如何进行检查？常规的超声检查一般都通过放在腹部的传感器进行。但在怀孕前3个月推荐阴道超声检查，特别是怀孕初期。超声检查无痛，一般持续5~30分钟。如果要接受腹部超声检查，唯一的不适就是憋尿。

不管做哪种检查，你都要躺下。在做腹部超声检查时，医生会在你的腹部抹一层胶状物质以利于声波传播，然后慢慢移动传感器。做阴道超声检查时，医生则需要把传感器放入阴道。在这两种检查中，仪器都会记录下声波碰到胎儿后的反射波，并在显示屏上转换成图像。

什么时候接受检查？根据检查的初衷不同，在妊娠前3个月的任何时候都可以做超声检查。理论上，早在末次月经后4周半左右就可以通过超声看到孕囊；末次月经后5~6周可以测到胎心（不是每个孕妇都能这么早测出来）。想知道妊娠中期3个月的超声检查知识请参考第68页相关内容。

安全吗？多年的临床使用和研究表明，超声检查没有已知的危险，而且有很多优点。许多医生要求孕妇至少做一次常规超声检查，但大多数医生通常只在必要时才建议做检查。

孕期前3个月的联合筛查

什么是联合筛查？怀孕前3个月的联合筛查不仅包括超声检查，也包括验血。首先，医生会利用超声测量出胎儿颈后部积聚的液体厚度，即胎儿颈部透明层厚度。该透明层增厚预示着宝宝患染色体疾病的风险增加，例如唐氏综合征、先天性心脏病及其他遗传病。

接下来的验血主要是检查妊娠相关蛋白（PAPP-A）和hCG的水平。这两种激素都由胎儿产生，并进入母体的血液中。根据颈部透明层厚度、PAPP-A和hCG水平，以及妈妈的年龄，可以综合评估胎儿患唐氏综合征及18三体综合征的风险。

一些医学机构也用超声检查胎儿是否出现了鼻骨。有研究表明，孕早期胎儿鼻骨没有发育意味着唐氏综合征高风险；但另有研究不认同这一说法。总的来说，这项检查比较有争议性。

虽然相对于其他介入性检查来说，怀孕前3个月的联合筛查并不能起到确诊作用，却能帮助你决定是否再接受确诊性检查。如果联合筛查结果表明宝宝患染色体疾病的风险较高，就应该再接受一些确诊性检查，例如绒毛活检（参考第63页）或羊膜穿刺术（参考第65页）。如果联合筛查的结果表明宝宝患染色体疾病的风险较低，医生可能只推荐你在孕中期的3个月接受唐氏筛查，以排除宝宝出现神经管缺陷的可能性。还有，反复测量胎儿颈部透明层厚度容易引起胎儿心脏发育缺陷，医生通常会建议那些多次接受过该项检查的孕妇在孕20周左右做胎儿超声心动图检查来筛查是否有心脏缺陷。同时，多次测量颈部透明层厚度也轻微增加早产的风险，你应该密切注意自己的情况。

什么时候检查？怀孕前3个月的联合筛查一般会在孕11～14周进行。

准确吗？联合筛查一般不能直接检查出胎儿是否患有染色体疾病，也不能诊断出胎儿是否出现异常。准确地说，联合筛查的结果仅仅是从统计学上计算胎儿出现异常的概率。即使筛查结果不太正常，也不意味着宝宝一定患有染色体疾病，只不过意味着他患病风险较大罢了。实际上，也有很多筛查结果不正常的孕妇最终生下了健康正常的宝宝。同时，筛查结果正常也不能保证宝宝一定正常，但可以证明宝宝患染色体疾病的概率较低。

怀孕前3个月的联合筛查可以检测出大约80%的唐氏综合征和80%的18三体综合征。

安全吗？超声检查和验血都是无痛性检查，对你和宝宝没有任何危害。但也有一点应该注意：超声筛查对操作者的技术水平和熟练度要求较高。为了保证检查尽可能准确，必须由经过专门培训的医生和超声技师来操作特殊仪器（高质量的超声仪）。请记住，联合筛查真正的风险在于可能出现的假阳性结果，可能导致之后的高风险措施。所以，在做下一步决定前，一定确保有经验的医生或遗传咨询师评估了你的筛查结果。如果还有疑问，再问问其他医生的意见。

绒毛活检（CVS）

什么是绒毛活检？绒毛活检是通过对胎盘上的绒毛膜（一种生长于胎盘上的手指状组织）取样来进行活检，以检查染色体是否异常。目前，CVS一般用于检测唐氏综合征、黑蒙性白痴、镰状细胞性贫血，以及大部分类型的囊性纤维化。但CVS不能检测出神经管缺陷和其他一些解剖缺陷。除了唐氏综合征，还有一些特殊疾病，如果有相关家族病史或父母双方证实有携带者，就要再做检查。目前认为，CVS可以检测出大约1000种基因或染色体引起的疾病。

怎样检查？CVS通常在医院里进行。根据胎盘位置不同，通过阴道和子宫颈（经宫颈CVS）或从腹壁插入取样针（经腹部CVS）取得细胞样本，这两种方法都不可能完全无痛。

取样时，有些女性会感觉疼痛（类似痛经时的感觉）。尽管取出细胞只需要一两分钟，但这两种检查方式从开始到结束需要大约30分钟。

如果采取经宫颈CVS检查，你需要平躺，医生会用一根细长的管子穿过阴道到达子宫。借助超声图像，医生会将管子定位于子宫内膜与绒毛膜（最终会形成胎儿一侧的胎盘）之间。医生会将一点绒毛膜样本取下来或吸下来，以进行诊断研究。

在经腹部CVS检查过程中，也

需要肚皮朝上平躺，医生会利用超声来确定胎盘的位置并观察子宫壁。然后，在超声的指引下，医生会用一根针刺入腹部和子宫壁，到达胎盘边缘，用针取下细胞组织进行研究。

因为绒毛膜是胚胎的原型，检查绒毛膜可以清晰地了解发育中胚胎的基因结构。检查结果会在一两周后获得。

什么时候检查？CVS在孕期的第10～13周进行。它的主要优点是可以在孕期的前3个月检查并在孕早期给出可靠结果，比通常在孕16周进行的羊膜穿刺术更早得到确认。如果染色体严重异常，早期确诊对于那些想终止妊娠的人非常有帮助，因为孕早期流产更简单，创伤也更小。

准确吗？CVS在诊断染色体异常的准确率能达到98%。

安全吗？CVS安全可靠，引起流产的概率只有1/370。尽量选择一个没有这方面事故记录的医院，等到怀孕10周后再去检查，这样可以大大降低取样过程的风险。

接受CVS检查后偶尔会有阴道出血现象，不要惊慌，及时告诉医生——尤其当出血时间超过3天时。同时，因为CVS有微小的概率引起感染，如果在检查后几天发烧，一定要告知医生。

孕期前6个月

综合筛查

什么是综合筛查？类似于孕期前3个月的联合筛查，也包括超声检查和验血。测量胎儿颈部透明层厚度的超声检查和检测PAPP-A浓度的第一次血检都已经在孕期前3个月完成，而孕期第4～6个月需要进行第二次验血（检查血液中4种标志物，参考第65页的“四联筛查”）。以上3种检查会综合给出结果。同样，综合筛查也不能直接诊断宝宝是否有染色体疾病及其他特殊疾病，检查结果只能提供宝宝患病的可能性。一旦检查结果预示患病高风险，你可以和医生探讨是否需要接受进一步的确诊性检查。

什么时候检查？超声检查一般在怀孕第10～14周进行。第一次验血可以和超声检查同一天进行，而第二次抽血在孕16～18周。综合筛查的结果会在第二次验血后告诉你。

准确吗？综合分析孕期前6个月的全部检测指标显然要比单单观察孕早期或孕中期的3个月有效。综合筛查可以检查出90%的唐氏综合征和80%～85%的神经管缺陷。

安全吗？超声检查和验血都是无痛的非侵入性检查，对妈妈和宝宝不会有危害。

第 4~6 个月的检查

四联筛查

什么是四联筛查？ 孕妇的血液中有 4 种物质由胎儿生产而进入母体血液循环。四联筛查就是通过抽血检验这 4 种标志物的浓度来达到筛查目的。这 4 种标志物分别是：甲胎蛋白（AFP）、hCG、雌三醇、抑制素 A。（有些医生只检测其中 3 项，称为“三联筛查”。）甲胎蛋白水平高意味着宝宝也许（并非一定）有神经管缺陷；如果甲胎蛋白水平低，同时其他标志物水平异常，意味着宝宝有较高风险患染色体异常疾病，例如唐氏综合征。同其他筛查一样，四联筛查也不能诊断出生缺陷，只能预测出生缺陷的风险。任何异常结果只意味着你需要进一步检查。

不过，也有研究发现，四联筛查结果异常而进一步检查（例如羊膜穿刺术）结果正常的孕妇，仍可能有较高风险出现孕期并发症（如小于胎龄儿、早产、先兆子痫等）。如果你的检查结果如上所述，咨询医生接下来能采取什么手段降低并发症的风险。记住，检查结果异常和上述并发症的联系并不大。

什么时候筛查？ 一般在孕 14～22 周的时候可以进行四联筛查。

准确吗？ 四联筛查能够预测约 85% 的神经管缺陷、80% 的唐氏综合征，以及 80% 的 18 三体综合征。然而，单做四联筛查假阳性率比较高，每 50 个四联筛查结果阳性的女性仅有一两个最终会生下有出生缺陷的宝宝。进一步的检查发现，其余 48～49 个孕妇血液中标志物水平异常有别的原因：怀了不止一个宝宝，宝宝比预期大几周或小几周，也可能是检查出现错误。在超声检查证实只怀有一个宝宝且胎龄无误的情况下，医生通常会建议进一步实施羊膜穿刺术。

安全吗？ 四联筛查只需要一点血样就可以进行，所以是完全安全的。唯一的风险就是，如果四联筛查结果是阳性，可能需要进一步采取措施，这些措施往往有较大的风险。在考虑进一步行动前，确保充分考虑有经验的医生和遗传咨询人员的意见，请他们再次评估你的检查结果，不要莽撞行事。

羊膜穿刺术

什么是羊膜穿刺术？ 包围着胎儿的羊水中存在着胚胎细胞、化学物质、微生物等，它们提供了肚子里正在发育的宝宝的信息，包括基因组成、宝宝的生长环境，以及宝宝的成熟度。通过羊膜穿刺术提取并检查羊水里的这些成分是近年来产前检查的一项重要进步，一般以下情况需要接受该项检查：

● 筛查（包括孕期联合筛查、综合筛查、三联或四联筛查、超声检查）结果异常时，需要进一步接受羊膜穿刺术，以确定胎儿是否发育异常。

● 超过35岁的高龄产妇实施羊膜穿刺术，主要是为了检查胎儿是否患有唐氏综合征。（筛查结果正常的高龄准妈妈可以咨询医生，再选择是否跳过这项检查。）

● 已育有一名染色体异常子女的准妈妈应该采用羊膜穿刺术。这些染色体异常疾病包括：唐氏综合征、代谢障碍、囊性纤维化等。

● 妈妈为伴X遗传病的携带者（例如血友病），这种情况下男宝宝的患病率为50%。

● 夫妻双方都是常染色体隐性遗传病致病基因的携带者，宝宝的患病率（不论男孩还是女孩）为25%。常见的常染色体隐性遗传病有：黑蒙性白痴、镰状细胞性贫血等。

● 怀疑有弓形虫、第五病病毒、巨细胞病毒，或其他胎儿感染的情况，需要实施羊膜穿刺术。

● 在孕晚期利用羊膜穿刺术评估胎儿肺成熟度很必要。（肺部是胎儿最后发育成熟、可以独立运作的器官之一。）

如何进行？你需要平躺，医生会通过超声定位胎儿和胎盘的位置，以确保接下来的程序顺利进行。一般从腹部穿刺，在穿刺前医生有可能会为你局部注射麻醉药，但由于穿刺时的疼痛和局部麻醉的疼痛程度差不多，医生常常会略去局部麻醉这一步，直接进行穿刺。穿刺时，医生会用一根中空的长针穿过你的腹壁进入子宫，抽取胎儿周围的羊水（不用担心，宝宝会再生产更多的羊水以补偿吸掉的部分）。因为使用了超声定位，穿刺时意外刺到胎儿的概率已经大大降低。从准备、超声定位到穿刺完成，总共需要30分钟左右（吸出羊水这一步往往只需要一两分钟）。如果你

关于筛查的假阳性结果

接受筛查通常是想让自己建立信心——但往往事与愿违——三联和四联筛查常常会出现假阳性结果（检查结果异常，而最终生下的宝宝没有任何问题）。这样的筛查看起来似乎得出了定论，但也给你带来了很多不必要的焦虑和担心。

所以，在开始所有检查之前，和医生好好聊一聊，了解一下假阳性结果的高发性，出现假阳性结果意味着什么。有一个事实可以让你安心——90%以上得到假阳性检查结果的准妈妈最终生下了非常正常而健康的宝宝。记住，如果筛查得到阳性结果一定要好好和医生谈一谈！

的血型为Rh阴性，在穿刺完成后，需要注射Rh免疫球蛋白以防止Rh血型不合（参考第51页）。

什么时候实施羊膜穿刺术？诊断性羊膜穿刺术通常在孕16~18周进行，但也有少数人在13~14周或23~24周进行。一般在检查后10~14天就能得到结果。有的医院还可以提供荧光原位杂交法，应用这种检查方法可以快速计算出细胞中染色体的数目。荧光原位杂交法可以更快得到结果（通常为检查后2天内，快速荧光原位杂交法可以在实施羊膜穿刺术后几小时就得到结果），但由于单靠荧光原位杂交法得到的结果并不完善，常常需要配合其他染色体实验。同样，羊膜穿刺术也可以在孕期最后3个月进行，以评估胎儿的肺成熟度。

准确吗？在诊断及排除唐氏综合征方面，羊膜穿刺术的准确率达到99%（正常的荧光原位杂交实验的准确率为98%）。

安全吗？羊膜穿刺术非常安全，导致流产的风险只有1/1600。术后几分钟至几小时，你可能发生轻微痉挛。有些医生建议术后当天卧床休息，有些医生却不以为然。也有极少数人会出现轻微的阴道出血或羊水渗漏。如

是什么吓坏了孕妇

让人欣喜的是，大部分超声检查会表明宝宝一切正常。但对于部分女性来说，第二阶段的超声检查很可能意味着：前一分钟，你还沉浸在不可抑制的激动和惊喜之中，因为你可以通过屏幕亲眼看到肚子里的宝宝；而后一分钟，B超技师叫来了医生，医生的短短几句话就让你从狂喜的天堂落入恐慌的深渊："我们看到某种软标记物——这可能意味着你的宝宝有些问题……"

但在你恐慌前，一定要客观地考虑问题：虽然超声检查发现的"软标记物"（根据情况不同，在孕期的超声检查中有5%～10%的检出率）意味着染色体疾病（通常是唐氏综合征和18三体综合征）风险增加，但事实证明，很多健康的宝宝早期的超声检查也会出现类似情况。事实上，仅有极少数观察到"软标记物"（例如脉络丛囊肿、强回声点、肾盂扩张等）的胎儿最终证实患有染色体疾病。换句话说，大部分所谓的异常发现并不代表宝宝真的出现异常。

医生很可能建议你接受进一步检查（例如羊膜穿刺术）以协助确诊。深呼吸，记住，高科技的确带来了很多便利，但也带来了很多不必要的烦恼。

果你出现了上述情况，立即告知医生——一般来说，这两种情况会在几天后自行消失，但医生通常会建议你在症状消失前卧床休息并仔细观察自己的情况。

第4~6个月的超声检查

什么是超声检查？孕期的前3个月你很可能为了推算确切的受孕日期做了超声检查，也有可能在联合筛查中接受了超声检查——不管是哪种情况，你可能需要在第4~6个月时再做一次超声检查。这种进一步的“靶向性”超声检查比妊娠早期接受的超声检查更精确，能更细致地观察胎儿的解剖结构和其他相关发育情况。对孕妇来说，这种超声检查也更有趣，可以更清晰地看到自己的宝宝。

如今，随着超声影像越来越清晰，非专业人员（例如父母）都可以分辨哪里是宝宝的头，哪里是宝宝的屁股，甚至更多细节。在医生或者技师的协助下，利用超声波，可以辨认出宝宝的心跳、脊柱的曲线、他的脸、胳膊、腿——甚至还能刚巧看到宝宝吮拇指的样子。通常，这个时候已经可以看到宝宝的生殖器并推测性别了——虽然判断结果无法达到100%正确，这取决于宝宝的姿势是否合适。

什么时候检查？孕中期的超声检查一般在18~22周进行。

安全吗？目前的研究尚未发现超声检查会带来额外的风险，相反，它有很多好处。很多医生会为孕妇安排至少一次超声检查。但大部分专家仍然建议孕期的超声检查应在有正当理由时再实行。

如果发现问题

大部分情况下，产前检查都能得到父母期许的结果：宝宝健康地发育着。然而，当你听到令人心碎的坏消息：宝宝似乎有些异常——要记住，这样的信息也非常有价值。与遗传咨询专家一起为这次及将来的妊娠做一个至关重要的决定。可能的选择有：

继续妊娠。通常，当夫妻双方认为这种出生缺陷不影响孩子将来的生活，或夫妻双方在任何情况下均反对流产，可以选择继续妊娠。清楚地知道即将发生的结果有助于父母做好精神和物质两方面的准备，一方面要考虑到即将降生的孩子会有特殊需求，另一方面要考虑到，如果不可避免地会失去这个孩子，应该如何应对。在发现孩子有问题后，家长通常会有一些情绪（例如，拒绝接受现实、不满、内疚等)，在孩子出生前及早处理好这些情绪。父母应该提前了解孩子的特殊情况及特殊需要，以保证孩子将来有更好的生活。加入互助组织（即使只是网上互助组织）可以帮助你们更好地处理问题。

终止妊娠。如果检查证实胎儿的出生缺陷是致命的，或将严重致残，在复查及医生、遗传咨询人员确诊后，很多父母都会选择终止妊娠。在终止妊娠后，一般需要对胎儿组织进行检查，以分析未来的妊娠中胎儿再次出现异常的概率有多大。大部分夫妻在了解相关情况，在医生、遗传咨询人员的指导下，都会再一次尝试怀孕，希望生下一个健康的宝宝——大部分人都成功了。

产前宫内治疗。相关治疗包括：输血（针对Rh血型不合）、分流术或其他手术（例如解除膀胱梗阻）、药物或酶类的使用（例如，如果发生早产，类固醇药物可以加速宝宝肺部发育）。随着科技发展，越来越多的产前手术、基因调控及其他疗法得到普及。

器官捐献。如果诊断表明某种出生缺陷对宝宝将来的生活起着不可调和的负面作用，不妨考虑将胎儿的一个或多个健康的器官捐献给其他有需要的新生儿。一些捐献了胎儿器官的父母从这种善举中得到了心理安慰。在这种情况下，母婴专家或新生儿医生会提供有用的建议。虽然产前诊断得到了良好的结果，但也要记住，检查结果并不是百分之百正确。即使是最好的医院、最好的医生、经验最丰富的技师、最精密的仪器，也会发生错误——同时，检查结果的假阳性率远大于假阴性率。所以，在确定胎儿是否有问题之前，往往需要进一步复查，多方征求专家的意见。

你应该知道，绝大多数孕妇不会遇到这些问题，大部分接受产前检查的准妈妈都会得到她们最初期待的结果：自己和宝宝一切正常。

第4章　孕期生活

怀孕后，你的日常生活会有些变化（比如，要脱下紧身小T恤，换上孕妇装）。你也许会非常好奇：肚子里多了一个小生命的自己究竟会起多大变化？晚餐前一杯鸡尾酒的习惯是不是要等到生下宝宝后才能继续享受？在健身房里泡热水澡的习惯是否应该改一改——浴盆洗干净了吗？家里的浴盆能用消毒剂清洗吗？猫的粪便会有怎样的影响？怀孕后真的对什么事都会顾虑重重吗，例如让不让闺蜜在自己的卧室里吸烟，用不用微波炉加热食物？在某些情况下，你会发现答案确定无疑（比如“我不能喝酒，谢谢”）。但通常情况下，你不必有太多顾虑，照常享受之前的生活，比怀孕前小心点就是了（比如，“亲爱的，接下来的9个月轮到你给猫咪换猫砂哦”）。

你可能关心的问题

运动

“怀孕后我还能继续日常锻炼吗？”

大多数情况下，怀孕并不意味着你要放弃运动；但毕竟肚子里有了一个新生命，温和的运动更明智。大多数医生不仅不禁止孕妇运动，相反，对于妊娠状态正常的准妈妈，医生往往鼓励她们坚持之前习惯的日常运动；对于怀孕的运动员，医生也允许她们继续运动，但运动时会有一些注意事项。最重要的是，开始一项新的运动计划或者继续以前的运动计划之前，先询问一下医生；同时，决不能运动到让自己疲惫的程度。（参考第218页获取更多相关信息。）

咖啡因摄入

“我平时都靠喝咖啡保持精力充沛，怀孕期是否应该戒掉呢？”

这里要说的是，你完全没有必要扔掉你的咖啡店会员卡——不过不能这么频繁地拿出来用了。大量证据表明，孕期每日摄入小于200毫克的咖啡因，对妊娠没有危害。不过，喝咖啡的习惯不同，影响程度也不同（比如，习惯黑咖啡还是含牛奶多的咖啡），一般一天喝2杯左右都没有问题。也就是说，如果你是轻度或中度咖啡上瘾者，继续喝咖啡不会有太大影响，但如果你的咖啡瘾很大就需要注意控制了（比如每天喝两次添加了5份浓缩咖啡的特浓拿铁）。

为什么要限制咖啡因呢？咖啡因和你摄入的其他食物一样，宝宝会和你一起分享。咖啡因（咖啡里的咖啡因含量很高，一些食物和饮料也含有咖啡因）可以穿过胎盘屏障——虽然迄今为止，多大剂量的咖啡因会对胎儿造成负面影响尚无定论。最新的研究认为，妊娠早期随咖啡因摄入量增加，自然流产的概率也有所升高。

诚然，咖啡因有强烈的提神效果，但利尿作用也很明显，这会导致钙等其他妊娠期重要营养物质的流失。利尿作用的另一个缺点是尿频——这应该是每一位孕妇最不愿经历的事（毕竟怀孕带来的尿频已经够恼人了）。需要更大的动力才能戒掉咖啡？咖啡因的刺激作用会加剧情绪波动，导致情绪更加反复无常而紧张（容易引起过激行为）。同时还会让你的身体得不到应有的休息——尤其是午后摄入的咖啡因作用更强。过量的咖啡因还会影响身体对铁元素的吸收，而铁对你和宝宝来说至关重要。

不同的医生对咖啡因摄入量有不同建议，咨询医生并为自己制订合适的每日咖啡因摄入基线。计算每日咖啡因摄入量的时候要谨记，仅仅计算每天喝几杯咖啡远远不够。咖啡因不仅存在于咖啡里——也存在于咖啡因软饮料、咖啡冰激凌、茶、能量棒、能量饮品、巧克力等饮品和食品中（根据产品不同，咖啡因含量各异）。你要知道，咖啡店咖啡中的咖啡因含量比你自己在家煮的咖啡高很多，而速溶咖啡的咖啡因含量低于现磨咖啡（参考第72页小贴士）。

对于咖啡瘾很重的人来说，怎样才能限制（甚至戒掉）这个习惯呢？这取决于咖啡在你生活中扮演的角色。如果咖啡仅仅是你的生活习惯之一（清晨起床喝一杯让自己清醒，上班路上的伴侣，办公桌上的固定摆设以备午后提神），少了咖啡不会让你焦虑，那么不费吹灰之力就能戒掉：坚持每天早起看早间新闻，午后用一杯脱咖啡因咖啡代替。或者，点拿铁时点一杯脱咖啡因的——或咖啡少牛奶多的(这样你还可以摄入更多的钙，可谓一举两得)。

如果咖啡可以满足你的需求——也就是说，身体已经适应了咖啡因的调节，戒掉咖啡因就相对困难很多。正如每一个咖啡爱好者都觉得，如果能成功减少（甚至完全戒掉）咖啡因摄入一定会是很大的激励，但事实上说是一回事，做起来又是另一回事。咖啡因会让你上瘾（这就是为什么你的身体会有渴望感），戒掉它（甚至只减少摄入量）很容易产生戒断症状，例如头痛、易怒、疲乏、无精打采等。所以，通常来说逐渐减少摄入量才是明智之举。试着每次喝咖啡的时候都少喝一杯，并坚持这个摄入量一段时间，让身体适应，过一段时间后再减少一杯。另一个办法是：每次喝咖啡的时候，每一杯都选择只含一半咖啡因的咖啡，逐渐减到脱咖啡因咖啡——直到咖啡因总摄入量减少到每天 2 杯[①]以下。

无论是何种动机让你走进咖啡店，如果遵循下面这些让你保持精力充沛的解决方案，减少甚至完全戒掉咖啡因就不会是个负担了：

● 保持血糖含量（你的能量来源）处于较高水平。可以通过吃一些健康食品和零食获得天然且持续的体力——尤其是复合碳水化合物和蛋白质食物。

● 每天进行一些适合孕期的运动。运动会使体内释放一种内啡肽激素，它可以提升体力，让你感觉良好。运动时呼吸新鲜空气，也能获得额外的精力。

● 保证足够的睡眠时间。夜间得

咖啡因的计算

你每天摄入了多少咖啡因？或许真实情况会与你的想象有些偏差。看看下面列出的咖啡因含量，并在走进咖啡厅前计算一下自己的摄入量：

● 1 杯现煮咖啡（240 毫升）= 135 毫克

● 1 杯速溶咖啡 = 95 毫克

● 1 杯脱咖啡因咖啡 = 5 毫克

● 180 毫升的拿铁咖啡或卡布奇诺 = 90 毫克

● 30 毫升意式浓缩咖啡 = 90 毫克

● 1 杯茶 = 40~60 毫克（绿茶的咖啡因含量略少于红茶）

● 1 罐可乐（360 毫升）= 大约 35 毫克

● 1 罐低热量可乐 = 45 毫克

● 28 克牛奶巧克力 = 6 毫克

● 28 克黑巧克力 = 20 毫克

● 1 杯巧克力奶 = 5 毫克

● 240 克咖啡冰激凌 = 40~80 毫克

① 1 杯约为 240 毫升。——编者注

到良好的休息，第二天清晨不喝咖啡也会精力旺盛。而戒掉咖啡因可以让你夜间获得更好的睡眠。

饮酒

“我以前有喝酒的习惯，甚至一直持续到怀孕早期，因为并不知道自己怀孕了。这些酒精会对我的宝宝有危害吗？”

如果身体能够在精子和卵子结合的时候及时地给你一个信号该有多好。但目前还没有如此精确的生物技术，很多女性都忽视了自己的生活习惯，几周后发现怀孕了，之前很可能因为不知情做了一些不利于宝宝的事情（例如孕期饮酒）——于是，很多准妈妈第一次产检时都会问这样的问题。

幸运的是,你的疑虑可以打消了!目前没有证据证明，妊娠早期偶尔喝酒对胚胎发育有危害。

但是，现在也是时候改变你的饮酒习惯了。或许你曾经听说过很多孕期少量饮酒（例如每晚一杯红酒）的女性也顺利产出健康宝宝的例子。不过目前来说没有任何研究证实，孕期饮酒对于胎儿完全安全。事实上，美国卫生部、美国妇产科医师学会和美国儿科学会建议：对于妊娠期女性来说，摄入任何程度的酒精都不健康。该建议及其背后的支持性研究又给出了进一步的意见：虽然你不用再担心怀孕前摄入的酒精，但现在开始要谨慎控制自己，剩下的孕期不要再喝酒了（当然，你也可以咨询医生，看看他有什么建议）。

为什么医学界反对饮酒的呼声这么高呢？为了即将出生的宝宝，一切都要做到尽可能安全，这样才能得到最好的结果。虽然目前妊娠期女性酒精摄入量的安全限额还没有确定的标准（这个安全标准是否因人而异也无从得知），但已知的是，孕妇摄入的酒精将会以自身相同的浓度进入胎儿血液循环。换句话说，孕妇并不是一个人在饮酒——准妈妈喝下的每一杯红酒、啤酒、鸡尾酒都完完全全地进入了宝宝体内。对于宝宝来说，要把这些酒精代谢掉需要母体代谢所需时间的两倍，所以当你微醺时，宝宝已经烂醉了。

妊娠期大量饮酒（每天五六杯红酒、啤酒或烈酒）往往会导致一些严重的产科并发症，如胎儿酒精综合征(FAS)。这种综合征会导致“终生宿醉”，患病的宝宝通常生下来就比一般孩子小，存在精神缺陷，并伴有多种畸形，尤其是头部、面部、四肢、心脏及中枢神经系统等部位的缺陷。这类宝宝的死亡率很高，即使存活下来，也往往会出现学习、行为和社会交际等方面的问题,并且缺乏判断力。

这样的孩子常常会在成年时因为饮酒问题而死亡。准妈妈越早戒酒，对宝宝产生的危害就越小。

持续饮酒的风险与饮酒量有明显关系，饮酒量越大，对宝宝的潜在危害也越大。即使是适度饮酒（每天1～2杯，或偶尔一次喝5杯以上），只要在孕期，就会引起一系列严重问题，比如自然流产率的升高、出现分娩并发症、宝宝出生体重过低、死产、宝宝发育异常和低智商。同时，饮酒习惯还与“胎儿酒精效应（FAE）”有着细微联系。FAE同样会引起宝宝生长发育和行为方面的大量问题。

对于一些准妈妈来说，妊娠期戒酒非常容易，尤其有些准妈妈在孕早期就出现了厌恶酒精的反应（一般是厌恶酒的气味和口感），这种厌恶反应通常会在生产后逐渐消失。而对于另一些准妈妈，尤其是那些已经习惯了晚餐时喝一杯红酒来让自己放松的女性而言，戒酒需要付出更大的努力，甚至意味着生活方式的改变，可以试着找点其他的放松方式来代替，例如听音乐、洗热水澡、桑拿、运动、阅读。如果饮酒已经成为一天中必不可少的仪式，试着在每天想喝酒时将杯子里的饮品替换一下，尽量选择起泡果汁、无醇啤酒或果味汽酒（用一半果汁一半苏打水调制而成）。如果配偶也加入了你的戒酒阵营，戒酒之旅将会更加一帆风顺。

如果在戒酒方面有困难，向医生寻求帮助，也许他会向你推荐有用的戒酒方案。

吸烟

“我有10年的烟龄，这会伤害到宝宝吗？”

到目前为止，还没有足够的证据证实孕前吸烟会危害肚子里的宝宝——即使你已经有10年或更长的烟龄。但有充足的证据证明，准妈妈在孕期吸烟（特别是怀孕3个月后吸烟），会影响胎儿和自身健康。

作为准妈妈，当你吸烟的时候，子宫里会充满烟味，宝宝的心跳速度会加快，他可能被呛着而引发咳嗽。更严重的是，准妈妈吸烟会导致宝宝缺氧，使他不能正常发育和成长。

不要使用烟斗

如果能够拒绝雪茄和烟斗，为宝宝营造一个无烟的环境，宝宝会由衷地感谢你。雪茄和烟斗释放到空气中的有害物质比香烟更多，对宝宝造成的伤害比香烟更大。不过，在宣布让你骄傲又开心的消息时，用什么东西来代替香烟才能更安全、喜庆呢？用巧克力吧！

这一结果非常可怕，可能增加妊娠期综合征的风险，导致异位妊娠、胎盘植入、胎盘早剥、胎膜早破和早产等。

同时还有充足的证据证明，准妈妈吸烟会直接影响宝宝在子宫内发育，最常见的是宝宝出生体重偏低、身长较短、头围偏小，或出现唇腭裂及先天心脏缺陷。宝宝出生时过小是引起围产期[1]死亡及婴儿期疾病的主要原因。

准妈妈吸烟还有其他潜在危害。吸烟孕妇生下的宝宝更可能患 SIDS（婴儿猝死综合征）而死亡。他们更容易出现呼吸暂停（呼吸间隔），一般来说，吸烟孕妇生的宝宝不如无烟孕妇生的宝宝健康。孕妈妈一天吸 3 包烟会使宝宝出生后阿普加评分（评估新生儿出生后状态的标准评估系统）过低的可能性高出 3 倍。有证据表明，这些阿普加评分低的孩子基本都会在后期的发育中出现身体或智力方面的缺陷。如果出生后父母还继续在他们身边吸烟，患病的风险更大。这些孩子免疫力相对低下，容易出现呼吸系统疾病、耳部感染、肠痉挛、结核病、食物过敏、哮喘、身材矮小等；另一方面，入学后也容易出现一些问题，包括注意力缺陷多动障碍（ADHD）等。研究也发现，吸烟的准妈妈生下的宝宝通常从蹒跚学步起就脾气暴躁，成年后也会有行为问题。在出生后第一年，妊娠期吸烟的女性生下的孩子住院率远高于不吸烟女性的孩子。同时，这些吸烟女性的子女长大后通常也会成为烟民。

烟草和酒精一样会让人上瘾，并且和摄入量有关：吸烟对宝宝体重的影响和吸烟量成正比。每天吸一包烟的女性生下低体重儿的概率比不吸烟的女性高 30%，所以减少吸烟量是有益之举。但也有很多人在减少吸烟的同时犯了另一个错误，因为他们总是用其他办法来“奖励”自己，比如吸烟的速度加快，或者每一口都吸得更深，每一根烟都吸得更干净——这无疑是过犹不及了。这种情况一般也发生在改用低焦油香烟或低尼古丁香烟以减少风险的时候。

然而，我们听到的并不都是坏消息。一些研究表明，及时戒烟——不要超过怀孕的第 3 个月，可以消除所有吸烟带来的风险。对一些习惯吸烟的女性来说，妊娠早期绝对是她们最好的戒烟时机，因为这时候大部分女性会自然而然地对香烟产生厌恶感——这可能也是一种身体凭直觉发出的警告。戒烟越早越好，但亡羊补牢，为时未晚：即使已经到了孕期最后一个月，也不要觉得晚——这时候戒烟也能在分娩时为宝宝多输送一点氧气。

[1] 我国的围产期一般指怀孕 28 周以后到产后一周的这段时间。——编者注

送给宝宝最初的礼物

有宝宝的过程的确充满了不确定性，但也有很多办法能让你们尽量得到最好的结果：妊娠和分娩没有并发症，并生下一个十分健康的宝宝——这样的结果一定能让你们充满欢喜。要想得到这样美好的结果，戒烟戒酒绝对是首要任务。

当然，即使你在妊娠期保持着原先的吸烟和饮酒习惯（甚至少量而经常地吸烟饮酒）也可能得到比较好的结果——毕竟，几乎每个人都听说过吸烟又喝酒的女性顺利生下了健康的足月宝宝的故事。不过凡事都有个概率问题，随着吸烟喝酒程度的增加，你和宝宝能够幸运逃过一劫的概率也就随之降低。请注意，不同妈妈和宝宝受到的来自吸烟和饮酒的影响不同（同时你和宝宝受到影响的程度完全不可预估）。另一方面，很多因准妈妈吸烟喝酒而对宝宝身体和智力造成的缺陷不见得会在出生时就显示出来，更多会随着孩子年龄增长而显现（一个出生时看起来健康的宝宝在儿童期可能经常生病，出现多动、学习困难等表现）。

戒掉对孕期不利的坏习惯（例如吸烟、饮酒）并不容易，确实要作一番斗争。然而，尽最大努力让宝宝获得健康是你能给他的最好的礼物。

如果你担心戒烟会导致体重增加，记住：虽然没有明确的证据证明吸烟可以减肥（很多吸烟者都超重），但确实有些人在戒烟的过程中体重增加了。有意思的是，这些人反而更容易成功戒烟，而增加的体重日后很轻易就减下去了。戒烟的同时节食以防止长胖，往往会导致戒烟和减肥的失败。更重要的是，怀孕期间节食绝不是一个好主意。所以，虽然你完全应该从此将香烟藏起来，也不用过分担心增加体重，宝宝在长大是最好的理由。

尼古丁是一种让人上瘾的毒品，大多数烟民在戒烟过程中都会出现戒断症状。这些症状及其强烈程度因人而异。除了对烟草强烈的渴求外，最常见的症状还包括：易怒、焦虑、躁动、手脚刺痛或麻木、头昏眼花、疲惫、嗜睡、胃肠功能紊乱等。在戒烟初期，有些人觉得身体和精神都受到一定程度的影响。大多数人在这段时间会开始咳嗽得更多，这是因为身体状况突然好转，能够把积聚在肺部的分泌物排出来。

为尽量减慢尼古丁的释放，以及

戒烟导致的神经过敏，应该避免摄入咖啡因，它会加重神经过敏的情况。注意保证充足的休息（以对抗疲惫）、适度的运动（以代替尼古丁带来的刺激感）。避免需要大量精力和注意力的活动，通过做一些不用动脑子的事情，让自己忙碌起来。多去电影院或其他禁止吸烟的场所，这也对你有所帮助。如果在戒烟过程中出现严重的抑郁情绪，立即告诉医生。

戒烟带来的坏影响会持续几天到几周，而戒烟的好处——让你和宝宝都终生受益。

告别吸烟恶习

恭喜——你已经决定给宝宝创造一个无烟环境了！做出这样的承诺是最重要的第一步。然而，如果你曾经尝试过戒烟，就会发现做决定并不是最困难的一步——真正最难的是戒烟的过程。但如果有足够的决心并采用以下一些小技巧，一定能够顺利达到目标！

确定戒烟的动机。你怀孕了，就是这么简单，再没有什么更好的原因促使你下决心了。

选择戒烟的方法。你选择突然终止吸烟，还是循序渐进地戒掉？不管选择哪种方法，都给自己设定一个不太远的“最后期限”，在那一天排满和香烟没关系的各种活动。

认清吸烟的诱因。例如，你吸烟是为了消遣、刺激，还是为了放松？或是为了缓解紧张和失意的情绪？让手里或嘴里有点东西？为了满足自己的渴望？也许你吸烟是出于习惯，点烟时并没有考虑太多。不过一旦你了解自己吸烟的诱因，就能找到替代品：

- 如果你吸烟的主要目的是让手保持忙碌，那么试着玩玩铅笔、串珠或吸管，或者选择编织、在电脑上玩数独游戏、挤压力球、查收电子邮件、玩电子游戏、画画、玩填字游戏等，这些活动可以让你忘了香烟。

- 如果你吸烟是为了让嘴巴有满足感，试着找个替代品，比如牙签、口香糖、生蔬菜、爆米花、棒棒糖、水果硬糖等。

- 如果你吸烟是为了追求刺激，试试快步走，去健身房参加健身课程，看一本有趣的书，或是和朋友聊天，等等。

- 如果你吸烟是为了缓解紧张情绪和放松身心，试试运动，或者其他放松技巧，也可以听一听有抚慰作用的音乐、进行长距离散步、按摩或做爱。

● 如果你吸烟是为了消遣，可以寻找其他娱乐活动，特别是在禁烟场所，比如看场电影、逛婴儿用品店，去喜欢的博物馆，欣赏一场音乐会或戏剧，和不吸烟的朋友一起吃饭，或是参加一些更积极的活动，比如产前健身课程。

● 如果你吸烟是出于习惯，就避开常去吸烟的地方和那些吸烟的朋友。多去一些禁止吸烟的场所，这样也能控制想吸烟的欲望。

● 如果你常在喝某种饮料、吃某种食品或某一餐时吸烟，尽量避免那些食物和饮料，或者在其他地方就餐。（比如你习惯吃早餐时吸烟，但从来不在床上吸烟，可以试试连续几天在床上吃早餐；你经常在喝咖啡的时候吸烟？去咖啡厅喝咖啡吧，那里通常禁止吸烟。）

● 当你有吸烟的冲动时，深呼吸几次，两次呼吸之间停顿一会儿。在要点火的时候深吸一口气，再慢慢呼出来，把火柴吹灭——想象这根火柴是一根香烟，你正在熄灭它。

如果不小心又吸了一支烟，不要耿耿于怀。不要在吸烟之后回想自己犯下的错误——尽量多想想自己成功克服的一次又一次冲动。继续依照计划戒烟就好，记住，你少吸的每一支烟，都在帮助宝宝健康成长。

把戒烟看成不容商议的问题。你过去吸烟的时候，也不会在剧院、地铁、商场、多数餐厅或公司里吸烟。现在你要告诉自己，怀孕时不能吸烟，这没什么可商量的。

让宝宝激励你。在每一个你想吸烟的地方都贴上宝宝的超声照片（例如作为电脑屏保，装框后放在厨房台子上，贴在汽车仪表盘上，放在包里）。还没有做超声检查？那就从杂志上剪一些喜欢的宝宝照片贴上吧！

获取帮助。对于想戒烟的人来说，有很多获取帮助的渠道。了解一下催眠疗法、针灸疗法、放松技巧等，这些方法都曾帮助很多吸烟者成功戒烟。如果你觉得小组形式的戒烟行动让你更轻松，也可以考虑一些社会组织发起的团体戒烟活动。或者，你可以在网上寻找其他想戒烟的准妈妈。

如果起初戒烟不成功，继续尝试。尼古丁是一种作用强大的药物，想要戒掉不容易，但不是不可能。很多烟民在第一次戒烟时都失败了，但如果继续尝试，通常都能成功戒烟。所以，如果你失败了，不要打击自己——相反应该对自己付出的努力表示赞许并鼓励自己继续努力，你一定能做到！

注意：妊娠期使用尼古丁贴片药物、服用尼古丁锭剂或尼古丁口香糖等有风险。

二手烟

“我不吸烟，但丈夫有这个习惯。这会伤害我们的宝宝吗？”

吸烟不仅对吸烟者有影响，还会影响到周围所有人的健康，如果附近有孕妇，连孕妇肚子里正在发育的宝宝都会受到影响。所以，如果你的伴侣（或其他和你比较亲密的人）吸烟，宝宝吸入的烟雾产生的有害物质和你自己吸烟时他吸入的一样多。

如果你的配偶不能戒烟，让他至少不要在屋里吸烟，吸烟时远离你和宝宝（也要记住，吸烟产生的物质通常会在他的衣服和皮肤上残留一段时间，也就是说，你还是会接触到这些物质）。当然，戒烟无疑是最好的选择，一方面有利于他本人的健康，另一方面也为了宝宝的长久健康着想。怀孕期间吸烟（无论是准妈妈还是准爸爸）会增加宝宝出现婴儿猝死综合征的风险，让宝宝的呼吸系统出现问题，对肺部造成的损伤甚至会持续到成年后，并大大增加了宝宝将来成为烟民的可能性。

也许你不能让朋友或其他亲属放弃这个习惯，但可以让他们在你身边时尽量控制烟瘾（不然，你就要少和他们在一起）。另外，让吸烟的同事在你的呼吸范围之外，尽量让他们了解二手烟对胎儿发育的危害。如果你的劝阻不起作用，试着和他们达成一定的协议，让他们去特定的吸烟区吸烟，例如休息室等，同时不要在非吸烟区附近吸烟。如果上述努力都宣告无效，孕期尝试换一个办公地点。

可卡因和其他毒品

“在我发现自己怀孕之前，已经吸食了一些可卡因。现在我非常担心会影响宝宝。”

不要担心之前吸食的可卡因，但要确保那是最后一次。好的一面是，在发现怀孕前仅有一次吸食可卡因的经历不会对胎儿造成太大影响；坏的一面是，如果妊娠期继续吸食可卡因，就会非常危险，而危险程度尚无定论。可卡因对妊娠的影响并没有清楚的结论，很大程度上是因为吸食可卡因的女性通常也吸烟——这样很难分辨对宝宝的不良影响是来自可卡因还是来自香烟。大量研究证实：可卡因不仅可以穿过胎盘屏障，还会破坏胎盘，减少宝宝的血液供应，限制其生长发育（尤其是头部发育）。同时，可卡因还会引起出生缺陷、流产、早产、出生体重过低、神经过敏，以及类似的戒断症状（如新生儿哭闹），还会导致很多长期的儿童生理和心理问题，包括神经发育和行为问题（例如难以自我控制、注意力难以集中、不合群等)、运动发育缺陷、儿童期智商低等。而且，准妈妈吸食可卡因的频率越高，宝宝面临的风险越大。

从怀孕开始，一旦吸食可卡因，一定要如实地向医生汇报。同其他方面的病史一样，医生（或助产士）了解到的细节越多，给你和宝宝的照顾就越周到。如果在戒可卡因方面有困难，尽快寻求专业人士的帮助。

孕妇服用药物（除了知道她怀孕的医生开具的药物）会给宝宝带来风险。任何非法毒品（包括海洛因、可卡因、摇头丸、冰毒、迷幻药 LSD 和 PCP）及常被滥用的处方药（包括麻醉药、镇静剂、减肥药等），如果在孕期继续使用，都会影响到宝宝发育，对妊娠造成极大威胁。在有经验的医生的协助下再次检查你的孕期药物清单。另外，如果你还没有戒掉毒品，立刻向专业人士寻求帮助（有从业资格的咨询师、成瘾机制研究人员、戒毒中心等）。

手机

“我每天都会用手机打几个小时电话，这会影响肚子里的宝宝吗？”

环顾四周，看看谁在用手机打电话——基本上每个人都在这么做！幸运的是，没有必要因为怀孕而把手机打入冷宫。目前还没有研究证实孕期使用手机有风险，甚至还有很多理由支持你通过手机和外界联系——手机可以让你在需要时及时和医生或助产士联系，可以让你不用在产科候诊就得到医生的指导，可以在分娩征象刚出现时及时通知伴侣。另一方面，手机也可以让你的工作形式更灵活：不一定要整日坐在办公桌前——怀孕期间，你需要大量的休息和放松时间。

但是，手机并不是一点风险都没有，比如开车时打电话绝对不安全(不管车速多少，不管在什么场合)。更何况怀孕期间，激素的作用会使你更容易走神。即使不用手拿着手机打电话也很危险，因为通话会分散你对路况的注意力。聪明的做法是打电话前先把车停到安全地带。

电磁波辐射

“我几乎每天都会用微波炉加热食物。孕期暴露于微波下安全吗？”

微波炉是准妈妈最好的朋友，能帮助她们做一些营养又方便的食物——不仅快捷，还不会有油烟味。幸运的是，几乎所有研究都表明，孕期接触微波完全安全（妊娠期以外的时期更不用说）。但有两点需要注意：一是要选择微波炉专用容器，另外要注意在微波加热的过程中避免让保鲜膜接触食物。

泡热水澡和桑拿

“我泡了个热水澡。怀孕时泡澡安全吗？”

你不需要以冷水淋浴代替，但应避免长时间泡热水澡。任何让体温持续超过 39℃的做法（不管是泡热水澡还是热水淋浴，或者在炎热的天气里过度运动）都可能危害发育中的宝宝，尤其是在怀孕的前几个月。一些研究表明，泡热水澡不会使准妈妈的体温立刻升高到危险程度——至少要 10 分钟（如果水没到肩膀和手臂，或水温低于 39℃，所需的时间更长一些）。由于个体反应和所处环境不同，让肚子露出水面是安全的选择。但你可以在热水里安心泡脚。

如果之前你泡过几次热水澡，不必担心。大多数女性会在体温达到 39℃自动离开浴缸，因为那时会感觉不舒服。你也会这么做。如果你仍然担心，和医生谈谈，请他为你做超声检查或其他检查让你安心。

同样，在桑拿房中长时间逗留也不明智。孕妇出现脱水、眩晕、低血压等症状的风险更大，而这些症状都会在高温情况下加重——泡热水澡和桑拿都是如此。所以，孕妇应该尽可能避免体温升高。

想了解其他水疗方法（按摩、芳香疗法等)的更多知识，参考第 152 页。

电热毯

每当寒冷的冬季到来时，你是不是总想开着电热毯蜷缩成一团睡觉？或者用电热垫舒缓一下疼得要碎掉的后背？怀孕时处于过热的环境中并不是一件好事，因为这会造成体温过度升高。所以，不要再用电热毯了，依偎着你的爱人睡吧。如果他的脚趾和你的一样冷，就买一床羽绒被，把空调的温度调高些。或是先用电热毯让床热起来，上床前再把它关掉。还觉得冷吗？记住，只要这短短的几个月过去，你的身体就会非常暖和——因为孕期新陈代谢旺盛，到时你睡觉甚至会踢被子！

对于电热垫，把它放在你的背部、肚子、肩膀上之前，先用毛巾包住它，这样可以减少它传递的热量(踝关节和膝关节可以直接接触电热垫)。把电热垫的温度调到最低，使用时间最好不超过 15 分钟，并避免睡觉时继续接触。如果你已经用了一段时间电热毯或电热垫，不要担心，目前还没有确凿的证据表明存在风险。

养猫

“我家里养了两只猫，听说猫会传播一种疾病，可能危害胎儿，是不是应该扔掉我的宠物呢？”

别把你的猫咪朋友扔出家门。既然你已经和它们一起生活了一段日子，非常有可能已经感染了猫携带的弓形虫病，并且对其产生了免疫。据统计，大约40%的美国人感染了这种疾病。同时，养家猫（尤其是那些常常在户外活动）的人，以及常进食生肉或未消毒牛奶的人都非常容易携带并传播弓形虫病。如果在孕期你没有检查过自己是否已经免疫，现在又没有明显症状的话，就不必做这方面的检查（实际上，有些医生会对所有孕妇都进行这种常规检查，而有些医生只检查养猫的孕妇）。如果你孕期做了相关检查，证明没有免疫，或者你不确定自己是否已经免疫，一定要做到下面几点以避免感染：

● 带你的宠物猫去看兽医，让他帮忙检查一下它是否处于传染的活跃期。如果有一只或更多的猫有这种情况，一定要把它（它们）放到猫舍里隔离起来，或者交给你的朋友代为照顾（至少6周，一般来说这种病的传染期为6周）。如果你的猫没有感染，要让它们保持健康状态，不要给它们吃生肉，也不要让它们在户外游荡，或是抓老鼠和鸟类（鸟类也会将弓形虫病传染给猫），并避免接触其他的猫。

● 清理猫砂盒的时候请他人代劳。如果必须亲力亲为，记住戴上一次性手套操作，并在完成后（以及接触猫之后）洗手。猫砂需要每天更换。

● 整理花园的时候戴上手套，不要清理猫埋粪便的土壤。如果家里有小孩，不要让他玩沙子，尤其是被猫和其他动物碰过的沙子。

● 蔬菜和水果要仔细清洗干净，尤其是那些自家花园里种的蔬菜和水果。或者将水果削皮、蔬菜做熟再吃。

● 不要食用生肉和没有经过消毒的牛奶。在餐厅里要选择彻底做熟的肉。

● 在厨房里，每次接触生肉之后都要仔细把手洗干净。

● 一些医院会在女性怀孕前或妊娠早期安排常规的弓形虫检查，这样一来，得到阳性结果的女性可以高枕无忧，因为她们知道自己已经产生了免疫；而那些得到阴性结果的女性，也可以及时采取措施预防感染。可以咨询一下医生，看他有什么建议。

家庭中的危害

“家用清洁用品、杀虫剂等家用化工产品究竟有多危险？另外，妊娠期喝自来水究竟安不安全？”

怀孕后多一点远见会带来很大帮助。你肯定听说过洗涤产品、杀虫剂、饮用水和其他一些生活中的化学物质会给孕妇带来危害。但事实上，对你和宝宝来说，家已经算得上是非常安全的地方了——如果你们夫妻二人拥有一些基本常识，懂得小心应对生活中的危险就更好了。谈及家庭中的潜在危险，以下是你需要知道的：

家用清洁产品。虽然擦厨房地板或餐厅的桌子对正在怀孕的你来说有点困难，但对整个孕期来说还是非常有利，所以即使你怀孕了，也还是应该细心地把房间打扫干净。让你的鼻子根据下面的建议筛选出潜在的有害物质吧：

- 如果某种产品有强烈的气味并产生烟雾，避免直接吸入这些气体，使用时要在空气充分流通的地方，或者干脆不要用。（这是让配偶替你清洁马桶的最佳借口！）

- 不要把氨水和含氯产品混在一起使用（即使你没怀孕也不要这样做），因为两者混合后会产生一种致命的气体。

- 烤箱清洗剂和干洗剂等产品的标签上会警告“有毒”，这样的产品应避免使用。

- 在使用有强烈刺激性的产品时戴上橡胶手套，这不仅可以呵护你的双手，还可以防止化学物质通过皮肤吸收到体内。

铅。处于含铅的环境中不仅对孩子有潜在危害，也会影响孕妇及肚子里的宝宝。所幸，铅的影响相对来说比较容易避免。注意以下几点：

- 饮用水是铅的常见来源，所以要确保你的饮用水不含铅。

- 旧涂料是铅的主要来源，如果你家的房子建于 1955 年或更早的时候，需要清除涂料层重新粉刷，这个过程中你一定要远离现场。如果发现涂料剥落，或是老家具掉漆，可以重新粉刷来覆盖原来含铅的涂料。做这些工作的时候你同样要远离房子。

- 如果你是跳蚤市场的忠实粉丝，要知道，铅也可能从旧的土器、陶器和瓷器中析出。如果你有手工制作的、进口的、年代久远的或只是旧的水罐、盘子等，不要用它们来盛食物或饮料，尤其是酸性物质（比如柑橘类水果、醋、西红柿、酒、软饮料等）。

自来水。自来水仍然是家里最好的饮品——大多数美国人家里，自来水管里的水都非常安全，可直接饮用。要确保你面前的这杯水对你和宝宝的安全和健康有利，请按下面步骤检查：

- 通过地方环保局或卫生部门查看一下公共饮用水或者某口水井（如果它是你家自来水的源头的话）的纯度和安全性。如果你家的自来水与左邻右舍的饮用水品质有差别（由于水管腐烂，房屋位于废物处理区，或是你觉得水有异常的味道或颜色），就应该挑个时间取一点自家的水样去接受检测。当地环保局或卫生部门会告诉你怎么做。

- 如果你家的饮用水检测不合格，买一个过滤器（可根据饮用水中的物质具体选择），也可以买瓶装水来饮用和做饭。但是也要注意，瓶装水也不是完全没有杂质的；有些瓶装水是自来水灌装的，而有些瓶装水含的杂质甚至比自来水还多。很多瓶装水不含氟——氟是胎儿牙齿发育所需的重要矿物质。

● 如果你怀疑家里的自来水含铅，或者检测报告提示铅水平过高，可以考虑改变家里的自来水管道系统，但这并不是一件对每个家庭来说都简单易行的事情。要减少饮用水中的铅含量，就应该在饮用和做饭的时候只用冷水（高温会使更多的铅从管道中析出）。每天早上，先拧开冷水水龙头，放水5分钟后再使用（如果水龙头超过6个小时没有拧开过，也应该如此）。

● 如果你觉得家里的水闻起来或尝起来像是含氯的，可以煮沸或不加盖静置一段时间。24小时后，很多化学物质就挥发掉了。

杀虫剂。不能忍受家里有蟑螂、蚂蚁及其他讨厌的昆虫？无疑，和它们生活在一起，意味着你需要经常使用化学杀虫剂。幸运的是，只要小心一些，化学杀虫剂并非不能出现在孕妇的生活中。如果你的邻居正在喷洒杀虫剂，不要长时间在户外逗留，等这些化学品的味道消散（通常要等2~3天）再出去。在屋里时，注意把门窗关好。如果你住的屋子必须喷洒杀虫剂灭蟑螂或其他昆虫，确保关紧所有的橱柜，并且把所有食物准备过程中将会接触到的台面都盖起来，以防止一切可能的餐具和食物污染。开窗通风，直到杀虫剂的气味完全消散。喷洒结束之后，把所有紧临喷洒区域的台面都彻底擦洗一下。

可能的话，尽量选择自然的方式来杀虫。勤除杂草以替代化学杀虫剂。除掉花园里或其他盆栽植物上的害虫时，还可以采用其他方法：利用花园水管的强劲水流冲走虫子；使用生物可降解的肥皂杀虫剂等（可能需要反复使用几次才能见效）；在花园里放些瓢虫等捕食害虫的益虫（在一些园艺产品店里可以买到），让这些讨厌的害虫不再打扰你。

在家里，多多使用“蟑螂屋”或其他类似的捕虫器，直接放在害虫多的地方，以消灭蟑螂、蚂蚁等；用雪松块代替樟脑丸放进衣柜里；尽量去环保商店或记下无毒杀虫剂的品牌。如果家里有孩子或宠物，一定要把捕虫器和杀虫剂产品放在他们碰不到的地方。即使是所谓的“天然杀虫剂”，例如硼酸，食入或吸入都是有毒的，而且会刺激眼睛。想知道更多关于天然除虫的方法，请联系当地环保组织，你可能会以“绿色”的方法终结害虫邻居肆虐的日子。

要记住，间接接触杀虫剂或除草剂并不太可能危害身体，真正危险的

绿色解决方案

你在想办法消除家里的空气污染？采取绿色解决方案吧！在家中种上各种鲜活的绿色植物。植物可以吸收空气中的污染物，并增加室内的氧气含量。但在选择的时候，要注意避免有毒的植物，例如喜林芋和洋常春藤。虽然你不会大嚼这些植物，但当宝宝开始在家里到处乱爬的时候，你不能确保他不会这样做。

是频繁或者长期处于上述环境中，例如因为工作等原因需要每天处于含有化学物质的工厂中或喷洒了大量农药的田地间。

油漆味。在动物王国，生育前（或下蛋前）的全部时间都在为下一代的到来做准备工作。鸟儿用羽毛筑巢，松鼠用树叶和树枝在树干上做窝。人类的父母也会在网上寻找各种宝宝房间的设计方案。而几乎毫无例外，所有家长都计划用油漆粉刷宝宝的房间。所幸的是，现在的油漆已经不含铅和汞了，即使妊娠期使用也是安全的。尽管你非常想让宝宝出生之前的最后几周时光忙碌一些，仍有充分的理由把油漆刷交给别人。由于孕期增重给你的背部带来了压力，刷油漆这个不断重复的动作容易让背部肌肉更紧张。此外，在梯子上保持平衡对你来说也有点危险。油漆的气味通常还会让你不舒服，产生恶心的感觉。

在别人粉刷屋子的时候，你最好离开现场。同时，不管你在不在屋里，都要把窗户打开通风。注意避免接触脱漆剂，因为它们毒性很强。清除旧漆时（不管用化学制剂还是用磨砂机去除）你都要回避，特别是旧漆可能含汞或铅的时候。

空气污染

"城市的空气污染会伤害到我的宝宝吗？"

深呼吸一下。平日在大城市里呼吸并没有你想象中那么不安全。毕竟，数百万女性住在大城市里，呼吸着大城市的空气，也生下了健康的宝宝。不过，尽量避免吸入大量的空气污染物，下面是一些小技巧：

● 避免待在烟雾弥漫的房间里。因为烟草产生的烟雾是危害胎儿的一种污染物，要求家人、客人及同事不要在你周围吸烟。雪茄和烟斗也一样，它们释放到空气中的烟雾比香烟更多。

● 检查汽车的排气系统，确保没有有害气体泄漏，排气管道没有生锈。千万不要在车库门关闭的时候发动汽车。发动机运转的时候，SUV或小型货车的后备箱盖和后挡板要关上。

如果堵车时开车，要关闭汽车外部进风。

● 如果你住的地方发生污染，尽量待在家里并关紧窗户，可以将空调打开。遵守当地卫生部门发布的可能遭受污染人群的保护条例。如果想出门走走，可以选择室内的健身房、商场等。

● 不管天气如何，不要在交通拥堵的高速公路旁跑步、散步或者骑自行车。运动的时候，你呼吸到体内的污染物也更多。可以选择一条车少树多、经过公园或住宅区的路线。树木就像家养的绿色植物一样，有助于保持空气清洁。

● 确保家中的壁炉、煤气炉和烧木柴的炉子通风良好。在壁炉点火的时候，确保烟道畅通。

● 尝试绿色解决方案（参考第85页）。植物和它们净化空气的特质，能让你在屋里屋外呼吸得更畅快。

辅助疗法及替代疗法

以前只出现在传说中的替代疗法开始慢慢被传统医疗接受，并且以更受信赖的姿态登上舞台。如今，这些看起来似乎与疾病本身不太相关的治疗方式已经有了一席之地；事实上，越来越多的医生选择把这些治疗方式当做辅助治疗手段。这就是为什么辅助疗法及替代疗法（CAM）正以某种形式进入你的家庭生活。

采用辅助疗法的医生通常对人类的健康状况有广阔的视野，更注重在医疗过程中结合检查结果、营养状况、情绪因素、精神影响及身体状况等综合分析问题。同时，CAM 强调身体的自愈能力——治疗方面通常只加入少量天然的疗法，包括草药、理疗，以及精神和心理疗法。

妊娠并不是一种疾病，而是一种生命的自然阶段，所以 CAM 可以当做传统产科护理措施的天然补充，已经为越来越多的女性提供保健服务。目前，应用于妊娠和分娩方面的 CAM 有很多方式，都取得了不同程度的成功。以下是几种常见的疗法：

针灸。中国人早在几千年前就发现针灸能够缓解很多妊娠期症状，但直到近几年，美国社会主流的传统产科医学界才开始采用它。科学研究证实了老祖宗的智慧：研究人员发现针灸可以激发身体释放一些影响脑神经的化学物质，包括内啡肽——它可以对抗疼痛。在针灸过程中，针灸师会预先在你的身体上找到一些点（穴位），它们组成了看不见的路径（经络）。随后他会将很多支细银针插入到这些穴位里面。根据古代传统理论，人体的生命力被称做“气”，它就运行在这些穴位组成的经络之中。研究人员发现，这些穴位其实对应人体内的神经，当银针插入并快速旋转的时

家庭暴力

保护好肚子里的宝宝是每一个准妈妈最基本的愿望和本能。但遗憾的是，一些女性在妊娠期甚至连自己都保护不好，因为她们是家庭暴力的受害者。

家庭暴力可以发生在任何时候，但通常在妊娠期更常见。怀孕常常会导致夫妻间出现一些新的敏感问题（或激化一些旧问题）。这些问题常常会使夫妻双方的情绪波动，有时会使丈夫们产生一些消极情绪（愤怒、嫉妒或被套牢的感觉）——这种情况尤其常见于计划外的怀孕夫妻。不幸的是，在一些家庭中，丈夫选择用暴力行为将这些情绪发泄出来，伤害到了准妈妈和她们肚子里的宝宝。

令人震惊的是，家庭暴力在孕妇死亡原因中位居第一，远远高于妊娠期并发症和车祸造成的死亡。除了死亡率触目惊心之外，其他方面的统计数据也很惊人：大约20%的女性在孕期遭受过伴侣的暴力行为。从统计学角度来看，孕妇遭受身体虐待的概率是遭遇早产和先兆子痫的两倍。

准妈妈在家受到的虐待（精神上和身体上），不仅仅在于身体上的伤害（例如膀胱破裂、出血等）。妊娠期暴力还会对准妈妈的健康产生很多负面影响，导致准妈妈营养不良、产前护理不佳、滥用药物等，以及胎死腹中、流产、早产、胎膜早破、宝宝出生体重过轻等后果。另外，一旦孩子出生在家庭暴力的环境里，极容易成为直接受害者。

受虐女性来自不同家庭背景和经济阶层、年龄不同，种族和民族不同，文化教育程度不同。如果你是家庭暴力的受害者，记住这不是你的错。你并没有做错什么。如果你和丈夫已经发展成了一种受虐和施虐的关系，不要再等了——立刻寻求帮助吧！不加以干涉的话，暴力行为会越来越严重。一定要记住，如果你的处境不安全，宝宝也不会安全。

告诉你的医生，向你信任的朋友和家人倾诉，然后拨打当地的“家庭暴力热线”。很多地区都有相关的保护项目，会为你提供暂时躲避的场所、衣物和产前护理措施。

如果你处于非常危险的境地，立即拨打110。

候（在电针灸疗法中是针插入后通过电流刺激），神经被激活，释放内啡肽，达到抑制背痛、恶心等妊娠期症状的效果，甚至能改善妊娠期抑郁。针灸疗法也可以用于分娩过程，可减轻产妇的疼痛，并加速分娩进程。对于怀孕困难的女性来说，针灸还可能帮助解决不孕的问题。

指压按摩。也称为指压疗法，原理与针灸类似，但不是用银针刺入你的身体。医生一般用拇指或其他手指施压，或者选用坚硬的小球刺激穴位。按压手腕内侧的穴位可以有效抑制恶心（这也是为什么腕带有用的缘故，参考第138页）。按压脚心据说可以帮助改善妊娠期背痛。还有一些穴位可以诱发宫缩（例如踝部的一些穴位）——这些穴位不到预产期不能随意按压，而且需要专业人士来施行。

生物反馈疗法。生物反馈疗法是一种安全的方法，帮助病人学会控制身体疼痛或情绪压力产生的生理反应，它可以安全地缓解很多妊娠期症状，包括头痛、背痛等其他疼痛，以及失眠、晨吐等。生物反馈疗法还可以用于降低血压，对抗抑郁、焦虑和压力。

脊柱按摩疗法。这种疗法通过对脊柱和其他关节的理疗来使神经冲动在体内传导得更顺畅，以使身体天然的自愈能力发挥作用。脊柱按摩疗法可以帮助孕妇对抗恶心，背部、颈部及关节疼痛，坐骨神经痛（以及其他疼痛），还能帮助减轻产后疼痛。确保你的按摩师在孕妇按摩方面非常有经验，使用适合孕妇的按摩台，并避免按压腹部的手法。

按摩。按摩可以帮助缓解一些孕期不适，包括烧心、恶心（注意，这仅对部分孕妇有效，有些孕妇在接受按摩之后反而会加重恶心）、头痛、背痛、坐骨神经痛等，并帮助准妈妈的肌肉为迎接分娩做好准备。它也可以用于分娩阶段，帮助产妇在两次宫缩之间放松肌肉并减轻背部疼痛。更重要的是，它是非常好的减压和放松方式。不过一定要确保给你做按摩的人接受过妊娠期按摩培训（参考152页了解更多知识）。

反射疗法。和指压按摩一样，反射疗法也通过按压身体特殊区域以缓解各种疼痛、促进分娩、减轻阵痛。这些特殊区域一般位于脚、手、耳朵处。因为按压脚部和手部的一些穴位很容易引起宫缩，所以一定要确保你的反射疗法治疗师受过良好培训，并了解你怀孕的事实，在预产期之前避免按压这些穴位。

水疗。很多医院和分娩中心都使用温水来帮助分娩的女性放松并减轻不适，通常会在一个可以将热水制造出涡流的浴盆里进行。一些女性还会选择水中分娩（参考第31页）。

芳香疗法。香薰精油可以用来治疗身体和精神疾病，一些医生会给孕妇使用；然而，大多数专家都建议一定要谨慎，因为某种高度浓缩的香精很可能有害（参考第152页）。

冥想、想象及放松技巧。这些技巧能够帮助孕妇安全地解决各种妊娠期的身体和心理压力——从恼人的晨吐到分娩疼痛。对于准妈妈常见的焦虑有很好的疗效（参考第 147 页你可以尝试的放松练习）。

催眠疗法。催眠疗法可以有效减轻妊娠期症状（例如恶心、头痛），缓解压力，改善失眠，改变臀位分娩（需要结合传统的外倒转术），防止早产，甚至还可以在分娩过程中控制疼痛（催眠分娩）。催眠疗法的作用机理是让你深度放松——在催眠分娩中，你甚至完全感觉不到痛苦。记住，催眠疗法并不适用于所有人；大约有 25% 的人对催眠暗示具有高度抵抗力，更多的人并不能很好地顺应催眠暗示以有效缓解疼痛。确保你的催眠师有从业执照，并在妊娠期催眠方面拥有丰富经验。更多关于催眠分娩的信息，参考第 302 页。

艾灸疗法。这种替代疗法结合了针疗和灸疗（用艾草薰灸），可以用于倒转胎位（纠正臀位）。如果你对艾灸疗法倒转胎位感兴趣，一定要找一名经验丰富的医生（并不是所有针灸师都有艾灸的经验）。

草药。"植物性药物"从人类最早开始寻找疾病解决方法的时候就出现了，如今一些医生用它们来帮助缓解妊娠期症状。然而，大部分专家并不推荐孕妇服用草药，因为验证草药安全性的实验还不充分。

很明显，CAM 对于产科治疗已经有了较大影响。即使是最保守的产科医生也已经逐渐意识到，将一些 CAM 疗法结合到目前的工作当中是大势所趋。但是妊娠期选择 CAM 疗法一定要理智。请时刻牢记下面几条建议：

- 确保你的妇产科医生和助产士知道你在寻求 CAM 治疗，这样各种医疗护理措施才能达到互补互利的效果。让产前护理小组成员清楚地了解情况，对于你和宝宝的安全来说非常重要。

- 辅助疗法（例如顺势疗法和使用草药）都没有通过美国食品药品管理局（FDA）测试和批准。因为它们没有像 FDA 批准的药物一样得到充分的实验验证，安全性没有得到临床证明。这并不是说孕期采用辅助疗法不安全，只是目前没有一个官方系统来判断哪些疗法安全有效。在知道更多知识之前，更合理的做法应该是：尽量避免顺势疗法、草药治疗、各种食疗及芳香疗法——除非这些医疗方案是由一名了解你的妊娠情况，非常熟悉 CAM 的常规医生特意为你制定的（这也同样适用于宝宝出生后母乳喂养的女性）。

- 辅助疗法通常无害——甚至是有益的——不过这是针对没有怀孕的女性来说。对于妊娠期来说，它们可能还是不太安全。无论是治疗性质的按摩还是脊柱按摩疗法，孕妇接受这些治疗时，医生一定要格外注意小心观察情况变化。

●CAM 仍然是作用很大的医疗方式。根据其实施方式不同，可以起到很好的治疗作用，也可能变得十分有害。记住，“天然”并不等于“安全”，就像“化学”不等同于“危险”一样。让医生引领你前进，避免潜在的危险暗礁，争取让 CAM 为你的妊娠期带来更多益处，而不是伤害。

第5章　饮食良好的9个月

你的身体内有一个崭新的生命开始发育了。可爱的小手指和小脚趾正在一点点长出来，眼睛和耳朵正在形成，脑细胞正在快速生长。在你意识到这一点之前，肚子里的宝宝已经从小小的胚胎慢慢发育得初具人形，成为你梦想中宝宝的样子。

毋庸置疑，宝宝发育过程中牵涉到的因素很多。对宝宝和爱他们的父母来说，大自然完成了一项非常棒的工作，你的宝宝生下来非常可爱、非常健康的概率很高。更重要的是，你仍然可以再做出一些努力，让宝宝更健康，让孕期更舒服。你要做的事非常简单，只需要每天尝试3次。没错，你猜对了，就是吃东西。但是妊娠期真正的挑战并不是吃，而是尽可能吃得好。妊娠期吃得好一点是你给宝宝的第一个人生礼物，也是最好的礼物——这还是一份持续的礼物，宝宝得到的不止是一个健康的人生开端，更是一个健康的人生。

妊娠期食谱是一整套饮食计划，有利于宝宝和你的健康。宝宝从中可以获得什么好处呢？标准的出生体重和发育更好的大脑，减少出生缺陷的概率——还有，不管你信不信，宝宝在幼儿期还会拥有更好的胃口和饮食习惯，成为一个饮食讲究的学龄前儿童，确保长大后身体健康。

另外，宝宝并不是唯一的获益者。妊娠期饮食影响着你是否可以安全地度过孕期（某些妊娠期并发症在孕期饮食良好的女性中少见，例如贫血、妊娠期糖尿病、先兆子痫等），舒适的孕期（恰当的妊娠期食谱可以有效缓解晨吐、疲乏、便秘及其他许多孕期症状）、稳定的情绪（良好的营养能帮助稳定情绪），还能让你按时分娩（总体来说，饮食规律且营养状况良好的女性很少出现早产），并加速产后恢复（营养良好的身体在产后能更快更好地恢复孕前状态；借助合理的营养，匀速增加的体重也可以更快减下去）。

幸运的是，如果你的饮食习惯很好，会发现获得这些益处简直是小菜一碟。如果你之前不注意饮食，也只需要谨慎选择入口之物。妊娠期饮食并不会与普通的健康饮食有太大差别，只是根据妊娠状态稍加修改（宝宝发育需要更多的热量和某些营养），但总的来说，基本组成部分都是一样的：优质且配比平衡的精益蛋白质、钙、全谷物食品、各种蔬菜和水果，以及健康的脂肪。看起来很熟悉？是的，这也是营养界多年来推崇的合理饮食搭配。

还有一些更好的消息。即使现在的饮食习惯并不是非常理想，开始改变也不难，尤其是当你下定决心之后。几乎所有不健康的食物和饮料，都有更健康的替代品(参考第93页小贴士)，也就是说，有更营养的方式让你继续吃蛋糕(曲奇、薯片,甚至快餐)。另外，有无数方法可以偷偷在你最喜欢的菜肴里加上关键的维生素和矿物质——也就是说，妊娠期你可以不折磨自己的味蕾就吃得营养丰富。

在着手改变饮食方案时，有一点非常重要：本章提到的所有食谱都是理想状态下为妊娠期制订的最佳计划。也许你会严格遵照食谱，也可能三天打鱼，两天晒网。如果你依然对汉堡包和油炸食品非常热衷，翻到这一章的后面几页，至少遵循几点建议，以便在接下来的9个月里让宝宝和你获得充足的营养。

妊娠期健康饮食的9个基本原则

每一口都很重要。每次张开嘴吃东西前仔细想想：你有9个月的时间来吃饭和零食，给宝宝的生命以良好的开端，所以敞开了吃吧，但要三思而后行。选择每一口食物时都要考虑到肚子里的宝宝。记住，你吃进去的每一口食物都在给宝宝输送营养。

不同的热量。仔细选择你摄入的热量来源，注重质量而不是数量。甜甜圈里的200卡[①]热量和全谷物葡萄

按自己的方式行事

对饮食方案有些疑问？对饮食计划毫无兴趣？讨厌被指挥吃什么，该吃多少？没关系。妊娠期食谱是帮助你和宝宝吃得更营养的方法之一，但绝对不是唯一的方法。一份营养均衡的健康饮食（含有足够蛋白质、全谷物食品及蔬菜水果，每天摄入热量超过300卡）也能达到相同的目的。所以，如果你不想照搬书本，就按照自己的方式获得良好饮食吧！

① 1卡约为4.18焦耳。——编者注

试试这些替代品

你在寻找一些健康的替代品来换掉那些自己喜欢却不太健康的食物？下面是一些小建议：

换掉……	试试……
薯片	大豆片
巧克力豆	什锦干果（各种坚果，含有少量巧克力豆）
椒盐卷饼	毛豆
炸鸡	烤鸡
热巧克力酱圣代	含水果和燕麦片的冻酸奶
墨西哥卷饼和乳酪酱	蔬菜和乳酪酱
炸薯条	烤红薯条
白面包	全麦面包
软饮料	水果奶昔
糖屑饼干	全麦水果饼干

干麦麸蛋糕里的 200 卡热量不同，10 根炸薯条的 100 卡热量也不同于 10 个带皮烘烤的土豆。含 2000 卡热量而营养丰富的食物比没有营养的“空热量”[①]食物对宝宝更有益。营养丰富的饮食也有利于你的产后恢复。

让自己挨饿就是让宝宝挨饿。宝宝出生后你肯定不会饿着他；同样，当宝宝还在子宫里时，也不该让他挨饿。无论你做多少运动，有多健康，宝宝都不可能只靠你的身体生存，他需要有规律的营养供应——作为子宫这个“餐厅”的唯一厨师，只有你能给宝宝提供他所需的一切。即使你不饿，宝宝也会饿，所以不要错过每一餐。事实上，经常吃东西是给宝宝输送营养的最佳方式。根据研究，每天至少吃 5 顿饭的准妈妈（3 顿正餐加 2 次零食，或 6 顿少量进食的正餐）更可能足月分娩。如果烧心让你觉得吃饭是件苦差事，可以在第 134 页和第 158 页关于如何克服孕期不适的讨论中找到很多有用的方法。

有效率的饮食才能产生效果。觉得自己即使每天吃很多还是无法满足一天的营养需求（参考第 96 页）？担心自己努力把清单上的食物都吃掉，结果却成了大胖子？不要再担心

①热量高，但缺乏或仅有少量维生素、矿物质和蛋白质。——编者注

一天六餐的解决方案

你是否由于太过胀气、恶心、烧心、便秘而无法专心吃完一顿饭？不管是哪种胃部不适症状击倒了你，你都能从每天5~6顿的少量进餐中(一日三餐已经不能满足你的需要了）轻易获得每日所需的热量（参考第96页）。这种更为轻松的方式能让你保持血糖水平，获得充沛精力。另外，还能帮助你减轻头痛的症状，减少情绪波动。

了。你该做的，是成为一个效率专家。在需要的热量范围内，尽可能选择能够提供相同热量而重量较轻，营养较多的食物。举个例子，吃1杯含715卡热量的开心果（约占你全天所需热量的25%），相当于以一种效率较低的方式获得了25克蛋白质，这样远不如吃一个含250卡热量的150克火鸡汉堡有效果。再举一个例子，要获得300毫克钙，吃1.5杯冰激凌（约含500卡热量，质量较好的冰激凌可能热量更高）是很好的选择，但效果远不如喝一杯脱脂酸奶（也很美味，但是只有300卡热量）。因为每克脂肪所含的热量是蛋白质和碳水化合物所含热量的两倍多，所以脂肪不是能量的有效来源。选择低脂食物能提高你的营养转化率。选择瘦肉而不是肥肉；选择脱脂或低脂牛奶及乳制品而不是全脂产品；选择焙烤食品而不是油炸食品；可以在食物上薄薄地涂一层黄油；用1汤匙[①]橄榄油来炒菜，而不是更多。提高饮食效率的另一个方法：选择多种食物，一餐满足几类营养需求。

如果你增重困难，有效进食也非常重要。为了获得更健康的体重，尽量选择富含营养和热量的食物，例如鳄梨、坚果和水果干，这些食物会让你和宝宝更健壮，又不会太胖。

摄入碳水化合物是一个复杂的问题。有的孕妇担心自己孕期变得太胖，于是从食谱中丢弃了许多碳水化合物食品，比如土豆。毋庸置疑，限制摄入精制碳水化合物食品（例如白面包、薄脆饼干、椒盐卷饼、白米饭、精制谷物、蛋糕、曲奇）没问题，但不要丢弃没有精加工的复合碳水化合物食品（全谷物面包和谷类食品、糙米、新鲜水果和蔬菜、豆类以及带皮的土豆），它们能提供孕妇必需的B族维生素、微量元素、蛋白质及重要的膳食纤维。这些营养素不仅对宝宝有利，也对你有利，有助于控制恶心、消除便秘。它们能填饱肚子，富含膳食纤维，又不会使你长胖，还能帮助控制体重。近来的研究又为复合碳水化合物的爱好者带来了好消息：摄入

① 1汤匙约为15毫升。——编者注

大量膳食纤维可以降低患妊娠期糖尿病的风险。但要注意逐渐从低膳食纤维饮食过渡到高膳食纤维饮食，以免肠胃不适（太快摄入过多膳食纤维会让你胀气）。

糖类确实一无是处。简言之，糖的热量是空热量。偶尔摄入空热量没关系，但它们累积的速度远远超过想象，会使你无力再摄取更富营养的基础热量。此外，研究人员发现，糖不仅没有营养价值，过多的糖还可能对人体有潜在危害。有研究表明，糖除了造成肥胖，大量摄入糖还会导致蛀牙、糖尿病、心脏病及结肠癌。或许糖最大的缺点就是它总存在于没什么营养的食品和饮料里。

超市货架上的商品中含有各种名目的精制糖，例如玉米糖浆、脱水甘蔗汁等。非精制的糖（比如蜂蜜）并不比精制糖更有营养，虽然它们可能会出现在更有营养的食品中——例如摆放在超市健康食品区的全谷物食品。要限制摄入各种形式的糖，少摄入的热量可以通过更健康的食物来让你精力更充沛。

如果想吃到可口又营养的甜食，可以用水果、果干及浓缩果汁来代替糖，它们有甜味，但不含糖，还含有维生素、微量元素及宝贵的植物化学物质（有助于人体抵抗疾病、延缓衰老）。一些低热量的代糖在妊娠期食用也非常安全（参考第115页）。

记住好食品来自哪里。大自然了解营养知识。通常最营养的东西都离最自然的状态不远。选择应季的新鲜蔬菜和水果，如果买不到新鲜的，或

不再内疚

你的意志力将发挥作用，尤其是一人吃两人补的时候。然而，我们所有人都会不时地屈服于诱惑，这也不必内疚。每天可以有一次好好款待自己，吃一些不太营养，但让你的味蕾愉悦的东西。比如，蓝莓松饼或许比蓝莓含糖多，却美味得不得了；夹心奶油饼干也非常诱人；你还可以吃一个非常渴望的快餐汉堡。偶尔放纵自己享受布朗尼和巧克力棒时，不要愧疚。

不过，当你“冒险”踏上低营养之路，还是要尽可能控制自己的“下坡速度”：在圣代冰激凌上放一片香蕉和几粒坚果；选择含杏仁的巧克力棒；选择含乳酪和西红柿的汉堡（或者配上沙拉吃）。吃这些东西的时候减少分量也是一个很好的办法：和朋友分享一份洋葱圈；吃一小片山核桃派，而不是厚厚一片。但还要记住，在这条低营养之路上不要走得太远，否则还是会有负罪感。

没时间自己做，可以买新鲜冷冻或罐装的蔬果（选择没加糖、盐、脂肪的品种）。加工过的食品中添加的“营养物质”越少越好。每天生吃一些蔬菜和水果。做菜的时候尽量选择蒸熟，或者轻轻翻炒，这样可以保留更多维生素和矿物质。

下面是一些如何通过保证食物自然状态而获取更多营养的经验。避免购买加工食品，它们在生产过程中加入了大量化学物质、脂肪、糖、盐，而且营养成分很少。选择刚烤好的鸡胸肉，而不是熏鸡肉；选择全谷物通心粉和天然乳酪，而不是亮黄色的加工产品。选择用燕麦轧成的燕麦片，而不要选择那些低膳食纤维、高糖的麦片。

健康饮食从家里开始。让我们面对现实吧，当你亲爱的丈夫坐在旁边的沙发上埋头大吃面前那半桶冰激凌时，让你安安心心啃一个水果一定非常不容易；当你想找点大豆薯片解馋时，却发现橱柜里被他塞满了你最喜欢的橙色乳酪球，自制力又将受到很大的挑战。所以，让丈夫（及其他家庭成员）加入健康饮食的大军，让家成为一个健康饮食区。把家里所有的面包都换成全麦的；冰箱里放满冻酸奶；在你能够到的地方禁止放那些充满诱惑的零食——并且这些措施要一直坚持到分娩后。研究发现，良好的饮食不仅可以帮助准妈妈安全度过孕期，还能降低很多疾病的发病概率，如II型糖尿病、癌症等。这意味着饮食健康的家庭更可能健康地生活。

坏习惯会破坏良好的饮食计划。吃得好并不是健康妊娠的唯一保障。最好的妊娠期食谱也会因酒精、烟草和其他不安全的药物而大打折扣。如果你还没有戒掉这些，配合妊娠期的需要改变自己的生活习惯吧。

孕期每天摄入的饮食

热量。理论上说，孕妇每天需要吃两个人的东西。但是，需要记住很重要的一点：这两个人中有一个是正在发育的小宝宝，他需要的热量明显少于妈妈——大约每天只需300卡。所以，如果你是标准体重，那么只需要300卡的额外热量——相当于两杯脱脂牛奶和一碗燕麦片。孕期这部分的营养需求非常容易满足，甚至超出。更重要的是，在孕期前3个月，除非体重过轻，否则不需要任何额外的热量（这个阶段，肚子里的宝宝才发育到豌豆那么大）。随着孕期第4～6个月时新陈代谢加快，你可以将额外摄入的目标热量定在300～350卡。孕晚期宝宝会越来越大，你可能需要更多的热量，大约每天500卡。

摄取的热量超过你和宝宝的需要不仅没必要，而且有危险，可能导致体重超标。但是摄入热量太少也不行，随着孕程进展，可能对身体有潜在危害。第4～9个月没有摄入足够热量的女性会严重减缓宝宝的生长速度。

如果你属于以下4种特殊情况，就要和医生探讨一下孕期所需的热量标准：如果体重超重，在正确的营养指导下可以摄入相对较少的热量；如果体重过轻，就需要摄入更多热量以迎头赶上；如果还处于青春期，自己的身体还在发育，也需要较多的营养；如果你怀着多胞胎，要为每个宝宝都多摄入300卡热量。

孕期的热量计算无法特别精确。与其每顿饭都计算热量，不如偶尔站到可靠的体重秤上称一称体重，以评判自己的增重情况（如果你比较好奇，可以每周称一次；如果害怕看到自己体重增加，可以两三周称一次）。要在每天同一个时间，不穿衣服或穿同样的衣服（或衣服的重量相同）称重，这样可以防止因为这一次吃或穿得太多而造成偏差。如果你的体重按照原先的计划增长（在孕中期和孕晚期，平均每周增重约450克），你摄取的热量就是合适的；如果增重较少，则说明你摄入的热量过少；如果增重比原先的计划快，就说明摄入的热量太多了！根据你的需要保留或调整摄入的食物，但一定不能在减去热量的同时削减你和宝宝需要的营养。

蛋白质食品：每天3份。你知道宝宝是怎样长大的吗？他利用你每天吃下的蛋白质里的氨基酸（人类细胞的基本组成部分）和其他一些营养物质来生长发育。因为宝宝的细胞在快速分化，蛋白质就成了孕期食谱中至关重要的成分。每天的蛋白质摄入目标约为75克。如果你觉得这个数字看上去太多，请记住大多数人每天不费吹灰之力就能消耗这么多。为了摄入足够的蛋白质，每天需要从后面的清单中选择3份蛋白质食物。记录蛋白质的摄入量时，不要忘记加上许多高钙食品中的蛋白质，例如1杯牛奶和30克乳酪分别含有1/3份蛋白质，1杯酸奶含有1/2份蛋白质，全谷物食品和豆制品也能提供一些蛋白质。

每天在下列食物中选择3种（每种含有1份，也就是25克蛋白质），或挑选一种含有3份蛋白质的食物。很多乳制品在提供蛋白质的同时还能补钙——这样选择食物更高效。

· 720毫升牛奶或酪乳

数一次，数两次

很多你喜欢的一份食物所含的热量就大于你和宝宝一天的需要量。例如香瓜不仅美味，还是一种绿色水果，含大量维生素。一杯酸奶含有一份钙和半份蛋白质。尽量挑选这种含有多种营养的食品，可以让你在获得营养的同时不会占用太多胃的空间。

· 1 杯白乳酪

· 2 杯酸奶

· 90 克乳酪

· 4 个鸡蛋

· 7 个鸡蛋的蛋清

· 100 克罐头金枪鱼或沙丁鱼

· 130 克罐头三文鱼

· 130 克烹饪后的贝类食品，例如虾、龙虾、蛤蜊等。

· 130 克（烹饪前）鲜鱼

· 130 克（烹饪前）去皮的鸡肉、火鸡肉、鸭肉及其他禽肉

· 130 克（烹饪前）瘦牛肉、羊肉、小牛肉、猪肉及水牛肉

含钙食品：每天 4 份。成长中的儿童需要大量的钙来使骨骼和牙齿变得坚固，这一点也许你上小学时就知道了。事实上，正在发育中的宝宝也是如此。钙对肌肉、心脏和神经系统的发育，以及凝血机制和酶发挥作用都很重要。如果你没有摄入充足的钙，受损失的不仅是宝宝——假如体内的钙不足，宝宝就会从你的骨骼中吸取钙来满足自身需求，使你以后患骨质疏松症的概率升高。所以，尽量一天吃 4 份高钙食品，以满足每天的钙需求。

如果你觉得每天喝 4 杯牛奶胃会很难受，或者忍受不了牛奶的味道，有一个好消息，钙不一定要从牛奶中摄取，可以通过酸奶、乳酪来摄入。钙也可能藏在水果奶昔、汤、炖菜、燕麦片、冰激凌、调味汁、甜点等很多食品里。

不喜欢或根本不吃乳制品的人也可以从非乳制品中获取钙。例如一杯加钙橙汁就含有 1 份钙和 1 份维生素 C；130 克含鱼骨的罐头三文鱼可以提供 1 份钙和 1 份蛋白质；1 份熟的绿叶蔬菜不仅可以提供 1 份维生素 C，还贡献了钙。素食、乳糖不耐受，或因为其他原因不知道自己是否摄入了足够钙的准妈妈，可以考虑服用钙补充剂（要含有维生素 D）。

为了达到每天摄入 4 份高钙食品的目标（你可以把每天吃的所有食物加起来达到这个目标）。下面列出的每份食物都含有 300 毫克钙（你每天的需要量是 1200 毫克），其中很多食品也满足了你对蛋白质的需求：

· 1/4 杯碎乳酪

· 30 克硬乳酪

· 1/2 杯巴氏灭菌的里科塔乳酪

· 1 杯牛奶或酪乳

· 150 毫升加钙牛奶（饮用之前请摇匀）

· 1/3 杯脱脂奶粉

· 1 杯酸奶

· 1.5 杯冻酸奶

· 1 杯加钙橙汁（饮用前请摇匀）

· 130 克带鱼骨的罐头三文鱼

· 80 克带鱼骨的罐头沙丁鱼

· 3 汤匙芝麻粉

· 1 杯熟的绿叶蔬菜，如羽衣甘

蓝、芜菁

· 1.5 杯熟的小白菜

· 1.5 杯熟毛豆

· 1.75 勺黑糖蜜

你也可以通过食用白乳酪、豆腐、干无花果、杏仁、西蓝花、菠菜、豆子、亚麻籽等来补充钙。

含维生素C的食物：每天3份。你和宝宝在修复组织、伤口愈合及其他各种新陈代谢（营养吸收）过程中都需要维生素C。宝宝的正常发育，以及骨骼和牙齿的生长，也需要维生素C。维生素C是一种人体不能储存的营养素，需要每天补充。幸运的是，含维生素C的食物口感一般还不错。下面列出了含有维生素C的食物，传统的橙汁依然是这种维生素的最佳来源。

我们的目标是每天摄入至少3份维生素C。你的身体不能储存这种维生素，所以一天都不能偷懒。记住，很多含维生素C的食物也能满足对绿叶蔬菜、黄色蔬菜水果的需求。

· 半个葡萄柚

· 半杯柚子汁

· 半个橙子

· 半杯橙汁

· 2汤匙橙子、白葡萄或其他强化维生素C的浓缩果汁

· 1/4 杯柠檬汁

· 半个芒果

· 1/4 个木瓜

· 1/8 个甜瓜或半杯甜瓜汁

· 1/3 杯草莓

· 2/3 杯黑莓或覆盆子

· 半个猕猴桃

· 半杯菠萝块

· 2 杯西瓜块

· 1/4 个红色、黄色或橙色柿子椒

· 半个绿柿子椒

· 半杯西蓝花

· 1 个西红柿

· 3/4 杯西红柿汁

· 半杯蔬菜汁

· 半杯生的或熟的菜花

· 半杯熟的羽衣甘蓝

· 1 杯生菠菜或半杯熟菠菜

· 3/4 杯熟的芥菜或青萝卜

· 2 杯长叶莴苣

· 3/4 杯紫甘蓝丝

· 1 个红薯或带皮烤的土豆

· 1 杯熟毛豆

绿叶蔬菜、黄色蔬菜水果：每天3～4份。这些兔子最喜欢的食物以β-胡萝卜素的形式为人体提供维生素A——对细胞发育（宝宝的细胞正以惊人的速度增长）及皮肤、骨骼和眼睛保持健康有着重要意义。绿叶蔬菜和黄色蔬菜也可以提供其他重要的类胡萝卜素和维生素C、维生素E、核黄素、叶酸和其他B族维生素、多种矿物质（很多绿叶蔬菜都能提供大量的钙和微量元素）、有助于抵

植物蛋白质

给素食者的好消息：你并不需要想办法摄取几种植物蛋白质，只要每天至少吃一种（豆类、谷类及种子坚果类）就可以了。为了保证每顿饭都摄入足够蛋白质，在下面的清单中挑选两种食物，或者一种吃两份。同时要记住，这些食物也可以满足身体对全谷物和豆类的需求。

下面这些都是适合孕妇的营养食物——不必为了这个食谱就把自己变成一个素食者，但可以把这些食物纳入孕期食谱中。在妊娠初期容易恶心而厌恶肉类食物时，可以把这些食物加进菜单中。

豆类（提供半份蛋白质）

· 3/4 杯熟的蚕豆、扁豆、豌豆或鹰嘴豆

· 半杯熟毛豆

· 45 克花生

· 3 汤匙花生酱

· 1/4 杯味噌

· 130 克豆腐

· 85 克印尼豆豉

· 1.5 杯豆浆

· 80 克大豆乳酪

· 半杯“素肉”

· 1 大份“素热狗”或“素汉堡”

· 30 克（烹制前）大豆或高蛋白通心粉

谷类（提供半份蛋白质）

· 90 克（烹制前）全麦通心粉

· 1/3 杯麦芽

· 3/4 杯燕麦麸

· 1 杯生的（或 2 杯熟的）燕麦片

· 2 杯全谷物即食燕麦片

· 半杯生的（或 1.5 杯熟的）粗麦粉、碎干小麦、荞麦

· 半杯生藜麦

· 4 片全谷物面包

· 2 块全麦口袋面包或英式松饼

种子、坚果类（提供半份蛋白质）

·85 克坚果，例如核桃、山核桃、杏仁。

· 60 克芝麻、葵花子、南瓜子

· 半杯亚麻籽粉

* 食品中的蛋白质含量差异较大，请参考食品标签，半份蛋白质一般为 12 ～ 15 克。

抗疾病的植物化学物质和缓解便秘的膳食纤维。下面的清单中含有大量的绿叶蔬菜、黄色蔬菜和水果。不喜欢蔬菜的人也别担心，西蓝花和胡萝卜并不是维生素 A 的唯一来源，杏干、黄桃、甜瓜、芒果等甜美诱人的天然食物也能让你获得维生素 A。喜欢喝饮料的人也会很高兴，1 杯蔬菜汁、

1 碗胡萝卜汤或 1 份芒果奶昔就可以满足每天的绿叶蔬菜和黄色蔬菜的需求。

每天至少摄入 3～4 份这类食物。可能的话，尽量每天都吃到一些黄色和绿色的蔬菜（生吃一些蔬菜可以获得更多膳食纤维）。记住，这些食物中有很多也含大量的维生素 C。

· 1/8 个甜瓜

· 2 个鲜杏或 6 个杏干

· 半个芒果

· 1/4 个木瓜

· 1 个油桃或黄桃

· 1 个柿子

· 3/4 杯粉红葡萄柚汁

· 1 个粉红葡萄柚或红葡萄柚

· 1 个橘子

· 半根胡萝卜（1/4 杯切碎的胡萝卜）

· 半杯生的或熟的西蓝花

· 1 杯卷心菜沙拉

· 1/4 杯熟的羽衣甘蓝、瑞士甜菜或甘蓝

· 1 杯绿叶生菜、长叶莴苣、芝麻菜，或红叶生菜

· 1 杯生菠菜，或半杯熟菠菜

· 1/4 杯熟笋瓜

· 半个红薯或山药

· 2 个西红柿

· 半个红柿子椒

· 1/4 杯切碎的欧芹

其他水果和蔬菜：每天 1～2 份。除了摄取充足的维生素 C 和 β-胡萝卜素（维生素 A），你每天还需要一种以上的其他水果和蔬菜。这些食物过去被放在备选菜单上，但现在人们认识到，许多品种不仅富含对保持孕期健康非常重要的矿物质（例如钾和镁），还包含一些刚刚为人所知的微量元素，很多这类食物富含植物化学物质和抗氧化物质（尤其是那些彩色品种，所以尽量购买色彩鲜艳的食物，它们会回报给你更多营养物质）。从之前的"每天一苹果"到近年来常上报纸头条的蓝莓和石榴，这些水果非常有必要在你的每日饮食中占据一席之地。

你肯定发现喜欢的蔬果中有很多属于"其他"这一类。从下列清单里挑选一两种，让你的饮食更加丰富：

· 1 个苹果

· 半杯苹果汁或苹果酱

· 半杯石榴汁

· 2 汤匙浓缩苹果汁

找不到你喜欢的？

如果你最喜欢的水果、谷物或者蛋白质食物在书里的清单上都没有，这并不代表它不营养。因为篇幅有限，本书只列举了一些常见的食物。在美国农业部国家营养数据库里还有更全面的资料：nal.usda.gov/fnic/foodcomp/search/。

· 1 根香蕉

· 半杯去核的新鲜樱桃

· 1/4 杯熟蔓越莓

· 1 个桃子

· 1 个梨或 2 块梨干

· 半杯不加糖的菠萝汁

· 2 个李子

· 半杯蓝莓

· 半个鳄梨

· 半杯熟扁豆

· 半杯新鲜的生蘑菇

· 半杯熟秋葵

· 半杯洋葱片

· 半杯熟的欧洲防风

· 半杯熟南瓜

· 1 根熟的甜玉米

· 1 杯切碎的圆生菜

· 半杯豌豆或甜豆

全谷物和豆类：每天 6 份以上。我们实在有太多的理由来摄入谷物。全谷物（全麦、全燕麦、全黑麦、全大麦、全玉米、全稻米、全粟米、全麦胚、全荞麦、全小麦、全藜麦等）和豆类（豌豆、蚕豆）富含各种营养素，特别是 B 族维生素（除了维生素 B_{12}，它只存在于一些动物性食品里）——宝宝身体各部分生长发育必需的物质。这些浓缩的碳水化合物中也富含铁和微量元素，例如锌、硒和镁，这些元素对于孕期很重要。此外，这些淀粉类食物还可能缓解晨吐症状。尽管这些食物有许多相同的营养成分，但是每一种食物都有自己独特的作用。为了最大程度从中获益，你的食谱需要包含各种全谷物和豆类。大胆尝试一下吧，用加了香草和帕尔玛乳酪的全麦面包屑裹上鱼和鸡烘烤；用藜麦（一种美味的高蛋白谷物）作为主食，或者用碾碎的干小麦或者麦胚加上大米一起蒸米饭；做你最喜欢的饼干时，里面放一些燕麦；做汤时，用菜豆代替利马豆。就算再喜欢吃也要记住，精加工的谷物不够营养。即使它们标榜自己是“营养食品”，也缺少全谷物中所有的膳食纤维、蛋白质和十几种维生素和微量元素。

下列食物尽量每天吃 6 种以上，这些食物还能为你的身体提供蛋白质。

· 1 片全麦面包、全黑麦面包、其他全谷物面包或大豆面包

· 半个全麦口袋面包或全麦面包卷、全麦贝果、玉米饼、英式松饼

· 1 杯煮熟的全谷物麦片，例如燕麦或小麦片

· 1 杯全谷物的即食麦片（不同品牌提供的营养物质不同，购买前一定要查看标签）

· 半杯格兰诺拉麦片

· 2 汤匙麦芽

· 半杯煮熟的糙米或菰米

· 半杯煮熟的小米、碾碎的干小麦、燕粗麦粉、荞麦、大麦、藜麦

· 30 克全谷物通心粉或大豆通心粉

· 半杯煮熟的蚕豆、扁豆、豌豆或毛豆

· 2 杯爆米花

· 30 克全谷物薄脆饼干或大豆薯片

· 1/4 杯全谷物粉或大豆粉

高铁食品：每天少许。宝宝的血液供应和你扩张的血液供应都需要大量的铁，在孕期的 9 个月里，你会源源不断地为宝宝输送铁。从食物中尽可能多地摄取铁（参考下面的清单），吃高铁食物的同时也要摄入一些富含维生素 C 的食品，这样有助于身体对铁的吸收。

只从食物中摄取铁通常很难满足孕期的需求，医生可能会建议你从第 20 周开始，除了补充维生素之外，每天服用铁剂；或是在常规孕检提示缺铁的时候及时补充。为了促进铁的吸收，应该在两餐之间服用铁剂，并用富含维生素 C 的果汁送服（咖啡因饮料、抗酸药、高纤食品、高钙食品都会影响铁的吸收）。

我们每天进食的大部分水果、蔬菜、谷物和肉类中都含有少量铁。但即使每天都服用铁剂，也要再从下列高铁食品选择一些。很多富含铁的食物也能满足你其他方面的营养需求：

· 牛肉、水牛肉、鸭肉、火鸡肉

· 熟的蛤蜊、牡蛎、蚌及虾

· 沙丁鱼

· 带皮烤的土豆

· 菠菜、羽衣甘蓝、甘蓝、青萝卜

· 海藻

· 南瓜子

· 燕麦麸

· 大麦、碾碎的干小麦、藜麦

· 蚕豆和豌豆

· 毛豆和豆制品

· 黑糖蜜

· 水果干

脂肪及高脂肪食物：每天约 4 份（根据你的体重水平来决定）。大家可能过于关注脂肪的摄取，其实身体对脂肪的需求最容易满足，也最容易补充过度。摄入额外的绿叶蔬菜或富含维生素 C 的食物肯定无害——可能还会对身体有益处；而过量的脂肪摄入

少量脂肪更有益

想在做菜时省略沙拉酱或油等调料来减少热量摄入？那你的毅力能评为“A”了——但这可能会导致缺乏维生素 A。研究证明，如果食物中没有脂肪，蔬菜中的大量营养都不能被人体吸收。所以，记住在蔬菜中加入少量脂肪，享受菜里的油，在凉拌西蓝花时撒上一些坚果，并用沙拉酱调味。

脂肪的益处

你害怕脂肪吗（尤其是当怀孕之后开始增重）？不要恐惧——不过要正确选择。毕竟，不是所有脂肪都一样。一些脂肪是有益的——尤其对怀孕期的你来说。omega-3 多不饱和脂肪酸含有著名的 DHA，是孕期的你最应该在食谱里添加的成分，因为 DHA 对宝宝胎儿期、幼儿期大脑和视网膜的发育起到关键作用。事实上，研究人员已经发现，如果妈妈在孕期摄入大量 DHA，学步期的宝宝在手眼配合方面显著优于同龄人。往食谱里添加这种帮助宝宝大脑发育的关键物质有两个重要阶段：一是孕期最后 3 个月（宝宝的大脑正在飞速发育），另一个则是哺乳阶段（宝宝出生的前 3 个月里，大脑里的 DHA 含量会增长 2 倍）。

适当的脂肪对于准妈妈也非常有益。孕期摄取足够的 DHA，可以让你更好地控制情绪，还可以降低早产和产后抑郁症的概率。孕期摄取足量的 DHA 还能让宝宝出生后拥有更好的睡眠习惯。幸运的是，DHA 存在于多种食物中：三文鱼（尽量选择野生的）及其他脂肪含量高的鱼类(例如沙丁鱼)、核桃、富含 DHA 的蛋类、芝麻菜、虾和蟹、亚麻籽，还有鸡肉。你也可以要求医生开一些安全的 DHA 补充剂。有些孕期补充剂也含有一点 DHA。

只会让体重超标。不过，适量摄入脂肪非常好，从食谱里把脂肪完全去掉却非常危险。脂肪对于成长中的宝宝至关重要，“必需脂肪酸”更是重中之重。孕期的最后 3 个月，omega-3 脂肪酸非常重要（参考上面的小贴士）。

记录你每天的脂肪摄入量，满足每天的需求量，但不能超标。别忘了加上准备饭菜时的脂肪：如果你用了半汤匙黄油（半份脂肪）煎鸡蛋，用 1 汤匙蛋黄酱（1 份脂肪）拌卷心菜沙拉，那么在当天的记录里就要加上这 1.5 份脂肪。

如果你体重不足，增加营养也没效果，就试试每天多摄入一份脂肪，它的高浓度热量会使你以理想的速度增重。如果觉得增重太快，可以再减掉一两份脂肪。

下面清单中的食物都（或者大部分）由脂肪组成。它们当然不是饮食中唯一的脂肪来源（奶油酱、全脂乳酪和全脂酸奶、种子和坚果类食物中的脂肪含量也比较高），但你需要记下这些食物的摄入量。如果你体重达标，每天选择清单中4整份（大约每份含14克脂肪）或8个半份的食物。如果体重不达标，则要根据自身情况调整脂肪摄入量：

·1汤匙油，例如植物油、橄榄油、菜籽油、芝麻油

·1汤匙普通黄油或人造黄油

·1汤匙普通蛋黄酱

·2汤匙沙拉酱

·2汤匙重奶油

·1/4杯半脂奶油

·1/4杯鲜奶油

·1/4杯酸奶油

·2汤匙普通奶油奶酪

·2汤匙花生酱或杏仁酱

含盐食品：适量。过去，医生会限制准妈妈孕期内盐的摄入量，因为盐会导致水潴留和身体肿胀。但现在人们认为，在孕期体液增多是必要的，也是正常的。而要维持合适的体液水平，必须适时摄入钠。缺少钠对宝宝非常有害，但经常食用大量的盐及太咸的食品（例如让你欲罢不能的泡菜、炒菜时加太多酱油、大包的薯条），对任何人（无论怀孕与否）都不好。钠摄入量高很可能导致高血压，而高血压会在孕期、阵痛及分娩时导致各种危险的并发症。作为一般原则，做好的菜应只有淡淡的咸味——或几乎没有咸味。想吃泡菜的时候吃一点，而不是吃半瓶。另外，除非医生建议（例如甲亢患者），否则应吃碘盐以满足孕期增长的碘需求。

液体：每天至少2升。你不仅在为两个人吃饭，还在为两个人喝水。宝宝的身体像你一样，绝大部分都由液体组成。随着这个小身体的发育，它需要更多的液体。你的体液在孕期会明显增多，所以身体需要的液体也空前得多。如果你之前习惯一天都不怎么喝水，现在该改改这个习惯了。水能让你的皮肤保持柔嫩，缓解便秘，帮助你（和宝宝）排出毒素和废物，还能降低身体肿胀、尿路感染及早产的风险。保证每天至少喝8杯水——在某些情况下需要喝得更多，特别是体内滞留大量液体的时候（看上去有点矛盾，但大量摄入液体确实可以将体内多余的液体排出），以及天气炎热，或运动量大时。尽量不要在饭前喝水，否则会因为喝得太多而吃不下饭。

当然，不是需要的液体都必须来自水，牛奶（其中2/3是水）、蔬果汁、汤、脱咖啡因咖啡或茶、瓶装水或苏打水都可以。不要喝太多果味汽水，否则会摄入太多热量。另外，多吃一些蔬菜水果也可以补充水分（每5份蔬菜水果能提供2份水）。

孕期维生素补充剂：孕期每天服用。既然每天的食谱已经涵盖了孕期所需的营养，为什么还需要维生素补充剂呢？通过选择合适的食物仍然不

补充剂里有什么？

补充剂里都有什么？这取决于你服用的是哪种补充剂。鉴于孕期补充剂有不同的剂量标准，配方各异。医生可能向你推荐或直接开具某种补充剂，这样就不用自己猜测需要什么了。如果你正在药店的柜台前挑选适合自己的补充剂，又没有医生的推荐，你寻觅的补充剂应包含如下营养素：

●不超过 4000 国际单位（800 微克）的维生素 A。维生素 A 含量超过 10000 国际单位时会有毒，因此许多制造商降低了维生素补充剂中维生素 A 的含量，或改用 β-胡萝卜素（一种更安全的维生素 A 来源）代替维生素 A。

●至少 400～600 微克的叶酸。

●250 毫克钙。如果从食物中摄取到的钙不足，就需要通过补充剂来达到孕期所需的每日 1200 毫克钙的标准。如果补充剂中的钙含量超过 250 毫克，则不能和铁剂同时服用，因为钙会影响铁元素的吸收。至少要在服用铁剂前 2 小时或 2 小时后再服用较大剂量的钙。

●30 毫克铁元素。

●50～80 毫克维生素 C。

●15 毫克锌。

●2 毫克铜。

●2 毫克维生素 B_6。

●不超过 500 微克的维生素 D。

●DRI 规定的营养素含量约为：维生素 E15 毫克，维生素 B_1 1.4 毫克，维生素 B_2 1.4 毫克，烟酸 18 毫克，维生素 B_{12} 2.6 毫克。这些元素在大多数孕期补充剂里的含量是 DRI 规定值的 2～3 倍，目前还没发现这样的剂量会产生危害。

有的孕期补充剂里还含有镁、氟化物、生物素、磷、泛酸、额外的维生素 B_6（可以缓解恶心）、生姜素（作用同维生素 B_6）和促进宝宝大脑发育的 DHA。

还有一点很重要：一定要找找孕期补充剂里是否含有不适合产前服用的成分，例如草药等。有疑惑的时候记住咨询医生。

能满足营养需求吗？如果你住在实验室里，吃下的每份食物都经过精准的称量和制作，并会统计出每天合适的摄取量；如果你从不匆匆忙忙地吃饭，也不会由于工作忙而推迟午餐时间，或是因为恶心而吃不下饭，也许可以做到这一点。在现实生活中，孕期补充剂能为你和宝宝提供额外的健康保证，覆盖了饮食中没有涉及的基础营养素，所以建议每天服用。

同样，补充剂只能作为补充，营养多么全面的药片都不能代替良好的饮食。能从食物中获取大多数维生素和矿物质是最理想的情况，毕竟通过这种渠道获得的营养素能被最有效地利用。新鲜食物不仅包含现在已知的和能在药片中合成的营养物质，也可能含有大量目前还没有发现的营养物质。这些食物还富含膳食纤维和水分（蔬菜和水果在这两方面非常有优势）、重要的热量和蛋白质——这些都无法从药片中有效获取。

不要以为吃一点维生素有益处，多吃就对身体更好。体内的维生素和矿物质剂量太高，就会变成毒药，对准妈妈更是如此。某些维生素（例如维生素 A 和维生素 D）即使略微超出建议的营养表摄入量（RDA，现在称为 DRI，或每日膳食营养素推荐摄入量）都会对人体有害。任何超出 DRI 的营养补充剂都需要在医学监督下服用，草药和其他补充剂也一样。但是对食物中的维生素和矿物质就不用太担心了，想吃胡萝卜和菜花的时候就放开吃吧。

你可能关心的问题

不喝牛奶

“我实在忍受不了牛奶的味道，每天喝 4 杯牛奶让我非常不舒服。可是宝宝需要牛奶，是吗？”

宝宝需要的并不是牛奶，而是钙。牛奶是我们日常饮食中最自然、最好、最方便的钙源，所以通常医生都会推荐它作为妊娠期的首选食品。但如果你喝了牛奶之后不仅会在嘴唇上留下牛奶“小胡子”，还会觉得口腔里发酸，甚至胀气，就可能在端起这杯白色液体之前踌躇万分。幸运的

请喝巴氏灭菌奶

19 世纪中叶，法国科学家路易斯·巴斯德发明的巴氏灭菌法可算得上有奶牛以来乳制品业最伟大的发现。直到今天，巴氏灭菌的意义仍不可低估——尤其对于妊娠期女性来说。为了保护你和宝宝不受有害细菌（如李斯特菌等）侵害，要确保你饮用的牛奶用巴氏灭菌法处理过，乳酪等所有乳制品都用巴氏灭菌牛奶制成（“生牛奶”做成的乳酪没有经过杀菌处理）。果汁里可能含有大肠杆菌和其他有害细菌，所以也应该采取巴氏灭菌法处理。现在甚至有巴氏灭菌鸡蛋（可以杀死鸡蛋里的沙门氏菌，又不影响其味道和营养）。目前出现了一种迅速的巴氏灭菌新方法，但对于孕期是否安全尚不清楚。在进一步了解和确认之前，尽量选择经过传统巴氏灭菌处理的食品。

是，你不必为了宝宝牙齿和骨骼的健康发育而逼自己忍受牛奶。如果你乳糖不耐受或只是受不了牛奶的味道，还有很多替代品可以代替牛奶。

有时，你也许只是对牛奶反胃，但接受其他乳制品没有问题，例如硬质乳酪、加工过的酸奶（选择一些带有益生菌的，它们可以帮助你消化）、无乳糖牛奶（这种牛奶里的乳糖被转化成了一种更容易消化吸收的形式）。有的无乳糖乳制品添加了钙，这是另一个好处——看看商品标签，尽量选择这种产品。饮用牛奶及食用乳制品之前服用乳糖酶，或者在牛奶中加几滴乳糖酶制剂，可以在最大程度上减少乳制品带来的腹部不适。

即使你多年来对乳糖一直不耐受，但在孕期中间的3个月和末期的3个月（对钙的需求量最大），也许你会发现自己可以食用一些乳制品。如果是这样，也不要吃得太多，还是多吃那些不会引起不适反应的食品吧。

如果你还是不能耐受任何乳制品，或者对它们过敏，也可以通过饮用一些加钙果汁或食用一些高钙的非乳制品，给宝宝提供他所需的钙。在第98页的清单里可以找到这些高钙食品。

如果你对牛奶的反感不是由于生理原因，而是觉得口感不好，试一试乳制品或富含钙的非乳制品，其中肯定会有许多食物符合你味蕾的需要。你也可以将牛奶加在其他食物里，比如麦片、汤、水果奶昔等，这样它的味道就不明显了。

如果你还是不能从饮食中摄入足量的钙，就请医生帮你推荐一种钙补充剂（对于难以咽下药片的人来说，有许多甜味的咀嚼片可供选择）。同时，也要确保自己摄入了足量的维生素D。一些钙补充剂里已经添加了维生素D（可以促进钙的吸收），最好也在孕期补充剂里加上一些。

不吃红肉

“我只吃鸡肉和鱼肉，不吃红肉（牛肉、羊肉等），这样能够提供宝宝需要的全部营养物质吗？”

宝宝不会为此抱怨的。事实上，与牛肉、猪肉、羊肉和内脏相比，鱼肉和禽肉能提供更多蛋白质，脂肪含量和热量也更低。和红肉一样，它们也是宝宝需要的B族维生素的良好来源。禽肉和鱼肉稍欠缺的就是铁含量较低（不过鸭肉、火鸡肉和贝类都是高铁食品），但有很多方式可以轻松补充这种重要矿物质，服用铁剂也可以。

素食

“我是个健康的素食主义者，但很多

人都说，要生一个健康的宝宝就必须吃肉、鱼、鸡蛋和乳制品。真是这样吗？”

素食的准妈妈可以生下健康的宝宝，不必改变饮食原则，但比起吃肉的准妈妈，要更用心地搭配饮食。请注意以下几点：

足量蛋白质。对于蛋奶素食者(吃鸡蛋和乳制品的素食者）来说，只要食用足量的鸡蛋和乳制品，充分获取蛋白质很容易。如果你是严格的素食主义者，连鸡蛋和乳制品也不吃，那么在补充蛋白质方面要比别人辛苦一些，需要从大量菜豆、豌豆、扁豆、豆腐及其他豆制品中来弥补（第100页提供了更多关于植物蛋白质的知识）。

足量的钙。食用乳制品的素食主义者要摄取足够的钙很容易，但其他素食者在选择食物时就需要更多技巧。幸运的是，乳制品是最常见的钙源，却不是唯一的钙源。30毫升的加钙果汁提供的钙量和30毫升牛奶差不多（饮用之前一定要摇匀）。其他非乳制品钙源食品包括：深色绿叶蔬菜、芝麻、杏仁、豆制品（比如豆奶、大豆乳酪、豆腐及印尼豆豉）。为了保险起见，素食者最好再服用一些钙补充剂，可以咨询医生的意见。

维生素 B_{12}。虽然正常人缺乏维生素 B_{12} 的现象并不常见，但素食者（尤其是严格的素食者）确实常常缺少这种维生素，因为维生素 B_{12} 只存在于动物性食品中。所以，素食的准妈妈需要服用含有维生素 B_{12}、叶酸、铁的补充剂（问问医生你的孕期维生素补充剂中维生素 B_{12} 的量够不够）。其他能提供维生素 B_{12} 的食物有添加维生素 B_{12} 的豆奶、麦片、营养酵母、强化营养的肉类替代品。

维生素 D。当你晒太阳时，皮肤就会自动生产这种重要的维生素。但因为在阳光下暴晒太久不利于健康和美容，所以只靠自己的皮肤生产维生素D非常不明智（除非是肤色很深的女性，这样的皮肤不会吸收很多阳光）。为了确保足够的维生素D摄入量，美国法律规定每1升牛奶中需要加入400毫克维生素D。如果你不喝牛奶，就要保证喝的豆奶里添加了维生素D，或是服用的孕期维生素补充剂里含有足量维生素D。最好面包和麦片也选择强化维生素D的。

低碳水化合物食品

“我减肥时一直采取低碳水化合物／高蛋白饮食，怀孕后可以继续采用这种饮食吗？”

既然你怀孕了，就别继续下去了。实际上，想在孕期减少任何基本的营养素都不明智。孕期最合理的安排是：均衡摄入所有宝宝生长需要的成分——包括碳水化合物。无论一种减肥食谱有多么流行，限制碳水化合物（也包括水果、蔬菜和谷物）的饮食也限制了宝宝生长所需的营养物质，尤其是叶酸。这样对宝宝不好，对妈妈也不好。减少摄入复合碳水化合物，你会缺少很多预防便秘的膳食纤维，以及对抗晨吐和孕期皮肤问题的B族维生素。

另一点很重要，孕期需要健康饮食，不是该减肥的时候。所以，收起你的减肥书（至少在分娩前），为了宝宝的健康保持饮食均衡。

胆固醇问题

"我和丈夫很注意饮食，一直在限制胆固醇的摄入量，怀孕后可以继续这样吗？"

孕期的你是不是厌倦了不断听到"不能吃""不应该吃""要少吃"之类的话？那么接下来这条消息一定会让你欢欣雀跃：怀孕时，胆固醇并非必须从饭桌上消失。妊娠期女性，以及少数尚未怀孕的育龄女性，不会因为胆固醇而患动脉栓塞疾病——这让那些爱好培根、鸡蛋、汉堡的人们非常羡慕。实际上，胆固醇对宝宝的发育也非常重要，以至于妈妈的身体会自发提高其产量——将血液中的胆固醇浓度从25%升高到40%。但不需要刻意摄入胆固醇，只要放松享受美味的食物就可以了（除非医生另有建议）。早餐煎几个鸡蛋（尽量选择omega-3鸡蛋，其中的脂肪最好），用乳酪补钙，大口吃汉堡——不要有负罪感。

垃圾食品迷

"我特别爱吃垃圾食品，比如炸面包圈、薯条及快餐。我知道准妈妈应该吃得健康些，但不敢肯定自己能改掉这个习惯。"

做好准备扔掉这些垃圾食品了吗？最重要的第一步就是有改变饮食习惯的动力——祝贺你已经迈出了这一步！事实上，要彻底改变需要很大努力，但这些努力很值得。下面这些方法可以让你毫无痛苦地戒掉垃圾食品：

变换吃饭的场所。如果你习惯坐在办公桌前边喝咖啡边吃早餐，可以改为在家里享用更营养的早餐（一份能稳定血糖水平的早餐，比如含有复合碳水化合物和蛋白质的麦片。这类食物能帮助你抵挡垃圾食品的诱惑）。如果你知道走进快餐店时完全无法抵御薯条的诱惑，就别进去。在附近的早餐店买一个健康的三明治，或者去一些不提供油炸食品的餐厅吃早饭。

提前计划。每顿正餐和零食都

提前计划好，这会让你在整个孕期吃得好一点。准备一些提供健康菜品的餐厅外卖菜单——只需打一个电话，营养丰富的一餐就送到了（要在感到饥饿之前就订餐）。在家里、办公室、背包里、车上准备好健康可口的零食：新鲜水果、什锦坚果、大豆薯片、全谷物燕麦条或咸饼干、1人份酸奶、或水果奶昔、乳酪条、乳酪块。准备好饮用水，以免口渴时手边只有汽水。

不要挑战自己。家里不要存放糖果、薯条、甜饼干和加糖软饮料。在看到糕点店的小点心之前赶紧走开。从公司开车回家时，如果路上有快餐店的汽车餐厅，走其他的路绕开。

寻找替代品。早上喝咖啡时非常想吃一个甜甜圈？用一个麦麸蛋糕代替吧。夜宵特别想吃炸玉米片？试试烤玉米片，可以蘸点沙拉酱调味，这样还可以多摄入一些维生素C。因为吃了太多冰激凌开始牙疼？去买一杯香浓柔滑的水果奶昔吧。

记住宝宝的存在。你吃什么宝宝就吃什么——这一点你很清楚，却很难随时都记住。如果想把“让宝宝吃好”当做首要任务，不妨在需要鼓励和毅力来抵制诱惑的地方，放一些胖胖的、可爱的宝宝照片。在你的办公桌、钱包里及车上也放上照片（想去汽车餐厅时，它会让你一踩油门开过去）。

了解自己的极限。有些垃圾食品迷们可以在吃一点过把瘾之后就停下来，有些则完全相反。如果再多的垃圾食品在你看来都不算多——如果吃一小块糖只会导致你再吃一块超大的，如果吃了一个炸面包圈就会接着吃一打，如果你知道自己打开一包薯片之后一定会一口气吃完——那么对于你来说，完全停止吃垃圾食品的习惯会比循序渐进地停止更容易。

记住，好习惯可以保持一生。一旦已经养成了较为健康的饮食习惯，你可能会考虑继续保持下去。坚持在分娩后也采取健康饮食，会给你提供充沛的精力，形成新妈妈健康的生活方式。你的好习惯还会影响孩子，当他长大后也会有健康的生活习惯。

在餐厅吃饭

“我一直很努力想坚持健康饮食，但应酬太多，不得不常常在餐厅吃饭，这一点很难做到。”

对于很多孕妇来说，在餐厅应酬吃饭的一大挑战是如何用矿泉水代替白酒；同时，怎样才能保证一顿饭中的所有食物都有益健康，又不超过每天的热量上限。时刻记住这些目标，并遵循下面的建议，你会发现在餐厅里坚持健康饮食也不难：

●开始吃面包前，尽量先寻找全麦面包。如果餐厅里没有，记住不要吃太多白面包。限制涂在面包上的黄油和蘸食的橄榄油的量，餐厅里有很多食品都含有脂肪，比如调味用的沙拉酱、蔬菜里的黄油或橄榄油，一点点累积起来很容易超标。

●以蔬菜沙拉作为第一道菜。其他适合的选择还有鲜虾盅、清蒸海鲜、烤蔬菜或汤。

●汤上桌后，尽量找以蔬菜为主的菜（尤其是含有红薯、胡萝卜、笋瓜和西红柿的）。另外，扁豆或蚕豆汤含有大量蛋白质。其实，喝一大碗蔬菜汤已经相当于一顿正餐了，尤其是当你在汤里加了一些碎乳酪时。坚决抵制奶油浓汤，对于蛤蜊浓汤，要选择曼哈顿式的（新英格兰风味的含有太多奶油）。

●重视主菜。摄入的蛋白质，如鱼、海鲜、鸡胸肉或牛肉，尽量以低脂的方式烹饪（烤、焙、蒸、煮）。如果餐厅里的每道菜都放很多酱汁，可以要求把酱汁拿过来自己加。对于你的特殊要求不要感到不好意思，问问鸡胸肉能不能不涂黄油烘烤，鲷鱼能不能不油炸。如果你是素食主义者，可以在菜单上寻找用豆腐、菜豆、豌豆、乳酪做的菜。例如，在意大利餐厅可以选择蔬菜千层面。

●精心挑选配菜。选择烤土豆或烤红薯，糙米饭或菰米饭，以及豆类（菜豆和豌豆）和新鲜蔬菜。

●吃餐后甜点时选择新鲜水果。

健康饮食的捷径

只要稍花点心思，健康食品也可以成为“快餐”，具体做法如下：

●如果你的时间很紧，就自己准备一份含有烤火鸡肉、乳酪、莴苣、西红柿的三明治带到办公室，这样花的时间并不会比排队买汉堡更多。

●如果你不能忍受每天晚上做晚饭，就一次做上两三天的饭量，让自己可以休息几个晚上。

●自己做健康食品的时候尽量简单。健康的“快餐”可以是自制的烤鱼排,在上面加上你最喜欢的辣酱汁，放一些鳄梨块，再挤一点酸橙汁。你也可以在去骨的熟鸡胸肉上放一点番茄酱和马苏里拉乳酪，用烤箱烤一会儿。还可以炒几个鸡蛋用玉米饼卷上，再配上切达乳酪，以及用微波炉热过的蔬菜。

●如果没有时间准备食材，可以买一些豆类罐头、汤罐头、包装好的健康的半成品菜、冷冻的蔬菜，或者超市里那些新鲜的洗干净的蔬菜（你用微波炉加热一下就可以吃了，十分方便）。

只吃水果觉得不满足？那就在上面加些鲜奶油、雪葩[①]或冰激凌。如果你特别想吃甜食？和其他人组成“双勺俱乐部”吧——两个人分享一份甜点。

看懂食品标签

“我很想吃得营养些，但不清楚买到的东西里面有什么成分。我看不懂商品标签。”

标签不仅为了帮助你了解商品本身，更大程度上是为了让你把商品带回家。购买食品时记住这一点，并学会看懂商品标签，尤其是配料及营养成分的说明。

配料表会告诉你商品里究竟含有哪些物质（含量最多的成分会列在首位，依此类推，含量最少的列在末位）。你只需用眼睛快速扫一下标签，就会知道麦片里的主要成分是精制谷物还是全谷物。如果商品中糖、盐、脂肪或添加剂的含量比较高，也能从标签里看出来。例如，如果果糖在配料表里的位置很靠前，或者以几种不同的形式出现（玉米糖浆、蜂蜜和白砂糖），你就知道这种食品里几乎全是糖了。

查看标签上糖的“克数”没有用，除非规定“添加糖”与“天然糖”（比如葡萄干麦片里葡萄干所含的糖）的克数分开写。虽然一盒橙汁与一盒果汁饮料的标签上写的含糖量可能一样，但二者不可相提并论。这就好像用玉米糖浆来和橙子作对比，橙汁中含有的是水果中的天然果糖，而果汁饮料中含有的则是人工添加的糖。

超市货架上的大多数食品包装上都有营养成分的标签，这对于每餐都要计算蛋白质和热量摄入的孕妇来说尤为有用，因为标签上会标明食品中所含蛋白质的克数和总热量。标出每日膳食营养素推荐摄入量（DRI）的比例没什么用，因为孕妇的营养素摄入量与食品标签上的不同。不过，含有多种营养成分的食品值得购买。

注意商品包装上的小字，忽略那些大字。例如，松饼的包装盒上大肆鼓吹“采用全麦粉、麦麸和蜂蜜制作”，而看了标签上的小字，你会发现它的主要成分是白面粉，而不是全麦粉，

只看外表无法判断水果的营养价值

一般来说，大多数水果和蔬菜颜色越深，维生素及微量元素的含量就越高。但要记住，里面的颜色才能代表营养价值的高低。例如，黄瓜（外面颜色深，里面颜色浅）的营养价值并不太高，而哈密瓜（外面颜色浅，里面颜色深）的营养价值非常高。

①用水果、糖水和酒做的冰镇甜点。——编者注

麦麸也只有很少的量，而白砂糖的含量比蜂蜜（位于列表的后面）多得多。

也需要小心包装上所谓的“营养丰富”及“强化营养”字样。在不太健康的食品中加一点维生素不能使它成为营养食品。一碗含有天然营养成分的燕麦片，与添加了12克糖却只含有少量维生素和矿物质的精加工麦片相比，当然是前者好得多。

寿司的安全性

“寿司是我最喜爱的食品，听说怀孕的时候不能吃，是这样吗？”

为了安全起见，寿司和生鱼片不应出现在孕期餐桌上。生牡蛎、生蛤蜊、生拌鱼肉或生拌牛肉，以及其他生的或稍加工过的鱼和贝类也一样。没有彻底做熟的鱼肉很可能会使你生病。但这并不是说你必须要远离最喜欢的日本料理店。日本料理还有其他许多菜，包着熟鱼肉（或海产品）和蔬菜的寿司卷是不错的健康食品，只是要保证使用的是钠含量较低的酱油(如果你在看到这本书之前吃过生鱼片，也不用担心)。

辣味食物

“我喜欢吃辣，而且是越辣越好。怀孕的时候吃辣安全吗？”

喜欢吃辣的准妈妈可以继续享受红辣椒、辣调味汁和干煸类菜肴——只要你能忍受随之而来不可避免的烧心感及消化不良就行。在孕期食用辣味食物不会有什么风险，而且各种辣椒（包括很辣的辣椒）中维生素C含量极高，许多用辣椒制作的食物都很有营养。尽情享用吧,但不要忘了，吃辣椒时家里需要准备一些抗酸剂。

变质食品

“今天早上我喝了一盒酸奶，却没意识到它上周就已经到保质期了。我喝的时候没觉得有异味，但现在非常担心这会对宝宝有害。”

有谚语说：“不必为洒掉的牛奶哭泣。”所以,也不要为坏掉的酸奶哭泣。覆水难收——虽然食用过保质期的乳制品确实不是什么好事，但也不会太危险。如果你吃过变质食品后没有发生不良反应（食物中毒的症状通常会在8小时内出现），就说明这种食品没有对你造成损害。另外，如果酸奶一直保存在冰箱里，就不太可能发生食物中毒现象。但不管怎样，以后购买和食用易变质食品的时候要小心检查生产日期。当然，发霉的食物绝对不能吃。想了解更多关于食品安全的知识，请查看第120页的小贴士。

“昨天晚上我食物中毒了，一直呕吐，这会伤害到宝宝吗？”

你受的罪可能要比宝宝多得多。这种情况最大的危险在于，你因为呕吐和腹泻可能导致脱水。一定要喝大量的水（对你来说，眼下喝水比吃饭重要）来补充流失的水分。如果腹泻严重或（且）大便里有血或黏液，立刻通知医生。第493页对胃肠道问题有更详细的讲解。

代糖

“我不想让体重增加太多，可以食用代糖吗？”

看上去这是个不错的主意，但对准妈妈来说，代糖市场鱼龙混杂。虽然代糖中的大多数可以在妊娠期安全食用，但某些品种的安全性目前还缺乏相关研究证明。下面是现在市面上常见的代糖品种：

蔗糖素（三氯蔗糖）。蔗糖素由食糖制成，但在化学结构上已经被转换成了一种不被人体吸收的形式。蔗糖素因为不会增加热量摄入且没有余味，目前已成为最受孕妇欢迎的代糖形式。你可以用蔗糖素来为咖啡和茶调味，也可以在炒菜和烘焙时用（不像其他代糖，蔗糖素在加热后甜味不会消失），或者购买一些用蔗糖素调味的食品（包括饮料、酸奶、糖及冰激凌）。记住，所有东西都应适量摄入。目前来说蔗糖素还算安全，但毕竟是一种新产品，目前尚没有长期的数据来确认其安全性。

阿斯巴甜。这种甜味剂常用于饮料、酸奶和冰镇甜品中，一般不用于烘焙和其他通过加热制作的食品里（该甜味剂加热一段时间后就会丧失甜味）。关于这种代糖的安全也没有明确定论。一些医生认为它无害，孕期可以少量食用。但有些医生不太信任其安全性，建议孕妇在得到进一步的研究数据前小心食用。你可以咨询一下医生，看看他认为阿斯巴甜的摄入上限是多少（注意，患苯丙酮尿症的女性不要食用这种甜味剂）。

糖精。关于糖精对人类妊娠影响的研究现在还不多，但动物实验结果表明，食用这类化学甜味剂的动物后代患癌症的概率升高，而在人类后代身上是否会出现相似的情况，目前尚不清楚。但已经明确知道，这种化学甜味剂可以穿过胎盘屏障，它在宝宝身体组织中的排泄过程也非常缓慢。大部分医生建议孕期最好不要食用这种代糖。不过也不用担心，你之前已经食用的糖精即使存在危害，其作用也很轻微。

安赛蜜。这种甜味剂比蔗糖甜200倍，可在烘焙食品、果冻、口香糖和软饮料中使用。美国食品药品管理局认为妊娠期适量食用该甜味剂比较安全，但因为目前关于其安全性方面的研究非常少，食用前一定要问问医生的意见。

山梨糖醇。很多水果和浆果里都有这种代糖，甜度只有蔗糖的一半。目前，它已被广泛应用在食品和饮料中。妊娠期间适量食用也是安全的，但大量食用就会出现问题——引起胀气、腹部胀痛及腹泻等一系列孕妇担心的问题。

甘露醇。甘露醇比蔗糖的甜度低，很难被人体吸收，所以它比蔗糖的热量低很多。和山梨糖醇一样，适量食用甘露醇很安全，但大量食用就会引起胃肠不适。

木糖醇。这种糖醇从植物中提取（很多水果和蔬菜中都有天然的木糖醇，甚至人体的正常代谢过程中也能产生一些），常应用于口香糖、牙膏、糖果及一些食物中。一大好处是可以预防蛀牙，所以咀嚼一些含木糖醇的口香糖非常好。木糖醇的甜度相当于蔗糖的 40%，所含热量比蔗糖低，适量食用是安全的（每天吃一条木糖醇口香糖没问题——相信你也不想吃太多）。

甜菊糖。这种甜味剂从一种南美洲的灌木里提取出来，是美国食品药品管理局认可的甜味剂。没有明确的研究数据表明，孕期服用它是安全的，在食用前也要咨询一下医生。

乳糖。这种乳汁中的糖的甜度是蔗糖的 1/6，让食物稍具甜味。除了乳糖不耐受的人在食用后会出现不适症状之外，一般人食用是安全的。

蜂蜜。因为具有抗氧化性，蜂蜜这两年被炒得很热(颜色较深的品种，比如荞麦蜜等，抗氧化物质最多)，但它并非十全十美：蜂蜜是一种不错的代糖，但也是一种高热量食物。每 1 汤匙蜂蜜所含热量比同等质量的蔗糖多 19 卡。要不它怎么会这么黏稠呢？

浓缩果汁。毫无疑问，像白葡萄汁和苹果汁这样的浓缩果汁很有营养，作为一种甜味剂对妊娠期女性是安全的（即便热量不低）。它们不仅是厨房里的多面手（可以代替糖加入任何菜肴中），还以冷藏形式在超市出售，非常方便。购买其他食品时，尽量挑选配料表中有它的——果酱、果冻、全谷物饼干、松饼、燕麦片、燕麦棒、水果酥饼、酸奶、果味汽水等。与用其他甜味剂调味的食品不同，用浓缩果汁调味的食品通常也包含了其他健康成分，比如全谷物粉和健康的脂肪，真是非常美妙的一种调味剂！

花草茶

“我习惯喝花草茶，怀孕时继续喝安全吗？”

花草茶对于妊娠的影响还没有得到充分研究和证明，所以这个问题还没有明确答案。有些花草茶可能是安全的，有些则不太安全——例如覆盆子的叶子泡的茶，大量饮用（超过1000毫升）会引起宫缩（如果你怀孕已超过40周没耐心再等了，这样做有好处；但如果没到预产期不要这样做）。美国食品药品管理局警告称，在得到更多证据之前，妊娠期和哺乳期女性应慎服大多数花草茶。尽管很多女性在怀孕期间喝过各种花草茶也没有出现问题，但为了安全，怀孕时最好不喝——至少限制饮用量（除非医生特别清楚你的身体情况并推荐你饮用）。可以把喝过的花草茶列成清单咨询医生，看其中哪些可以在妊娠期安全饮用。

为了确保喝的花草茶没有安全隐患（且没有医生不了解的成分），你需要仔细阅读茶叶外包装的标签和说明。因为即使是一些水果茶也可能含有几种草药成分。你可以在孕期一直喝调味红茶，或是用橙汁、苹果汁、菠萝汁及其他水果汁加上柠檬、酸橙、橙子、苹果、桃子或其他水果片，以及薄荷叶、肉桂、肉豆蔻、丁香、姜片（能有效抑制恶心）等来自制饮料。孕期喝一点菊花茶也是安全的，还可以减轻妊娠期腹泻。目前对于绿茶的争议较大，因为它会影响到叶酸的作用，叶酸是妊娠期重要的维生素——如果你非要喝绿茶，注意适量饮用。另外，坚决不要买街头小店的茶饮品，除非你非常了解其中的成分，并确定它对孕期的你是安全的。

食物中的化学物质

“包装食品中有添加剂，蔬菜里有农药，鱼肉中有多氯联苯和汞，肉里有抗生素，香肠里有硝酸盐……到底还有没有孕期可以安全食用的东西？”

振作起来——放轻松，你用不着太着急保护宝宝免受食物中化学物质的侵害。虽然你可能看到或听到过大量信息，但事实上只有极少数食物中的化学物质被证实会对胎儿有影响。

然而，尽可能减少风险很明智，因为你的努力是为了两个人的安全。要做到这一点并不难。下列方法可以帮助你决定将哪些食物放进购物车：

- 从前文提到的孕期饮食中挑选食物。这种饮食避免了加工食品，也避开了许多有问题和不安全的成分。它也包含了大量富含β-胡萝卜素的黄绿色蔬菜，以及富含植物化学物质的水果和蔬菜，这些营养物质可以抵消食物中有毒化学物质的影响。

- 用新鲜配料做饭，或是食用冷冻或包装好的有机即食食品，这样可以避免食品加工过程中的添加剂，你的食物也会更有营养。

● 尽可能选择天然食物。只要有机会选择食材，一定要选择不含人工添加剂的（色素、香精、防腐剂等）。阅读食品包装上的小标签，你需要选择的食物要么没有添加剂，要么必须使用的是天然添加剂（比如胭脂树红作为食物染料）。记住，虽然一些人工添加剂被认为是安全的，但其他添加剂的安全性并不让人放心，而且很多添加剂会被用于那些不太营养的食品中“强化营养”（cspinet.org/reports/chemcuisine.htm 上列出了安全的和不太安全的添加剂名单）。

● 有些食物用硝酸盐和亚硝酸盐（硝酸钠）做防腐剂，应尽量避免。此类食物包括热狗、意大利香肠、午餐肉、熏鱼和熏肉。选择没有这些防腐剂的食品吧。

● 鱼肉是一种非常好的精益蛋白质来源，还可以提供宝宝大脑发育必需的物质——omega-3 脂肪酸。鉴于上述原因，你应该在孕期食谱中加上它；即使你从来没有吃过鱼肉，也应该尝试着吃一点。实际上，研究已经证明，女性在怀孕期间多进食鱼类会让孩子脑部发育得更好。所以，多吃点鱼吧！不过要记住——选择安全的鱼类，根据环境保护机构和一些专家的指导原则，应尽量避免鲨鱼、箭鱼、大西洋马鲛、方头鱼及金枪鱼，这些大鱼的肉里甲基汞含量很高，而甲基汞会危害宝宝神经系统的发育。不过，如果你已经吃了一两份箭鱼也不用担心，从现在起不要再吃就可以了。还有，对罐装金枪鱼（黄鳍金枪鱼的汞含量比白鳍的少）和捕到的淡水鱼，要控制摄取量，保持在平均每周 170 克（烹制后）左右即可。商业捕捞的鱼一般含汞量较少，可以安全食用。不要吃从被污染的水中打捞的鱼，热带鱼类（例如石斑鱼、琥珀鱼、鲯鳅等）有时也有毒。幸运的是，还有大量的海鱼可供你尽情享用，经常吃也非常安全（根据官方指导原则，每周平均摄入 340 克左右的鱼肉是安全的）。选择鲑鱼、舌鳎鱼、比目鱼、黑线鳕、罗非鱼、大比目鱼、大洋鲈、青鳕、鳕鱼、鳟鱼及其他一些小海鱼（不过要注意，凤尾鱼、沙丁鱼、鲱鱼等都不太安全，但也含有 omega-3 脂肪酸）和各种海鲜。谨记所有鱼类和海鲜都应该彻底做熟后才能食用。要了解更多信息，可浏览 FDA 的网站 cfsan.fda.gov 及美国国家环境保护局的网页 epa.gov/ost/fish。

● 准备食材时选择瘦肉，下锅前记得去掉所有肥肉，因为家畜吸收的化学物质往往集中在脂肪里。家禽的脂肪和皮毛要剔除干净，以减少食用时身体对化学物质的吸收。另外，不能经常吃动物内脏（如肝脏、肾脏）。

● 在经济条件允许的情况下，尽量买有机家畜和家禽肉，这些产品中没有激素和抗生素。同样，选择有机的乳制品和鸡蛋。农场里自由散养的鸡被化学物质污染的可能性较小，也不会传染沙门氏菌——不关在铁笼子里的鸟很少携带这些病菌。用草喂养的牛，肉中的热量和脂肪含量较低，蛋白质含量较高，同时富含对宝宝有益的 omega-3 脂肪酸。

● 尽量购买有机农产品。通常，被鉴定为“有机”的农产品几乎不含化学残留物。虽然可能因为土壤污染仍含有少量化学残留物，但比传统生产的农产品要安全多了。如果能买到当地产的有机农产品，你也负担得起较高的价格，就把它纳入你的选择之列吧。如果价格对你来说是个问题，可以选择性地购买一些有机食品。

● 为了预防疾病，所有蔬菜和水果在食用前都要洗干净。这样做非常重要，因为即使是有机食品，表面也覆盖了一层细菌，普通栽培的蔬菜和水果更需要通过冲洗去除表面的化学农药。清水可以洗掉一部分细菌和农药，但浸泡和冲洗能将它们洗得更干净（最终还需要漂洗）。尽量用力擦洗水果，这样可以有效去掉表面的化学残留物，尤其在很多蔬果表面留有一层蜡皮的情况下（比如黄瓜，有时还有西红柿、苹果、辣椒和茄子）。如果洗过后发现还有“蜡衣”，那就削皮吧。

● 尽量选择国内产品。进口产品（或者国外加工的产品）有时含有更多杀虫剂。

● 尽量选择本地食品。本地产品的营养更丰富（更新鲜），农药残留一般较少。即使没有被冠上“有机”的名号，很多当地农场栽培的食物也没有使用（或很少使用）农药。对于这些小农场来说，要通过有机认证实在是太贵了。

选择并购买有机食品

花大价钱购买有机产品有时并不值得。下面的具体建议告诉你什么情况下适合购买有机食品，什么情况下继续选择传统食品：

以下食物即便认真清洗，还是会比其他食物的农药残留更多，所以最好选择有机的。这些食物是：苹果、樱桃、葡萄、桃、油桃、梨、树莓、草莓、柿子椒、芹菜、土豆及菠菜。

以下食物没有必要买有机的，它们一般都不会有太高剂量的农药残留：香蕉、猕猴桃、芒果、木瓜、菠萝、芦笋、鳄梨、西蓝花、菜花、玉米、洋葱、豌豆。

有机的牛奶、牛肉、家禽类食物，因为不含激素和抗生素，价格更高。

● 饮食多样化。这样不仅能使烹饪过程更有趣，摄入的营养更丰富，而且可以避免过多接触一些潜在有毒的化学物质。举例来说，轮换吃西蓝花、羽衣甘蓝和胡萝卜，或是将甜瓜、桃子和草莓，鲑鱼、大比目鱼和舌鳎，全麦粥、玉米粥和燕麦粥轮换着吃。

● 尽量去健康食品超市，但不要让自己有太大压力。尽可能避免饮食中的危害合情合理，但不能因为追求天然饮食而让自己精神紧张——这太没有必要了。尽力就可以了，坐下来好好享受每一顿饭。

两个人的饮食安全

担心那些从南美进口的桃子含有太多农药？可以理解，尤其现在你要考虑的是两个人的食品安全。但为何不考虑一下你打算用来洗桃子的海绵呢？它已经挂在你的水池上快3周了。你有没有想过它可能给你带来什么？还有那块可爱的案板——你正打算用它来切桃子，昨晚是不是刚用它来切过生鸡肉？关于饮食安全，要考虑以下方面：食物中比化学物质更直接的危险来自于微生物，即细菌和寄生虫。它们会污染食物，看起来一点也不可爱。这些讨厌的小东西会引起各种胃肠道不适和严重疾病。为了确保你下一餐能接受的最坏结果只是烧心（对于孕妇来说，与肠胃不适相比，烧心是相对能忍受的不适症状），请注意在逛街、准备饭菜和吃饭时的卫生情况：

● 如果不能肯定某种食品是否卫生，就扔掉它。把这一点作为安全饮食的基本准则，适用于任何你怀疑可能变质的食品。检查食品包装袋上的保质期，根据日期判断它是否可以安全食用。

● 购买食物时，漏水、罐口生锈、看起来发胀或变形的罐头不要购买。开罐前要把罐头顶部擦干净（经常用热肥皂水或洗碗机清洗开罐器）。开罐时如果没有发出“砰”的响声，就不要吃打开的罐头。

● 处理食物之前要洗手，碰过生肉、鱼或鸡蛋之后也要洗手。如果手上有伤口，戴上橡胶或塑料手套再准备食物。记住，要像洗手一样经常清洗手套。

● 保持厨房灶台、水池和案板干净。经常用热肥皂水清洗案板，或放入洗碗机清洗。经常洗涤擦碗布，保持厨用海绵的清洁（当然也要经常换新的。每天晚上都要放入洗碗机清洗，或者定期将湿的洗碗布和海绵放入微波炉加热几分钟）。这些厨具很容易滋生细菌。

● 热菜要热着吃，凉菜要凉着吃。

剩菜应立即放入冰箱，下次吃的时候要热透。易腐烂的食物放置2小时后就应该扔掉。解冻后再次冷冻的食物不要再食用。

● 用一只冰箱专用温度计测量冰箱内部温度，并使冷藏室温度保持在5℃或更低，理想的冷冻室温度为-17℃。如果你的冰箱没有达到这一温度，也不用担心。

● 如果时间充足，尽量让食品在冰箱里面解冻。如果赶时间，就放到微波炉里解冻，或放进不漏水的塑料袋里浸在冷水中（每30分钟换一次水）。不要在室温下解冻。

● 腌制肉类、鱼类和家禽时不要放在灶台上，应该放在冰箱里。用过的腌汁都应该倒掉，不能重复使用，它很容易滋生有害细菌。如果你计划用腌汁作为蘸料、酱汁或抹酱，在放入鱼、肉等材料前预留出下一部分。涂烧烤酱时，每次都用干净的勺子或刷子，防止酱汁再次污染，或者每次烧烤时都比上一次多烤几分钟。

● 妊娠期不要吃生的或未加工过的肉类、家禽、鱼贝类。坚持把肉和鱼用中火（70℃）加工，禽类要彻底做熟（达到75℃）。总的来说，将温度计放在食物最厚的部位来测温（注意不要碰到骨头、肥肉和软骨部分），对于禽类，要放在做好后颜色较暗处测量。

● 不要吃蛋黄呈液态的生（半生）鸡蛋——即使是单面煎蛋，也要彻底煎熟。如果喜欢吃用生鸡蛋做的煎饼，摊煎饼时要注意，鸡蛋要熟到不能有蛋液留在勺子上或手指上为准。不过鸡蛋经过巴氏灭菌，就可以有效杀灭沙门氏菌。

● 蔬菜要彻底清洗干净（尤其是要生吃时）。那些直接从农场里买回来的蓝莓的确是有机的，但并不代表它们表面没有细菌！

● 少吃苜蓿和其他芽类食物，它们很容易滋生细菌。

● 坚持食用巴氏灭菌后的乳制品，并确保乳制品一直储存在冰箱里。羊乳酪、布里乳酪、蓝纹乳酪和墨西哥乳酪等软质乳酪用没有经过巴氏灭菌的牛奶制成，很容易被李斯特菌污染（参考第494页）。除非彻底加热，妊娠期女性应尽量避免食用。

● 香肠、肉类熟食及冷熏的海鲜也可能被污染。为了安全起见，熟食也要彻底加热后才能吃。

● 果汁也需要巴氏灭菌。不要喝未经消毒的果汁或果酒——不管是从健康食品店还是从路边摊买回来的都一样。如果你不确定某种果汁是否经过了巴氏灭菌，就不要喝。

● 在外面吃饭时要避开看上去不太卫生的餐厅。一些迹象可以帮你判断：易坏食品放置在室温下，卫生间不干净，苍蝇乱飞，等等。

第二部分

9个月倒计时

——从怀孕到分娩

What to Expect
When You're Expecting

第6章　第1个月

（1~4周）

恭喜你，欢迎踏上怀孕之旅！尽管此时表面上还看不出你怀孕了，但可能自己已经有感觉了。乳房可能变得敏感，身体有点疲惫，或是出现书中提到的一些妊娠初期（及后期）症状，这都表明身体正在为之后的9个月做准备。几周过去后，你会注意到自己的身体出现了一些预期的变化（比如肚子变大），还有一些预料之外的变化（脚、眼睛等身体部位的变化）。你也会注意到，自己的生活方式和生活态度有所变化。不过尽量不要考虑太远，现在要做的就是坐下来，靠在椅背上好好放松一下，享受你生命中最激动人心、最有价值的冒险旅程。

本月宝宝的情况

第1周。孕期从这一周开始计算，但这一周根本看不出什么变化——你的肚子里还没有宝宝。这一周似乎不算真正意义上的“孕期”，那为什么要把它当做孕期第1周呢？下面来告诉你原因。想要精准确定受精卵形成的时间非常困难（精子可以在你体内存活好几天，直到卵子排出并与它结合；卵子也可以等待几天直到有精子进入体内与它相遇），但你的末次月经日期不难确定。医生以这个日期为起点来计算长达40周的孕期。在这40周里，真正的怀孕时间只有38周，前面的两周你还没有怀孕。

第2周。宝宝现在还没有到来，但你的身体这一周却没闲着，正在积极准备等待排卵。你的子宫内膜开始增厚（为受精卵准备一个合适的环境），卵泡逐渐成熟——部分卵泡比其他卵泡发育得快，直到占优势的那个卵泡成熟并排出卵子。这个卵泡里有一个等不及的卵子（如果你怀的是双胞胎，则可能有两个），它即将开始漫长的旅程——从单细胞发育为完整的宝宝。不过，首先它需要通过输卵管来到子宫，寻找它的“白马王子”——幸运的精子将会与它结合。

第3周。恭喜——你怀孕了！你的肚子里已经形成了一个受精卵，它马上要开始这一不可思议的转变过程——从单细胞发育为一个成形的宝宝。在精子和卵子结合后的几小时里，生殖细胞（也就是受精卵）就开始不断分裂。几天内，你的宝宝会变成一个显微镜下看得见的细胞团——胚泡。一个新生命的旅程开始了，从输卵管出发，到达等待的子宫。现在，你只需要再等大约8个半月！

第4周。着床的时刻到了！这个细胞团就是你的宝宝，虽然此刻它还被称为“胚胎”，但它已经到达子宫，紧紧依偎着子宫内膜，直到分娩。一旦“定居”，细胞团就开始快速分裂。它首先会分为两部分，一半将会形成你的儿子或女儿，另一半将会变成胎盘——宝宝在子宫内生活时赖以生存的生命线。虽然这个细胞团非常小，你却不能低估它——从胚泡时期开始至今，它已经走了很长一段路。羊膜囊和卵黄囊开始形成，羊膜囊里充满了羊水，卵黄囊则会在后期发育为宝宝的消化道。目前的胚胎有3个胚层，将会发育成身体的不同部位。内胚层会发育为宝宝的消化系统、肝脏及肺；中胚层会很快发育为宝宝的心脏、性器官、骨骼系统、肾脏及肌肉；外胚层最终会发育成为宝宝的神经系统、头发、皮肤和眼睛。

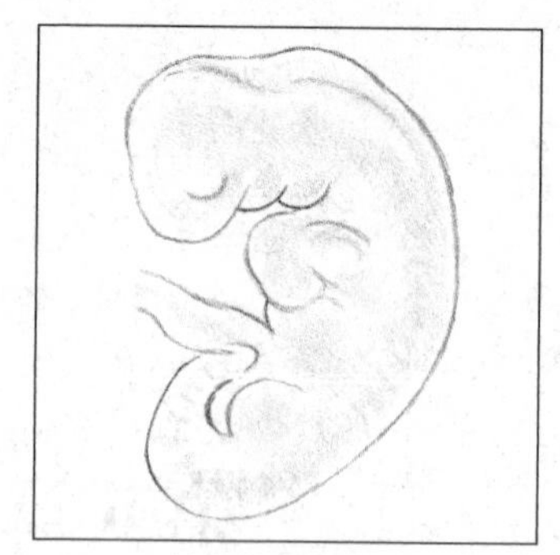

第1个月的宝宝

你可能会有的感觉

孕期的确是一段非常棒、非常值得珍惜的时光，但也带来了很多不太舒服的症状。有些你可能已经感觉到了（开始感到恶心），有些可能从没有想到（口水多——谁能想到？）。有些症状你可能不想在公共场合讨论（也会尽量控制自己不要在公共场合表现出来，比如放屁），还有很多症状可能巴不得自己赶紧忘掉。

关于种种妊娠期的症状，下面的几点希望你记住。首先，鉴于每位孕妇的体质差异很大，妊娠期症状也因人而异。所以，当你的姐妹或好朋友只感到恶心时，你可能每天早上（也可能是下午、晚上）都要在卫生间里度过。其次，你可能会经历接下来说到的一些症状，但可能还有更多症状并没有在书里列出来。在接下来的9

妊娠时间表

虽然大部分女性会以月来计算妊娠期，但医生和助产士都会以周来计算，这样做看起来有点复杂。妊娠期平均长度为 40 周，但因为从末次月经的第 1 天开始计算——2 周后才会排卵，进而形成受精卵（前提是你的生理期比较准），所以怀孕其实从第 3 周开始。换句话说，你计算的时间比精子和卵子结合的时间早两周。也许你觉得很迷糊，但随着妊娠期进展，以及宝宝的一些里程碑事件（孕 10 周时通过多普勒检查听到胎心，孕 20 周时宫高平脐），你会逐渐理解这种以周为单位记录孕期的方法。

本书按月来划分章节，但也给出了对应的周数。孕 1～13 周为孕早期，即第 1～3 个月；孕 14～27 周为孕中期，即第 4～6 个月；孕 28～40 周为孕晚期，即第 7～9 个月。

个月里，你很可能经历各种各样奇怪的感觉（身体和情绪上），但这些都是正常的。如果有时候你认为某个症状非常值得怀疑，可以咨询一下医生。

在这个月，你可能还不知道自己怀孕了（至少下个生理期到来之前不会知道），但可能发现自己有一些变化。这个月可能会经历：

身体上

● 当受精卵在子宫内着床时，可能会发生少量出血（不到 30% 的女性会有这种现象）。着床一般发生在受孕后 5～10 天。

● 乳房变化（月经前乳房有变化的女性，妊娠期乳房变化更明显，而生育过的女性这方面的变化不大）：感觉充盈、沉重、敏感、刺痛、乳晕（乳头周围色素沉着的区域）变暗。

● 胀气。

● 疲惫，精力不济，嗜睡。

● 尿频。

● 开始感到恶心，伴有呕吐（也可能没有，大部分女性在孕 6 周左右才开始反胃），唾液分泌过多。

● 对气味敏感。

精神上

● 起伏不定（情绪波动类似经前期综合征的症状），比如烦躁易怒、不讲理、无故哭泣等。

● 等待做家庭妊娠测试时很焦虑。

第一次产检包括什么

孕期的第一次检查可能是你整个妊娠过程中就医时间最长的一次，也是最面面俱到的一次。这次检查有很多程序，医生会整理相关信息，还会问大量的问题。他会给你很多建议——该吃什么，不该吃什么；该服用哪些补充剂，不该服用哪些；是否需要运动，进行什么样的运动，等等。就诊之前准备好一张问题清单，可以带着笔和记事本去。

医生的工作程序因人而异。总体来说，包括以下这些：

确认怀孕。医生会检查如下事项：你的妊娠期症状；通过末次月经时间估计预产期（参考第 26 页）；检查子宫颈和子宫以判断怀孕时间。医生也会让你做一些检查（尿常规和血常规）。很多医生还会做孕早期超声检查，以更精确地确定怀孕时间。

完整的病历。为了尽可能提供最好的照顾，医生需要了解大量有关你的信息。就诊之前先在家检查就医记录，或打电话向以前的医生咨询，从而确认以下信息：你的个人病史（慢性病、既往的大病史和手术史、是否过敏——包括药物过敏）、现在和怀孕前服用的营养补充剂（维生素、矿物质、草药等）及药物（非处方药和处方药）、家族病史（基因异常、染色体疾病、非正常妊娠史）、妇科病史（第一次月经的年龄、生理周期的长短、经期持续时间和规律）、产科病史（生育和流产史），以及以前怀孕、阵痛和分娩的情况。医生还会问一些个人问题（年龄、职业等）、生活习惯（饮食习惯、运动习惯、是否吸烟喝酒、是否吸食毒品等），以及其他个人生活中可能会影响到妊娠的因素（孩子爸爸的资料及民族方面的

观察自己

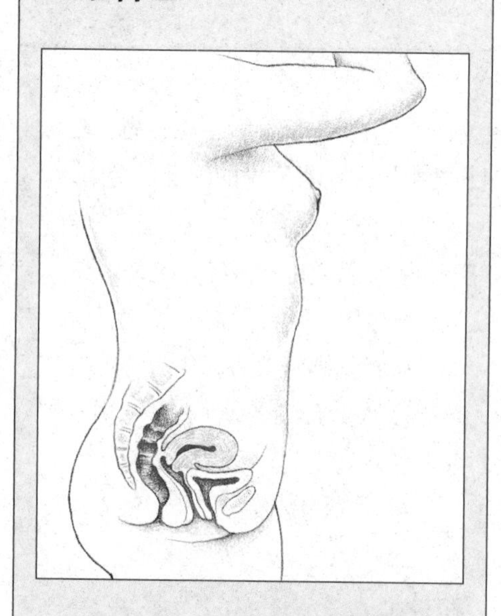

虽然你可以辨别出一些身体方面的改变——乳房有点胀痛，肚子变圆（虽然只是因为胀气，而不是因为宝宝）——除了你之外不会有别人注意到这么细微的变化。仔细看一下自己的腰吧，或许在接下来的几个月里，这是最后一次看到自己的小蛮腰了。

信息）。

完整的体检。全面体检包括对心脏、肺、胸、腹部等各个身体系统进行整体健康状况评估；测量血压，每次就诊以此为基础进行比较；记录身高、体重（如果现在已经和怀孕前有明显不同，需要提供孕前参考体重和现在的体重）；检查上肢和下肢是否有静脉曲张或水肿，也作为以后每次就诊比较的基础；检查外生殖器、阴道和子宫颈（用内窥器，和子宫颈抹片检查时一样）；对骨盆器官进行双合诊（一只手的手指进入阴道，一只手放在腹部），检查阴道和直肠的大小和形态，评估骨盆形状和大小（宝宝最后就是从这里出来的）。

一系列检查。有些检查每个孕妇都要做，有些是某位医生的常规检查，而其他医生不做，还有些检查在需要时才做。最常见的产检项目包括：

- 验血。以判断血型及 Rh 血型、hCG 水平及是否贫血。

完全健康的孕期

不要惊讶，通过产前检查定期获得医疗护理将使你的孕期大为改观。妊娠期定期拜访医生的孕妇会生下更健康的宝宝，出现早产及其他严重的孕期相关疾病的可能性较低。

虽然妊娠期保健措施从肚子开始，却绝对不止于此。对于你来说，有些事情可能非常容易做到，例如谨记每一次产检时间（哪怕检查内容仅是听一听胎心）；但也有些事情需要注意：能否照顾好自己那些看似和妊娠关系不大的部位？

为了有 9 个月非常健康的孕期，一定要提前做好保健措施。去看看牙医，让他给你的口腔做一次全面检查和清洁。大部分牙科程序——尤其是一些预防性措施——都能在妊娠期安全进行，可能降低妊娠期并发症的概率。如果你有特殊的慢性病或其他健康问题需要密切监视，切记拜访医生或其他相关专家。必要的话，去看看过敏症专科医生。你可能不会立即开始接受过敏治疗，但既然现在是一个人呼吸两个人的空气，就应该和医生深入讨论，看看有没有其他疗法可供选择。

如果在妊娠期出现了一些新的医学问题，千万不要忽视——哪怕你对妊娠期症状已经了如指掌。注意任何症状（包括那些看上去微不足道的——持续的喉咙疼或者慢性头痛），然后去问问合适的医生。宝宝需要一个完全健康的妈妈。

● 尿常规。筛查尿中是否有葡萄糖、蛋白质、白细胞、红细胞及细菌。

● 血液筛查。检查体内抗体水平，以及对风疹等疾病是否免疫。

● 检查是否有梅毒、淋病、乙型肝炎、衣原体及艾滋病病毒感染。

● 子宫颈抹片检查。检查宫颈细胞是否异常。

根据个人情况不同，你还可能接受下列检查：

● 遗传学检查。检查囊性纤维化、镰状细胞性贫血、黑蒙性白痴或其他遗传性疾病。

● 血糖浓度检查。检查家族中有糖尿病史、患高血压、生产过超重宝宝或出生缺陷宝宝，或在妊娠早期体重增长过多的孕妇，以判断是否患糖尿病（所有女性在孕28周左右都会接受血糖筛查，以防止妊娠期糖尿病，参考第294页）。

和医生讨论的好机会。提出你准备好的问题和其他担忧，这是与医生讨论的好时机。

你可能关心的问题

发布消息

“什么时候能告诉朋友和家人我怀孕了？”

这个问题只有你自己能回答。有些准父母得知这个好消息就迫不及待地告诉了周围所有认识的人，有些则先选择告诉最亲近的人（来往密切的亲戚和朋友），等到妊娠症状明显时才让大家知道。还有一些准妈妈选择安全度过孕早期（前3个月），或者完成产检后再公布消息。

无论如何，只要你感觉舒服就行。只要记住一点：在公布这个好消息时，你们两人不要忘记好好庆祝一下。

想知道在公司里公布消息时的技巧吗？请翻到第193页。

维生素补充剂

“我怀孕了，需要服用维生素吗？”

其实，没人能够每天都获得非常全面的营养。特别在孕早期，晨吐会严重影响食欲，即使准妈妈能吃一点东西，也不能完全吸收。虽然维生素不能取代每天的健康饮食，但可以在你达不到规定的营养目标时，保证肚子里的宝宝不会因此受到影响。尤其对于妊娠早期来说，宝宝发育需要大量关键的营养素。

服用维生素还有额外的好处。研究显示，孕妇在妊娠初期几个月服用含叶酸的维生素可以大大减少胎儿出现神经管缺陷（脊柱裂）的概率，同时能预防早产。另外，研究证明孕妇在孕前或孕早期服用至少含10毫克

写给准爸爸们

本书所有的内容都是为准妈妈和准爸爸共同准备的。作为准爸爸，在和另一半一起逐月看完本书之后，你将会获得大量有关怀孕的知识（也可以辨别出伴侣正在抱怨的是哪些恼人的妊娠期症状）。你可能会提出一些不同于伴侣的问题和担忧，书中有一章专门写给你。参考第 19 章：爸爸们也怀孕。

维生素 B_6 的维生素可以最大程度减轻晨吐症状。

医生开的处方药和非处方药中有很多是专门为孕妇配的。请医生给你推荐，或参考第 106 页补充剂的成分说明。除了妊娠期补充剂外，没有医生的同意不要随便服用其他维生素补充剂。

有些准妈妈发现服用维生素补充剂会加重恶心的症状，特别是在孕早期。如果你也是这样，换一种补充剂或剂型，或者改变服用方式——和食物一起吃可以减轻症状（除非你通常在饭后呕吐），或者选择一天中最不容易恶心的时段服用。糖衣片更容易接受，也比较容易下咽。如果你还是不舒服，可以考虑咀嚼型维生素补充剂或缓释型补充剂。如果恶心症状特别严重，挑选维生素 B_6 含量较高的补充剂（配方里含有姜也非常好，可以抑制恶心症状）。但一定要保证所选的产品配方与那些专门为孕妇设计的补充剂配方大体一致，不能含任何不安全因素（例如中草药）。如果医生给你开了补充剂，在替换前咨询他的意见。

对于一些女性，孕期维生素补充剂中的铁可能会导致她们便秘或腹泻。如果你是这种情况，试试其他类型的补充剂，也许可以缓解不适。服用不含铁的孕期补充剂，然后单独服用铁剂（医生可以帮你开一种肠溶性而不是胃溶性的铁剂），这样也可以帮助缓解相关症状。

“我吃了很多富含维生素和矿物质的谷类食物和面包。如果再服用孕期补充剂，摄入的维生素和矿物质是不是太多？”

你可能吃了很多好东西，但事实上并非如此。日常饮食、孕期维生素及营养强化食品等提供的营养都不会导致维生素和矿物质过剩。为了吸收足够的营养素，除了孕期补充剂之外，你还应服用其他补充剂，需要了解你怀孕情况的医生来开具。从某个角度来说，你的担心也是合理的：食用超过每日膳食营养素推荐摄入量的维生素 A、D、E、K 的强化型食品并不安全，因为大剂量的这些维生素有毒。

其他大多数维生素和矿物质都是水溶性的，身体不能吸收的多余物质会通过尿液排出体外。

疲惫

“我怀孕了，一直感觉很累，甚至连一天都撑不下去了！”

感觉早上起不来，感觉一整天都拖着脚走路？每天晚上一回家就恨不得马上上床？看起来你往日的充沛精力已经不复存在了——短时间内也不太可能恢复——这并不奇怪。毕竟，你怀孕了。虽然从外表来看，还没有足够的证据证明你的身体在积极“构建”一个宝宝，但事实上，身体内部进行的工作已经让你筋疲力尽了。从某种意义上来说，怀孕的女性休息时也比不怀孕的女性跑马拉松时还要辛苦——只是你自己察觉不到罢了。

那么，身体究竟在做些什么？一方面，它正在制造宝宝的生命维持系统——胎盘，胎盘通常会在孕期前3个月结束后才能发育完整；另一方面，体内的激素水平显著升高，血容量增多，心率加快，血糖则会下降，新陈代谢也会大量消耗体力（即使当你躺下时也是如此），身体还在消耗大量的营养和水分。如果觉得这些还不够耗尽精力，不要忘了，你的身体正在适应这些来自生理和精神方面的各种变化，把这些需求也算在内吧。所有的消耗加起来，你就会发现自己那种仿佛每天都在参加铁人三项比赛的感觉并不奇怪。

所幸，这种状况会逐渐缓解。一旦制造胎盘这项大工程结束（大约在孕期第4个月），身体也逐渐适应了体内激素和情绪方面的变化，你就会有点精力了。

要记住，疲惫是妊娠期正常的生理信号，没必要过于在意。你要做的是听从这个信号，让身体得到足够的休息。接受下面的一些小建议，你也许能更加积极地应对生活的变化：

疼爱自己。如果这是你第一次怀孕，好好享受这个照顾自己的机会吧——不要有一点愧疚。如果你已经有了一个宝宝（或更多），还要分些精力在他身上（参考下文）。但是无论哪种情况，孕期都不是用来挑战自己，当个“超人”的时候。获得充足的休息比保持家里一尘不染或做一顿四星级晚餐重要得多。把洗碗刷盘子的工作扔到一边，沾满灰尘的抹布也不要管。尽量在网上订购生活用品，不要拖着疲惫的身体去商店挑选。定期叫外卖。不要先定下一些外出活动，也不要总忙着干家务，这些都不重要。从来没有游手好闲过？现在正是大胆尝试的好时机！

让别人关怀你。这些天你做的重体力活已经够多了，所以尽量保证你的爱人分担一部分工作（他应该承担起大部分家务），包括洗衣、购物等。如果婆婆来看你，提出要帮忙打扫房间，一定要坦然接受。当有朋友去逛街时，不要怕麻烦她，让她帮你顺便捎一些重要的东西。这样一来，你可以省下大部分精力，在拖着疲惫的身体上床睡觉前还能勉强出门溜达一圈。

争取更多放松的机会。每天都感觉筋疲力尽？把晚上留出来放松一下吧（跷着腿比走来走去更能休息双脚）。不要等到深夜才休息，如果你在下午可以挤出时间打个盹儿，就尽情享受吧。如果睡不着，挑一本好书躺下阅读也行。上班族准妈妈在办公室里小睡不太现实——除非你的工作时间很灵活，还有一张足够舒服的沙发。当然，你完全可以在休息和午餐时间把脚放在椅子或沙发上休息。（如果选择午餐时间休息，要确保自己有足够的时间好好吃午饭。）

做偷懒的妈妈。如果你还有别的孩子，疲惫症状可能会更加严重。原因显而易见：你能休息的时间更少，身体却有更多的需求。也可能疲惫的表现不会非常明显——因为你已经习惯了筋疲力尽，或者太忙而忽视了这些变化。不管是哪种情况，当还有别的宝宝嚷嚷着要你照顾时，想再疼爱自己就不那么现实了。但是请努力尝试：耐心地跟孩子解释孕育一个新生命非常辛苦，让你疲惫不堪。请他们帮你做一些简单的家务，这样能多些休息时间。尽量不要让孩子们白天在院子里乱跑，晚上又追逐打闹——你可以带领他们做一些安静的活动：读书、猜谜、玩看病的游戏（你演病人，这样就可以躺下休息了）、看DVD等。对于全职妈妈来说，午睡很难得——但如果你的孩子们有午睡的习惯，就可以和他们一起午睡。

尽量多睡。这一条似乎有些多余，但也要写出来提醒你：晚上多睡哪怕一个小时也能帮你积蓄整个早上所需的精力。不要再看午夜电视节目，早点睡觉；请伴侣帮你准备早餐，这样可以晚起一点。但也不要睡懒觉，睡得太多会感觉更加疲惫。

吃好一点。为了保证精力充沛，你需要持续地给身体补充优质燃料。确保每天都获得足够的热量，并更倾向于选择一些可长时间提供能量的营养食物，例如蛋白质、碳水化合物及高铁食品。咖啡因或糖果看起来似乎是快速补充能量的最佳选择，但其实并非如此。虽然那些糖果条或能量饮料可以让你"瞬间来电"，但那只是一种短暂的刺激，暂时的兴奋过后血糖就会迅速下降，你将会更加虚弱（一些罐装的能量饮料可能含有对孕期不太安全的饮食补充剂）。

多餐。与其他一些妊娠期症状类似，疲惫也有其对应的解决办法——

一日六餐就是非常适合的方案（参考第 91 页）。保持血糖水平稳定也可以保证精力充沛，你需要按时进餐、少吃多餐，并挑选一些能够持续提供能量的零食（含蛋白质和复合碳水化合物的食品）。

散步。也可以试试慢跑，或步行到超市购物，还可以有规律地进行一些孕期运动或练习瑜伽。过多的休息和运动不足也会增加疲惫感，在恢复体力方面，少量运动比在沙发上躺一会儿更有效。但要注意不要运动过度，感到精力变好就应该停止运动，不要在觉得疲劳时才停止。同时要确保所有运动都严格遵循本书第 221 页提到的指导原则。

虽然疲惫感很可能在妊娠第 4 个月之后明显减轻，但也非常有可能在孕晚期（最后 3 个月）卷土重来。（这可能是大自然的一种精妙设计，让你为宝宝出生后长夜无眠的日子做好准备。）

晨吐

“我从来没有晨吐过，真的是怀孕了吗？”

晨吐就像喜欢吃泡菜和冰激凌一样，是孕期中常见的现象，但不一定发生在每个孕妇身上。研究表明，大约有 75% 的孕妇会出现恶心和呕吐现象——这种现象称做晨吐。这也意味着，有 25% 的女性不会有晨吐症状。如果你没有经历过恶心的感觉，或只是偶尔轻微呕吐，可以放心——你不仅怀孕了，而且是为数不多的幸运儿之一。

“我整天都在呕吐，很担心吃得不够，不能给宝宝提供足够的营养。”

欢迎加入孕期晨吐俱乐部——这个俱乐部里的成员就是那 75% 有晨吐症状的女性。幸运的是，尽管你和另一些女性都出现了晨吐症状（“晨吐”这个词不够确切，因为它不仅出现在早晨，也出现在中午、晚上，或持续全天），宝宝也不太可能因此营养不良。原因是宝宝在这个阶段对营养的需求非常少——他本人也非常小，只有豌豆那么大。即使是那些在孕早期（前 3 个月）难受到几乎吃不下东西，体重明显下降的女性，只要她们在后几个月里将下降的体重及时补回来，就不会对宝宝造成伤害。这一点非常容易做到，因为妊娠期晨吐的恶心和呕吐症状通常不会延续到 12～14 周之后（个别孕妇可能会持续到孕中期；极少数孕妇可能会持续到孕晚期，但这种情况常见于那些怀多胞胎的女性）。

是什么导致了妊娠期晨吐？没人知道确切原因，但这方面有很多研究

鼻子闻到了什么？

不知你有没有注意到，怀孕后嗅觉大大增强了，甚至在还没有走进餐厅时，你已经闻到了菜单上饭菜的味道。这种嗅觉的突然增强其实是怀孕带来的副作用，主要是由于激素（主要是雌激素）放大了你附近出现的所有味道。糟糕的是，这种“猎犬综合征”也会加剧晨吐症状。如果你感觉嗅觉带来了太多困扰，下面的小办法教你如何让鼻子休息一下：

- 不管是身在厨房、餐厅，还是商场里的香水专柜——任何地方有特殊气味让你受不了，就主动离开。

- 因为衣服纤维非常容易沾染气味，你应该比怀孕前更勤换洗衣服。如果洗涤剂和柔顺剂的香味也让你不舒服，选择无香型的（选择餐具洗涤剂也是如此）。

- 化妆品应该换成无香或淡香型的。

- 要求那些你能闻到其身上气味的人们尽量考虑你嗅觉敏感这一特点（当然，这里指的是熟悉到可以提出这种要求的人）。请配偶勤洗澡换衣服，甚至可以在他吃完一个辣乳酪汉堡之后要他刷牙。让朋友、同事和你在一起时尽量少用香水。当然，还应该远离吸烟人士。

- 如果某种香味让你感觉舒适，可以让生活环境中充满这种香味。薄荷、柠檬、姜、肉桂等香味都能让孕妇舒服些，尤其是对于那些恶心感很明显的准妈妈。另外，部分孕妇很喜欢与宝宝相关的味道，例如婴儿爽身粉的香味等。

理论和假说。其中一种说法是，孕早期血液中的高 hCG 激素水平引起雌激素水平升高，胃食管反流，消化道肌肉松弛（这将导致消化功能下降），孕妇的嗅觉增强等，这就导致了恶心和呕吐现象。

并不是所有孕妇的晨吐症状都一样。有些只是偶尔会有轻微的恶心，有些则整天都会感到恶心却从不呕吐，还有一些会频繁呕吐。这些差异可能由以下几种原因造成：

激素水平。激素含量超出平均水平（怀有多胞胎时）会加重晨吐症状；激素水平低于平均值则会降低甚至消除发生晨吐的可能性（不过激素水平正常的女性也可能没有或很少有晨吐现象）。

敏感。一些女性的呕吐指挥中心比别人敏感，于是对激素和其他刺激的反应也更灵敏。如果你属于这类人群（常晕车、晕船等），在孕期更可能出现严重的恶心呕吐症状。如果平时从来不知道恶心是什么感觉，恭喜你，怀孕后恶心的可能性会非常小。

压力。众所周知，情绪压力会引起肠胃不适，因此孕妇在遇到压力时晨吐症状会加重就不足为奇了。

疲惫。身体或精神疲惫会增加晨吐的概率，加重其症状（反之亦然，严重的晨吐也会让你更疲惫）。

第一次怀孕。第一次怀孕时晨吐现象更为普遍和严重，这也进一步证明了身体和心理因素的确对晨吐有影响。从身体方面来说，与怀孕过的身体相比，第一次怀孕的身体在耐受激素及其他身体变化方面准备得不够充分；从心理方面来说，第一次怀孕的女性更容易焦虑和恐惧，可能让你胃痛——同时，生育过的女性可能因为照顾其他孩子分散了注意力，减少了恶心的可能性（情况并非全部如此，有的女性在第二次或之后的妊娠中呕吐症状也可能比第一次怀孕时严重）。

不管原因是什么，妊娠期晨吐的影响是相同的：孕妇会很痛苦。虽然除了耐心等待这一阶段结束没有其他解决方法，但根据过去的经验，有些减轻痛苦的措施供你尝试：

- 早点吃饭。所谓晨吐，并不会等到早上起床时发生。事实上，恶心感一般发生在空腹时（尤其是经过一夜长长的睡眠）。原因在于，当你没有及时进食，胃里空空如也，胃酸除了胃黏膜之外没有其他东西可消化，于是便引起了恶心感。不要拿走前一天晚上放在床头柜上的小零食（薄脆饼干、米饼、什锦干果）。把它们放在床边，这样你半夜饿醒时不需要起床也有东西吃。如果半夜跑去卫生间呕吐，回来时吃点东西非常明智，这样可以保证夜间你的胃里有东西可消化。

- 临睡前吃点东西。临睡前少量进食一些高蛋白的复合碳水化合物食品（松饼、牛奶、乳酪条、杏干等），会让你的胃到早晨起床都很舒服。

- 适量进食。塞得满满的胃和空空如也的胃一样容易引发恶心。胃负担过重（哪怕是很饿的时候吃得多）就会引起呕吐。

- 频繁进食。防止出现恶心的最佳办法就是保持血糖水平平稳，同时保证胃里有点东西。为了远离恶心的感觉，少吃多餐是明智的做法——用一日六餐代替传统的一日三餐。出门时不要忘了带一些容易消化的零食(水果干和坚果、燕麦条、即食麦片或椒盐卷饼）。

- 吃得好点。富含蛋白质和碳水化合物的食物可以帮助你抵抗恶心。总体来说，有营养的食物对缓解恶心感有所帮助，因此要尽可能吃好点。

- 能吃什么就吃什么。如果上一点对你不太实用，你根本吃不下那些东西——那么从现在开始，能吃什么就尽量吃点吧。接下来还有很长时间让你享受健康而均衡的饮食。对于时时反胃的阶段来说，最重要的是吃点东西帮你熬过这些让人崩溃的日日夜夜——哪怕是冰糕、姜饼也行。能吃到鲜果冰糕或全谷物姜饼就更好了，如果条件不允许，普通的品种也没问题。

● 补充液体。短期内，获取足够液体比获取足够的食物更重要，尤其在呕吐使你失去大量水分的情况下。感觉难受时，如果觉得液体更容易喝下去就通过它们来补充营养。你可以通过水果奶昔、汤、果汁来补充维生素和矿物质。但如果觉得流质食物让你更恶心，就吃水分多的食物，比如新鲜蔬果，特别是莴苣、瓜类和柑橘类水果。有些准妈妈觉得吃饭的同时补充液体，让消化道负担太重。如果你属于这种情况，可以试着在两餐之间补充液体。

● 吃凉的东西。关于食品温度对晨吐影响的实验很多，很多女性都觉得冰凉的液体和食物感觉更好，还有些女性喜欢温的。

● 换着吃。刚开始通常有些食物让你感觉很舒服，甚至是唯一能吃下去的，但每当恶心时就吃这些食物，你会渐渐发现它们失灵了，甚至开始引发恶心的感觉。这时可以寻找一些新口味的食物，比如，如果开始厌恶薄脆饼干，就换换其他品种，例如全麦麦片、西瓜等。

● 不要接触那些让你恶心的食物。不要强迫自己吃不喜欢的东西，让味蕾做主，让眼睛做主，让鼻子做主。如果你只能忍受甜食，就只吃甜的（吃饭时，可以从桃子和酸奶中获取所需的维生素A和蛋白质，不一定非要从西蓝花和鸡肉中摄取）；如果味道重的食品可以让胃好受些，就选择它吧（早晨可以热一块比萨饼来代替麦片）。

● 不要闻（看）那些讨厌的食物。鉴于妊娠期女性有着过于敏感的嗅觉，常会发现自己曾觉得诱人的某种气味突然变得讨厌——那些之前就很讨厌的气味，现在完全不能忍受。所以，如果伴侣非常喜欢香肠和鸡蛋，但这种味道让你一闻到就要冲进卫生间呕吐；如果他的须后水味道曾让你神魂颠倒，而现在却觉得恶心，就尽快离开。同时，也请远离那些你看一眼就觉得恶心的食物（生鸡肉是常见的元凶）。

● 服用孕期补充剂。孕期维生素补充剂可以帮你补充缺乏的营养。害怕自己咽不下这些药片，甚至害怕它们会让自己噎住？事实上，一天服用一次维生素可以减轻恶心症状（特别是富含对抗恶心的维生素B_6的缓释剂），但要在你最不容易吐的时间服用，可以接着吃点零食。如果你的症状极其严重，请医生额外开一些维生素 B_6，这可以非常有效地缓解部分女性的恶心症状。

● 借助生姜。老一辈的主妇（及助产士）中流传着一个几百年之久的说法：生姜可以帮助那些孕期晨吐的女性。生姜的吃法很多，可以直接做成菜（生姜胡萝卜汤、生姜松饼），沏成茶，还可以做成生姜点心及饼干、姜糖等。鲜姜做成的饮料（姜汁汽水不算）也可以缓解恶心感。或者，你也可以试试另一种对抗恶心的食物：柠檬。很多女性发现柠檬的气味让她们感觉很舒服。对于部分女性来说，酸味糖果也是很好的选择。

● 保证睡眠充足。你应该尽可能多地睡觉和休息。精神和身体上的疲劳都会加重恶心。

● 早晨起床后行动要缓慢。不要从床上跳起来冲出门去——剧烈活动会加重恶心的感觉。你应该在床上躺几分钟，吃点床头柜上的零食，再慢悠悠起床，从容不迫地享受早餐。如果还有其他孩子，做到这一点有点困难，可以尝试比他们先起床，这样你就能多一点属于自己的安静时间，或者让伴侣代替你去照顾他们。

● 最大程度减小压力。减轻压力的同时你会发现恶心的症状也减轻了。看看第 146 页，学习妊娠期的减压办法。

● 注意口腔卫生。每次呕吐和就餐后要刷牙漱口（可以请牙科医生推荐一两种适合的漱口水），这样不仅可以帮助你保持口气清新，减少恶心症状，而且可以减少口腔内的食物残渣，避免细菌侵蚀牙齿和牙龈。

● 试试腕带。这种约 3 厘米宽的弹性腕带通过压迫手腕内侧的穴位来达到缓解恶心的作用。这种腕带没有任何副作用，在药店和保健食品店都能买到。医生还可能为你推荐一种构造更为复杂的腕带，通过微量电流刺激来达到缓解恶心的感觉。

● 尝试医疗辅助措施。有大量医疗辅助措施可以帮助你缓解恶心呕吐的症状，例如针灸、指压按摩、生物反馈疗法及催眠（参考第 89 页）。冥想和想象也会有所帮助。

虽然有很多药物可以帮助减轻妊娠期晨吐症状（通常是抗组胺药物和维生素 B_6），但通常症状严重时医生也不会建议服用。同时要记住，抗组胺药有催眠作用，会让你昏昏欲睡——对于想睡觉的人来说或许是个福音，但对于继续工作的人来说就不是什么好事了。最重要的一点是：对于缓解晨吐的药物，不管是西药还是中草药，除非医生开处方，否则不能吃。

有不到 5% 的孕妇恶心呕吐症状过于严重，以至于需要医疗介入。如果你是其中之一，参考第 536 页的内容。

唾液分泌过多

“我感觉口腔里每天都充满了唾液，咽下去时总觉得恶心，这是怎么回事？”

口水太多并不是什么好事（尤其在公共场合），但是对于妊娠初期的大部分女性来说，这是生活中必须面对的一个尴尬事实。唾液分泌过多是一种常见的不适症状，特别常见于有晨吐症状的孕妇。虽然唾液分泌过多似乎加重了恶心和呕吐的症状，也让你感觉吃东西时很苦恼，但它没有任何危害。幸运的是，这种症状不会持续太久，只会在孕期的前几个月困扰你。

讨厌这种时时都要吐口水的日子吗？可以试试用薄荷味牙膏刷牙，或用薄荷味漱口水漱口，也可以嚼无糖口香糖。

金属味

“我觉得嘴里整天都有一种金属味，这是因为怀孕的关系，还是因为吃了什么东西？”

觉得自己的口气出现了变化？不管你信不信，感觉口腔有金属味其实是一种非常常见的孕期副作用——只不过很少有人提起。这种症状同样是激素作祟。在控制味觉方面，激素总是起着非常重要的作用。当激素分泌失调（比如月经期、妊娠期），味蕾就会受影响。和晨吐症状一样，口腔里的金属味也会在孕中期得以缓解，因为这个阶段激素分泌量开始下降。如果你足够幸运，这些症状会在孕中期彻底消失。

但在那之前，你可以用酸性食物来对抗金属味。橙汁、柠檬水、酸味糖果都是很好的选择，如果觉得自己的胃可以承受，还可以吃一些醋腌制的食品。（要不要试试用冰激凌配泡菜吃？）这些酸味食品不仅可以对抗金属味，还可以刺激口腔分泌更多唾液以冲掉这种金属味（如果你已经有了唾液分泌过多的症状，这样做就不太好了）。还有一些消除金属味的小技巧，例如每次刷牙时用牙刷刷一下舌苔，每天用盐水（1 茶匙[①]盐加入到 240 毫升水中）或小苏打溶液（1/4 茶匙小苏打加入 240 毫升水中）漱口几次，以调节口腔的 pH 值。你也可以让医生换一种孕期维生素，有的维生素可能会导致口腔里有金属味。

尿频

“我每半小时就要去一趟厕所，小便这么频繁正常吗？”

① 1 茶匙约为 5 毫升。——编者注

马桶并不是家里最舒服的座位，但对于大多数孕妇来说，它可能是坐得最多的一个座位。让我们面对现实吧，在怀孕的这些日日夜夜里，你不得不频繁地上厕所。不过，虽然经常小便不太方便，却是十分正常的。

是什么导致了尿频？首先，激素的作用使孕妇血容量增加，尿量也增加。其次，孕期肾脏的代谢率提高，帮助身体更快清除体内垃圾（也包括宝宝体内的垃圾，所以你的小便是两个人的）。最后，日益增大的子宫开始压迫膀胱，储存尿液的空间逐渐变小，就引发了不断想去小便的感觉。这种压力会在孕中期得到缓解，因为逐渐增大的子宫进入腹腔，不再压迫膀胱。直到孕晚期或是胎头下降入盆，尿频才会再次发生。同时，由于每个孕妇的内脏位置稍有差别，尿频的程度也不尽相同。有的女性只是注意到自己有了这种小小的变化，有的女性可能会在大部分孕期中都为此烦恼。

小便时身体前倾有助于排空膀胱；排尿之后再努力一下有助于排空尿液。虽然作用不太大，但这些小策略确实可以减少去卫生间的次数。

千万不要以为少喝水就能让你远离卫生间，你的身体和宝宝都需要稳定的液体供给。另外，排尿减少会导致尿路感染。但一定要减少咖啡因摄入，它会增加小便次数。如果你发现自己夜尿增多，可以限制睡前的饮水量。

如果你有尿急的感觉（即使刚刚小便过），需要告诉医生。他可能帮你做些检查，以判断是否有尿路感染。

“我怎么没有尿频呢？”

没有出现明显尿频对于你来说是件好事，也是正常现象，如果你平时小便比较频繁就更不明显了。但一定要确保自己摄入了足够的水分（每天至少 8 杯——如果你有晨吐症状则需要更多）。水分摄入不足不仅会导致小便减少，还可能造成尿路感染。

乳房变化

“我几乎认不出自己的乳房，它们变得太大了，而且非常敏感！会一直这样下去吗？生完宝宝之后会下垂吗？

看来你已经发现了孕期的第一个重要变化：乳房。你的肚子一般会在孕中期才悄悄鼓起来，乳房却从怀孕那周起就开始膨胀，逐渐超出罩杯（孕期结束时你的胸罩尺寸可能会比怀孕前大 3 个罩杯）。引起这些变化的是体内的激素——在月经期引发乳房胀痛的也是这些激素，只不过在妊娠期其影响更大而已。你的乳房里正在积聚脂肪，血流量也增加了。乳房变大自然有其原因：让准妈妈为即将出生的宝宝做好母乳喂养的准备。

除了变大之外，你还会发现乳房的其他变化：乳晕变大、变暗，甚至出现深色的斑点。产后这些区域会逐渐变淡，但不会完全消失。你会在乳晕上发现一些小突起，这些起润滑作用的腺体在妊娠期会变得更加明显，分娩后会逐渐恢复原先的大小。你的乳房上也许会出现交错的蓝色血管（皮肤白皙的女性更为明显），这是妈妈给宝宝输送营养的管道，会在产后恢复原样（如果你是母乳喂养，则会在宝宝断奶后）。

幸运的是，罩杯增大的同时不会一直伴随着疼痛（或敏感不适）。在孕期的9个月里，乳房不断增大，但触痛的感觉在第3～4个月后就会有所改善。一些女性发现了缓解疼痛的好办法：冷敷或热敷。

至于产后乳房是否下垂，很大程度上由基因决定（如果你的妈妈乳房下垂了，你也有可能会这样），但也取决于自身的努力。乳房下垂不仅是怀孕导致，孕期乳房缺少支撑也是原因之一。所以，不管你现在的乳房多么坚挺，都要穿好一点的胸罩来保护它们（虽然在乳房敏感的孕早期你可能非常不愿意穿上束缚身体的内衣）。如果你的乳房特别丰满，或者现在已经有了下垂趋势，那最好晚上睡觉也穿着胸罩。纯棉的运动型胸罩应该是最舒服的选择。

并不是所有女性都能在孕早期发现乳房的变化，有些女性发现这种变化很难察觉。就像什么都可能发生的孕期一样，乳房的一切变化都是正常的。不用担心，乳房变化缓慢而不明显，只意味着你不需要太快换新胸罩，对哺乳能力没有任何影响。

“我的乳房在第一次怀孕时变得非常大，现在我第二次怀孕，却发现它几乎没什么变化。这正常吗？”

上次，你的乳房还是“新手”——这次妊娠期，它们已经有了丰富的经验，不需要做太多准备工作也可以应对激素的影响，不必像上次妊娠那样反应剧烈。你会发现它们随着孕期进展缓慢胀大，甚至可能会直到分娩后才开始变大。不管是哪种情况，这种缓慢的变化都完全正常——这也是表明两次妊娠有所不同的最早征兆。

小腹压迫感

“我一直感到小腹有压迫感，应该担心吗？”

看上去你非常关注自己的身体，这是件好事，也可能是坏事（可能让你过分担忧妊娠期一些无关紧要的疼痛）。

不要担心。不伴有出血的腹部

压迫感甚至轻微痉挛很常见，特别是在第一次怀孕过程中——同时，这还表明一切顺利，没有什么异常现象。很有可能是你敏感的体内雷达及时捕捉到了子宫所在部位（小腹）的一些变化。你感觉到的压迫感可能是由于受精卵正植入子宫，血流量增加，子宫内膜增厚，或仅仅是子宫开始变大——简言之，这是你能在孕期体会到的第一次生长痛（今后还有很多）。也可能是伴随便秘的腹部胀痛或肠痉挛，便秘是妊娠期常见的另一个副作用。

为了保险起见，如果这种感觉持续存在，下一次去医院时把你的感受如实告诉医生。

出血

“我上厕所的时候发现内裤上有点血迹，不会是流产了吧？”

孕期发现下体出血着实有点恐怖，但并不是所有出血都代表有不好的事情发生。很多女性（大约有 20%）在妊娠期都有过出血现象，其中绝大部分生下了健康的宝宝。如果你只是发现内裤上有类似月经初期或末期的那种少量出血，就可以松口气。这种少量出血很可能由下列因素引起：

着床（胚胎植入子宫内膜）。20%～30% 的女性会出现这种少量出血（通常称为“着床出血”），它通常发生于预期的生理期之前，在怀孕后 5～10 天左右。出血量一般少于以前的月经出血量，持续时间从几小时到数天不等，颜色一般为浅粉色或粉色，或是浅棕色。发生出血的原因就是那个小细胞团钻进了你的子宫内膜。着床出血并不意味着怀孕出现了问题。

做爱、盆腔内检或子宫颈抹片检查。孕期的子宫颈非常脆弱，血管扩张。这时候做爱或者进行内检很容易引起轻微出血。这类出血很常见，在孕期任何阶段都可能发生，也并不意味着有问题。但为了保险起见，如果做爱后出血或检查后出血，应该告诉医生。

阴道或宫颈感染。发炎的或敏感的宫颈和阴道都可能导致少量出血（通常在感染治愈后就会消失）。

绒毛膜下出血。绒毛膜是胎膜的最外层，紧贴着胎盘。这种出血发生在绒毛膜下或子宫和胎盘之间。出血程度或轻或重，但通常不会那么明显（有时在常规超声检查时才能发现）。大部分绒毛膜下出血可以自愈，不会有严重后果（参考第 535 页）。

各种形式的少量出血在一次正常妊娠中非常常见。部分女性甚至会在整个孕期中间断地多次出血。有的女性仅出血 1～2 天，有的会出血长达几星期。部分人观察到了带着黏液的棕色或粉红色少量出血；另一些人

何时给医生打电话

在出现紧急情况之前就和医生制订应急预案。如果你没有和医生进行相关讨论，又正好出现需要立即就医的症状，就先给医生打电话，或直接拨打最近的急救中心电话，并告诉值班护士你的情况。如果他让你立即过去接受治疗，就马上过去。如果没人能把你送到急救中心，可以拨打120。

当需要向医生或值班护士说明症状时，一定要讲明你同时出现的其他症状（即使这些症状看起来与要解决的问题毫无关联）。还要具体说明你第一次发现这种症状的时间，发生频率，什么情况下会缓解或加重，以及严重程度如何。

出现以下情况时，必须立即给医生打电话：

- 严重出血，或出血时下腹部剧痛或痉挛。
- 下腹中央或是一侧及两侧剧痛，疼痛没有缓解迹象，伴有或不伴有出血。
- 突然非常口渴，小便次数减少或全天无尿。
- 小便时疼痛或有灼烧感，伴有畏寒、发烧（超过38.6℃）或背痛。
- 手、脸和眼睛突然严重水肿，头痛、视力下降，体重突然大幅增加。
- 出现视觉障碍（视力模糊、重影等）并持续几分钟。
- 严重头痛，或头痛持续2～3小时以上。
- 便血。

出现以下情况时，当天给医生打电话（如果发生在半夜，天亮后再打电话）：

- 尿血。
- 手、脸、眼睛出现水肿。
- 体重突然异常上升。
- 小便时疼痛或有灼烧感。
- 昏厥或眩晕。
- 畏寒或高烧（超过37.8℃）且没有明显的感冒或流感症状（体温升高到37.8℃时，可立即服用扑热息痛）。
- 严重恶心、呕吐：孕早期每天呕吐超过2～3次；或是孕早期没有呕吐现象，但孕晚期却出现了。
- 全身瘙痒，或伴有小便颜色暗、大便灰白、黄疸（皮肤、白眼球发黄）等现象。
- 多次腹泻（每天超过3次），尤其是出现黏液便时；如果便血，立即给医生打电话。

关于何时打电话，医生也有他的标准。一定要问问他，如果你再次发生类似情况时，应该采取什么措施。

记住，很可能你没有出现上述症状，但有其他不适感，如异常疲惫、周身疼痛等。如果经过一夜良好的睡眠或长时间休息也没有好转，就向医生求助。很可能你这些感觉都是正常的，只是因为孕期不断发展造成的，但也有可能是你患了贫血或某种感染，例如尿路感染就会引起很多不明显的症状。所以，如果你有疑问，就赶紧弄明白。

可能看到少量的鲜红色血液。好在大部分经历过少量出血的女性最终都会产下健康的宝宝。也就是说，你可能不必为出血情况担心。

为了保险起见，可以致电医生咨询一下（一般没必要马上给医生打电话或在非工作时间打扰他，不过有下列情况者例外：伴随下腹部痉挛的出血、让整个卫生巾湿透了的鲜红色出血），医生一般会为你安排超声检查。如果孕期已经过了 6 周，这时候非常可能通过超声听到宝宝的心跳——这样你就可以放下心来，知道哪怕有少量出血，妊娠也在正常进行。

如果出血有加重的趋势，甚至开始类似一次月经，又该怎么办？虽然这个场面的确值得担心（对于那些伴随着下腹部痉挛或疼痛的女性来说更需要注意），你需要立即给医生打电话，但并不意味着流产不可避免。部分女性在孕期中出现了原因不明的出血（甚至很严重），但最终仍然产下了健康的宝宝。

如果出血最终发展到流产，参考第 527 页。

hCG 水平

“验血报告出来了，医生说我的 hCG 值是 412mIU/L。这个数字说明了什么？”

这说明你肯定怀孕了！人绒毛膜促性腺激素（hCG）由新形成的胎盘细胞产生，在受精卵植入子宫内膜几天后出现。怀孕时可以在尿液和血液中检测到 hCG（从你做家庭妊娠测试时看到阳性结果那天开始，hCG 就与你如影随形）——这就是为什么医生要验血以进一步确认你怀孕了。如果你在怀孕这幕大戏中刚刚登场，血液中 hCG 的水平会比较低，因为这种激素刚开始出现。但在接下来几天里，数值就会迅速攀升，每 48 小时会翻一倍，这条快速上扬的曲线会在第 7～12 周达到峰值，之后开始下降。

不要拿你的 hCG 数值和好朋友的比较。任何两个孕妇的 hCG 值都不同。每个人的 hCG 水平每天都有巨大差别。

拒绝焦虑

有些孕妇总能找出各种让自己焦虑的问题——尤其是孕早期，以及第一次怀孕的情况下。在常见的担忧中位列第一的就是对流产的恐惧。

幸运的是，多数焦虑最终被证实没有必要。大部分女性都能平安无事地享受孕期，直到预产期到来——这其中不乏妊娠期经历过下腹部痉挛、疼痛、少量出血，或者三者兼有的女性。事实上，这些症状很容易让孕妇紧张，这一点可以理解。（当你发现内裤上有血迹时，肯定会吓得腿软。）但很多情况下，这些症状完全不会带来危险，并不意味着妊娠出了问题，不过在下一次去医院时应该告诉医生。下面这些情况不必担心：

- 下腹部、腹部一侧或两侧出现轻微的痉挛、疼痛、拉扯感。这可能是由于支撑子宫的韧带拉伸造成的。除非痉挛很严重、持续时间较长或伴有明显出血，否则不必在意。
- 不伴随痉挛和下腹疼痛的少量出血。孕期引起少量出血的原因很多，基本上都和流产没关系。想了解更多关于少量出血的信息，参考第 142 页。

当然，不仅是这些症状让孕妇担心——没有任何症状也让她们焦虑。据报道，“感觉不到怀孕”是妊娠期女性最常见的担忧之一。这并不奇怪，即使经历了本书列出的所有孕期症状，在孕早期也很难意识到自己怀孕了——症状不明显的女性就更难发现了。没有切实的证据（鼓起来的肚子，第一次胎动）证明宝宝正在体内生长着，很容易让人怀疑妊娠是否正常——甚至怀疑自己到底有没有怀上宝宝。

还是那句老话：不用担心。没有出现晨吐、乳房疼痛等孕期症状并不代表妊娠出现问题。缺少这些妊娠初期的不愉快经历，可以让你窃喜自己是个幸运儿，也可能意味着你是个“后起之秀”。毕竟，每个孕妇经历的孕期症状不尽相同，出现的时机也不一样，说不定还有其他症状等着你呢。

对你来说有一点很重要，就是 hCG 水平处于正常范围（参考第 146 页小贴士），并会随着孕周增加继续攀升（你应该观察它的增长幅度，不要过于在意某个特定数值）。即使你的数值低于正常范围，也不要担心，很可能妊娠非常正常（只不过你的预产期不准——这是 hCG 数值误差的常见原因，也可能你怀了不止一个宝宝）。只要孕期顺利继续，且孕早期

hCG 水平

想玩一次 hCG 数字游戏吗？下面是不同时期内 hCG 的“正常”（参考）水平。记住,这个正常范围很大，你的检查结果只要在数值范围内就表示一切正常，千万不要对照下列数字给你的宝宝打分。另外，估算怀孕日期时有可能出现误差，这也会导致数值不符合预期：

孕周	hCG 值（mIU/L）
3 周	5～50
4 周	5～426
5 周	9～7340
6 周	1080～56500
7～8 周	7650～229000
9～12 周	25700～288000

hCG 水平持续升高，就不必为一个数值耿耿于怀（只要医生对这个数值满意，就可以放心）。第 5～6 周之后的超声检查比 hCG 水平更有说服力，届时你可以和医生好好讨论一下检查结果。

压力

“我的工作压力很大，本来没计划要孩子，现在却怀孕了。我需要辞职吗？”

这个问题的答案取决于你自己应对压力的能力。压力可能是一件好事（激励你更好地表现，更高效地工作），也可能对你不利（太大的压力会把你打垮）。研究表明，怀孕不会受到一般程度压力的影响——如果你对工作方面的压力应付自如（即使压力强度让大部分人都无法承受），你的宝宝也没问题。如果压力让你焦虑、失眠、抑郁,并引发其他身体症状（头痛、背痛、食欲不佳）和不健康的行为（例如吸烟等），甚至筋疲力尽，就很可能会带来一些问题。

应对压力的消极反应会对你造成很大损害，如果压力一直延续到孕中期和孕晚期，学着积极应对或远离压力就是现在的任务。下面的建议可能会对你有些帮助：

卸掉压力。把焦虑说出来是保证自己不被打倒的最好办法。确保你有发泄的途径，也有倾听你诉说的人。和伴侣开诚布公地聊聊天，每天晚上用一点时间讨论彼此的担忧和挫败感。你们可以一起面对问题，缓解压力，找到解决办法——说不定还会大笑几次。如果他的压力也很大，没有能力再为你减压，就尽快找到可以帮助你的其他人——朋友、家人、同事、医生（当身体上的变化给你带来压力时，他更是不二人选）。另外，你可以找一些“同病相怜”的孕妇倾诉，不管是加入孕妇小组还是在线聊天都可以。如果需要的不只是一对愿意倾听的耳朵，可以去做心理咨询，相关人员能帮你更好地应对压力。

用行动把压力赶走。找到压力的源头，想办法解决。如果是因为你手上要做的事情太多，就把不太重要的事剔除（这是目前要学会的重要技巧，宝宝绝对是日程表上最重要的工作）。如果你在家或工作中承担的责任太重，考虑哪些工作可以暂缓进行或指派给他人完成。在超负荷运转之前，要学会对新任务说“不”。有空时，坐下来拿出记事本或掌上电脑，把需要做的事列个清单，然后按轻重缓急排序，这样有助于你更好地掌控混乱局面。在做过的事前面打个叉，能增加你的成就感。

用睡眠赶走压力。睡觉是恢复脑力和体力的好方法。通常，紧张和焦虑都因为没有获得足够睡眠引起——当然，过于紧张和焦虑又会使你睡眠不足。如果你有睡眠问题，参考第266页。

摄入充足营养。繁忙的生活是否导致你养成了急匆匆的饮食习惯？妊娠期营养不足有两方面的负面影响妨碍：你应对压力，对宝宝的生长不利。所以，要确保每天饮食规律且营养充足（一日六餐可以使你精力充沛）。注意挑选一些复合碳水化合物和蛋白

放松就能解决问题

知道怀孕后，你不断高涨的喜悦是否已经让神经不堪重负？现在正是学习一些放松技巧的好机会，它们不仅能帮你面对孕期的担忧，也可以让新手妈妈学会掌控随之而来的忙乱生活。瑜伽是非常好的减压运动，有空的话可以参加瑜伽班，或是跟着DVD练习瑜伽动作。如果你抽不出时间，可以试试下面这个方便易学、随时随地都能进行的放松技巧。如果你觉得有帮助，可以在焦虑袭来时练习一下，或是一天练习几次以避免过分担心。

坐着闭上眼睛，想象一个美丽而平静的场景（落日的余晖洒在海滩上，海浪轻拍着岸边，宁静的远山，潺潺流动的小溪），甚至可以想象未来宝宝的样子，你抱着他在阳光灿烂的公园里散步。接下来，专注地放松从脚趾到脸颊的每一块肌肉。用鼻子缓慢地深呼吸（感觉肺部充满空气再呼出来），每次呼气时大声说一个单字（比如“是”或“一”）。坚持练习10～20分钟，即便只做1分钟也比不做强。

质食物，拒绝过量的咖啡因和糖果，否则工作和生活上的双重压力会让你不堪重负。

用洗澡舒缓压力。洗个温水澡是缓解压力的好办法。在忙碌的一天过去后，一个温水澡可以帮助你睡得更好。

用运动甩开压力。慢跑、游泳、孕期瑜伽等运动都有助于减压。也许你觉得这辈子最不喜欢的就是运动，但运动的确是最好的减压剂之一——也是情绪调节剂。在忙碌的一天里，记住要锻炼。

用辅助疗法排解压力。寻找一些能给内心带来宁静的辅助疗法，例如生物反馈疗法、针灸、催眠、按摩（请伴侣按摩后背和肩部来让自己放松，或花钱寻找专业的孕期按摩人员）。冥想和想象也可以帮你赶走压力（闭上眼睛，在脑子里勾勒出一幅美丽的田园风景；或是凝视办公室里悬挂的优美风景画）。练习放松技巧(参考第 147 页)，它们不仅能帮你应对分娩，还可以帮助你消除紧张情绪(参考第 86 页更多关于辅助疗法的知识)。

远离压力。采用任何能够让你放松的活动来对抗压力。沉浸在一本好书、一部好电影里；听听音乐（茶歇或午餐时带着你的音乐播放器，可能的话，工作时也带着它)；织毛衣（一旦你专心投入，就可以完全放松下来)；逛街，看看商店橱窗里的婴儿衣服；和好玩的朋友吃午饭；去旅行；浏览婴幼儿产品网站；剪报；出门走走（即使是短时间散步也能让你放松并恢复活力)。

摆脱压力。或许你面临的问题根本不值得烦心。例如，如果工作让你非常紧张，那就早点开始休产假，或者干脆改做兼职（前提是经济上允

乐观看待事物

很久以前，人们就认识到乐观的人更健康，寿命更长。现在，人们认为乐观的孕妇可以使她们的宝宝发育得更好。研究人员发现，凡事乐观积极的孕妇出现早产或宝宝出生体重过低的概率比较低。

乐观女性的压力水平较低，这使得他们在妊娠期发生风险的概率也比较低。压力水平高则与怀孕前后各种健康问题有关，但压力不是导致健康出问题的唯一原因。乐观的孕妇能更好地照顾自己：饮食良好，适当锻炼，规律产检，远离烟、酒、药品和毒品。这些积极的行为加上积极思考的力量，对整个孕程及宝宝的健康状况都有积极影响。

研究人员指出，采取乐观积极的生活态度从不嫌迟，即使你已经怀孕了也一样。学会看到事物好的一面，不要只想坏事，可以帮你梦想成真。

许），甚至可以把部分工作交给别人——不要让工作的压力搞垮自己。或许孕期换工作甚至改变职业规划不太现实，但宝宝到来后你需要认真考虑一下。

记住，宝宝出生后压力只增不减；现在学会怎样应对压力很有必要。

孕期要宠爱自己

让我们来讨论一下孕期的美容大业。孕期的你从头到脚都会发生重大变化，有可能会觉得自己前所未有地漂亮，也可能觉得魅力值到达谷底（讨厌的痤疮！我竟然长出了“胡子”！）更可能的是两种感受兼而有之。这也是你改变往常美容方案的最佳时机。当你走进药店想买那种从中学就开始用的痤疮膏时，当你打算去最喜欢的那家美容院做美体脱毛或护肤时，作为一个怀孕的美女，要清楚哪些事情该做，哪些事情不能做。下面的小贴士将告诉你，如何才能彻头彻尾（上至挑染，下到接受足部护理）地娇宠自己，享受一个安全、美丽的孕期：

头发

怀孕后，你会发现自己的头发有可能变好了（曾经暗淡无光的发质突然变得光彩照人），也可能变差了（曾经弹性丰盈的发质突然变得软趴趴）。但有一点可以确定：因为激素的作用，你身上的毛发会增多。以下是保养头发的建议：

染发。一些妊娠期问题的根源可能就隐藏在你打算改变头发颜色的那一刻。虽然目前还没有切实证据证明，皮肤吸收少量染发剂中的化学物质会危害妊娠，但一些专家仍然建议，在怀孕的前 3 个月结束后再染发。也有些专家认为，整个孕期染发都是安全的。问一下医生——也许他会允许你染发。如果你不太放心头发全部染色，可以考虑挑染，这样染发剂几乎不会接触到头皮。另外，挑染的颜色持续时间比较长，这样你就不需要在孕期经常去美发店重新染色了，可以要求染发师选择刺激性较小的操作流程和药水（比如不含氨的染发剂、全植物染发剂）。还要记住，激素的作用可能会使头发在接触染发剂后发生奇怪的反应——你可能得不到期望的效果。如果要全染，先局部试一下颜色，以免你心目中迷人的红色最终成了不喜欢的紫色。

拉直或软化。在考虑拉直头发，去掉头上的大卷？虽然目前没有证据表明，毛发软化剂会对妊娠造成危害（通过头皮吸收到体内的化学物质很少），但也没有证据证明它们是安全的。所以，还是应该先咨询医生。他可能会告诉你保持天然的状态最好，至少在孕早期的3个月保持原样。如果你还是决定拉直头发，要记住，激素会让头发发生奇怪的化学反应（有可能你得到的并不是柔顺的长直发，而是一头头盔般的小卷）。另外，孕期的头发生长速度比平时快，很可能在你拉直后不久，发根就长出了你不愿意看到的小卷。热烫时使用的药水不太一样，通常比较温和，对于孕期的你来说安全一些（当然也要先咨询医生）。或者也可以考虑买一个头发夹板，自己在家拉直头发。

脱毛和漂白。妊娠让你变得像猿人星球的原住民？镇定！这种毛发旺盛的状态只是暂时的。由于大量分泌的激素，你的腋下、小腹、人中，甚至肚子上都开始长出各种绒毛。但在你考虑用激光、电解法、脱毛剂（或者漂白）来解决这个问题之前，一定要三思并咨询医生的意见！还没有充足的实验证明，目前流行的脱毛和漂白方法是否安全，最好等到宝宝出生后再采取措施。如果已经做了激光脱毛或电解脱毛，不要担心，任何风险都只是纯理论层面的，不一定在现实中发生。

剃毛、拔毛及蜜蜡脱毛。孕期中很多身体部位都会长出你不愿看到的毛发，这不得不算恼人的坏消息。但也有好消息：你可以采用剃毛、拔毛或蜜蜡脱毛的方法去除它们，这些方法是安全的，即使对于小腹这样敏感的地方，也没有太大问题。但要注意小心操作：孕期的皮肤格外敏感，很容易感染。如果要去美容院脱毛，告诉美容师你已经怀孕了，这样她在操作时会更小心细致一些。

脸部

怀孕并不一定会以变大的肚子宣告天下，更多怀孕征兆会在脸上显露出来。下面是关于脸部护理的全面说明，供孕期的你参考：

脸部护理。关于脸部的改变，真相是：并不是所有孕妇都像你在各种媒体上看到的那般光彩照人。如果你脸上毫无光泽，脸部护理是个不错的选择。对于脸上出油较多堵塞了毛孔的女性（根本原因也是过多的激素导致）来说，脸部护理的魔力就更大了。绝大多数脸部护理对于孕妇是安全的，但有小部分磨砂法弊大于利——因为孕激素使准妈妈的皮肤格外敏感，极容易受刺激而诱发感染。包括微晶磨皮术、果酸换肤术等。另外，任何运用微电流进行的面部护理措施都必须在孕期完全禁止。你可以和美容师商量一下，看看哪种面部护理方式更加柔和，不容易引起反应。如果不确定某种方法是否合适，可以先咨询医生的意见。

抗皱。满身褶皱的宝宝很可爱，但满脸皱纹的妈妈就没那么可爱了。

不过，在你走进皮肤科医生的办公室接受各种抗皱治疗之前，一定要考虑清楚：孕期注射填充物（例如胶原蛋白、玻尿酸等）的安全性至今没有获得研究证实。同样，这个道理也适用于肉毒杆菌。所以目前来说，最好不要注射任何东西到皮肤里。关于抗皱霜，最好在使用前仔细阅读那些晦涩难懂的说明书和成分表，并咨询医生，是否适合使用。医生很可能会要求你下定决心告别部分美容产品：含有维生素A或类维生素A成分、维生素K，以及含有水杨酸（BHA）的。对于其他你不确定的成分，也要及时询问医生的意见。医生一般会同意使用含有果酸（AHA）的产品，但在使用前要保证产品中其余成分的安全性。好的一面是，你会发现妊娠期正常的体液调节使得面部皮肤变得丰盈，不用护肤品也不会有太多皱纹。

治疗痤疮。脸上的痤疮比高中时还多吗？你可以又一次怪罪到孕激素头上。但在冲进药店购买原先最常用的痤疮膏之前，先问问医生孕期使用是否合适。异维甲酸和维甲酸会引起严重的出生缺陷，绝对禁止使用。购买前咨询妇产科医生、皮肤科医生或药店店员，看看要买的产品是否含有这些成分。另外，激光治疗和化学换肤也应该等到宝宝出生后再进行。常见的外用痤疮药水杨酸目前还没有在孕妇身上做过实验，很可能被皮肤吸收，咨询医生包含这种成分的产品是否可以安全使用。另一种成分过氧化苯甲酰也在孕期禁用之列。乙醇酸、去死皮膏、壬二酸、外用抗生素（如红霉素）等在妊娠期使用也许安全，但也要先得到医生首肯，同时需注意它们对皮肤有一定刺激性。你也应该通过多喝水、均衡饮食、保持面部清洁来对抗痤疮，千万不要挤压患处或用针挑破。

牙齿

怀孕以后，你自然会不时露出开心的微笑，但牙齿做好展示的准备了吗？如今，牙齿美容非常流行，但一定要选择适合孕期的流程。

亮白产品。迫不及待想秀一下你亮白的牙齿？对于牙齿美白产品，目前还没有证实的风险，但也属于尽量避免的一类，所以最明智的办法就是多等几个月再展示自信的笑容，但一定要确保口腔清洁、没有牙垢。妊娠期牙龈也会变得很敏感，最好小心护理。

牙套。妊娠期戴牙套也需小心操作，虽然它同样没有已知的风险，但还是建议产后再戴牙套。这里有另一个值得考虑的原因：孕妇的牙龈格外敏感，这使得任何牙科程序，包括戴牙套、美白牙齿等，都比怀孕前操作感觉更难受。

身体

为了怀孕这件人生最重要的事，身体付出了意想不到的代价，你需要比普通人更宠爱自己。下面是一些安全护理的要点：

按摩。渴望背痛的情况有所缓解？背痛可能已经让你无法安眠了。这时，按摩最能帮助妊娠期的你赶走疼痛、压力和紧张。鉴于医生偶尔会因为心情大好而允许你去按摩，所以按摩过程中一定要遵守下列指导原则，才能在达到放松目的的同时确保安全：

● 运用正确的按摩手法。确认为你按摩的按摩师拥有从业执照，同时非常熟悉为孕妇按摩时的注意事项和禁忌。

● 等待合适的时机再按摩。一般来说，孕早期的前 3 个月最好不要进行按摩，很可能诱发眩晕并增加晨吐的可能性。如果已经按摩过，也不要担心，这并没有危险，只可能让你不太舒服而已。

● 找一个合适的姿势躺下放松。怀孕 4 个月之后最好不要平躺，请按摩师为你找一张结构符合孕妇体型的桌子（为肚子部分留出了空间），并用孕妇专用枕头、适合体型的泡沫垫子帮你侧卧。

● 使用无香的按摩油。在选择润肤乳和按摩油时，选择无香型。一方面因为孕期的身体会强烈抗拒各种香味，另一方面也因为有些精油会引起宫缩，参考下文。

● 按摩合适的身体部位。直接刺激脚踝和脚后跟容易引起宫缩，让按摩师远离它们。为了舒适起见，也不应该按摩腹部。如果按摩的力度有些大，或是按摩的强度太大，说出你的感受。毕竟，按摩是为了让你更舒服。

芳香疗法。关于妊娠期使用的香型，一定要理智选择。某些植物精油在孕期使用会造成不可预知的危害，所以在接受芳香疗法时一定要格外小心。下面是一些普遍认为孕期使用很安全的精油，但仍然建议用量减半并稀释。这些精油包括：玫瑰、薰衣草、甘菊、茉莉、柑橘、橙花及依兰。还有些精油容易引起宫缩，孕妇要避免接触，包括：罗勒、杜松子、鼠尾草、薄荷、胡椒薄荷、牛至、百里香。借

在美容中心度过一天

没有任何人比孕妇更有资格享受美容院里宠爱自己的一天了。越来越多的美容中心开设了专门为孕妇服务的项目。但在去美容院之前，仔细阅读本章内容并咨询医生，看看是否还有什么需要特别注意的地方。另外，预约时就应该告诉前台你怀孕了，并告诉她们你美容时有哪些具体的限制，可以让她们安排合适的方案。当然，也要告诉相关的美容师你怀孕了。

助它们的宫缩效果，助产士经常在帮助孕妇分娩时使用这些精油。如果你已经在芳香疗法中用过这些精油，或者自己在家洗澡时用过，不用担心，通过皮肤吸收的精油很少（人体背部的皮肤非常厚）。美容用品店出售的香味沐浴露或美容产品危害不大，因为其中的香精并非浓缩提取。

搓澡、泡澡及水疗。搓澡一般是安全的，只要足够轻柔就行（如果搓澡过于用力，也不利于妊娠期敏感的皮肤）。某些草药浴问题不大，但大部分草药浴都禁止进行，因为很容易引起体温过高。洗个短暂的热水澡（不超过 37.8℃）会让你很放松，也很安全，但千万不要蒸桑拿、做蒸汽浴，及热盆浴。

美黑产品。想让孕期的皮肤不那

孕期化妆注意事项

你的脸在经历了皮疹、讨厌的色斑和孕期正常的水肿之后，接下来的 9 个月还将面临巨大挑战。幸运的是，你可以通过各种化妆技巧来弥补：

● 底妆。正确使用遮瑕霜和粉底液可以很好地掩盖各种妊娠期皮肤问题，例如黄褐斑及其他色素沉着的现象（参考第 243 页）。针对这些暗斑，挑选一种专门用来遮掩色素沉着现象的产品，并要确保所有化妆品都是低致敏产品，不会导致粉刺产生。选择适合肤色的产品，但遮瑕霜要选比肤色略浅的。将遮瑕霜涂在色斑处，并用手指轻点边缘以淡化遮瑕痕迹，然后轻轻盖一层粉底。对于遮盖力强的产品，少量使用比大量使用更有效，所以尽量将用量控制到最少，最后用散粉定妆。

如果孕期长痘，涂遮瑕霜时要涂薄一点，避免刺激皮肤。先用粉底，再将适合的遮瑕霜用手指轻轻涂上。如果在上底妆前习惯了用遮瑕霜，一定要选择适合孕期的产品。

● 用阴影粉修容。害怕自己长出松鼠一样圆鼓鼓的脸颊？赶紧行动起来吧。在使用粉底液之后，用高光提亮额头中间、眼睛下方、颧骨及下巴，然后用刷子从太阳穴开始打阴影粉，在两侧脸颊刷出阴影效果。你的面孔会立刻变得轮廓分明。

● 阻止肿胀。你可能非常希望肚子快点大起来，哪怕屁股大了也无所谓——但鼻子为什么也变大了？不要着急，出现这些现象都是暂时的，只是妊娠期水肿的表现而已。在鼻梁上打高光粉能使肿大的鼻子看上去变小些，再将两侧鼻翼打上阴影粉，确保颜色衔接自然。

么苍白？不好意思，在美黑床上美黑绝对不行。这不仅因为它会对皮肤造成伤害，增加出现黄褐斑的可能性；更严重的是，它还会引起体温过度升高，危害肚子里的宝宝。如果你非常想让肤色变深些，问问医生是否可以用美黑喷雾或乳液。即使医生允许了，你也要先考虑清楚，妊娠期激素可能会引起肤色变化（很可能皮肤会自然变成古铜色）。另外，随着肚子日渐变大，使用美黑产品也越来越困难（尤其当肚子大到看不见脚的时候）。

想知道孕期文身、美甲及穿孔是否安全，参考第 165 页和 184 页的小贴士。

手和脚

你的手和脚也说明了怀孕的事实。但就算你感觉自己全身浮肿，手指和脚踝也不例外，手和脚也需要得到最好的护理。

修剪指甲。如果想让手指甲和脚趾甲更有光泽，现在是最佳时机——这段时间是指甲长得最快、甲质最好的时候。如果你喜欢到美甲沙龙去修指甲，要注意选择通风良好的地方。吸入那些化学物质绝对不是什么好事，因为你现在需要为两个人呼吸（即使不考虑危险后果，那种味道也很容易让你恶心）。修剪脚趾甲时要确保美甲师不要按摩你的脚踝和脚后跟部位，否则会诱发宫缩。美甲时使用的丙烯材料尚没有证据证明其危害性，但相信你知道它的副作用之后一定会减少使用（即使产后也一样）。它不仅有强烈的刺鼻气味，还容易诱发甲床感染。不过孕期时你可能不需要这种丙烯材料来使指甲变长变厚，因为指甲已经长得够快了。

第7章　第2个月

（5~8周）

即使还没告诉任何人你怀孕了，肚子里的宝宝也已经开始泄露秘密。不是因为他“说”了什么，只是因为你症状太多。比如，不管在哪里，那些讨厌的恶心症状都会出现，嘴巴里总有太多唾液，整天都有的尿频感觉，以及不可避免的浮肿。这些现象都说明你已经怀孕了，但可能还需要慢慢适应并相信肚子里的确有个小生命在成长。你也很可能刚刚适应孕期的身体（异常疲惫）、应对逻辑挑战（去卫生间最近的路怎么走），以及满足饮食方面的各种需求（开发新餐厅变成用餐据点）。怀孕就是一次探险，现在只是刚刚开始，加油吧！

本月宝宝的情况

第5周。这个阶段的宝宝还没有发育成形，外观更像一只小蝌蚪（拖着一条小尾巴）。他正在迅猛生长，虽然比前一个月稍大了一些，但还是非常小。这一周，他的心脏开始发育，包括心脏在内的循环系统，是第一个开始运转的人体系统。目前，宝宝的心脏只有芝麻那么大，却包含了两条心管。这时心管的功能远没有完善，却已经开始搏动——通过早期超声检查，你非常有可能观察到这种搏动现象。另外，本周起变化的还有神经管，它最终将发育成宝宝的大脑和脊髓。神经管是开放的，但下一周会闭合。

第6周。这一周可以通过测量头臀长来判断子宫内宝宝的大小，头臀长是指胎儿头顶到臀部的长度。这时候宝宝太小，刚刚形成的腿弯曲着，使得测量身长很困难。头臀长多长算正常呢？一般来说，第6周的宝宝头臀长为0.5～0.6厘米（比指甲大不了多少）。同时，本周宝宝的咽部、脸颊、下巴开始成形；头部两侧出现小凹陷，将来会形成耳道；脸上的小黑点将会发育为眼睛；当然，脸部中间的小隆起几周后会形成可爱的小鼻头。本周开始形成的其他器官还有肾、肝和肺。宝宝的心率大约为每分钟 80 次，在接下来的日子里还会逐渐加快——这种变化很可能也会使你心率加快。

第 7 周。现在我要告诉你一个惊人的消息：肚子里的宝宝已经比刚受孕时大了 10000 倍，已经有一颗蓝莓那么大了。大部分发育导致的变化集中在头部（新的脑细胞正在以每分钟 100 个的速度产生）。宝宝的嘴和舌头开始成形，上肢和下肢长出肉芽，并慢慢发育成肩膀、胳膊和手，以及腿、膝盖和脚。另外，肾脏会在本周发育完全，并开始担任处理废物的重任（例如产生尿和排泄物）。

第 8 周。宝宝开始飞速成长！本周他大约会长到 1.3 厘米，与一颗大覆盆子差不多。这颗可爱的覆盆子也变得越来越漂亮，因为他的嘴唇、鼻子、眼睑、腿和背部都开始慢慢成形，越来越接近你梦想中宝宝的样子。对于宝宝来说，现在时间太早，外界的声音他还听不到，他的心脏也以你无法想象的速率跳动着：150 次 / 分（几乎是你心率的两倍）。另外，这周宝宝开始出现自发运动（身体不自主地抽动），不过他的四肢太小了，你根本感觉不到。

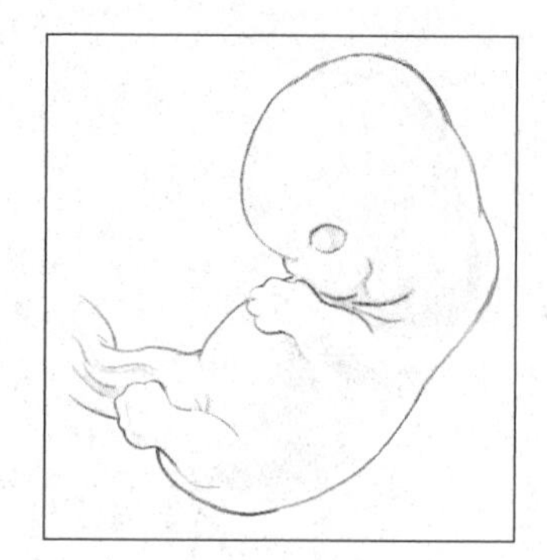

第 2 个月的宝宝

你可能会有的感觉

还是那句老话，你必须记住：每位女性、每次怀孕过程都不同。你可能在某个时间经历如下全部症状，也可能只经历其中的一两种——有的准妈妈从上个月就开始出现怀孕症状，有的可能这个月才出现。当然，你也可能出现一些不太常见的症状。如果你至今还没有“感觉”到自己怀孕了，那么不管出现什么症状都不要惊讶。下面是一些本月常见的症状：

身体上

- 疲惫、无精打采、嗜睡。
- 尿频。
- 恶心，也许伴有呕吐。
- 唾液分泌过多。
- 便秘。
- 烧心、消化不良、胃肠胀气、身体浮肿。
- 厌食或贪食。

- 乳房变化：发胀、变重、敏感、刺痛；乳晕颜色加深，周围起润滑作用的腺体像鸡皮疙瘩一样凸出；由于乳房供血量增加，皮肤下形成可见的蓝色血管网。
- 阴道分泌物略微发白。
- 偶尔头痛。
- 偶尔出现虚弱、眩晕。
- 肚子稍圆，衣服可能开始变紧。

精神上

- 情绪起伏较大（类似经前期综合征），包括情绪波动、易怒、不讲道理，无故流泪。
- 担忧、恐惧、愉快、兴高采烈——出现任何一种或所有上述情绪。
- 出现不真实的感觉。（“真的有个宝宝在我肚子里吗？”）

本月可能需要做的检查

如果这是你第一次去医院做产检，请翻到第128页查看相关内容。如果这是第二次检查，你会发现这一次比上一次所需时间短得多。如果基础检查已经在上一次检查中完成，这一次还会更轻松。医生一般会帮你做下面的检查，不过具体的检查项目，很大程度上取决于你的情况及医生的临床经验。

- 测量体重和血压。
- 尿常规，检查尿液中是否有糖和蛋白质。
- 手脚是否水肿，腿部是否出现静脉曲张。
- 你的妊娠期症状，特别是一些不常见的症状。
- 想了解的问题——相信你已经准备好问题清单了。

观察自己

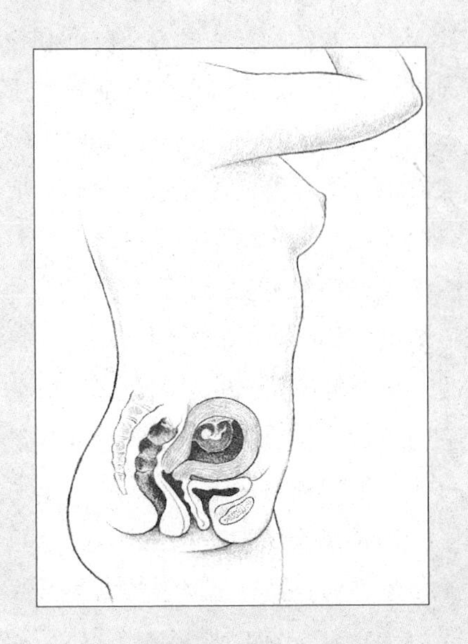

虽然周围的人可能还看不出来你怀孕了，但你自己会注意到衣服的腰围处越来越紧，也很可能发现乳房越来越大，需要换大一号的胸罩了。到这个月底，拳头大小的子宫会渐渐长大到葡萄柚大小。

你可能关心的问题

烧心和消化不良

“我一直消化不良，还觉得烧心，这是为什么？会不会影响到宝宝？”

没有人能体会到孕妇的那种烧心感。而且，你很可能要很长时间都保持这种恶心的感觉——甚至贯穿整个妊娠期（不同于其他孕早期症状，这是场“持久战”）。

为什么会有这样的感觉呢？妊娠早期，身体会产生大量黄体酮和松弛素，它们会让全身的平滑肌松弛下来(包括胃肠道的平滑肌)。这样一来，食物通过胃肠的速度变慢，就会造成消化不良（感觉胸部和上腹部胀气），烧心就是消化不良的表现之一。这种变化会使你很难受，但对宝宝大有益处：食物消化吸收的速度放慢，就会有更多营养物质进入血液和胎盘，最终进入宝宝体内。

隔离食道和胃的一圈肌肉也松弛下来(同其他胃肠道的平滑肌一样，是因为黄体酮和松弛素的作用)，经过初步消化的食物会混杂着胃酸从胃部返回食道，胃酸刺激着敏感的食道内壁，恰好在心脏附近形成一种烧灼感，故名“烧心”。到了孕中期和孕晚期，扩张的子宫会压迫胃部，这些症状还可能加重。

在孕期，消化不良几乎不可避免。它只是孕期各种不适中症状较轻的一种。一些方法可以有效避免烧心和消化不良，并在最大程度上减轻不适感：

● 不要点燃导火索。如果某种食物或饮料会引起烧心（或其他胃部不适），从现在起把它从食谱中删除。最常见的容易诱发恶心的食品包括辣味和口味过重的食品、油炸食品、高脂肪食品、加工的肉制品、巧克力、咖啡、碳酸饮料及薄荷味食品。当然，对于可以诱发烧心的食物，相信你比任何人都更清楚。

● 少吃多餐。为了防止消化系统负担过重（并储备一些胃液），你应该多吃几顿，每顿饭少吃点。一日六餐的饮食方案是解决烧心和消化不良的好办法。

● 慢慢地小口吃。进食过快时，

彻底终结反流

如果你是胃食管反流症患者，烧心感应该是老朋友了，不过你可以借怀孕这个好时机彻底摆脱它。如果之前为了治疗反流一直在服药，问问医生怀孕后是否需要更改处方。大部分治疗药物对孕妇是安全的，但也有小部分不建议妊娠期服用。书中列出的缓解孕期烧心的小贴士可以改善你的胃食管反流症状。

空气可能随食物一起被你吞下去，造成胀气。匆忙进食也意味着你不可能彻底咀嚼食物，这使得胃需要更辛苦地工作才能帮助消化，也就更容易出现烧心感了。所以，即使你真的饿急了或是赶时间，也要努力慢点吃，小口吃，将每一口食物彻底嚼烂。

● 不要一边吃东西一边喝水或其他液体。食物中混有太多液体会使胃胀更厉害，加重消化不良的症状，可以在两餐之间饮水。

● 尽量坐着吃饭。身体保持直立比平躺更利于胃酸待在原处（胃下部），所以应避免躺着进食，以及在饱餐后很快躺下。睡觉时把头和肩垫高约 15 厘米，也可以借重力的作用防止反流。还有一个小技巧：捡东西时尽量弯曲膝盖而不弯腰。只要低下头，你就很可能出现烧心的感觉。

今天的烧心，换来明天宝宝的一头秀发？

觉得烧心得厉害？那你可能要开始帮宝宝多准备点洗发水了。最新研究发现，老一辈主妇间流传的说法或许不是空穴来风：妊娠期烧心感越强烈，宝宝将来的头发可能越多。看起来不可思议，但研究发现似乎导致烧心的激素也正促使宝宝毛发发育。所以，忘了抗酸药，多买点护发素吧！

● 降低增重速度。循序渐进地适当增重可以最大程度降低消化系统的压力。

● 用药物减轻症状。每天定时服用一些抗酸药可以帮你减轻烧心症状，但服用这些药物需要得到医生许可。这些药物还可以提供适量的钙。如果你讨厌抗酸药，试一下这些缓解烧心的偏方：1 杯加了 1 汤匙蜂蜜的温牛奶，一把杏仁，或少量鲜木瓜或木瓜干。

● 嚼一嚼。餐后半小时嚼一块无糖口香糖可以减少胃酸产生（增加唾液分泌，中和食道中的胃酸）。部分孕妇觉得薄荷味口香糖会加重烧心感，如果你也是这样，就选择其他口味的。

● 远离香烟。

● 放松。压力会加重各种胃部不适，特别是烧心的感觉。学一些放松技巧（参考第 147 页）。尝试替代疗法（CAM），例如冥想、想象、生物反馈疗法及催眠。

对食物的好恶

“以前很喜欢吃的东西现在我觉得味道怪怪的，而对那些从没有兴趣的东西充满渴望。这是怎么回事？”

深更半夜，丈夫在睡衣外面套一件外套跑出去，买一盒冰激凌或一罐泡菜来满足怀孕妻子的愿望——这样的故事也许更多地出现在那些毫无新意的电视剧里，不太会在现实生活中上演。孕妇对食物的欲望并不会让伴侣表现得那么离谱。

大多数准妈妈确实会发现饮食偏好出现暂时性转变。很多孕妇会疯狂迷恋至少一种食物（最常见的是冰激凌），一半以上的孕妇也会厌恶至少一种食物（排在首位的是禽肉，接下来是各种蔬菜）。这些突然的饮食癖好一定程度上可以归因于体内激素造成的混乱局面，这也是在第一次怀孕的孕早期（也是激素分泌最旺盛的时候）出现偏爱或厌恶某种食物的最常见原因。

但激素并不是孕期出现食物好恶的唯一原因。长期以来人们认为，对食物的偏好是身体，发出的敏感信号——如果我们厌恶某种食物，它通常对身体有害；如果我们渴望某种食物，它通常被身体需要。比如，曾经每天早上必不可少的咖啡现在让你无法忍受，原先最爱的红酒现在则毫无兴趣，你可能会突然狼吞虎咽地吃下一堆葡萄柚。不过，如果你突然开始讨厌鸡肉，或觉得原本爱吃的西蓝花有了苦味，或是非常想吃牛奶糖，这时身体发出的信号可能不太正确。

身体传达的关于食物的信号之所以不可靠，一方面是因为受到了激素影响，另一方面也由于人类已经离开天然的食物链太远（现在有各种各样的快餐），已经很难正确理解这些信号。例如，在糖果出现之前，食物来自大自然，渴望甜食的孕妇只会热衷于吃浆果。而如今，她们可能只会狂热迷恋巧克力豆了。

你是否因为要保证孕期健康饮食而忽略身体对某种食品强烈的渴望或反感？你可以控制自己对食物的偏好，但这样做并不合理。更明智的做法是在满足自己渴望的同时保证宝宝的营养需求。如果你非常想吃一些健康食品——一箱白乳酪或一堆桃子，不用控制自己，放心吃吧。享受自己对营养食品的热情，这意味着饮食可能暂时有点失衡，当对这些食物的热情消失之后，你就会让之后的孕期饮食丰富起来。

如果你知道自己想吃的东西对身体没好处，那就找一种替代品，这可以在一定程度上满足身体的渴望和营养需求，又不会摄入太多无用的热量：用巧克力冻酸奶代替冻巧克力糖；什锦干果代替软糖；乳酪泡芙代替能把手指染黄的乳酪薯条。如果这些替代品不能满足你，就稍微加一点调味料。当超市里的小甜饼向你招手时，试着分散自己的注意力：轻松地散散步，和同样怀孕的朋友聊聊天，在网上选购一条合适的孕妇牛仔裤。不过，偶尔屈服于欲望，吃点没营养的食物也没问题，只要不碰危险食物（如酒精饮料），不让这些食品挤掉菜单中的健康食品就没关系。

绝大多数贪食现象会在孕期第 4 个月消失或减轻。对食物的持续渴望也许是因为情感需要，例如需要更多关注。如果你和伴侣能意识到这种情感需求，问题很容易解决。吃一块燕麦甜饼干、一个无声的拥抱或一次浪漫的沐浴，都可以代替半夜突然想吃冰激凌的愿望。

有些孕妇发现她们想吃一些特别的东西，例如黏土、灰尘和洗衣粉。这种习惯被称为“异食癖”，可能对身体有害，它表明你的身体缺乏营养，尤其是铁。想吃冰块也可能是缺铁的表现。如果你有相关症状，要立刻告诉医生。

静脉显露

“我的乳房和肚子出现了难看的蓝色静脉血管。这正常吗？”

这些静脉血管使整个乳房和肚子看起来像个交通图，不过你不必担心，它们恰恰是孕期身体的正常表现。孕期血管扩张形成一个营养传输网，担任着增加血液供应的重要任务，将营养物质传送给宝宝。一般来说，体型苗条、肤色较浅的孕妇会更早、更明显地出现这个现象。其他孕妇，特别是超重或肤色较深的准妈妈，静脉血管可能看上去不太明显或根本看不到，也可能到孕晚期才变得明显。

蜘蛛静脉

“自从怀孕，我的大腿上就出现了蜘蛛网一样难看的紫红色血管，这是静脉曲张吗？”

这些血管是不好看，但它们不是你常听说的静脉曲张，而是蜘蛛静脉。腿上出现蜘蛛静脉的原因比较多。首先，孕期体内的血容量增加，血管压力也明显增加，即便非常细小的静脉也因此扩张而变得可见。其次，孕激素也会或多或少地作用在血管上。最后，在遗传层面上你有出现这种情况的倾向。

如果你注定会出现蜘蛛静脉，彻底避免似乎不太现实，但有办法将其数量和范围缩减到最小。因为血管的健康状况和饮食紧密相关，所以一定要多吃富含维生素 C 的食物（身体可以多制造一些胶原蛋白和弹性蛋白，这两种蛋白在构建结缔组织方面有着不可忽视的作用，可以帮助修复和维护血管健康）。规律锻炼（促进血液循环，增强腿部力量）、少跷腿（会让血液积聚在下肢）都可以防止蜘蛛静脉出现。

预防措施不奏效？部分蜘蛛静脉会在分娩后变浅或消失；如果你仍

然没有好转的迹象，可以向皮肤科专家寻求治疗——注射盐水或甘油，或者采取激光治疗。这些方法可以破坏静脉血管，使其萎缩并最终消失，不过不推荐在妊娠期采用。你还可以用肉色遮瑕膏来掩盖这些蜘蛛静脉。

静脉曲张

“我妈妈和外婆怀孕时都有静脉曲张。我能在孕期中采取什么预防措施吗？”

静脉曲张有家族性，看上去你似乎属于高发人群。不过有遗传史并不代表应该消极等待，现在积极考虑预防措施很明智。

静脉曲张一般会在第一次妊娠时出现，并在之后的妊娠中加重。主要原因是孕期血容量增大，对血管的压力也相应增大，腿部静脉尤为严重——需要克服重力把血液输送回心脏。再加上不断增大的子宫对骨盆血管的压力，以及身体在孕期制造的过剩激素导致血管舒张，你出现静脉曲张的理由非常充分。

静脉曲张的症状不难辨认，但每个人的情况大不相同。你的腿可能有或轻或重的疼痛感，或是觉得沉重肿胀，也可能没有任何明显症状，只看到淡淡的蓝色血管，或看到凸出的血管从脚踝蜿蜒至大腿根。如果症状严重，血管上的皮肤会变得肿胀、干燥、疼痛（咨询医生，了解涂抹保湿霜的效果如何）。有时血管肿胀的部位会发展成血栓性静脉炎（血栓导致血管表面发生炎症）。所以，要请医生定期检查静脉曲张的症状。

预防静脉曲张，你需要做到以下几点：

- 促进血液循环。久坐或久站都可能影响血液流动，所以要尽可能避免长时间保持站或坐的姿势。如果客观条件不允许，就间歇性地活动一下踝关节。坐下时，避免双腿交叉（跷腿），可能的话尽量找机会抬高腿。躺下时，脚下放个枕头把腿垫高。休息或睡觉时尽量左侧卧，这个姿势最有利于体液循环。
- 避免体重超出正常水平。怀孕后循环系统的压力很大，过多的体重会进一步增加负担，一定要根据孕期增重标准严格控制体重。
- 避免提重物——这会增加静脉的压力。
- 排便时不要用力，否则也会增加静脉的压力。养成定时排便的习惯（参考第 177 页）可以避免便秘。
- 穿连裤袜或有弹性的长袜。早晨起床后穿上（这时腿部血液还没开始淤积），晚上上床睡觉前脱下来。虽然它们不能帮怀孕的你打造最性感的形象，却可以帮助腿部血管减轻肚子变大造成的压力。

● 不要穿紧身衣服，避免太紧的腰带或裤子。选择宽松的袜子和舒适的鞋。不要穿高跟鞋，选择平底鞋或结实的中跟鞋。

● 做运动，例如每天花 20～30 分钟散步或游泳。但如果孕期出现过腹痛等症状，就要避免高强度的有氧运动（例如慢跑、骑自行车及举重训练）。

● 确保每天的饮食包含足量的维生素 C，它有利于血管健康并能维持血管弹性。

不推荐孕期做手术切除曲张的静脉，但分娩几个月后可以做手术。多数情况下，分娩后静脉曲张的症状就会有明显好转，在体重恢复到怀孕前的状态后更是如此。

骨盆胀痛

“我的整个盆骨感到胀痛，非常不舒服——另外，我觉得外阴也肿了。这是怎么回事？”

腿部是静脉曲张的高发地带，却不是唯一受波及的区域。静脉曲张也会出现在生殖器处（也可能出现在直肠，引起痔疮），其病因与腿部相同。这种疾病被称为盆腔瘀血综合征（PCS），除了阴部肿胀外，症状还包括骨盆持续疼痛或腹部疼痛、肿胀，以及骨盆肿胀，偶尔做爱感觉疼痛。上文提到的缓解腿部静脉曲张的小技巧同样适用于这种症状（参考上一节）。不过最好还是咨询医生，得到确诊并进行正确治疗（一般在分娩后治疗）。

痤疮爆发

“我的皮肤上突然出现了很多痤疮，就像青春期时一样。”

有些女性在孕期容光焕发，这不只由于即将为人母的喜悦，也由于激素变化引起油脂分泌增加。激素变化还使一些孕妇长出了痤疮（尤其是那些月经前会长痤疮的女性）。痤疮很难完全治愈，但遵照下面的建议可以将影响降至最低——至少在照镜子时你不会觉得自己回到了高中时代：

● 每天用温和的洗面奶洗脸 2～3 次。洗脸时不要太用力——孕期的皮肤格外敏感，摩擦皮肤时力气过大会导致更多痤疮出现。

● 在向医生说明情况之前，暂停使用所有治疗痤疮的药物（包括外用和口服的）。这些药物中，一部分是安全的，医生可能会允许你继续使用；另一些则不太安全。咨询医生，了解更多相关信息参考第 151 页。

● 使用无油配方的保湿霜护肤。一些用于治疗痤疮的有刺激性的香皂和其他产品很容易引起皮肤干燥，反而会引发痤疮。

●每一种直接接触皮肤的用品都要保持洁净干爽，包括化妆包里的化妆刷。

●不要挤压或用针挑破痤疮。就像老人常说的那样，这样做永远也不能赶走它们——只可能因为加重细菌感染而使痤疮变得更严重。现在你已经怀孕了，感染其他病症的概率很高，而且挤痤疮很容易留疤。

●根据孕期饮食原则提高饮食质量。这不仅对宝宝有利，也对你的皮肤有利。

●每次经过饮水机就把水杯加满，多喝水可以使皮肤保持湿润清爽。

干性皮肤

“我的皮肤格外干燥，是因为怀孕了吗？”

如果你感觉这几天脸干得要裂开了，这都是激素惹的祸——皮肤干燥发痒。激素的变化使得皮肤变得粗糙，缺少弹性，濒临皲裂。如果你想让自己的肌肤像未来宝宝的屁股一般嫩滑有弹性，就需要做到以下几点：

●改用一种非皂基的洗面奶，且每天洗脸不超过一次（如果你化妆，晚上卸妆后再洗脸）。其他时间洗脸时都用清水。

●洗完澡（洗完脸），脸上的水分还没有完全蒸发之前涂抹大量润肤霜，坚持每天多涂几次。

●减少洗澡的次数，淋浴的时间也相应缩短（如果怀孕前淋浴用 15 分钟，现在 5 分钟就足够了）。洗澡次数过多、过勤会造成皮肤干燥。当然，也要注意洗澡水的温度。温水就可以，千万不要用太热的水洗澡。热水会带走皮肤中的天然油脂，造成皮肤干燥发痒。

●泡澡时用没有香味的沐浴油，还要注意不要滑倒。

●白天应该多喝水，摄入充足的水分，并注意从食物中摄入足够的优质脂肪（宝宝喜欢的 omega-3 脂肪酸对皮肤也非常有利）。

●用加湿器保持房间内的湿度。

●每天都应该抹一点防晒指数（SPF）至少为 15（最好是 30）的防晒霜。

湿疹

“我本来就很容易出现湿疹，现在怀孕了，情况似乎越来越严重，怎么办呢？”

不幸的是，怀孕（更确切地说是激素分泌）常常会加重湿疹的症状。对于本来就患有湿疹的女性来说，孕期皮肤的瘙痒和鳞屑情况进一步加剧，可能会让你忍无可忍（也有一些比较幸运的患者妊娠期的湿疹症状有所缓解)。

幸运的是，少量的氢化可的松乳霜软膏对于孕妇来说是安全的。咨询医生或皮肤科专家，看他们推荐用哪一种。抗组胺药物对瘙痒有一定的疗效，不过还是那句话：用药前一定要咨询医生！对使用其他药物都无效的重症患者，治疗时一般都会使用环孢霉素。如果你的湿疹情况很严重，即使怀孕了，医生也会网开一面，让你继续用药。一些局部或全身使用的抗生素在孕期使用不太安全，要先咨询医生。比较新的非甾体类抗炎药（例如他克莫司软膏和吡美莫司软膏）不建议在孕期使用，因为它们对孕期的影响还没有获得足够的实验数据支持。

如果患有湿疹，你一定知道预防和控制湿疹的最好办法就是先避免瘙痒感。可以尝试下列办法：

- 冷敷：将凉毛巾放在瘙痒的地方，不要用锋利的指甲去挠。抓挠会让湿疹情况更严重，可能抓伤皮肤，让细菌有机可乘，引发感染。把指甲剪短，边缘打磨圆滑，可以最大程度防止不可避免的抓挠，降低皮肤被抓伤的概率。
- 尽量减少接触可能刺激皮肤的

脐环

穿脐环很酷、很潮、很性感——能以最可爱的方式秀出你平坦、健美的肚子。可一旦肚子开始慢慢变大，你会不会放弃肚皮上的脐环？其实，只要脐环处没有受伤、结痂，并保持皮肤健康（没有红肿、渗出、发炎）就可以了。记住，肚脐是你身处子宫时与妈妈连在一起的记号，而不是宝宝和你连在一起的记号，所以在肚脐上穿孔不会向肚子里的宝宝传播病菌。你不必担心脐环会影响分娩，即使剖宫产也没关系。

当然，随着孕程进展，肚子越来越大，你会发现戴脐环并不那么舒服——当然这归功于紧绷的皮肤，它已经拉伸到了极限。脐环周围开始渐渐出现触痛感——它还会偶尔钩住你的衣服，特别是当孕期的肚脐突出时。这种疼痛感出现得很突然，可能造成很大的伤害。

如果你已经决定把这个小饰品取出来，就要小心翼翼，慢慢将其取出，以确保脐环孔慢慢合上。或者考虑用更具弹性的特氟龙环代替现在的脐环。

如果你想在肚皮（或其他身体部位）上穿孔，最好等到分娩后再说。妊娠期皮肤受损绝对不是什么好事，会大大增加感染的概率。

物品，包括：干洗店清洗剂、家用吸尘器、肥皂、泡泡浴、香水、化妆品、家猫、宠物皮屑、植物、珠宝、肉汁和水果汁。

● 尽量保持皮肤湿润（如果刚洗完澡，一定要在皮肤湿润的时候涂抹保湿霜），这样可以最大程度地保留皮肤的水分，防止干燥开裂。

● 不要在水里泡太久（淋浴、泡澡、游泳等），水温较高时更要注意。

● 不要接触过热及过潮的环境，这是湿疹最常见的两种诱因。不过，怀孕本来就会让你觉得很热，容易出汗。你可以选择穿宽松一点的纯棉衣物以保持凉爽。避免穿化纤、羊毛等质地不够柔软的衣服。穿几层衣服很容易造成体温过高——觉得暖和之后就应该脱下外套。

● 面对压力时要保持冷静，压力也是湿疹的常见诱因之一。感觉内心焦虑时，可以深呼吸几次（参考第232页）。

你应该记住一点：虽然湿疹是遗传性疾病（你的宝宝有较高的患病率），但目前的研究证实，母乳喂养可以避免湿疹传染，请尽量选择母乳喂养。

忽大忽小的肚子

“某一天我发现肚子已经渐渐开始显形了，可第二天它又平了，这真是太奇怪了，究竟是怎么回事？”

事实上，发生变化的是你的肠子。妊娠期女性很容易产生两大问题：便秘及产气过多。这两个问题进而又会引起胀气，使你的肚子一会儿圆，一会儿扁。很可能你刚发现肚子大起来，转眼肚子又平了（肠蠕动的时候就是这样），这是完全正常的现象。

不要担心，很快你就会有一个长大了就不会再消失的肚子——那才是因为你的宝宝，而不是你的肠子。你可以翻到第177页，看看对付便秘的小技巧。

体形改变

“生完宝宝，我还能恢复到原来的样子吗？”

其实这个问题的答案很大程度上取决于个人的情况。每次怀孕，女性的体重都会永久性地增加1~2千克。事实上，只要通过恰当饮食，合理增重，孕期增加的体重很容易在分娩后减下去——辅以适合的妊娠期运动，以规律的生活方式等待宝宝的到来，效果会更好。需要提醒你的是，恢复体形不是一朝一夕的事（至少需要3~6个月的时间）。

如果你因为害怕长胖而不敢增重，要记住，增重的主要目的是积累营养：现在为宝宝的发育积累；宝宝出生后，母乳喂养所需的大部分营养也是这时侯积累的。

检查值偏小

“上一次产检时，助产士说我的宫高和腹围值偏小。这是不是意味着宝宝发育得不好？”

几乎没有哪位父母会等到宝宝生下来之后才担心他个头太小。如果宝宝真的太小，也是出生之后才能发现——在这之前，根本不用担心太多。因为不论在孕期的哪个阶段，从体外测量子宫大小都不可能完全准确，更何况现在只是孕早期。推算宝宝的大小也不是一件容易的事（除非你能准确说出怀孕日期）——现在的怀孕天数是估算出来的，很有可能比实际怀孕日期差几周。医生很可能会为你做一次超声检查，以精确计算宝宝的大小，并推算确切的怀孕日期，并最终判断宝宝是否发育正常。一般来说都不会有什么问题。

检查值偏大

“医生说我的子宫有孕10周大小，但根据怀孕日期推算我只怀孕8周。子宫为什么会这么大？”

宝宝偏大很可能是因为实际怀孕时间比你认为的长，也可能是因为医生对预产期或宝宝的大小计算错误（再强调一遍，外部观测不准确）。为了查出原因（你可能怀有双胞胎，有子宫肌瘤或羊水过多），医生会让你做超声检查。

排尿困难

“这几天我一直都有排尿困难的感觉，但膀胱已经感觉很胀了。”

看上去你可能有一个倾斜的子宫（每5位女性就有1位是子宫后位），而且没有自行纠正后倾的位置，从而对尿道造成了压力。随着压力不断增加，导致了排尿困难。当膀胱太满时，还会发生尿液渗漏。

几乎所有子宫后位的孕妇都可以在孕早期自动回复子宫前位，无须任何医疗干预措施。如果你现在感觉特别难受，或者发现排尿非常困难，可以给医生打电话。他很可能会用手来帮你调整子宫位置，解除尿道的压迫，让你重新顺利小便。大多情况下，这样做都能成功地使子宫变成前位，但也有很小的概率会失败，那就不得不采用尿管帮助排尿了。

当然，排尿困难还有一个常见原因——尿路感染。妊娠期出现尿路感染非常棘手，需要请医生帮忙（参考第491页了解更多相关信息)。

情绪波动

“我知道怀孕了应该保持开心，但为什么大部分时间都觉得很沮丧呢？”

孕期的情绪一会儿高涨，一会儿低落，这些正常的情绪波动会让你产生从没有过的感觉，要么是前所未有的兴奋，要么是极度的低落——开心的情绪把你载上了月球，可瞬间低落的情绪就让你跌落到谷底——甚至连看到保险广告都能莫名其妙地流泪。这一切能归罪于激素吗?当然。总体来说，对于那些月经前能明显感受到情绪变化（经前期综合征）的女性，这种情绪波动的程度可能比孕早期（这个阶段的激素分泌达到峰值）的体验还要剧烈。一旦发现自己怀孕了，心里的矛盾感比当初计划要宝宝时还要强烈，这种矛盾感又会进一步加剧情绪波动。更不用提怀孕后经历的那么多变化了（身体变化、心理变化、思想准备、人际关系的变化)，这一切都可能击垮你的情感堤坝。

一般来说，情绪变化会在孕早期随着激素水平下降而慢慢好转，这时你的身体和心理也已经慢慢适应了这些孕期变化。要知道，虽然没有什么好办法能让你时刻都像乘坐宇宙飞船一样快乐，但有些小技巧能最大程度地降低情绪的波动：

● 保持血糖水平稳定。你可能会问，血糖也会对情绪产生影响？当然。如果两餐间隔时间太久，血糖水平下降，就很容易引起情绪低落。可见用一日六餐饮食方案代替传统的一日三餐是多么实用（参考第94页)。每顿饭都应尽量选择富含蛋白质和碳水化合物的食品，这样可以帮助血糖水平和情绪长时间保持稳定。

● 拒绝糖和咖啡因。糖、炸面包圈及可乐等食品可以在瞬间提升你的血糖水平——这部分血糖也会瞬间被消耗殆尽，只留下更加疲惫的身体和更加低落的情绪。咖啡因还会直接影响情绪稳定。所以，拒绝糖和咖啡因，可以让你更开心。

● 吃得好一点。营养丰富的饮食可以帮你保持最好的情绪状态，一定要尽可能遵照孕期饮食原则来健康饮食。从饮食中摄入足够的omega-3脂肪酸（核桃、鱼等）也可以帮助缓解情绪波动的情况（还能促进宝宝大脑发育)。

● 多运动。运动越多，心情越好。运动可以使体内释放内啡肽，它可以让你精力充沛，感觉良好。在医生的指导下，坚持每天做一些适合孕妇的运动。

● 让爱情保持最佳状态。做爱或许是最能帮助你舒展眉头、释放快乐激素的事情。由于怀孕会给你们的关系带来新的挑战，这个时机做爱还可以让你们又一次彼此靠近。如果客观条件不适合做爱，可以享受一下两个人的亲密时光，不用计较具体的方式。拥抱、枕边私语、牵着伴侣的手静静地坐在沙发上，都可以调节你的心情。

●照亮生活。研究证实，阳光可以照亮你的心情。在阳光灿烂的日子里，到户外走走。不要忘了涂防晒霜哦。

●说出来。感觉担心？焦虑？忐忑？一切都不确定？怀孕本来就会让你百感交集，情绪波动。把你心里想的事情告诉伴侣（可能他也和你一样情绪复杂）、值得信赖的朋友、网上那些和你有相同感受的准妈妈——这会让你感觉好一些，至少会发现自己的情绪完全正常。

●获得足够的休息。疲惫会加重妊娠期正常的情绪波动，所以一定要确保获得足够的睡眠（也不要睡得太多，否则会进一步加重疲惫和情绪不稳定的状态）。

●学会放松。压力肯定会使你情绪低落，用放松技巧让自己更好地面对和处理问题。参考第147页学习相关放松技巧。

在多变的情绪影响下，如果身边还有谁的情绪比你更容易受影响，更容易茫然失措，那一定是你的伴侣。对于他来说，如果能理解你最近一段日子情绪多变的原因（其实是孕激素作祟，它使你成了情绪的奴隶），他就会轻松很多；不过如果他学会怎样帮助你，那才是最棒的！所以，现在就直接告诉他你的需求（家务需要帮忙？晚上想去最喜欢的餐厅吃饭？），你不喜欢什么（不想听到他说你的背看起来又宽了一点，不想看到他又在洗衣袋里扔了一堆脏袜子和内衣），什么让你感觉舒服，什么让你不舒服。但也要明确一点：即使是最相爱的夫妻也不能时刻“心有灵犀”。翻到第19章，看看准爸爸们应该学习些什么。

抑郁

“我孕期经历过几次情绪波动，现在总是处于抑郁状态。”

每一位孕妇都会有情绪起伏的时候，这非常正常。但是如果你情绪低落的时间持续较长或者频率较高，就有可能属于需要在孕期和轻度抑郁作斗争的10%～15%的女性。下面是一些容易引起孕妇抑郁的危险因素：

●个人或家族中有心境障碍(mood disorder)病史。

●经济压力较大。

●缺少伴侣的情感支持和交流。

●因为孕期并发症住院或卧床休息。

●为自身健康状况担忧，特别是

有慢性病、孕期并发症等病史的女性。

● 过分担心宝宝的健康状况，特别是个人或家族中有流产史、胎儿出生缺陷及其他问题的女性。

除了感觉沮丧、空虚、感情淡漠等，其他最常见的症状还包括：睡眠模式紊乱（睡眠时间过多或过少）；饮食习惯改变（拒绝进食或持续大量进食）；持续感到异常疲惫或过于激动、躁动不安；对工作、娱乐及其他活动丧失兴趣；注意力无法集中；情绪波动症状加重，甚至产生自虐的念头；身体上还可能出现无法解释的各种疼痛感。如果你已经出现了这些感觉，试试下面的方法。

如果上述症状持续 2 周以上，就应该告诉医生（他可能会帮你检查一下甲状腺，因为甲状腺功能出现问题也会引发类似症状），或向心理治疗专家求助，看他是否能为你提供一些

惊恐发作

孕期女性出现恐慌的可能性很大，第一次怀孕的女性更是如此。一定程度上的担忧是正常的，也可以避免。但如果担忧发展成了恐慌怎么办？

如果你经历过惊恐发作，一旦孕期出现相应症状，就能识别出来。惊恐发作的特征是：强烈的恐惧感或不适感，伴随心率升高、窒息感、胸痛、恶心、腹痛、眩晕、肢体麻木感或针刺感、不可解释的寒战或潮热。不难想象，发作时一定会非常难受，特别是第一次发作。但是，幸好它对你不会有什么影响，目前也没有证据表明惊恐发作会影响到肚子里的宝宝。

不过，如果你出现过相关表现，还是应该告诉医生。孕期的任何疾病都应该积极治疗，如果你的症状已经严重影响到饮食、睡眠及其他日常生活，相应的治疗药物又不会对你和宝宝的健康造成负面影响，医生就会帮你制订一套药物治疗方案。如果你已经在服药治疗惊恐发作、焦虑症或者孕期抑郁症状，现在加入其他药物，就要对所有药物的剂量进行调整。

虽然药物是治疗极度焦虑的方法之一，但绝对不是唯一的办法。也有很多非药物治疗方式可替代或与传统医疗方式相结合。比如，营养丰富而规律的饮食（饮食中摄入足量 omega-3 脂肪酸或许是最有效的做法）；少吃含糖和咖啡因的食品（咖啡因最容易诱发焦虑）；规律锻炼；学习一些养生技巧和放松技巧（孕期瑜伽有着不可思议的镇定效果）。另外，把焦虑倾诉给其他准妈妈也能大大缓解你的症状。

支持性的心理疗法。获得正确的帮助和支持很重要。无论产前还是产后，抑郁状态都会让你无法用积极的态度照顾自己和宝宝。事实上，孕期抑郁会增加并发症的风险——其负面程度等同于抑郁症对普通女性的影响。最终决定采取何种治疗方法，取决于你和医生。充分权衡利弊后，制订一个相关计划（参考第510页的孕期抗抑郁治疗）。

如果选择常规疗法，也一定要先咨询医生。有些可以在药店买到的非处方药，包括S–腺苷甲硫氨酸(SAM-e）和贯叶连翘提取物，为了促销而大肆鼓吹其激发情绪的作用，却没有足够的实验数据证明其对孕妇的安全性。但一些辅助疗法可能有效(参考第86页)。另外，光照疗法（可以提高大脑中调节心情的物质——血清素的浓度）也可以很大程度上改善孕期抑郁的程度。多吃含有omega-3脂肪酸的食物也可以降低孕期及产后出现抑郁状态的风险。你也可以问问医生有没有适合孕妇服用的omega-3补充剂。

从某种程度上来说，孕期抑郁的人患产后抑郁症的风险较高。不过幸运的是，在孕期接受合理的治疗可以预防产后抑郁症，你可以向医生咨询一下相关信息。

孕期增加体重

不管在哪里（医生的候诊室、公共汽车上，或者会议室），只要有两名孕妇在一起，她们肯定会讨论一些问题，比如：预产期是什么时候？感觉到宝宝踢你了吗？有没有感觉不舒服？最常问到的问题是：体重增加了多少？

所有孕妇都希望自己的孕期可以增加体重。孕期适量增加体重对宝宝的发育至关重要。但是，体重增加多少合适？这部分体重产后能不能减下去？很多人都有疑问。

增加多少体重

如果增加体重需要理由，怀孕就是最好的理由。毕竟，当你体内有一个发育中的宝宝，体重就需要增长。但如果增重过多，也会给你、宝宝及妊娠过程带来问题。同理，增重太少也不好。

那么，如何在孕期获得最佳增重呢？因为每一个孕妇的体质不同，需增加的体重也因人而异。怀孕40周你需要增加的体重，取决于怀孕前的体重基数。

医生可能告诉你一个合适的目标增重值。总的来说，理想的增重值是根据体重指数（BMI）计算出来的，它是一种衡量身体肥胖程度的标准计算方法，BMI= 体重（千克）/ 身高（米）^{2}。如果你的 BMI 值处于正常范围（18.5～26），医生对你的增重建议大概会在 11～16 千克（适用于标准身材女性的推荐值）。如果怀孕前你就超重（BMI 值为 26～29），增重标准就会相应降低——大概在 7～11 千克。如果怀孕前体型肥胖（BMI 值大于 29），那你在孕期最多只能增重 7～9 千克，甚至更少。那么，偏瘦的女性呢（BMI 值低于 18.5）？很可能你的目标增重值会高于平均值——12～18 千克不等。对于怀有双胞胎或多胞胎的准妈妈来说，还需要多增加一些体重（参考第 398 页）。

制订增重标准是一回事，达到标准体重又是另一回事。理想和现实总会有些差距。增加多少体重并不是在你的盘子里多放些食物那么简单。影响体重增加的因素很多：你的新陈代谢能力、遗传基因、运动水平、孕期症状（感觉烧心和恶心会让你觉得吃东西是一项难度很高的工作；嗜食高热量食品的女性会增重过快），它们都会妨碍或帮助你达到理想的增重水平。了解这一点，记住你的增重标准，然后尽可能努力达到理想状态。

以什么速度增重

慢而稳不仅是长跑获胜的法宝，对妊娠期增加体重也非常适用。循序渐进增加的体重对你和宝宝的身体都是最好的。事实上，增重速度和数量同样重要。原因在于：宝宝生活在你温暖的子宫里，他需要稳定持续的营

为什么增重过多（过少）并不好

孕期增重过多会给你带来哪些负面影响？体重增加过多，会造成皮下脂肪过厚，从而不利于测量、评估宝宝大小。还会引起或加重很多孕期不适症状（背痛、静脉曲张、疲乏及烧心），增加早产、妊娠期糖尿病、高血压的风险，生出巨大儿（不能由阴道分娩）。另外，还可能导致剖宫产术后并发症、多种新生儿疾病及哺乳问题。孕期过多增加的体重在产后很难减下去。

当然，孕期几乎不增重也很不健康，可能比增重过多更危险。孕期增重少于 9 千克的孕妇很容易出现早产，或宝宝可能为小于胎龄儿，出现宫内发育迟缓等问题。（怀孕前体重超重的女性例外，她们只要在孕期得到医生的严密观察，哪怕增重小于 9 千克也不会出现问题。）

养和能量供给，时而过多、时而不足的能量对正在快速发育的宝宝（尤其在孕中期和晚期）没有任何好处。对于你的身体来说，平稳地增加体重也是一件好事，这样它才能逐渐适应增加的体重带来的压力。如果不想身上长出太多妊娠纹，也需要均匀增重，这样皮肤才能匀速伸展。等到需要减肥的时候（产后你会迫不及待想恢复到怀孕前的体型），你会发现，缓慢、均匀、稳定增加的体重更容易减掉。

这是指将需要增加的 14 千克体重平均分配到怀孕的 40 周内吗？不是，即使制订了周密的增重计划，这也不是你的最佳选择。孕早期宝宝非常小，这个阶段你不必增加过多体重就能满足他的需要。孕早期的理想增重目标是 1～2 千克。很多女性在这个阶段结束后会发现自己的体重没有增加那么多，甚至还轻了一些（恶心呕吐造成的），而一些女性会发现自己重了一些（很可能是因为经常靠高糖、高热量的食物来缓解恶心），这些都没关系！对于早期增重滞后的女性，可以在接下来的 6 个月迎头赶上；对于早期增重偏多的女性，需要更密切关注自己的增重标准，在孕中期和晚期控制自己。

孕中期，宝宝开始“勤奋”生长——你也该勤奋增重了。增重速度应保持在平均每周 0.5～0.7 千克，怀孕第 4 个月到第 6 个月增加 5.5～6.5 千克。

孕晚期，虽然宝宝的体重在迅速增加，你却要开始逐渐减缓自己的增重速度，每周增重 0.5 千克最理想，3 个月的总量最好控制在 3.5～4.5 千克。很多女性发现在第 9 个月时很少增重，甚至还会减轻 0.5～1 千克——因为肚子里空间太小，吃东西实在是太难了。

真的需要严格按照这个速度增重吗？老实说，用不着这么严格。总有几周时间你会发现自己胃口大开，自控能力下降。当然，也会有几周难熬的时光（尤其是肠胃不适，吃什么吐什么的时候）。不要对增重计划过于担心，更不应该产生压力。只要增重总量达标，增重速度控制得比较平稳，不要太离谱就可以了。

增重类别

（所有数字均为估计值）

宝宝	3.5 千克
胎盘	0.7 千克
羊水	0.9 千克
增大的子宫	0.9 千克
增加的乳房组织	0.9 千克
增加的血容量	1.8 千克
增加的体液	1.8 千克
增加的脂肪	3.2 千克
合计	13.7 千克

为了达到最好的增重效果，一定要关注增重计划。每周在同一天称体重，穿上同样的衣服，用同一个体重秤。称重频率不要太高，一周一次最理想，如果你天天称，体液造成的体重变化会让你无所适从。如果你对称重这件事感到恐惧，每个月称两次就可以。或者等到每月一次的产检时再称——不过要记住，一个月会发生太多变化（有可能重了5千克），也有可能毫无变化（体重没有增加），这样对控制增重速度不太有利。

如果你发现自己的增重事业远远偏离了医生的计划，就要采取措施回到合理的轨道上来，但不要停步不前。在孕期节食减肥万万不可，也不能通过服用药物或特殊饮品来控制食欲（实在非常危险），应在医生的帮助下重新调整你的增重计划——包括已经增加的体重和必须再增加的体重。

增重警戒线

如果在孕中期的一周内增重超过1.5千克，或孕晚期的一周内增重超过1千克，且明显与过量饮食没有太大关系，就要咨询一下医生。另外，如果怀孕第4~8个月连续两周没有增重，也应该问问医生。

第8章　第3个月

（9~13周）

进入孕早期的最后一个月，一些妊娠期反应可能依然比较强烈，这意味着你可能不清楚自己的疲惫是孕早期的疲劳症状，还是因为每天晚上起夜3次。振作些，你可以克服这些困难，往后的日子会好过得多。如果一直饱受恶心和呕吐的困扰，在孕早期这最后一个月里，你的症状会有所减轻。随着精力逐渐恢复，精神状态也会好很多。同时，尿急的情况有所缓解，上厕所的次数也大大减少。更美妙的是，这个月检查时，你能听到宝宝的心跳声。

本月宝宝的情况

第9周。你的宝宝（他已经正式从胚胎发育为胎儿了）现在大约有2.5厘米长，和一粒青橄榄差不多大。他的头部继续发育，趋近人形。本周，宝宝的小肌肉开始形成，可以开始运动胳膊和腿了，不过一般要一个月之后你才能感受到他的运动。但现在可以听到些动静——通过多普勒仪，现在已经可以听到宝宝可爱的心跳了，这一定会让你心跳加速。

第10周。现在宝宝大约有4厘米长，大小和一枚西梅干差不多。这个阶段，宝宝正在飞速发育，骨骼组织正在形成，腿部开始慢慢出现膝盖和脚踝。不可思议的是，他的小胳膊已经开始动了；牙龈上面开始形成小芽，慢慢发育为牙齿；胃也开始分泌消化液；肾开始产生大量尿液。如果宝宝是个男孩，他的睾丸这时候就开始分泌睾酮了。

第11周。宝宝现在大约有5厘米长，重约10克，身体开始舒展，躯干慢慢变长。毛囊开始形成，手指甲和脚趾甲的甲床开始发育。手指和脚趾几周前才独立出来，在这之前都是蹼状，指甲也开始形成。另外，虽然

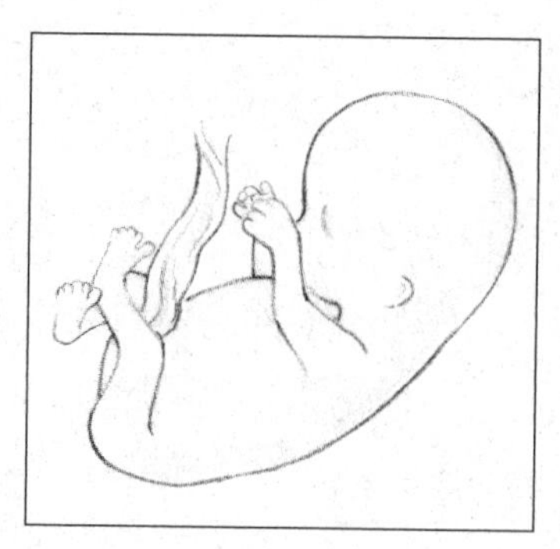

第 3 个月的宝宝

现在通过超声检查还看不出宝宝的性别，女孩的卵巢也开始发育了。这个初具人形的小家伙已经有了可爱的小手、小脚，耳朵基本成形（不过有可能不在最终的位置上），鼻子末端有开放的鼻道，腭和舌头已经出现，还可以看见乳头。

第 12 周。在过去的 3 周里，宝宝增大了一倍，重量大约有 15 克，头臀长约 6.5 厘米，与李子差不多大。宝宝这段日子里正在努力地自我创造，虽然他的身体系统大部分已经发育完全，但仍有大量细节需要完善。消化系统开始练习收缩功能（这样宝宝将来才会吃东西），骨髓开始生产白细胞（防御细菌入侵），位于大脑下部的脑垂体开始生产激素（为将来自己分泌激素做准备）。

第 13 周。随着孕早期结束，宝宝已经有桃子这么大，约 7.5 厘米长。头几乎占头臀长的一半，这个可爱的小身体将会继续快速生长（到出生时，他的头会占头臀长的 1/4，身长占 3/4）。同时，原本长在脐带里的肠道也慢慢挪进了宝宝肚子里的正确位置。本周发育的器官还有宝宝的声带。

你可能会有的感觉

还是那句老话：每位女性、每次妊娠经历都不同。你可能在某个时间经历如下全部症状，也可能只有其中的一两种——有些从上个月就开始了，有些可能这个月才出现，还有些由于你习惯了而很难察觉（或许还会出现其他一些不常见的症状）。

身体上

- 疲惫、无精打采、瞌睡。
- 尿频。
- 恶心，呕吐。
- 唾液分泌过多。
- 便秘。
- 烧心、消化不良、胀气、身体浮肿。
- 对食物的好恶改变，贪食。
- 食欲增加，特别是在晨吐有所缓解的情况下。
- 乳房变化：发胀、变重、触痛、刺痛感；乳晕颜色加深，腺体凸出像鸡皮疙瘩；由于乳房供血增加，形成皮肤下可见的蓝色血管网。
- 随着血容量增加，腹部、腿部或其他部位静脉显露。

●阴道分泌物略微增多。

●偶尔出现头痛。

●偶尔出现虚弱、眩晕等症状。

●肚子稍圆；衣服可能开始变紧。

精神上

●情绪起伏较大，易怒，无故流泪。

●担忧、恐惧、愉快、兴高采烈——出现任何一种或所有情绪。

●新出现的平静感。

●仍然感觉不真实。（“真的有个宝宝在我肚子里吗？”）

观察自己

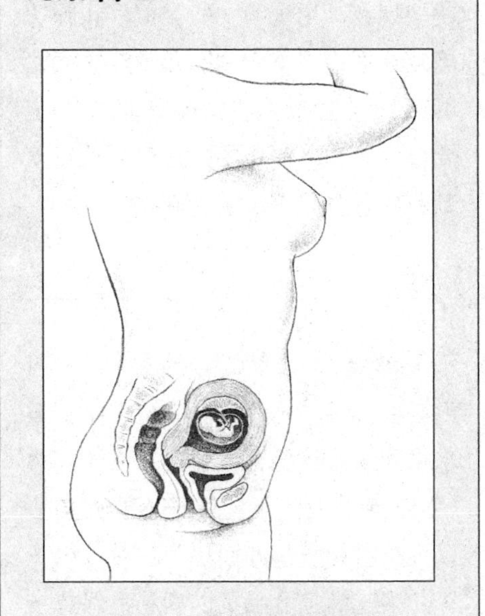

你的子宫比葡萄柚稍大，腰上的脂肪开始变厚。月底，你已经可以在下腹部平耻骨处感觉到子宫了。

本月可能需要做的检查

虽然每位医生的临床经验不同，每个孕妇的需求也不同，但在这个月，医生很可能为你安排如下检查：

●测量体重和血压。

●尿常规，检查尿液中是否有糖和蛋白质。

●听胎心。

●通过触诊感觉子宫大小，进一步确认预产期。

●测量宫高。

●想要了解的问题——相信你已经准备好问题清单了。

你可能关心的问题

便秘

“过去几周，我便秘特别严重，这正常吗？”

肠胃出现异常表现（胀气）是孕期的常见现象，有很多原因。首先，体内循环系统中高水平的激素使大肠平滑肌松弛，蠕动减少，于是食物会在消化道中停留更长时间。好的一面是，食物中的营养在体内停留时间变长，才能更好地被身体吸收并输送给宝宝。不好的一面是，大量的食物残

导致疲劳、情绪化和便秘的另一个原因

你近来是不是一直很疲惫、情绪化，还出现了便秘？这些恼人的症状正是孕期快速增加的激素引发的。但另一种激素（甲状腺素）不足也可能导致这些常见的妊娠期症状，比如体重增加过多、各种皮肤问题、肌肉疼痛或痉挛、性欲降低、健忘、身体（特别是手脚）肿胀，以及腕管综合征等。所以，孕妇患甲状腺功能减退症（由甲状腺活动减弱引起的甲状腺素分泌不足）很容易被医生忽略。每 50 名孕妇中就有 1 名会出现这样的问题。这种情况会对妊娠产生不利影响，也会对产后产生重大危害（参考第 452 页），必须采取正确的诊断和治疗措施。

孕期出现甲状腺功能亢进症（甲状腺素分泌过多）很少见，但如果没有及时治疗，也会引起一些妊娠期并发症。甲状腺功能亢进的很多症状与孕期症状相似，如疲劳、失眠、体温升高、过分敏感、心跳加快和体重降低(或增重困难),因此二者很难区分。

如果你以前有过甲状腺问题（即使已经治愈），或正在吃药治疗甲状腺疾病，一定要让医生知道，这很重要。妊娠期间，身体必须产生更多的甲状腺素来满足宝宝的需要，所以你可能要再次想办法对付可能出问题的甲状腺，或对现在吃的药物剂量进行调整（参考第 521 页）。

如果你以前从未有过甲状腺问题，现在却出现了一些类似甲状腺功能减退症或甲状腺功能亢进症的症状(特别是有家族病史的准妈妈)，一定要咨询医生。简单的抽血化验就可以判断甲状腺是否真的有问题。

渣堵在体内，导致身体没有了多余的空间。日益增大的子宫挤压肠道，限制了它的正常运动。

不过，不要仅仅因为怀孕这个理由就消极地以为便秘是不可避免的现象。用下面的技巧来应对你那已经充血的结肠（同时解决便秘最常见的并发症：痔疮）。

多吃高膳食纤维食品。你的结肠每天需要 25～35 克膳食纤维——但没必要天天精确计算。尽量多吃新鲜水果和蔬菜这些富含膳食纤维的食物(生吃或稍煮一下，最好不要去皮)，以及全谷物麦片和面包、豆类、果干等。多吃绿色食品可以让肠道保持畅通，不要只拘泥于绿叶蔬菜，还可以考虑果汁、猕猴桃干，以及任何一种有促排泄功能的水果。如果你从来都

不太喜欢吃粗纤维食品，在日常饮食中加入它们时一定要慢慢来，否则消化道会抗议。

如果便秘还是很严重，可以试着在饮食中添加麦麸或亚麻籽，以便快速解决烦恼。但是不要太依赖这些高膳食纤维食品，它们在身体系统中的运行速度极快，一些重要的营养素还没来得及吸收就被它们带走了。

减少摄入精加工食品。高膳食纤维食品可以帮助胃肠蠕动，精加工食品则会起到相反的作用，所以尽可能戒掉生活中的精加工食品吧，例如白面包（及其他烘焙食品）、白米饭等。

摄入足够的液体。如果摄入足够的液体，便秘就没法钻空子了。水、果汁和蔬菜汁都能有效软化大便，促使消化道里的食物运动。还有一种经过历史考验的方法，就是喝热饮，包括热的高纤饮料、热水、热柠檬汁，以促进肠收缩，帮助排便。如果情况太严重了，你可以试试老年人便秘时最喜欢的西梅汁。

想大便就及时去。经常憋便会使控制大便的括约肌功能削弱，从而导致便秘。及时大便可以避免这个问题。例如，你可以早点吃一顿高膳食纤维的早饭，这样在出门前就有足够的时间去卫生间，而不是吃完饭就去上班。

不要吃得太饱。一顿大餐会给你的消化道带来更多负担，更容易造成便秘。选择分量少的一日六餐，而不要选择每天三顿大餐，这样可以缓解胀气现象。

检查补充剂和药物。讽刺的是，很多对孕期有益的补充剂竟然也是便秘的诱因之一，比如孕期维生素、钙和铁剂，以及孕妇的好朋友——抗酸药。如果你觉得自己服用的药物会导致便秘，就和医生谈一下，看是否改变一下服用方式或剂量。口服补充剂可以换成缓释配方，也可以让医生帮你推荐一种镁补充剂，以对抗便秘。

细菌。益生菌可以刺激肠道菌群更好地分解食物，帮助消化道运动。享受富含活性微生物的酸奶吧，它们含有大量益生菌。你也可以让医生推荐粉末型益生菌补充剂，可以很方便地加入食物中（本身没有味道）。

开始运动。运动有助于肠胃活动，你可以每天快走半小时（有些女性发现运动10分钟都有效）。还可以做一些喜欢又安全的孕期运动（参考第228页）。

如果你的努力似乎没有奏效，咨询一下医生。他可以给你开具含膳食纤维的通便剂。除非医生有特别建议，不要服用任何泻药（包括中草药和蓖麻油）。

没有便秘症状

“我所有怀孕的朋友似乎都有便秘问题，而我的大便一直很有规律。这样正常吗？”

看上去你的身体运转得再正常不过了。这样消化良好的情况可能与生活方式有关——也许你长期以来一直遵循这种生活方式。多摄入富含膳食纤维的食物及液体，并辅以规律的运动，可以缓解因怀孕造成的消化功能减退，保持消化良好。如果你刚开始多摄入高膳食纤维食物，消化能力起初可能会有所下降，但也不会出现便秘现象。

腹泻

“我没有便秘。事实上，最近几周我排的是稀软便——几乎快要腹泻了，这正常吗？”

谈及孕期症状，“正常”情况可能有多种表现。对你而言，可能经常排便且大便较软就是正常的。不同的身体对激素的反应不同——或许你的反应就是大便排泄加快，而不是放缓。另外，如果你在饮食和运动习惯方面做出了一些积极改变，也可能使肠胃运动增加。

你可以试着少吃一些刺激肠胃的食品（比如坚果），直到大便成形。同时为了补充因腹泻流失的水分，必须确保摄入足够的液体。

如果你大便频繁（每天超过3次），或者出现水样便、带有血或黏液，就要去医院。孕期出现痢疾要立即接受治疗。

胀气

“我胀气非常严重，一直在放屁，整个孕期都会这样吗？”

没有任何人比孕妇排气更多了。幸运的是，肚子里的宝宝完全不会受到任何不良影响。宝宝正待在子宫里，周围是能够抵挡外界冲击的羊水，既舒适又安全，说不定他正在欣赏肠胃不适制造的背景音乐呢。

如果胀气（通常在下午或晚上时症状有所加重）导致你饮食不规律或不合理，宝宝一定会不开心。为避免这样的情况，让你的不适感尽可能降低到最小，可以采取以下措施：

规律大便。便秘是导致胀气的常见原因。参考第177页，学习解决便秘的技巧。

细嚼慢咽。大吃一顿通常会加重胀气感，让孕期本就无法有效工作的消化系统增加了负担。所以，传统的一日三餐不如改为六餐。

不要狼吞虎咽。当你急匆匆地吃饭时，很容易吞下与食物量相当的空气，这些空气会在肚子里导致胀气。

保持心态平和。特别是在吃饭的时候，紧张和焦虑会让你吞下许多空气，从而导致胀气。深呼吸几次可以帮你放松。

远离产气食物。哪些是产气食物呢？你的胃会告诉你，因为这因人而异。最常见的有洋葱、卷心菜、油炸食品、酱汁、甜食，当然还有豆子。

不要自己吃药解决胀气。如果你打算服药（包括中草药、非处方药）解决这个问题，一定要事先咨询医生，因为这些药物中有的对准妈妈是安全的，但大多数都不建议孕期服用。喝一点菊花茶，可以安全解决大量孕期的消化道问题。同样，也可以喝一些热柠檬水，它的效果可以媲美大部分药物。

头痛

“我发现自己比以前更频繁地头痛，能解决这个问题吗？”

许多人认为孕妇在孕期会远离某些止痛药，所以容易头痛，这是一种谬论。你没必要额外忍受头痛的痛苦。做好预防措施，加上正确的治疗方法，就可以减轻头痛症状。

要预防和治疗头痛，最好的方法就是找到病因。孕期头痛多半是由于体内激素变化（这会导致包括窦性头痛在内的多种头痛频率升高，程度加重）、疲劳、紧张、饥饿、身体或精神上的压力。

下面提供了一些治疗和预防头痛的方法，你可以根据自己的情况找出适合的治疗方法：

放松。孕期的你可能非常焦虑，经常会出现紧张性头痛。有些孕妇发现冥想或瑜伽可以缓解症状，可以参加学习班、买几张 DVD 或 CD、读几本书，或通过其他方式学习相关放松技巧（参考第 147 页）。

当然，这些放松练习并非对每个人都管用，有些孕妇发现头痛症状不仅没有缓解，反而加重了紧张情绪。对于这些女性来说，更好的选择是在一间安静幽暗的房间里休息，或舒展地躺在沙发上，或把双脚放在桌上休息 10～15 分钟，这些都是抑制紧张性头痛的好办法。

获得足够的休息。孕期会让你高度疲劳，特别是最初的 3 个月和最后的 3 个月。对于那些工作时间较长或有其他宝宝需要照顾的女性来说，这 9 个月一直非常疲劳。一旦肚子隆起，头脑就开始高速运转（“我怎样才能舒服些？”“怎样才能把所有事情都安排好？”），再加上睡眠较少，自然会加重疲劳感。此时，有意识地保证更多的休息时间，可以帮助预防头痛，但注意不要睡得太多，睡眠过多同样会引起头痛。

规律饮食。要避免低血糖引发的饥饿性头痛，最好的办法就是保证规律饮食，不要空腹。在随身的包里放一些高热量的零食(比如全谷类饼干、燕麦条、干果等)，还要记得在汽车的后备箱、办公室的抽屉里也放一些。家里也要储备充足的食品。

寻求安宁与平静。噪音会带来头痛，对声音高度敏感的人更是如此。尽可能远离嘈杂的地方（商场、喧闹的舞会、人多的餐厅）。如果你的工作环境比较吵，和老板谈谈能不能换个噪音较少的工作环境，或想办法降低现有环境的噪音。在家时，尽量把电话、电视和收音机的音量调小。

防止憋闷。温度过高、充满烟雾或空气不流通的房间会使人头痛——对准妈妈更是如此，因为孕妇的体温本身就比较高。尽可能避免憋闷的环境，如果实在无法避免，就不时到户外散步，呼吸新鲜空气。当你知道要去比较憋闷的地方时，尽量穿几层衣服，需要的时候脱下一些，这样可以舒服点，甚至可以消除头痛。由于身体原因出不了门？那就把窗户打开。

调换灯光。花点时间检查一下你周围的环境，尤其是灯光。有些孕妇发现，像灯光等环境因素也会引发头痛。把太亮的灯泡换成白炽灯，或者换一间有窗户、采光好的房间，也许会有所帮助。如果客观条件不允许，就尽量多找机会出门，呼吸一下新鲜空气。

尝试其他办法。辅助疗法（包括针灸、按摩、生物反馈疗法）和一些

什么是黄体囊肿?

如果医生告诉你卵巢上有一个黄体囊肿，你的第一反应可能是——这是什么？下面是一些应该知道的相关知识。到达生育年龄的女性每个月排卵后都会形成一种淡黄色的细胞体，叫做黄体。它由原来被卵子占据的卵泡形成，产生黄体酮和雌激素。排卵后14天左右，黄体在大自然的安排下萎缩，体内激素水平下降，引起月经。怀孕时，黄体会继续为宝宝的生长发育提供激素和营养，直到胎盘形成后接替它。在大多数情况下，黄体会在末次月经后的6～7周萎缩，在第10周左右退出孕期舞台。因为到那时，它给宝宝提供营养的任务就结束了。但有大约10%的女性的黄体没有在预计的时间“撤离”，形成了黄体囊肿。

你现在可能又会担心：这会对我的孕期造成什么影响呢？答案是：或许根本没有影响。黄体囊肿不值得担心，你也不必为此做什么，它很有可能在孕中期自动消失。但为了以防万一，医生会规律地通过超声检查严密观察囊肿的情况。

其他方法都可以减轻头痛（参考第86页）。

冷敷和热敷交替进行。为了缓解窦性头痛症状，可以在疼痛部位交替进行冷敷和热敷。每天敷4次，每次10分钟，每30秒交替一次。要缓解紧张性头痛，可以在脖子后面冰敷20分钟，同时闭眼放松。

身体直立。低头看书或做其他工作（例如给宝宝织毛线袜）的时间太长也会引起头痛，平时要注意姿势。

吃药。对乙酰氨基酚常常可以快速缓解头痛症状，对于孕妇是安全的（不要服用布洛芬和阿司匹林）。问一下医生多少剂量合适，不要在没有医生指导的情况下服用其他镇痛药（包括处方药、非处方药及中草药）。

如果有其他无法解释的头痛症状持续2小时以上，并且反复发作，伴有发热、视觉模糊、手脸浮肿等，应立即通知医生。

"我有偏头痛症状，听说这在怀孕期间会更频繁地出现，真的吗？"

有些孕妇在孕期经常发生偏头痛，而另外一些幸运儿发现妊娠期间偏头痛现象减少。有些孕妇会出现周期性偏头痛，而有些一次也没有发生过，原因目前还不清楚。

如果你曾经有过偏头痛症状，可以问问医生哪些药物孕期服用比较安全，这样才能做好准备在偏头痛突然来袭时打败它。如果你知道引发偏头痛的原因，要尽力避免。压力、巧克力、乳酪、咖啡及红酒，这些都是最常见的病因。在偏头痛的最初症状出现后，应立即采取措施，看是否能避免疼痛全面爆发。以下几种方法对很多人有效：用冷水洗脸，或用凉毛巾、冰袋冷敷；闭上眼（打盹儿、冥想、听音乐，但不要看书或看电视），在一间幽暗的房间里躺一会儿，避免接触噪音、灯光、气味；也可以尝试一下生物反馈疗法、针灸等辅助疗法（参考第86页）。

妊娠纹

"我很害怕自己出现妊娠纹，这可以避免吗？"

没有人喜欢妊娠纹。但怀孕时想摆脱妊娠纹还真是不容易。怀孕时，大部分孕妇的胸部、臀部或腹部都会出现粉红色或红色（有时候为紫色）的锯齿状细纹，有时还伴有瘙痒。

出现妊娠纹是由于皮下支撑性结缔组织的扩张超出了皮肤伸展的极限。皮肤弹性较好的孕妇（遗传、多年来良好的营养状况和运动习惯）很大程度上可以避免妊娠纹出现。你可以把自己的妈妈作为镜子：如果她怀孕时皮肤一直保持光滑细腻，没有出现妊娠纹，你可能也不会受影响；如果妊娠纹毫不留情地爬上了她的皮肤，你很可能也会出现同样的情况。

如果增重能保持稳定的速度和适当的数量，你就可以在很大程度上预防妊娠纹出现，或减少可能出现的妊娠纹。通过良好饮食（特别是富含维生素 C 的食物）提高皮肤弹性也有效果。虽然还没有任何证据证明哪种预防措施在抗击妊娠纹方面有明显效果，但恰当地使用护肤霜没坏处。很多女性上班前都会在身上涂抹一些，它可以防止妊娠纹出现时引起的皮肤干燥和瘙痒。让伴侣帮你涂在肚子上，这肯定会很有趣（宝宝也很喜欢这种按摩）。

如果你不可避免地出现了妊娠纹（多是红色条状），也不要担心，分娩后这些妊娠纹会逐渐变浅，最后变成银色。当然，你也可以和皮肤科医生讨论一下产后能不能用激光或维甲酸治疗，使其看起来不太明显。一定

两个人的人体艺术

想要去文身店做一个“辣妈文身”？一定要三思而后行！虽然文身用的墨水不会直接进入血液循环，但每一次针刺都很容易引起感染，为什么不把这种风险推迟到宝宝出生之后呢？

另外还有一些推迟文身的理由：现在你处于妊娠期，身体两侧看起来对称的图形会在产后恢复身材后变得不对称甚至扭曲。所以从现在开始，不要再往皮肤上加图案了，等到宝宝断奶后再行动吧。

如果你身上已经有了文身，没问题，安静地坐下来观察它扩大吧。如果是后背下方有文身，你可能担心它会影响到硬膜外麻醉的实施。不过只要文身已经干透，伤口愈合了，就不会有风险。

孕期用彩色染料在身体上彩绘如何？如果彩色染料是从植物里萃取的，在身体上停留的时间不长，应该问题不大。但在使用中还应该注意几个要点：确保你使用的染料是纯天然的，而不要使用那种可能引起皮肤过敏的化学物质——对苯二胺的染料（会在皮肤上留下黑印），同时要仔细阅读染料的说明书。为了安全起见，在使用染料前咨询医生。

孕期的皮肤格外敏感，所以你很可能会对染料产生过敏反应——哪怕是曾经用过且证实安全的产品也是如此。为了测试你对某瓶染料是否过敏，可以取少量涂抹在局部皮肤上，观察 24 小时后是否有反应。

要以自豪的心态看待自己身上的妊娠纹，那也是为人母的标志之一。

孕早期的体重增加

“我怀孕快3个月了，体重却几乎没有增加。”

很多女性在孕期最初几周很难增加体重——部分女性甚至会体重下降。这主要是由于妊娠期晨吐症状及其他一些原因，比如怀孕前就有些超重，不需要这么早增加体重。幸运的是，大自然在保护宝宝方面很有一套，即使你恶心到吃不下任何有营养的东西，宝宝也可以正常发育。体积很小的宝宝营养需求也非常小，也就是说，即使你的体重有所减轻，也不会对宝宝有多少不良影响。然而，一旦进入孕中期，情况就不一样了。这时，宝宝越来越大，发育工程正轰轰烈烈地展开，所需的营养和热量日益攀升——你就需要开始稳定地增加体重。

现在就开始好好吃饭也不晚。从第4个月开始严密观察体重，确保以合适的速度增长（参考第172页）。如果你增重仍然有困难，试试以恰当的方式进一步提高营养摄入的标准（参考第94页）。另外，也可以尝试每天多吃几餐：不要错过每天的正餐，在正餐之间可以吃几顿点心。如果你每次吃不了多少，采用一日六餐来代替传统的一日三餐。将沙拉、汤、容易填饱肚子的饮料等放在主菜之后吃，以免削弱你的胃口。可以享受一些高脂肪（健康脂肪）的食物，例如花生、瓜子、鳄梨及橄榄油。但是不要在食谱中添加太多垃圾食品，它们更容易变成屁股和大腿上的肥肉，而不是你的宝宝。

“我现在怀孕12周，但是体重已经增加了近6千克。应该怎么办？”

首先，不要惊慌。很多女性在孕早期结束时发现，短短3个月体重就增长了5千克甚至更多，这是因为她们从字面上理解了“为两个人吃饭”这句话。事实上，你虽然是在为两个人吃饭，但另一个人非常小。有些女性体重增加过多是因为受到了恶心的困扰，吃了大量高热量食品（冰激凌、意大利面、汉堡）。

不管你是哪种情况，在孕早期的3个月里多长一些体重不算什么。这些体重不能完全用来抵消后面6个月的增重需求。宝宝需要稳定的营养供给（特别是在孕中期和孕晚期，那时宝宝正在快速发育），所以减少后期的热量摄入很不明智。但你可以通过密切关注自己的体重等方式在后几个月严格控制增重标准。

和医生一起制订一个妊娠中后

男孩?

又觉得饿了吗？当你离孕中期越来越近时，会注意到自己丧失了近6个星期的胃口逐渐回来了。如果生活很有规律，当你挺着肚子又一次走向冰箱时，可能真的怀上了一个小伙子。研究表明，怀男宝宝的准妈妈比怀女宝宝的准妈妈更能吃——这也解释了为什么一般男宝宝的出生体重会大于女宝宝。如果你每天都想吃个不停，也许就是怀了个男孩。

期的增重计划。即使你孕期每周都会增重0.5千克，也不能最后发现自己增重超过了16千克，这超出推荐范围太多了。翻到第5章，学习孕期饮食的相关知识，更健康地为两个人吃饭，而不是生了宝宝之后发现自己的体重是怀孕前的两倍。通过高质量的饮食高效增重，不仅可以让增重工作更容易，也能让增加的部分体重在产后更容易减下去。

早显怀

"为什么孕早期还没结束，我就已经显怀了？"

大肚子的到来比你预期的早很多？这是因为每个人的肚子都不一样。有的女性直到孕中期还肚子平平，而有的女性不等早孕试纸风干，肚子就圆了几分。早显怀可能会引起一些担心（"如果我的肚子现在就这么大，几个月以后会变成什么样子？"），但也可能让你欢欣鼓舞，毕竟它明确地告诉你，肚子里的确有一个宝宝。

早显怀的原因很多，以下是常见的几点：

- 身材小巧。如果你怀孕时身材瘦小，一旦肚子里有了宝宝，哪怕他还非常小，你的子宫也将无处可藏。
- 肌肉组织少。与腹部肌肉组织紧实的女性相比，腹部肌肉松弛的女性更容易显怀。她们在孕中期还没有到来时，肚子上的肌肉已经开始伸展，于是就早早露出端倪了。
- 饮食过量。如果你已经开始一个人吃两个人的饭（另一个人现在只有一粒话梅那么大），肚子变圆一定是脂肪造成的，而不是因为宝宝。如果这个阶段体重增加超过2千克，就可能导致肚子过早突出。
- 日期计算错误。过早显出来的肚子可能是由于怀孕日期计算不正确造成的。
- 腹胀。胀气很可能造成肚子变大。肠道运动也可能会使你的肚子看起来变大了。
- 可能怀了不止一个宝宝。一些女性在孕早期就发现肚子大了，最后才知道原来怀了双胞胎。所以，在你开始考虑给宝宝买哪件衣服时，先记住，很多早显怀的孕妇最终都证实怀了不止一个宝宝。然而，并不是说孕早期显出圆肚子的女性都是怀了多胞胎（参考下一个问题）。

多胞胎

“怎样才能知道我怀了双胞胎？”

感觉自己怀了不止一个宝宝？下面一些线索可以帮你判断一下：

子宫相对孕期来说偏大。子宫大小是诊断多胞胎的主要标准。如果你的子宫相对于孕程来说生长过快，就可能是怀了多胞胎。仅是肚子大可不算数哦。

夸大的妊娠期症状。怀双胞胎时，那些典型的妊娠症状（晨吐、消化不良、水肿等）都会加倍严重（或至少更严重）。

多胞胎倾向。很多因素会增加孕妇生下异卵双胞胎的可能性，比如妈妈家族中有异卵双胞胎史、高龄（孕妇年龄超过 35 岁，每次排卵更容易排出不止一个卵子）、使用促排卵药物及体外受精。一些证据表明，同卵双胞胎可能受基因影响较多（你的卵子或丈夫的精子中出现了某种物质，引起受精卵分裂）。

医生可能会努力听听你的肚子里是否有两个独立的心跳，但这并不科学，因为两个宝宝的心跳可能不在同一部位，所以一般不用这种办法诊断双胞胎。确诊怀多胞胎的最佳方式是超声波。事实上，超声检查几乎能诊断出所有多胞胎，除非在极少数情况下，一个不好意思面对镜头的宝宝完全躲到了另一个身后。如果你怀了多胞胎，参考第 16 章。

听胎心

“我的朋友在怀孕 10 周时就听到了胎心。我比她早怀孕 1 周，但医生至今还没有听到宝宝的心跳声。”

宝宝的第一声心跳无疑是每一个准妈妈（和准爸爸）耳朵里最美妙的音乐。即使你已经通过早期超声检查看到了宝宝的心脏搏动，但在医生诊室里通过多普勒仪听到宝宝心跳的那一刻，也会前所未有地激动。多普勒仪是一种手持超声设备，可以通过一种特殊的传感器将孕妇肚子里的信号放大。

虽然用多普勒仪最早可以在怀孕 10～12 周就听到宝宝的心跳声，但并不是所有准妈妈都是如此。影响听到胎心的因素很多，包括宝宝的位置、胎盘的位置、子宫的位置（还有你肚子上的脂肪层）等。当然，如果怀孕日期计算出现误差，也能解释为什么你现在还没有听到胎心。到第

家用多普勒胎心仪

想买一个不太贵的产前“胎心仪”？这样在家也能听到宝宝的心跳了。如果真的能听到宝宝的心跳声，的确能给生活带来很多乐趣，也可以缓解压力，让你好好入睡。不过这些仪器虽然比较安全，却没有医生使用的专业—— 一般在怀孕5个月之前都听不到胎心。在此之前使用这些仪器，你可能只听到一片寂静，而不是连续的心跳——这往往会造成不必要的心理压力，根本不可能让你好好休息。即使在孕晚期，这种家用胎心仪也不可能每一次都能帮你了解宝宝的位置，仪器的使用方法也会挑战你的耐心，最终落得被抛弃的下场，其读数也可能不太精确，让你产生不必要的担心。如果你实在想体验一下，可以在家试试——不过最好征求医生的意见。

14周，你肯定能听到宝宝奇妙的心跳声，这会让你非常开心。如果你非常担心，可以让医生安排超声检查。超声波可以捕捉到多普勒仪由于某种原因无法听到的心跳声。

当你听到胎心时，要仔细倾听。你的正常心率是每分钟100次以下，而宝宝的心率孕早期为每分钟110~160次，孕中期为120~160次。不要将宝宝的心率和朋友宝宝的心率比较，每一个宝宝的心率都不同。

从第18~20周开始，用普通的听诊器就能听到胎心。

性欲

“我所有的朋友都说她们在孕早期时性欲很强，有的还第一次甚至多次出现性高潮，我为什么没有性欲呢？”

妊娠期间，生活的方方面面都会发生变化，性方面当然也不例外。你肯定已经注意到了，激素在你的体能和情绪高低方面起着重要作用，它对性欲也起着重要影响。但激素对每一位女性的影响都不同，对其他女性是一盆热水，对有的女性来说却是一盆冰水。有些女性过去从未出现过性高潮，或者对性没什么感觉，怀孕时却突然体验到了。还有些女性，过去性欲很强，也容易获得高潮，怀孕后却突然对此毫无兴趣。如果激素使你激情燃烧，但是孕期症状（恶心、疲惫、乳房触痛等）从中作梗，你可能会产生窘迫感、负罪感或快感，这些都是正常的。

不管怎样，最重要的是认识到，妊娠期间你和爱人的性欲都难以捉摸，你可能今天性欲很强，明天就没

心率和性别的关系

怀的是男宝宝还是女宝宝，心率能不能提供一些线索？虽然很多升级的妈妈们，甚至少数医生会告诉你，心率在 140 次 / 分以上的是女宝宝，140 次 / 分以下是男宝宝，但研究证明心率和性别之间并没有关系。通过心率来猜测宝宝性别是一件很有意思的事情，至少你有 50% 的正确率——但千万不要依据这个来布置宝宝的房间！

感觉了。你们要互相理解，开诚布公地交流，同时保持幽默感。记住，很多在孕早期丧失“性趣”的女性，到了孕中期就恢复了正常，所以，坦率一点，如果热情高涨，也不要过于惊讶。

“自从怀孕后，我一直很兴奋，好像总是欲求不满一样，这正常吗？”

感觉自己的身体散发着热气？你真是很幸运。很多女性的性欲在孕早期就戛然而止了——妊娠症状抑制了性本能，变成了冲向卫生间的冲动。而少数女性就像你一样，会对性生活充满渴望。你应该感谢体内的激素和骨盆区域增多的血液循环，使你感觉非常舒服，以至于很想与爱人亲昵一下。另外，你的乳房比以往任何时候都大，曲线比任何时候都美……种种因素导致你觉得自己是个性感辣妈。而且，这还是你第一次可以放心大胆地做爱——不用很扫兴地跑到卫生间去戴上子宫帽，或者用排卵试纸算算自己是不是处于排卵期。这种快乐的感觉通常会出现在孕早期，也就是激素分泌达到峰值的时候，而且极有可能持续到分娩后。

性欲升高是正常的，不用担心或因为它而愧疚。如果你的性高潮比平时更频繁或程度更剧烈，也不用惊奇或担心；当然，如果你是第一次出现性高潮，就更值得庆祝了。只要医生同意你们做爱（以合适的方式），你和伴侣一定要抓住机会，在肚子还没有形成障碍之前尝试一些新体位。最重要的是，在你还能享受的时候（产后性本能会下降很多），一定要好好享受一下两个人的亲密游戏。

“我一直很想做爱，但丈夫最近很不在状态，我都想自己解决了。”

是什么使得你的爱人曾经最喜欢的食物变成了鸡肋？有很多种可能的解释。第一种是害怕——害怕伤害你或肚子里的宝宝。另一种可能是他产生了一种心理，觉得在宝宝面前做爱很奇怪，或者担心自己的阴茎进入你体内时会被宝宝看到或感觉到。也有可能他只是在这个你发生变化的阶段产生了一些微妙的感觉，他需要适应你快成为别人妈妈这个事实。或许他只是太过于专心地沉浸于自己快要当爸爸这件事情中，每天都会想到马上会有一个宝宝骑在自己肩膀上。当然，也可能有生理方面的诱因：准爸爸和新爸爸的睾酮通常会下降，体内的雌激素会上升——这无疑为他们的性本能浇了一盆冷水。

不管原因是什么，当爱人看到你脸上渴望的神情却装作没看到时，千万不要往心里去，但也不要以为自己这 9 个月必须禁欲。你应该和他进行一次坦白的枕边交谈。告诉他你的感觉，看看他的脑子里都在想什么。可以让他看一下第 257 页及第 19 章的相关内容，这能让他知道性爱在一次正常的妊娠过程中很安全，宝宝也完全不会注意到自己周围发生了什么。但你也要理解并耐心等待他放下心理包袱。开诚布公地交流可以让你们俩在思想上理解彼此，也希望你们能从身体上取得交流。

当然，不要被动地等待。穿一套调皮的情趣内衣，展现你全新的曲线，再辅以有情调的灯光和音乐，给他做一次按摩（选择无香味的精油）——一步步激发他的热情。如果这些努力都让他感觉更不好（或者压力更大），就采取相反的措施：静静地坐在沙发上，和他温情地拥抱，他可能会很想和你共浴爱河。

性高潮后的痉挛

“我在性高潮之后会出现腹部痉挛现象，这正常吗？会不会有什么问题？”

不要太担心——也不要因此就放弃享受性爱。性高潮时或高潮后偶尔出现痉挛（有时还会伴随背部疼痛），这在正常的低危妊娠过程中很平常，也不会有什么危害。产生痉挛可能是源于生理因素（怀孕期间骨盆区正常增加的血液、性欲产生时和高潮时性器官充血，以及高潮过后子宫的收缩 3 方面共同作用的结果），也有可能源于心理因素（一种常见而又毫无根据的担忧——害怕做爱会伤害宝宝），还有可能是生理和心理因素两方面共同作用的结果。

换句话说，腹部痉挛并不代表你享受性生活的时候伤害到了宝宝。事实上，除非医生有特殊建议，否则在正常的低危妊娠中，做爱和高潮是完全安全的。如果觉得这种痉挛让你不舒服，可以让爱人按摩你的背部下方。这样不仅可以减轻痉挛症状，还能缓解引起痉挛的肌肉紧张。部分孕妇还可能在做爱后出现腿抽筋现象（参考第 271 页的缓解方法）。

工作期间怀孕

如果你怀孕了，又是全职工作，负担将成倍增加。你可能像表演分身魔术一样，去了医院之后要参加客户会议；刚冲进卫生间，又要马上奔往收发室；商务午餐还会偶遇晨吐；告诉你最好的同事这个好消息（她会和你一样激动、高兴），也得告诉老板（他可能没那么开心）；一面要过得健康、舒适，另一面又要充满激情和进取心；一边为宝宝的到来做准备，一边为产假交接工作做准备——从早上9点到下午5点，你会忙得不可开交。下面是一些能为上班族准妈妈带来帮助的小技巧。

什么时候告诉老板

很犹豫什么时候走到老板的办公桌前告诉他你怀孕了？当然，没有一个放之四海而皆准的"最佳时机"（不过可以肯定的是，你不应该等到肚子大得大家都能看出来再揭晓谜底）。何时做出这个决定很大程度上取决于你们公司的氛围（是否如家人一般亲密友好），也取决于你的感觉。以下是应该考虑的一些因素：

妊娠反应症状和显怀程度。如果待在卫生间晨吐的时间比坐在办公桌前工作的时间还要长，孕早期的疲惫感令你清晨时无法起床，或者已经大腹便便再也不能搪塞说是早饭吃多了，你就不能再保密了。尽早发布消息要比等到老板（及办公室中的其他人）自己得出结论更合适。但如果你感觉一切都很好，可以轻易把腰带扣入原来的孔眼，就可以迟一点再宣布这个消息。

从事何种工作。如果你的工作环境会对妊娠或宝宝产生危害，发现自己怀孕后就要马上说出来。可行的话，要求尽快调动或换一个岗位。

工作进展如何。职业女性宣布自己怀孕后可能会比较不幸（也会不公平）地遭遇各方面的怀疑。（她怀孕后还有精力工作吗？她花在工作上的时间多，还是花在自己肚子上的时间多？她会弃我们的团队于不顾吗？）所以，如果你可以证明自己在怀孕期间能同样富有成效地工作（完成一个报告、做完一笔交易、赢得一个案子、想出一个好点子）之后再宣布自己怀孕的话，就可以消除大家的这些疑虑。

公司是否要进行业绩评估。如果你担心怀孕这个消息会影响到即将到来的业绩评估或调薪安排，就等到评估结果出来后再公布怀孕消息。

同事是否会乱传消息。如果你的同事喜欢议论别人，那你要小心了。如果在宣布怀孕之前，老板已经从其他途径知道你怀孕了，除了要处理有关怀孕的问题外，你还要处理老板的信任问题。一定要确保老板是第一个

繁忙的多线程工作

即使家里现在还没有宝宝需要照顾，平衡家庭和工作的关系也需要你付出很大努力。尤其是孕早期（各种讨厌的妊娠症状会让你筋疲力尽）和孕晚期（不少事让你分心）。多种工作完全可能将你打败——需要应付工作和家庭两方面的事务。下面这些技巧也许不能帮助你同时处理好所有事务，却能让你在孕期更好地平衡工作和家庭：

● 巧妙安排。在休息日（或者在工作日的午休时间）和医生预约好所需的超声检查、验血、糖耐量实验等，因为工作日一旦开始，你会很疲惫，可能会忘掉某件事。如果需要在某个工作日去医院做检查，一定要向老板说明情况，并做好记录，以免有人以此为借口控诉你偷懒旷工。如果有必要，可以请医生帮你开一张假条或诊断证明、就诊记录，并将它交给老板或人力资源部的相关负责人。

● 防止健忘。如果你觉得自己的脑细胞最近退化得厉害，可以归罪于激素分泌，但也要防止记忆力的明显下降影响到工作。确保自己不会忘记任何会议、商务午餐会谈，以及中午需要打的拜访电话。你需要给自己写一份备忘录（便利贴是上班族准妈妈最好的朋友），或随身携带一个掌上电脑。

● 知道自己的极限，不要挑战它。现在绝对不是额外做很多志愿工作或花时间在琐事上的时候。注意整理思路：看看自己需要做什么，实际上能完成什么，不要让自己筋疲力尽。为了避免被工作打垮，每次只完成一项。

● 大胆说“是”。在你不舒服的时候，对于同事主动伸出的援手一定要坦率接纳。不要犹豫该不该接受他们充满爱心的帮助，也不要害怕欠下人情，也许有一天你会把这份人情还回去，他们也会有需要你帮助的时候。

● 适时充电。当你发现自己在情感上有些支撑不住（再坚强的人也有流泪的时候，尤其在妊娠期），可以出去散散步，躲到卫生间休息一会儿，放松地深呼吸几次以让头脑清醒，甚至放纵自己享受一段准妈妈的疯狂时光——你有权利这样做。

● 说出自己的感受。不仅因为你是个正常人，还因为你怀孕了。不可能做完所有事情，而且把所有事情都做好。如果你现在从枕头上抬起头来都困难，远离卫生间不可能超过 5 分钟，却发现桌上堆满了各种文件，每项工作都有令人崩溃的最后期限——不要惊慌。告诉老板你需要更多时间，或者其他帮助。不要过于苛求自己——也不要让别人鞭策你。你并不是懒惰或能力不足，只是怀孕了而已。

知道你怀孕的人，至少也要保证你先告诉的那些人不会给你泄露秘密。

公司的相关政策。尽量揣测老板对怀孕和家庭的态度。你可以向之前生过宝宝的同事询问一下，询问时要谨慎些。如果公司有相关政策，你可以查询一下有关怀孕和产假方面的说明。和公司人力资源部或者负责员工福利的同事悄悄谈一谈。如果公司有支持妈妈或怀孕女性的历史，就可以早点宣布怀孕这个消息；反之，你就要对可能出现的结果做好应对准备。

公布消息

一旦决定公布怀孕的消息，你可以通过以下措施达到更好的效果：

做好准备。在你决定公布消息之前，一定要做好足够的调研工作。认真学习公司关于产假的所有规定。一些公司提供的是带薪产假，有些公司提供的是无薪产假，还有的公司可能允许你把产假、病假、年假连在一起休。

了解相关权益。有些地方政府颁布了平等对待劳工的法律，以保护孕妇不受歧视。一些对女性友好的公司在妇女权益方面比较超前，已经有了突破性举措。充分了解你享有的权利，这样你才能知道自己可以向公司要求什么。

制订详细计划。高效工作一定很受欢迎，但也给人们带来了不同程度的压力。在公布消息之前，可以为自己准备一份详细的计划，包括：你还可以工作多久，产假需要多长时间，是否能在休假前完成自己的工作，如果工作无法完成如何交接给别的同事。如果你在生了宝宝之后需要暂时以兼职的形式上班，现在就应该向老板提出。列出这样一份详细的计划可以避免忘记细节，也可以给你的效率加分。

选择恰当的时机。不要在出租车上、开会途中等不恰当的时候告诉老板你怀孕的消息，更不要在周五晚上老板一条腿刚迈出办公室大门时突然宣布。和老板认真地谈一下，你需要和他单独约时间，这样不会太匆忙，也不会分心，应该挑一个你觉得压力较小的时间。如果突然发生了异常情况，你和老板关系紧张，就要把这个时间往后推。

强调积极方面。公布消息时不要满怀愧疚和抱歉。相反，要让老板知道你不仅因为怀孕而高兴，对自己完成工作的能力、责任感都很有信心，你已经计划周全，可以很好地平衡工作和生活方面的所有事情。

灵活处理（但不要底气不足）。带上你的计划，开诚布公地谈判。如果和老板交涉后需要改变计划，可以做一些折中的妥协。不过，心里要有一个实际的底线，并要坚持到底。

以书面形式记录。一旦你们已经定下了孕期休假和工作安排的细节，最好以书面的形式记录清楚，以免将来造成不必要的疑虑和误解。（例如，“我从没那样说过……”）

永远不要低估为人父母的作用。如果公司并不像想象中那么有人情味，你可以考虑与其他做父母的同事联合起来要求更好的待遇。但也要意识到，公司里也有很多没有宝宝的员工，就算公司关于孕妇的政策有所改善，他们也享受不到，注意不要引起这部分人群的敌意。确保这部分人可以得到相似的福利和优惠条件，帮助他们照顾家里有病的配偶、亲人等。这样可以促进公司内部的团结，而不是分裂。

工作中保持舒适

整天遭受着恶心、疲乏、背痛、头痛、关节肿胀、膀胱漏尿等症状的困扰，想舒适地享受孕期的确非常困难。如果工作要求你必须一直坐在办公桌前，或是用肿胀的双脚一直站着，经常弯腰，或者提拿重物，妊娠期将会更不舒服。想在工作中保持舒适，请遵循以下原则：

● 衣着得体而舒适。不要穿太紧的衣服或袜子，这可能会影响血液循环。也不要穿鞋跟太高 / 太平的鞋子（以 5 厘米高的粗跟鞋为宜）。选择专为孕妇设计的长袜，可以避免及改善一系列妊娠症状（比如下肢水肿、静脉曲张），特别是每天需要长时间站立的女性。

● 观察自己的“天气”变化。不管居住的城市天气如何，办公室温度如何，你最需要的天气预报应该是体内变化不定的体温预报。如果你一会儿大汗淋漓，一会儿又冻得发抖，最需要的装束应该是层叠的搭配——不同的气温环境都有一层合适的衣服。有没有想过在 -11℃的天气里只穿一件高领羊绒毛衣？千万不要这样，除非毛衣下面还穿了一件轻薄的打底衫。一旦激素使得你热气蒸腾，可以把厚毛衣脱掉。另外，即使你平时穿一件 T 恤就很暖和，也必须备一件外套放在办公室的抽屉或柜子里，这段日子体温很容易变化。

● 解放双脚。如果工作需要你长时间站着，尽可能找机会多坐一会儿（好抬起双脚），或经常四处走动一下。如果可行，站着时把一只脚放在矮凳上，屈膝站立，以缓解背部压力。双脚交替这样做，也可以让它们轮流放松一下。

● 抬高双脚。桌子下面放一个纸箱、废纸篓或其他结实的物体可能会有帮助。

● 休息一会儿。坐久了就站起来四处走走；站久了就坐下来抬高双脚。如果在工作中有小小的空当，可以去沙发上躺一躺，休息一下。做一些伸

腕管综合征

如果每天都在敲键盘，你可能对腕管综合征这个词不会感到陌生。这个大家熟知的上班族常见病，会引起手部疼痛、麻木，尤其常见于经常用手进行重复性工作的人群，比如打字、按计算器、操作掌上电脑等。但你还要知道一点：孕妇也是腕管综合征的高发人群。即使是从来没有碰过键盘的准妈妈也很容易患病，因为身体组织肿胀压迫了神经。但腕管综合征并不危险，只是让人不舒服而已，特别是在工作时。你可以尝试多种治疗方法，让自己的情况有所好转：

● 升高办公椅，让手腕可以垂下来放在办公桌上，保证打字时手腕比手指高。

● 换一套更符合人体力学的键盘（有腕托的）和鼠标，这样可以让手腕得到休息。

● 打字时可以戴护腕。

● 操作电脑时注意间断地休息一下。

● 晚上可以用凉水浸泡手腕以减轻水肿。

● 问问医生有没有其他治疗方法，包括服用维生素 B_6、针灸等。

展性运动，拉伸一下后背、双腿和肩膀。以下伸展练习记得每小时至少做一次（最好是两次)，每次持续 30 秒：将双臂抬高，高过头部，十指相扣，掌心朝上，尽力向上拉伸，想象自己马上就要碰到天花板；接下来，将双手平放在办公桌上，后退几步弯腰，伸展你的背部；最后，坐下来转动脚踝。试试看你能不能摸到自己的脚趾，这可以缓解脖子和肩膀的压力。

● 调节办公椅。感到后背疼痛？在椅子上加一个靠垫，可以给腰部一些额外的支持。感觉屁股疼？那就加一个柔软的坐垫。如果办公椅开始向后倾斜，可以考虑把椅背向前调，但要给你的肚子和办公桌之间留下足够的空间。

● 经常去饮水机那里走走。不是为了去听一些小道消息，而是要随时保证水杯装满水。或者在办公桌上放一个水壶。每天饮水超过 2 升可以消除包括水肿在内的很多妊娠期症状，还可以预防尿路感染。

● 不要憋尿。及时排空膀胱（至少要每两小时去一次），可以帮助你预防尿路感染。一个有用的策略：每小时去一趟卫生间，不管你有没有尿意。如果习惯了不在尿急时才去厕所，就会感觉非常舒服。

● 拿出时间来照顾你的胃。不管

工作有多忙，作为一个孕妇，最重要的工作职责是照料好你的宝宝。所以应该做好相应的计划：每天的一日三餐要保证营养，另外再吃两顿点心。还可以把一些会议或约会改成工作餐（并保证你有权决定吃什么）。你应该在办公桌或包里准备一些营养食品，如果公司有冰箱，在冰箱里也准备一些。翻出家里的便当包——也许它们看起来不是很美观，却可以在时间紧张时喂饱你和宝宝。

● 注意体重。确保工作压力或不规律的饮食不会影响你的体重正常增加。

● 常备牙刷。如果你现在有晨吐症状，可以在每次呕吐后立即刷牙以清洁口腔，保持口气清新、呼吸清爽。漱口水也能帮助清洁口腔，还可以缓解唾液分泌过多导致的口腔干燥现象。

● 提拿东西时要小心。注意姿势，避免拉伤背部（参考第239页）。

● 注意呼吸健康。远离吸烟区，香烟产生的烟雾不仅对宝宝有害，还会增加你的疲劳感。

● 偶尔放松一下。压力太大对你和宝宝都不好，应该利用休息时间尽量放松。可以戴上耳机听音乐，闭上眼睛沉思，或做做白日梦，做一些伸展活动，用5分钟在公司大楼周围散散步。

● 听从自己身体的指挥。如果感觉疲劳，就放慢速度；如果感觉筋疲力尽，就早点回家休息。

工作中确保安全

对于各行各业中必须全职工作的准妈妈们来说有一个非常棒的好消息：大部分工作对尚未出生的宝宝来说都没有问题。但还有很多工作比其他的更安全，更适合孕妇。通过采取合理的预防措施或修改工作职责范围，可以很大程度上避免大多数孕期问题（可以根据个人情况咨询一下医生，看他对你的工作有什么建议）。

办公室工作。所有熟悉办公室工作的人都很清楚那种脖子僵硬的疼痛，还有背痛及头痛的感觉——种种不适使浑身不舒服的孕妇更加难受，不过对宝宝没什么危害。如果你每天大部分时间都是坐着办公，应该没事就抽空站起来舒展一下筋骨，围着办公桌走几圈。坐在椅子上也可以伸展胳膊，活动脖子、肩膀，把双脚抬高一点减轻水肿（在桌子下面备一个小箱子或小凳子），靠背处加一个垫子支撑腰部。

关于电脑的安全性呢？电脑显示器和笔记本的信号对孕妇都没有危害。更值得担心的应该是大量身体上的不适，比如在电脑前工作太久对腕部和胳膊造成的压力，导致眩晕、头痛等。为了减少这些不适，可以选择高度适合的椅子，并用增加靠垫的方式支撑背部。将显示器调节到合适的高度；上缘应该和你的眼睛保持水平，距离眼睛约一臂远。使用更符合人体力学的键盘（带有腕托），其设计可以减少患腕管综合征的概率（参考第195页小贴士）。把手放在键盘上时，应该保证手指比手腕低，小臂和地面平行。

医疗保健工作。保持健康是每个医疗保健专业人士的首要任务，当你要为两个人保持健康时就更要注意。有些潜在的危险可能会对你和宝宝不利，例如要避免接触用来消毒仪器的化学物质(环氧乙烷和甲醛)、抗癌药，也要避免感染（如乙肝和艾滋病）及电离辐射（在疾病诊断和治疗阶段使用）。大多数操作低剂量X射线诊断设备的技术人员不会接触到危及人体的辐射水平。但建议操作高剂量放射设备的育龄女性监测自己的每日辐射量，确保一年里累积的辐射量不会超出安全范围。

制造业工作。如果你在工厂或制造车间工作，需要操作一些危险的大型机器，考虑和老板商量一下在孕期暂时调你到其他岗位。你也可以联系该设备的制造商，请对方提供关于产品安全性的更多信息。一个工厂对于孕妇的安全程度取决于工厂需要制造的产品类型，且很大程度上与工厂负责人的责任意识有关。

高强度体力工作。工作中如果有提拿重物、强体力运动、长时期轮流值班或持续站立过久的要求，很容易提高早产的风险。如果你属于这种情况，从第20～28周起，要求调换到体能要求不那么高的岗位，一直待到分娩及产后恢复后（参考第199页）。

精神压力大的工作。一些工作中严重的精神压力会对所有员工造成危害，孕妇更是如此。怀孕的你需要减轻各种来自生活中的精神压力。一个最直接的方法是要求换个工作岗位或早点休产假，但并不是每个人都做得到。如果你的工作收入很高或专业性较强，可能会发现自己离开岗位后压力更大。

你可以考虑一些减压方法，包括冥想和深呼吸、规律运动（释放让你感觉良好的内啡肽）、参加更多娱乐活动（去看场电影而不要一直工作到晚上10点）。和老板谈一谈也可能有帮助，告诉他工作时间过长、负担过重，以及普遍存在的压力可能会影响到你的妊娠；告诉他如果你在家工作也许会更舒服（压力很可能增加你患背痛和孕期其他不良反应的风险），而且能把工作做得更好。如果你是自由职业者（或个体经营），减少工作量可能不太容易，意识到自己应该休息，就是一大进步。

其他工作。教师、社会工作者等经常接触孩子的工作人员容易接触到一些感染，从而影响妊娠。这些常见感染有水痘、第五病及巨细胞病毒感染。屠夫、肉制品检验人员可能感染弓形虫（但部分人之前已经产生了免疫，对宝宝不会造成危害）。如果你工作的地方属于传播性疾病高发地带，确保已经根据需求接种了疫苗，同时要做好恰当的预防措施：经常彻底地洗手，戴上保护性手套和口罩等。

航空工作人员和飞行员在流产

请保持安静！

到怀孕第24周，宝宝的内外耳已经发育完全。到第27～30周，宝宝的耳朵已经可以对接收到的声音刺激作出反应了。当然，能传递到宝宝耳朵中的声音非常微弱——不仅因为声音信号要穿过你的身体、羊水等物理屏障，还因为在宝宝那充满液体的小房子里，他的鼓膜、中耳都不能像在空气中一样正常工作。所以你听起来非常大的声音，对于宝宝来说并不明显。

但噪音毕竟是目前已知的最常见的职业性危害之一，经常暴露于噪音下的成人非常容易出现听力损伤，所以在孕期还是应该避免接触过多噪音。研究表明，长期持续或反复的噪音，特别是低频噪音，会增加胎儿听力下降的可能。长期暴露于持续的噪音下，例如每天8小时处于高于90～100分贝的工业制造场所（和站在割草机或电锯旁边差不多），还可能增加早产和宝宝出生体重低的风险。极为尖锐的噪音(150～155分贝，想象一下站在喷气式飞机引擎旁边的感觉)，也会给宝宝带来类似问题。总的来说，最安全的做法是：避免每天超过8小时持续处于85～90分贝以上的噪音环境中（比如大型割草机旁边或交通堵塞的道路）；避免每天超过2小时处于高于100分贝的噪音环境中（比如电锯、气钻、雪地摩托车旁边）。

虽然还需要更多实验才能确定噪音可能造成的影响，但就目前已知的信息来说，在噪音污染严重的环境和存在强烈震动的环境下工作的孕妇最好暂时换一个新的环境。这些可能有危险的环境包括：音乐声音很大的酒吧、俱乐部，地铁，需要戴上听力保护设备才能进入的工厂（你不可能帮肚子里的宝宝也戴上保护设备）等。同时要尽量避免在日常生活中长时间处于高分贝的噪音环境中：在大剧院听音乐会时尽量坐在靠后的座位上，坐在露天座位上更好；调小或关掉车载音响；用吸尘器时尽量戴上耳机，不要听着音响干家务活。

和早产方面风险略高（不过目前研究证据不足），原因在于她们在高海拔飞行时会暴露在太阳的辐射下。可以要求换到短一点的航线工作（因为短距离航线不要求飞机飞到太高，也不用站立过久），或直接要求孕期换到地勤工作。

画家、摄影师、化学家、化妆师、干洗店工作人员、皮草行业从业者、农民、园艺工作者等在工作过程中可能接触多种有害化学物质的人员，一定要确保工作时戴手套，穿好其他防护性衣物。如果工作中存在可疑物质，格外当心，你可能需要回避使用化学物质的所有工作流程。

坚守岗位

打算一直工作到第一次宫缩出现？很多女性都成功地在工作和怀孕两方面取得了平衡。然而，有些工作适合孕期女性长期坚守，有些不适合。是否要一直坚持工作到产前，要根据你的工作性质决定。如果你主要负责办公室工作，可以一边工作一边养胎，到临产时直接去医院。与在家扛着吸尘器和拖把打扫未来宝宝的小屋相比，压力不大的案头工作能让你和宝宝轻松一些。而且，每天1～2个小时走路上下班，不仅没有害处，还对你非常有益（前提是你走路时负担还不太重）。

对于工作强度大、压力大或需要长时间站立的工作争议颇多。一项研究发现，在妊娠期并发症风险方面，每周站立65个小时的女性并不比那些站立时间较少、工作压力较轻的女性高。然而另一项研究表明，那些在第28周之后持续进行高强度劳动、压力较大并长时间站立工作的女性（尤其是家里还有其他孩子的孕妇），很可能比别的孕妇出现并发症的风险更高，包括早产、高血压及生下低体重儿。

那么是不是那些站着工作很久的女性应该在怀孕28周之后离开岗位？比如售货员、厨师及餐厅服务员、交警、医生、护士等。如果孕妇自我感觉良好，而且孕期表现正常，医生通常会允许她多坚持一段时间。然而，一直站着工作到预产期也不是明智的做法，从理论上来说，这样导致妊娠期并发症的风险增大，会引起或加重很多孕期不适症状，包括背痛、静脉曲张、痔疮等。

对某些工作来说，最好提前休产假。例如轮班的工作，它很容易打乱饮食、睡眠的生物钟规律并加重疲劳。另一种是可能会加重妊娠症状（头痛、背痛、疲劳等）的工作，以及容易摔倒或出现意外的工作。但还是要记住，每位孕妇、每份工作都是不同的。和医生讨论一下，做出最适合你的决定。

换工作

随着生活中发生的种种变化，现在要你换工作似乎不太合理。但对于孕妇来说，需要考虑换工作的理由太多了：也许你的老板不是很有人情味，你担心休完产假后很难处理工作上的问题；或许目前的上下班时间太长，工作时间不够灵活或事情太繁杂；也有可能你对工作感到厌倦或不够满足；还可能很担心目前的工作环境会危害到你和宝宝。不管理由是什么，跳槽之前请先考虑以下几个问题：

● 找工作是一件费时、费力、费心的事，对于目前正专心致力于孕育宝宝的你来说，这 3 项正是你缺少的。在工作定下来之前，你随时会被叫到各个地方参加面试和会议（如果你已经被孕期健忘综合征困扰，要记住各种有用信息是对记忆力的一场挑战）。开始新的工作需要专心投入（所有人的眼睛都在盯着你，必须格外努力才能不出错），需要足够的体力和责任感才能做到。

● 在跳槽前，你需要反复确认并通过各种渠道核实新工作是否像资料中描述的那么好。要去的公司真的会给你双倍薪水，医疗保险也是以前的两倍吗？他们对孕妇真的只要求在家办公，每天早中晚参加电话会议就可以了吗？既然薪水高了，是不是出差的要求也会增加？记住，一个现在看起来非常诱人的工作，入职后也许没想象中那么好，尤其在你跳槽是为了照顾好肚子里宝宝的情况下。还要记住，如果被雇佣年限少于一年，孕期的相应福利津贴也会较低。

● 法律规定，未来的老板没有权利问你是否怀孕（如果显怀还不明显的话），当他知道情况后也不能收回给你的录用通知。然而，一些公司还是不能接受你工作很短一段时间就离开，也不是所有老板都能接受这样的“弄虚作假”手段（一开始你告诉他

工作中遭遇不公平对待

觉得自己在工作中受到了不公平的对待？不要坐在那里难过了，开始采取行动吧。首先让信任的人了解你的感受——你的上级、人力资源部门的相关人员等。如果这不能解决问题，看看公司对于孕期歧视有没有相关规定和处理措施——如果你有一本员工手册，可以从上面找到你想要的内容。如果没有，联系劳动部门并找到当地的办公人员。如果你已经投诉，他们也许能帮你判断是否存在工作歧视。

但在投诉时要记住保留所有相关记录（电子邮件、信件、工作日记的复印件等）。如果你需要找律师，这些文字都是有用的资料。

要来工作，刚开始工作又告诉他要休产假）。所以，虽然在面试时隐瞒自己怀孕的事实很明智，但很可能这个秘密最后会毁掉你和公司的关系。另一方面，你也可以先拿到录用通知，知道公司会雇用你之后，再考虑进一步的计划。

如果刚接受了一份新工作却发现自己怀孕了怎么办？大胆面对现实，踏踏实实完成本职工作，发挥你的最大能力。确保你熟知孕期工作的权利，一旦陷入被动局面，可以很好地处理问题，改变自己的困境。

第9章　第4个月

（14~17周）

孕中期终于到了！对大多数孕妇来说，这是孕期中最舒服的一段时光。随着这一里程碑的到来，许多喜人的变化出现了。一是妊娠初期的恼人症状大部分减轻或消失了。恶心的感觉也会慢慢减退。你的精力会有所提升，跑卫生间的次数也减少了。虽然乳房还是那么大，但触痛感已经不明显了。另一个好转的现象是：到这个月底，你的肚子不再像是吃了顿丰盛午餐的样子，而更像是怀孕的样子了。

本月宝宝的情况

第14周。这是孕中期的开端。每个宝宝从这个时候开始会以不同的速度发育，有的快一点，有的慢一点。虽然生长速度不同，所有宝宝在妈妈的子宫内都有相同的发育步骤。本周，宝宝和你握紧的拳头差不多大，他的身体会长得更直，脖子变长，头逐渐抬起来。这个可爱的小脑袋上很可能开始长出几根头发，眉毛开始出现，身上的毛发也很旺盛（不要担心，不会永远这样的）。这件毛茸茸的外衣只是暂时穿在宝宝身上给他保暖，就像一条柔软的毛毯一样。随着孕程发展，宝宝的脂肪积累，部分体毛会褪去——虽然部分宝宝（特别是早产宝宝）出生后短期内还会留有胎毛。

第15周。宝宝本周大约有11.5厘米长，重55~85克，大小就像一只脐橙。他长得越来越像你梦中宝宝的样子了，耳朵正确地长在了头部两侧（之前都在颈部），眼睛也从头部两侧慢慢移动到脸部正面。宝宝现在有了足够的协调能力、力量和智力来慢慢弯曲自己的手指或脚趾，并会吮吸大拇指。他还能呼吸（至少能做出呼吸动作）、吞咽——这些都是为了将来离开子宫面对外面的世界准备的。虽然你现在不一定能感受到宝宝

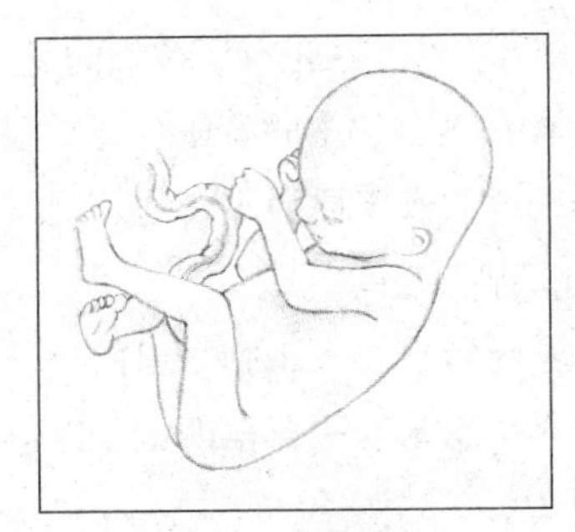
第 4 个月的宝宝

的运动，实际上他每天都在你的肚子里锻炼身体——踢腿、弯腰，动动小胳膊和小腿。

第 16 周。宝宝现在头臀长达到10～12.5 厘米，重量也达到了不可思议的 85～140 克。他生长得非常迅速，肌肉越来越强壮了(接下来的几周里，你可能会感觉到胎动)，特别是背部肌肉，这样他的脊背会挺得更直。宝宝看起来越来越可爱，眼睛已经开始工作了！眼球不停地从一侧运动到另一侧，虽然眼睑是闭合的，却可以感觉到光。宝宝的触觉也更敏感了，如果你戳戳肚子，他就会开始蠕动（你现在还感觉不到）。

第 17 周。看看你的手，宝宝可能已经有巴掌大小了：头臀长 12.5 厘米，重 140 克以上。宝宝的脂肪开始形成，但这个可爱的小东西还是瘦得只有皮包骨头，他的皮肤是半透明的。本周，宝宝每天都在练习、再练习，为未来出生做准备。他练就了一个重要的本领：吮吸和吞咽——为第一次从你的乳房吸出食物做准备。宝宝的心率靠大脑控制（不再有自发搏动），每分钟 140 ～150 次（约为你心率的两倍）

你可能会有的感觉

身体上

- 疲惫。
- 尿频减轻。
- 恶心呕吐的症状消失或减轻(少数女性的晨吐症状还会持续；还有部分女性这时才开始出现晨吐症状)。
- 便秘。
- 烧心、消化不良、胀气、身体浮肿。
- 乳房继续增大，触痛感得到缓解。
- 偶尔出现头痛。
- 突然改变体位时，偶尔出现虚弱、眩晕等症状。
- 鼻塞、偶尔流鼻血；耳朵里有闷塞感。
- 食欲增加。
- 脚及脚踝轻微肿胀，手和脸偶尔肿胀。

更多关于宝宝的资料

想得到逐周描述的宝宝发育图？请登录网站 whattoexpect.com。

●腿部静脉曲张或出现痔疮。

●阴道分泌物略有增加。

●本月底也许可以感觉到胎动（但通常不会这么早，除非你很瘦或不是第一次怀孕）。

精神上

●情绪不稳定，易怒，无故流泪。

●喜悦或忧虑——你终于有了怀孕的感觉，看起来也有了孕妇的身形。

●在这个“中间阶段”感觉很失落：平时的衣服已经不合适，但又没有到穿孕妇装的时候。

●觉得自己没带脑子出门——思维涣散、健忘、丢三落四、不能集中注意力。

观察自己

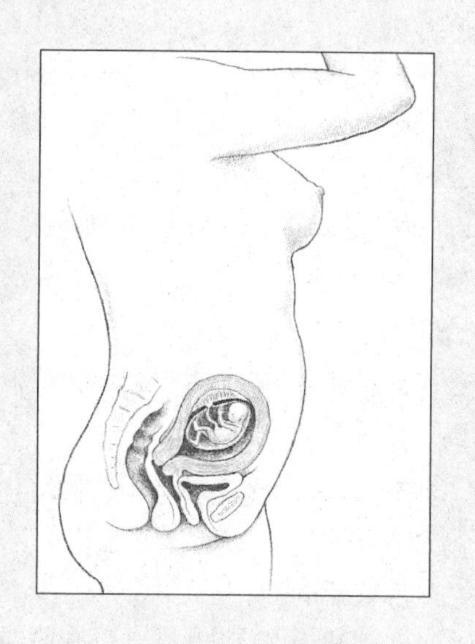

子宫现在大约有甜瓜那么大，到本月底，子宫将会增大到盆腔以外，那时你可以从肚脐下5厘米左右摸到它。如果还没有买好合适的衣服，要赶紧想办法了：你可能开始觉得自己的日常衣服穿不下了。

本月可能需要做的检查

每位医生的临床经验和习惯不同，每个孕妇的具体需求也不同，但总体来说这个月医生很可能为你做如下检查：

●测量体重和血压。

●尿常规，检查尿液中是否有糖和蛋白质。

●听胎心。

●通过触诊感觉子宫大小。

●测量宫高。

●检查手和脚的水肿情况，腿部是否出现静脉曲张。

●你的一些妊娠症状，特别是少见的症状。

●你想了解的问题。

你可能关心的问题

牙齿问题

“我的嘴突然成了个多灾多难的地方，每次刷牙都会牙龈出血，而且好像出现了一个龉洞。现在做牙科手术安全吗？”

孕期你的大部分注意力都集中在肚子上，很容易忽视口腔，看到问题才引起重视。妊娠初始阶段，激素的影响给牙龈和其他黏膜组织带来损伤，口腔经常会水肿、发炎，容易出血。激素也会使牙龈更容易受牙菌斑和细菌的影响，对部分女性来说，情况更糟，容易引发牙龈炎甚至蛀牙。

为了保证孕期的牙齿更健康，可以尝试以下做法：

● 规律刷牙、用牙线清洁牙齿，使用含氟牙膏以防止蛀牙。刷牙时刷一下舌苔也能对抗口腔细菌，让你保持口气清新。

● 请牙医为你推荐一种能减少细菌和牙菌斑的漱口水，以保护牙齿和牙龈。

● 如果吃东西后不能刷牙，就吃一块无糖口香糖（咀嚼动作可以使口腔内唾液增多，从而清洁牙齿；如果口香糖含木糖醇，还可以预防蛀牙），或吃一小块硬乳酪（可以降低口腔内的酸性，正是酸性环境诱发了蛀牙）。

● 注意饮食，尤其是两餐之间的甜食（特别是黏性的），吃过后一定要立即刷牙。可以多吃维生素C含量高的食品，维生素C能够坚固牙齿，降低牙龈出血的概率。一定要满足身体对钙的需求，人的一生都离不开钙，牙齿的健康坚固更离不开。

● 不管你是否存在牙齿不适，孕期的这9个月至少要约一次牙医做牙齿检查。清除牙菌斑非常重要，它不仅会增加患蛀牙的风险，还会使牙龈问题进一步恶化。如果你以前就有牙龈问题，孕期更应该去看牙医。

如果你怀疑自己出现蛀牙，或其他牙龈及牙齿问题，现在就预约牙医。没有得到治疗的牙龈炎会发展成更严重的牙龈问题（例如牙周炎，它与多种严重的妊娠期并发症密不可分）。没有彻底清洁的蛀牙或其他没有得到良好处理的牙齿问题也可能成为感染的根源（感染对你和宝宝来说都是最坏的情况）。

孕期遇到必不可少的口腔手术

珍珠般亮白的秘密

担心孕期不能使用牙齿美白产品？看看第151页的最新研究结果。

牙龈告急

如果你注意到自己牙龈一侧有一个小结节，刷牙时会出血，它可能是口腔溃疡或某种被称做“化脓性肉芽肿”的东西。这种化脓性肉芽肿会在分娩后逐渐自愈，但如果你觉得它实在令人讨厌，可以找医生帮你去掉。

又会怎样呢？幸好，绝大多数口腔手术都采用局部麻醉，相当安全。小剂量的一氧化二氮（笑气）在孕早期使用也很安全，但孕期最好不要进行深层麻醉。很多情况下，在重大牙科手术前后必不可少地要使用抗生素，请咨询一下医生。

呼吸困难

“我有时觉得呼吸困难，正常吗？”

深呼吸一下，然后放松。轻微的呼吸困难是正常的，许多孕妇在进入孕中期时都会感觉呼吸困难。这也是由于孕激素引起的：激素刺激呼吸中枢提高呼吸频率和深度，这可能让你去一趟卫生间都觉得喘不了气。激素还会让呼吸道等身体部位的毛细血管肿胀，同时使肺、支气管的肌肉松弛，这会让你呼吸更困难。随着孕程发展，不断增大的子宫会压迫膈肌，侵占肺部空间，使这些部位在你呼吸时无法

孕期能不能做X射线检查

为了安全起见，常规牙科（和身体其他部位的）X射线检查和CT扫描一般都需要推迟到分娩后进行。但如果出现了口腔病症，因为妊娠而推迟牙科或其他部位的X射线检查就没必要了（不做检查的风险大于做检查的风险），一般医生都会允许你接受检查。原因在于孕期接受X射线检查的风险确实很低，通过相应的保护措施，可以将风险控制到最小。牙科X射线检查的靶器官是口腔，也就是说射线只会接触到口腔，离子宫很远。更重要的是，常见的X射线检查造成的辐射和你在海滩晒几次日光浴的辐射量差不多。只有在非常高剂量的X射线下才会影响到你的宝宝，而这几乎是不可能的。如果你确实要在孕期接受X射线检查，铭记下面的几条原则：

- 即使医生已经知道你怀孕的情况，依然要反复提醒为你做X射线检查的医生或技师。
- 选择资格完备的机构和接受过良好培训的技师做检查。
- X射线设备应该调整到对你辐射面积最小的状态。对于身体其他部位，包括子宫、甲状腺等重要器官，应该用铅衣保护好。
- 一定要严格跟随技师的指导配合拍片，尤其要注意在他拍摄时千万不要动，以防最后效果不好而反复拍片。

如果你在做X射线检查之后才发现自己怀孕了，不必担心。

充分扩张。

幸运的是，这种轻微的呼吸困难会让你感觉不舒服，却不会影响到宝宝——胎盘已经储存了丰富的氧气。但如果你的呼吸困难症状非常严重，比如嘴唇和指甲发紫、出现胸痛、脉搏加快等症状，要立刻请医生诊断。

鼻塞和流鼻血

“我鼻塞现象严重，有时没有任何原因地流鼻血，这是因为怀孕吗？”

这段日子，肚子绝对不是你身上唯一肿胀的部位。随着体内雌激素和黄体酮浓度的升高，流向鼻黏膜的血液增多，使黏膜肿胀、变软（就像准备分娩时子宫颈的变化一样）。这些黏膜也比平时产生了更多黏液，用于阻止孕期感染和微生物入侵，导致你不太舒服。你的鼻子在孕期可能会一直像现在这样充血甚至流鼻血；另外，这种鼻塞现象只会越来越严重，并可能引起鼻涕倒流，偶尔导致夜间咳嗽或窒息（你整夜睡不着也有这个原因的影响）。

如果这种充血现象让你难受，可以试着用一些安全的生理盐水喷雾或通气的鼻贴。在房间里放一台加湿器也可以减轻由空气干燥引起的充血。由于你处于妊娠期，医生一般不会开药或抗组胺鼻喷雾剂，可以请他帮你推荐一些安全的产品，部分解充血药物或类固醇药物可以在孕早期结束之后安全使用。

如果医生同意，可以每天在必需剂量的基础上再多服用 250 毫克维生素 C，并多吃富含维生素 C 的食物，这可以强化毛细血管，从而减少出血的可能。流鼻血有时候是猛烈呼吸造成的，所以要注意慢慢地均匀呼吸。

想止住鼻血，可以在坐着或站着时身体微微前倾，千万不要躺下或后仰。用拇指和食指捏住鼻翼，坚持 5 分钟，如果还流血可以重复以上动作。如果反复 3 次后还不能止血，或者经常出血且情况严重，要及时通知医生。

打鼾

“丈夫说我最近一直在打鼾，为什么

睡不着觉？

孕期的激素分泌，或是越来越大的肚子让你无法获得良好的夜间睡眠？孕期睡眠问题非常普遍，尽管失眠是为了宝宝到来后的无眠夜晚做准备，你还是会非常渴望睡个好觉。你很可能会跑到药店或医院买一些非处方药和处方药以帮助自己入睡，但要格外小心，一定要先咨询医生的意见。医生可能有别的办法（参考第 266 页学习如何应对失眠）。

会这样？”

打鼾会破坏打鼾者及同床人的良好睡眠。要注意的是，现在你处于怀孕阶段，睡眠受影响绝对不是好事。这种症状可能由孕期常见的鼻塞引起，睡觉时在房间里放一台加湿器，或抬高头部，可能会有帮助。体重过重也可能引起打鼾，所以要将增重保持在合理范围。

极少数情况下，打鼾是睡眠呼吸暂停综合征的症状，即睡觉时呼吸短暂停止。因为你在为两个人呼吸，所以最好在下一次去医院时告诉医生打鼾的情况。

过敏

“怀孕后我的过敏症状好像加重了，随时都是一把鼻涕一把泪。”

可能是你错把孕期的鼻塞当成了过敏，也可能是你的过敏现象确实加重了。一些幸运的女性（大约1/3）怀孕时会暂时摆脱过敏，而不太幸运的人（概率也是1/3）可能在孕期症状加重，剩下的人病情基本没变化。你很可能属于那1/3不太幸运的人（随时想挠痒或流泪、打喷嚏），但在你打算跑到药店买药之前，一定要问一下医生，看看哪些药物是安全的。部分抗组胺药物和一些药物可以在孕期安全使用（如果在发现自己怀孕前已经服用了不确定其安全性的药物，现在也不必担心）。

怀孕前接受过敏原注射治疗比较安全，大部分过敏症专家认为最好不要在孕期开始过敏原注射治疗，因为可能引起不可预知的反应。

孕期对付过敏的最佳办法是预防——这值得你学习。避免接触可能会诱发过敏的物质也许能降低宝宝对这些物质产生过敏的可能性。

想要减少喷嚏次数，试试下列办法：

● 如果花粉或其他户外的过敏原让你烦恼，在容易过敏的季节尽可能待在有空调和空气过滤器的室内。从户外进入室内要洗手、洗脸、换衣服以去除花粉，出去时带上有弧度的大号墨镜以避免花粉吹进眼睛里。

● 如果灰尘是罪魁祸首，让别人来除尘和打扫房间。另外，真空吸尘器（尤其是带有高效空气过滤器的）、湿拖把或用湿布罩着的扫帚扬起的灰尘更少，超细纤维抹布也比传统的鸡毛掸好得多。不要去灰尘多的地方，比如阁楼或有很多旧书的图书馆。

● 如果对某些食物过敏，远离它们。即使是对孕期有益的食物也不要吃（参考第5章寻找替代品）。

● 如果动物会让你过敏，提前告诉朋友，去朋友家时他们可以提前把宠物及其毛屑清理出去。如果你对自

为了宝宝，不要吃花生

三明治里加花生酱的做法非常流行，的确方便又美味。但花生酱会不会对你子宫里的那颗小花生造成影响？有一个流传了很久的说法：如果妈妈（及爸爸）对某种东西过敏，这种过敏症状就很容易遗传给宝宝。一些研究显示，患有过敏症的妈妈如果在孕期和哺乳期吃了很多容易引起过敏的食物（例如花生和乳制品），很容易使宝宝也对这些食物过敏。对于那些喜欢花生酱的女性来说，有一个相对好点的消息：这些研究的确定性还远远不够。然而，如果曾经有过敏现象，你一定要告诉医生或过敏症专家，进一步确定是否需要在孕期或哺乳期的饮食中限制某些高致敏食物。如果不必要，你就可以享受这些可爱的食物了。

己养的宠物突然出现了过敏反应，一定要确保家里有一处以上宠物不得入内的区域（特别是卧室）。

● 如今吸烟的人越来越少，供吸烟者吸烟的区域也越来越少，所以对烟雾的过敏比过去容易控制了。为缓解过敏现象，也为了宝宝的利益，一定要避免接触香烟、烟斗及雪茄的烟雾。

阴道分泌物

“在这段日子里，我的阴道分泌物变得稀薄而发白，这是不是意味着感染？”

孕中期，稀薄、乳状、有轻微气味的阴道分泌物是正常的。这时的阴道分泌物和月经前的分泌物类似。身体的这种变化是为了保护分娩通道不受感染，并保持健康的阴道菌群平衡。遗憾的是，为了达到这个重要目的，分泌物会将你的内裤弄得一塌糊涂。在娩出宝宝之前，阴道分泌物会越来越多。一些女性觉得垫上护垫更舒服。不要使用内置卫生棉条，这样做很容易给阴道带入很多有害病菌。

虽然过多的阴道分泌物可能会影响到你对美的追求，偶尔还可能让你感到恶心，但其实并不需要担心。保持阴部清洁、透气、干燥对其有一定帮助，但注意不要用水灌洗阴道，以免破坏阴道菌群平衡，并可能导致细菌感染（参考第 493 页）。想知道更多阴道感染的症状和相关知识，请翻到本书第 492 页。

血压升高

“我上次产检时发现血压高了一些，应该担心吗？”

放松点，担心只会使血压更高。一次检查中发现血压稍高并不需要担心。也许是来检查的路上碰上堵车，所以你有些紧张；也许因为你还有一大摞文件等着处理；也许只是因为紧张——担心自己增重不够或增重太多；也许是因为你有一些奇怪的症状想向医生汇报；也许是因为着急要听听宝宝的心跳；还可能是因为你不喜欢在医疗环境下量血压，那会使你紧张，导致所谓的“白大褂高血压”……一小时后，当你放松了，血压很可能完全恢复正常。为了确保血压测量数值不受紧张情绪影响，你可以在等待复查时做一些放松运动（参考第147页），最应该注意的是量血压的时候放松，想想可爱的宝宝。

即使复查时血压仍然偏高也不必焦虑，这种暂时性的高血压（有1%~2%的女性会在孕期出现暂时性妊娠期高血压）对身体完全无害，并会在分娩后很快消失。

大部分孕妇会在孕中期发现血压值轻微下降，那是因为血容量增加的关系。一旦进入孕晚期，血压又会略有升高。但如果升高过多（收缩压，也就是高压达到140mmHg以上；舒张压，也就是低压超过90mmHg），并持续两次以上这样的测量结果，医生就会更仔细地检查你的身体。如果这种显著的血压升高同时伴有蛋白尿，手、关节、面部水肿，体重突然增加，就有可能是先兆子痫（参考第538页）。

尿糖

“上一次做检查时，医生说我尿糖，又说不用担心。我感到很奇怪，这难道不是说明患了糖尿病吗？”

听医生的话，不要太担心。身体的变化也许只证实了一点：依赖你取得热量的宝宝获得了足够的葡萄糖。

人体分泌的胰岛素可以控制血糖浓度，并确保体细胞摄入足量的葡萄糖。怀孕激发了人体胰岛素抵抗机制，从而保证血液中能有足够的糖分提供给宝宝。这是一个理想的机制，但有时会运作得不够理想。如果胰岛素抵抗作用太强大，血液中的糖分就超出了妈妈和宝宝两个人的需要，也超出了肾脏能处理的极限，多余的糖分就会从尿液里“溢出”。所以，孕期尿液中“有糖”并不奇怪，尤其是孕中期胰岛素抵抗作用机制增强的时候。实际上，大约半数孕妇会在孕期的某些时候发现自己的尿液中有糖。

随着血糖升高，大多数孕妇体内的胰岛素会随之增加，所以通常在下次检查时就会发现血糖值降低了。你很可能属于这种情况。但有些孕妇，尤其是那些患糖尿病或可能患糖尿病的孕妇(因为家族病史、年龄或体重)，

注射流感疫苗

疾病预防控制中心建议，孕期处于流感多发季节（通常是每年10月到转年4月）的准妈妈，应该注射流感疫苗。这些疫苗不会影响宝宝，也不会给你带来副作用（最糟糕的情况只是短短几天的轻微发烧和乏力）。问问医生你能不能注射不含（或减量的）硫柳汞的疫苗。另外，孕妇不应该使用流感疫苗鼻腔喷雾，这种疫苗使用活疫苗制成，反而会引起轻微流感。

在血糖升高的同时可能无法产生足够的胰岛素来加以控制，或不能有效利用体内产生的胰岛素，所以血液和尿液中的糖浓度仍然很高。对于以前没患过糖尿病的人来说，这种情况就叫做妊娠期糖尿病（参考第537页）。

和其他孕妇一样，怀孕28周左右时，你需要接受血糖筛查，以检查是否有妊娠期糖尿病（高危孕妇可能会早一点检查）。千万不要因为尿中出现糖而胡思乱想。

贫血

“一个朋友怀孕时患了贫血，这种情况常见吗？”

缺铁性贫血在妊娠期非常常见，也很容易预防，医生有很多办法。在你第一次产检时，他就会进行贫血的相关检查，不过那时查出缺铁的可能性很低。原因在于之前规律的月经导致你丧失了大量的铁，但一旦月经停止，铁的储备量很快就补充上来了。

随着孕程的进展，你已经走了一半的路（大约20周左右），这时体内的血容量突然显著增加，生产更多红细胞所需的铁显得十分不足。幸运的是，想要补充铁储存量并有效预防贫血，只需吃几片铁剂（除了孕期维生素，还需要额外补充）就可以了，医生会从孕中期开始为你开具这种药物，也可以通过在饮食中增加高铁食物来解决这个问题（饮食能让你获得基本储备，铁剂和饮食结合起来就能满足需求）。为了更好地吸收铁，补铁的同时要多吃一些富含维生素C的食物（每天早晨喝橙汁比喝咖啡要好，咖啡会影响铁的吸收）。

胎动

“我还没感觉到胎动，是不是宝宝有什么问题？”

妊娠测试的阳性结果、早期超声检查、越来越大的肚子，甚至宝宝清晰可辨的心跳——都不如胎动给你的感觉更直接。

贫血的症状

轻度缺铁的孕妇很少有症状出现，但随着红细胞（具有携氧功能）数量进一步减少，贫血的孕妇会慢慢出现苍白、极度乏力、易疲劳、呼吸困难及头晕症状。贫血是营养先满足宝宝而使母体无法满足的情况之一，因为新生儿很少出现缺铁现象。

虽然不是所有孕妇都容易患上缺铁性贫血，但某些人确实风险更高，例如连续生了多个宝宝的孕妇、因为晨吐而进食困难的孕妇、孕期营养不足的孕妇（可能因为饮食不规律、质量不高等原因）。通过服用医生帮你开的补铁药物，可以预防（或缓解）贫血现象。

当你终于感觉到宝宝的胎动，就会确定他的存在。但极少有准妈妈（尤其是第一次怀孕的准妈妈）能在孕期第 4 个月就感觉到胎动。虽然宝宝在第 7 周末就已经开始活动，但这些小胳膊和小腿的动作要很晚才能被妈妈感觉到。第一次感觉到胎动可能在 14～26 周的任何时候，但是一般都在 18～22 周。当然，具体情况因人而异：怀过宝宝的女性可能会比第一次怀孕的女性早点感觉到胎动（一方面因为她预知了可能发生胎动的时机，另一方面也因为腹部和子宫肌肉更松弛，更容易感觉到宝宝的踢打）；较瘦的孕妇会很早感觉到宝宝微弱的活动，肥胖的孕妇直到宝宝变得非常强壮时才会感觉到胎动；胎盘位置也有一定影响，胎盘前壁会影响你的感受，一般要多等几周才能感受到胎动。

有时候你会因为预产期计算错误而难以适时感到胎动，还有时是因为没有辨认出胎动。早期的胎动经常被误以为是气体或消化道的蠕动。

早期胎动是什么感觉？这一点不太容易描述。可能最常见的形容就是颤动（类似你处于紧张状态时感到的蝴蝶拍翅膀似的轻颤）、痉挛、被胳膊肘轻推了一下，甚至是饥饿时肚子里咕噜的感觉。也许有时感觉类似冒泡泡，或是在游乐场坐过山车般上下翻动的感觉。不管具体感觉怎样，在你知道了这是胎动后，脸上都会浮现出幸福的微笑。

身材不再苗条

“在镜子里看见自己或站到体重秤上时，我都会感到绝望——怎么这么胖！”

当你发现自己长胖了，而且体重秤上的数字还在飙升时，一定会感到非常气馁——甚至有些绝望。但是你不应该产生这样的感觉。如果人的一生有一个阶段不应该和“瘦”字沾边，那就是妊娠期，孕期你应该努力增重。

另外，还有一个放任自己长胖的理由：宝宝和为他提供营养的组织正在你的体内生长着，这也会引起体重增加。

在许多人看来，孕妇内心很幸福，外表也很美丽。很多孕妇及她们的伴侣认为，怀孕时圆滚滚的身材最可爱，也是最有女人味的曲线。所以，不要再留恋过去那些骨感的日子了（你很快会恢复那种身材），拥抱新的美丽曲线，并学会品味身材越来越圆的魅力。不要害怕增加体重，只要你吃得好，不超过推荐的妊娠期增重范围，就没有理由觉得自己“胖”。增加的腰围是孕期带来的合理副产品，会在宝宝出生后很快减下去。

如果你已经超过了孕期增重范围，也不要绝望，绝望不会阻止你越来越胖（如果你属于典型的雌激素分泌过多的女性，绝望感很可能让你吃掉更多巧克力），你要做的是尽可能关注自己的饮食习惯。正确的做法不是停止增重（对于妊娠进程很危险），而是以正确的速度慢慢降低增重幅度。不能减少孕期饮食的基本需求，只是要注意更加高效地摄入营养（同样获得一份钙，一杯酸奶就比一盒冰激凌要好）。

注意饮食并不是保持靓丽外表的唯一方法，运动也有明显的效果，它可以保证你增加的部分体重合理地分布在应该分布的地方（肚子上多一点，腿和臀部上少一点）。另外，运动还可以改善心情（当运动使体内分泌更多的内啡肽时，你就不会再感到绝望了）。

孕期的拍照姿势

如果近来你一直在躲避相机（“别拍出来就像又长了5千克”），可以想出一个孕期专用拍照姿势。也许你不希望记住自己怀孕时的样子，但有一天，你的宝宝肯定想看看他的第一张照片。而且总有一天你也会想看。为了给他留下纪念，你可以每个月拍一张侧面照。为了获得更有保留价值的剪影，拍照时要穿紧身衣，并专门做一个孕期相册。如果有超声检查照片，也放在一起。

追逐时尚潮流也能让你更青睐穿衣镜。不要再穿那些紧绷绷的衣服了（衣服的扣子不断被撑开时你会更郁闷），选择一些漂亮、新颖的孕妇装，它们更适合你现在的身材，合理地修饰身材比试图掩饰更加有效。如果换一个利索的发型，改变一下日常的化妆技巧（巧妙的化妆能修饰孕期的圆脸，参考第153页），镜子里的自己也会越来越漂亮。

孕妇装

“原来宽松的牛仔裤怎么也穿不上，但我很害怕买孕妇装。”

和过去比起来现在的孕妇装时尚多了，只把罩衣或长罩衫作为孕妇装的日子已经一去不复返。现在的孕妇装不仅更好看、更实用，服装设计师还专门为准妈妈漂亮的肚子进行了得体的装饰设计。带着兴奋激动的心情去附近的孕妇装专卖店（或网上商店）转转吧，千万不要害怕。

购买孕妇装之前考虑以下几点：

- 你的腰围还在不断增长，所以不要一发现牛仔裤的扣子扣不上就开始疯狂购物。孕妇装很贵，它们能穿的时间非常短，所以最好等腰围变大的时候再买，并尽量按需购买（检查衣橱里面可穿的衣服，这样你购买时花的钱就会少很多）。虽然在试衣服时，你可以在衣服下面塞个枕头，从而方便挑选合适的尺码，但这样并不能预示之后你的肚子会长成什么样（高、低、大、小），以及何时这些新购置的衣服会变得不再舒适。

- 你不是只能穿孕妇装。只要合适，普通衣服也是不错的选择。穿已有的衣服，也是避免浪费钱财的最好方法。许多时装都适合在孕期穿，但不要在这样的衣服上花费过多——虽然你现在喜欢，但穿着这些衣服度过妊娠期后，对它们的兴趣就会大打折扣。在你把宝宝生下来之后，它们也许就不再合适了。

- 即使怀孕，也要秀出自己的风格。很多孕妇装专门用夸张的风格突出了孕妇最美丽的肚子，这样做也可以成功地修饰身体轮廓，让你看起来更苗条，不会太臃肿。还有一点：低腰牛仔裤等长裤会让你看起来腿更长。

- 不要忽略小饰品的魅力。一件设计得当的支撑性胸罩非常适合孕期的你。因为胸部变大，很可能外扩，所以不要在内衣特卖场流连忘返了，你必须去专柜找到真正适合的产品。运气好的话会遇到有经验的店员，她会告诉你胸部需要怎样调整，如何定型。但不要囤货——买两件胸罩就够了，一件穿，一件换洗。等到过一段时间，尺寸不合适要换新的时再去买。

去专门的孕妇内衣店其实不太必要，除非你喜欢穿高腰内裤。你会欣喜地发现自己可以打扮得更性感（穿上比基尼或性感小内裤）。你也可以购买普通的比基尼内裤，不过需要买比日常尺码更大些的，并且保证裤腰位于肚子下方，留下足够的呼吸空间。选择你最喜欢的颜色或性感的面料，这样可以给生活增添一分活力（一定要确保裆部是棉的）。

- 丈夫的衣柜是孕妇最好的选择，所有衣服都可以拿来试一试：大号T恤和普通尺码的男式衬衫很不错，还有比你自己的尺码大很多的运动裤、至少在怀孕前几个月适合你腰围的运动短裤、孔更多的腰带等。记住，不管爱人的块头有多大，等怀孕

即使块头变大，也要看起来更苗条

怀孕期间越“大”越漂亮，但这并不意味着你不应该想办法修饰自己的身材。通过选择合适的时尚搭配，你既可以突出肚子，还可以让外形看起来更苗条。下面是一些好办法：

考虑黑色衣服。还有海军蓝、巧克力棕或炭灰色。暗色系可以修饰臃肿的身体，让你看起来更苗条。T 恤和瑜伽服也不错。

考虑单色系。单色适合所有人——至少能让你看起来苗条一点。坚持全身穿单色服装（或相近色系）能拉长曲线，让你看起来更瘦。同色而浓淡不同的条形衣服会转移别人对你身材的关注，更注意衣服的颜色变化。

考虑竖条纹。这是时尚穿着中最经典的一个小戏法，的确很有道理且非常实用。随着身材变胖，选择竖条纹衣服可以从视觉上拉长你的体形，显得更苗条。相反，横条纹的衣服会从视觉上让你变得更宽。选择竖条纹、竖拉链、竖着剪裁及竖排纽扣的衣物。

突出重点。你的乳房现在可能会格外巨大，是迷人身材的一个重点。另外，对于需要掩盖的部位，注意不要暴露出来，例如肿胀的关节，你可以用舒适的靴子或紧身裤掩饰。

保持舒适。当你需要一些可以随着身材变胖、肚子变大而保持舒适的衣服，选购时就要注意质量上乘的产品——T 恤、毛衣、外套、裙子都是这样。挑选适合肩部大小的，衣服肩部过宽，会给人邋遢、臃肿的印象。也要注意不要选择过于紧身的衣物，随着你逐渐长胖，它们会越来越紧，看上去似乎要被撑开一样。毕竟，你绝对不想把自己打扮得像一个特大号香肠。

第 6 个月（甚至更早）时，你都可以穿上他的衣服。

● 可以借别人的衣服穿，也可以把自己的衣服借给别人穿。收下所有别人给你的旧孕妇装，哪怕有些不太符合你的穿衣风格。必要时，任何大号的衣服、套头衫或宽松的裤子都可以先穿上，再用小饰品将这些借来的衣服变成自己的风格。生完宝宝后，把自己买的孕妇装或一些产后不打算再穿的衣服提供给其他怀孕的朋友，这样孕妇装也会更有价值。

● 穿凉爽的衣服。让你感觉热的衣料（不透气的衣料，例如尼龙和其他人工合成的材料）不太适合怀孕时穿，因为新陈代谢速度比平时快，使你感觉更热。穿棉布衣服比较舒服。及膝或到大腿的长袜比连裤袜舒服，但不要穿太紧的长袜。浅色、带网洞、宽松的外衣都有助于你在暖和的天气里保持凉爽。天气变凉时，尽量多穿几层衣服，如果感觉热了或在室内时，可以脱下一些。

分娩前的恐慌

"现在肚子鼓起来了，怀孕的事实确定了。虽然我们做好了计划，但还是觉得有点害怕。"

看上去你似乎出现了一点分娩前的恐慌——如果你知道很多准父母都和你一样在孕期中的某一段出现这样的恐惧，也许会放松很多。即使最想当爸妈的准父母也会在怀孕成为事实后犹豫不决。这一点也不奇怪，一个从未见过面的小生命突然闯入你的生活，将一切弄得乱七八糟，向你提出了众多无法预期的要求——既有身体上的，也有精神上的。你习惯的生活的方方面面（从夜生活和饮食到多久做爱一次），都被这个还没有出生的宝宝改变了。如果你知道宝宝出生后变化会更大，本已很复杂的心情会雪上加霜，你也会变得更加焦虑。

你面临的这种矛盾心理不仅可以理解，更是十分常见、完全健康的。承认并面对这些情绪，在宝宝到来之前逐渐改变自己的一些生活习惯。最好的办法是在不满时直接发泄出来，对伴侣或已经升级为妈妈的朋友谈一谈（这可能让你获得全新的视角）。

不要怀疑，成为家长是人生经历的一次转变——换句话说，你的生活不可能一成不变。但就像父母告诉你的那样，人生的经历总是带来好的变化——甚至很可能是最好的变化。

不想听别人的意见

"现在别人看得出我怀孕了，每个人——从婆婆到电梯里的陌生人都给我提建议，这快把我逼疯了！"

你鼓着的肚子使每个人都想显示出自己"知识丰富"的样子。早晨到公园慢跑，肯定有人责备你："你现在这个样子不应该跑步！"从超市拖两袋食物回家，肯定会听到这样的话："你觉得应该拿这么重的包吗？"在冰激凌店要一大杯冰激凌，一定会有人大惊小怪地指出："亲爱的，怀孕时养出来的肥肉可不容易减下去！"

面对这些无偿提供的建议及不可避免的关于孩子性别的猜测，作为准妈妈的你该怎么做？记住，你听到的那些话也许大多没有意义。老奶奶们的理论如果有根据，早就已经被科学证实，成为正规医学的一部分了。

那些被老奶奶们牢牢记在脑海里的话和许多其他的“妊娠传说”，你可以充耳不闻。那些使你烦恼犹豫的建议最好由医生、助产士来鉴定。

可信也好，可笑也好，总之不必因为这些多余的建议生气。额外的焦虑对你和宝宝没有任何好处，你应该时刻保持好心情。对这些让你困扰的建议，可以采取以下两种方法：委婉地告诉这些好心的亲人、朋友或陌生人，你有一个值得信任的医生，他会为孕期出现的各种情况提供建议，你不会接受其他任何人的建议；或者，可以礼貌地说“谢谢”，然后继续做自己该做的事，对他们的话左耳进，右耳出，不要考虑太多。

但是不管你如何处理这些不想听的建议，都需要习惯它。如果人群中有一个人会引起大家的兴趣，并让他们纷纷提供各种建议，那一定是肚子里有个新生命的孕妇。

不想让别人摸肚子

“现在肚子显出来了，朋友、同事甚至陌生人都来摸一下，都不问我一声，让我很不舒服。”

圆圆的肚子很可爱，而且里面还有一个更可爱的小东西，所以孕妇的肚子会吸引人来摸一下。但这种行为并不合适，尤其在没有事先征得孕妇本人同意的情况下。

有的孕妇不在乎被别人这样摸肚子，有的孕妇还很愿意被别人摸。但如果你对这种不请自来的触摸感到不舒服，就要毫不犹豫地说“不”。你可以坦率地（也要礼貌地）说：“我知道你很想摸摸我的肚子，但希望你别这么做。”或者调皮地说：“请不要摸它，宝宝在睡觉！”这可以劝阻周围人的行为。你也可以轻轻转过身子，闪在一边，让他们意识到自己在摸别人肚子之前需要得到允许。你也可以以行动拒绝，而不发一语：双臂交叉保护住肚子，或者在有人想摸你的肚子时将她的手挪到别的地方（比如她自己的肚子上）。

健忘

“上周我没带钱包就出门了，今天早上又把一个重要的会议忘得干干净净。我的注意力不集中，觉得自己把脑子忘在某个地方了。”

你已经加入了“健忘大军”，许多孕妇都会有这样的感觉：随着体重增长，脑细胞好像在减少。即使是一向为自己的组织能力、处理复杂问题的能力，保持镇定的能力颇感自豪的女强人，也会突然发现自己忘记约会，不能集中精神，不再处事冷静。这个问题的根源在于大脑。研究发现，孕期的女性脑细胞总量的确会下降。另外，因为某些不明的原因，怀女宝宝的孕妇会比怀男宝宝的孕妇更健忘。幸运的是，这种“妊娠期大脑混乱综合征”只是暂时的，分娩后你的脑细胞会很快恢复正常。

和其他大量症状类似，健忘也是孕期激素变化造成的。另外，失眠也对健忘有重大影响（睡得越少，能记住的事情越少）——你的精力越来越少，而大脑却需要持续的能量。当然，注意力不集中本身也是造成问题的原因之一：准妈妈的脑子已经负担过重，每天大脑都在高速运转，考虑育儿室应该装修成什么样子，给宝宝起什么名字，等等。

因为这种健忘而感到压力只会让情况更糟糕，因为压力也会引起健忘。要意识到这是正常的现象，甚至可以带着幽默的情绪接受它，这有助于症状缓解——至少能让你感觉好一点。现在的你做事不可能像以前那样有效率，所以不管在家还是上班，写一个清单可以帮助理清混乱的思维，也可以通过手机、电脑记录一些重要事件（参加哪些会议，在爸爸生日的时候给他打电话）。用便笺记录一些重要事件，贴在显眼的地方（贴在门上提醒你出门别忘了带钥匙），也会有一定帮助。

虽然银杏有提高记忆力的作用，但通常认为孕期食用银杏并不安全，所以千万不要考虑求助于中药等办法来提高孕期记忆力。

你最好习惯目前这种低效的工作状态。健忘会持续到宝宝出生后的前几天（那时是由于疲劳，不是由于激素），而且可能直到宝宝夜里睡觉了，情况才会有所改变。

孕期运动

你是否感觉浑身疼痛，背痛到无法入眠，关节肿胀，胀气严重，每天不断放屁，怀孕的你期望的就是找到一些减轻疼痛和孕期不适的办法。

事实上，的确有一些不错的办法。而且每天只需 30 分钟，这就是运动。

孕期不是不能运动吗？现在不再像以前了。美国妇产科医师学会对于专业健身教练的官方指导手册前言里指出：正常怀孕的女性每天应该接受 30 分钟以上的非剧烈运动——当然，如果你只喜欢坐在沙发上看电视，这可能不是什么好消息。

越来越多的女性接受了这个建议，每天都规律地健身运动，有时甚至忽视医生亮出的红牌。不管你本就热爱运动，还是喜欢天天赖在沙发上，下面这些关于运动的知识都应该了解一下。

运动的好处

通过规律运动能让你获得什么

好处？

● 充沛的体力。听起来似乎不太合乎情理，但有时候休息太多反而会让你更疲倦。当你需要一些精力支撑时，运动一下能产生足够的能量。

● 提高睡眠质量。很多孕妇都出现了入睡困难（更不用说保持良好的持续睡眠状态了），但那些坚持运动的孕妇发现自己睡眠良好，一觉醒来觉得睡眠充足。

● 健康。运动可以预防妊娠期糖尿病——一种在孕妇中发病率渐渐升高的疾病。

● 改善心情。运动可以引起大脑释放内啡肽，这种化学物质可以改善情绪、消除压力和焦虑。

● 舒缓背部。有一系列运动可以帮助你减轻背痛。背痛是困扰很多孕妇的常见问题，做一些不牵扯肚子的运动就可以缓解背痛和压力。

● 缓解肌肉紧张。伸展运动非常有利于身体健康——尤其是怀孕的身体。孕妇的腿部（及其他部位）很容易抽筋，伸展运动可以帮助你消除肌肉紧张。另外，即使每天都必须坐着工作，你也可以随时随地进行伸展运动，可能不用出汗就感觉好多了。

● 激活肠道。活跃的身体也会有活跃的肠道。哪怕只散步 10 分钟也会让便秘情况改善很多。

● 有利分娩。虽然妊娠期运动不能保证顺利分娩，但常运动的准妈妈产程进展更快，在分娩过程中需要辅助性介入手段的可能性更小（包括剖宫产）。

● 加快产后恢复进程。孕期锻炼得越多，生育后体力恢复速度越快（你也将更快穿上怀孕前的牛仔裤）。

宝宝将从运动中获得什么呢？太多了。研究者发现，常运动的准妈妈可以刺激宝宝心率加快、血液含氧量升高。孕妇运动过程中感受的声音、震动等刺激也可以刺激宝宝的发育。坚持在孕期运动，宝宝可以得到更多好处：

● 更健康。孕期运动的女性的宝

凯格尔运动

如果你在孕期只想做一项运动，就选择这项吧！凯格尔运动可以增强你的盆底肌强度（也就是控制小便、宫缩及肛门括约肌的肌肉群）。凯格尔运动的一大好处就是可以帮助你预防小便失禁。小便失禁（及大便失禁）常发生于孕晚期和产后，不仅让你不舒服，也是一件很尴尬的事。另外，凯格尔运动还能帮助你的盆底肌为分娩做好准备，避免阴道侧切和外阴撕裂的痛苦。最后，这项运动还可以让你的盆底肌更强壮，产后性生活更幸福。想了解凯格尔运动的更多细节，以及它如何增强肌肉能力，参考第 293 页。

努力运动

谈到孕期的运动，你应该保持一天活动30分钟，如果这让你望而却步，记住，一天中3次10分钟的散步和在跑步机上跑30分钟一样对你有好处。即使是运动量不大的活动，例如用吸尘器打扫房间15分钟，做15分钟轻松的园艺工作，也能帮你完成每天的运动计划。

仍然不确定自己是否有时间运动？可以将运动当做日常生活的一部分——就像刷牙和上班一样自然，把它纳入你的日程安排中。

如果你忙得没时间去健身房，就在日常活动中找机会锻炼：坐公交车上班时提前两站下车，走到办公室。开车去商场购物时把车停得远一点，可以多走几步。走路去买饭而不是叫外卖。爬楼梯而不要坐电梯。乘坐自动扶梯时走上去而不是站着不动。去离办公室最远的那个卫生间而不是对面那个。

如果你有时间却缺少动力，参加孕期健身班（同伴们的友谊可以鼓励你）或是和朋友一起运动（组织一个“中午散步俱乐部”或周末吃早餐前来趟远足）。要灵活调整自己的计划——厌倦跑步时试试做孕期瑜伽，不想骑健身自行车就去游泳（或练习水中健身操）。也可以买孕期健身DVD来帮自己寻找运动的乐趣。

当然，肯定有些日子你疲倦得只想把腿跷到咖啡桌上去（尤其是容易疲劳的孕早期和孕晚期），根本不想动。但是，现在是最好的运动时机，你有充分的理由让自己动起来。

宝会拥有更健康的出生体重，更好地度过分娩过程（受到产道的压力更小），出生后也能更快从压力中恢复。

● 更聪明。不管你信不信，研究证明爱运动的孕妇生下的宝宝，在5岁时接受智商测试能得到的分数更高。

● 更容易照顾。爱运动的孕妇生下的宝宝在夜晚入睡很快，不容易患肠痉挛，自我调节能力也更强。

以正确的方式运动

现在你的身体可能不再适合原来的运动服，也不适合一些常规运动项目。现在你更需要双重保险，确定自己选择的运动是安全的。不管你是体操迷，还是喜欢在阳光下散步，都要注意以下要点：

先征求医生的意见。在你系上运动鞋鞋带、参加有氧健身班之前，要

巧妙锻炼

想带着宝宝运动？记住下面的要点：

● 运动前喝水。为了避免脱水，一定要在运动前足量饮水——即使不渴也要喝下去（等到觉得渴就太晚了）。运动之后也要喝点水，补充出汗丧失的部分液体。

● 吃些零食。少量的零食能在运动过程中给你提供持续的能量，特别是在消耗大量热量的情况下，更应该吃些提供能量的零食。

● 保持凉爽通风。孕妇应该避免去那些运动后体温会升高 1.5℃ 以上的环境（这意味着子宫的供血量将会减少，因为血液会分流到皮肤去帮助散热）。远离桑拿室、热盆浴，在闷热、潮湿的天气里不要参加户外运动，室内运动也不能选择不通风、闷热的环境（不能做高温瑜伽）。如果你经常去户外散步，气温升高时可以改去有空调的商场。

● 穿上运动服。运动时保持凉爽，也需要你选择宽松、透气、活动范围大的衣服。要挑选支撑性好的胸罩，尺码大于平时穿的，并要注意不要妨碍到运动（运动型胸罩是最好的选择）。

● 注意双脚。如果你的运动鞋已经穿了很久，赶紧换一双新的，防止运动过程中受伤或摔倒。另外，要确保挑选的运动鞋是专门为你进行的运动项目设计的。

● 选择合适的地板。对于室内运动，木地板或覆盖地毯的地面比水泥地面更适合你（如果地面很滑，注意不要只穿着袜子或赤脚运动）。对于户外运动，柔软的跑道或草坪、有土的地面会比表面坚硬的道路更好，平坦的地面比不平坦的要好。

● 远离斜坡。日益变大的肚子会影响你的平衡感，美国妇产科医师学会建议女性在妊娠中后期的运动中避免高风险、容易摔倒或伤及腹部的运动，包括体操、滑雪、滑冰、激烈的球拍类运动（就算要参加，也选择双打，不要单打）、骑马、骑自行车及一些竞技类运动，例如冰球、橄榄球、篮球（参考第 228 页了解更多）。

● 不要在海拔高的地方运动。除非你生活在高原地带，否则不要去海拔 1800 米以上的地方活动。另外，避免参加潜水运动，它很容易引起减压病。如果非常想潜水，就等到你体内的小乘客出生以后。

● 避免平躺着运动。在怀孕第 4 个月之后，不要平躺着运动。增大的子宫可能会压迫大血管，影响血液循环。

● 远离危险运动。孕期任何时候，绷直脚趾头都容易造成小腿痉挛。仰卧起坐或抬腿这样的运动也不太适合孕期进行。同样，还应该避免需要弯腰及其他扭转腰部的动作，以及关节屈伸的动作（比如深屈膝）、跳跃动作、体位突然变化的动作，以及速度快的剧烈运动。

先征求医生的同意。医生很可能同意你做运动，但如果你患有任何疾病或妊娠期并发症，他就会限制你的运动项目，或完全禁止你参加运动。对于妊娠期糖尿病患者，医生甚至会建议你尽量少活动。确保你很清楚哪些运动适合自己。如果健康状况良好，医生很可能鼓励你继续采用以前的健身课程表，直到你觉得身体不能胜任后才需要作出改变。

尊重身体的变化。你应该预料到，随着身体的变化，能够参与的运动项目也需要更改。例如，随着平衡感下降，运动时你需要注意慢一点，不要摔倒（尤其是你看不到自己的双脚之后）。也可以考虑换一些运动项目，不一定要执著于曾经习惯的常规运动。比如，你每天坚持散步，但随着孕程发展，发现自己臀部和膝盖的压力越来越大，关节韧带开始松弛，这时就要考虑更换成其他运动。你也需要适应自己的身体，在孕中期和孕晚期避免需要平躺或站立太久的活动，比如瑜伽和太极拳中的一些动作，会限制血液流动。

循序渐进，缓慢开始。如果你是运动新手，一定要慢慢开始做运动。你很有可能一时兴起，第一个早上就跑了 3 千米，第一次运动的下午就参加了两节训练课。这种热情会使你在运动后感觉不到健康舒适，只会觉得全身酸痛无力，从此放弃运动计划。第一天开始运动时，进行 10 分钟的热身，5 分钟强度稍大的运动（如果感觉劳累，要立刻结束，进入下一阶段），5 分钟缓和的结束运动。一段日子之后，如果你的身体很好地适应了运动节奏，可以每次在强度较大的运动阶段增加 5 分钟运动量，直到总运动时间达到 30 分钟或更长。不过，一切以自己的身体舒适为准。

如果你本来就是运动员，记住孕期并不适合保持原有的锻炼水平，更不要妄想在这个阶段提高强度（宝宝生下来之后，你可以开始全新的个人锻炼计划）。

运动需要舒缓的开端。当你满腔热情想要锻炼时，一定会觉得热身运动又臭又长。但就像每一个运动员熟知的那样，对于所有运动项目来说，热身都至关重要，它能保证心血管循环系统不会突然间耗尽能量，并降低损伤的可能——关节和肌肉在温度低的情况下及孕期更容易受损。所以，在跑步之前要先走一走；在游泳池里来回快速游动之前，要保证你已经慢慢地游了一段时间，或在泳池边慢跑了一阵。

运动需要缓和的结束。从逻辑上来说，运动后停下来休息，似乎没什么不合理，但从生理学角度上来说却不是这样。突然停止运动会让血液聚集在肌肉里，减少了身体其他部位和宝宝的血液供应，很可能造成头晕、心率加快、恶心等不良结果。所以，应该以缓和的运动作为结束：跑步后再走5分钟，高强度地游泳之后在水里缓慢地游一会儿。大部分运动完成后都可以轻柔地做一些伸展运动，再以几分钟的全身放松画上一个完美的句号。在地面上运动后慢慢坐起来或站起来能够有效避免眩晕（及随之可能的摔倒）。

控制时间。运动过少没有作用，运动过多又使人虚弱。一个完整的锻炼过程应该从热身运动开始直到放松运动结束，控制在30～60分钟。整个运动过程中，一直保持适当的力度即可。

分阶段完成锻炼计划。如果在一天中找不到完整的30分钟进行锻炼，可以把运动计划分成2部分、3部分，甚至4部分进行。这种套餐式运动计划不仅更容易让你保证30分钟的运动，还能更加有效地锻炼肌肉。

重在坚持。三天打鱼两天晒网的锻炼不会让你获得想要的身材，坚持规律的锻炼很有效。如果你觉得太累了而无法再承受剧烈的运动，不要强迫自己。但是你应该坚持热身运动，以保持肌肉灵活，锻炼自我控制能力。很多女性发现她们在坚持运动后感觉更好。重点在于每天都锻炼，而不是每天完成所有项目。

补充运动中消耗的热量。也许你会发现，孕期每天运动带来的最大乐趣就是吃东西。对于中等强度的运动来说，平均每半小时就会消耗150～200

再多运动30分钟?

多运动一会儿好不好？视情况而定。如果你雄心勃勃，体质也的确很适合运动，医生可能会给你亮绿灯。只要注意身体状况，可能持续运动1个小时以上都是安全的。怀孕后会比怀孕前容易疲劳，身体也容易受伤，出现各种问题。例如，运动前没有补充足量液体容易脱水，如果长时间呼吸短促的话宝宝容易缺氧。在马拉松式的运动过程中消耗了大量热量，你需要再从饮食中补充回来，所以一定要确保补给营养的方式正确合理。

肩部和腿部伸展运动

● 肩部伸展运动。这项运动可以帮你缓解肩部压力（对于每天在电脑前工作的人更有效）。试着简单运动一下：两脚分开与肩同宽，膝盖微弯，将左臂抬向胸前，保持略微弯曲的状态。伸出右手放在左肘上，呼气的同时慢慢将左臂向右侧推。保持这种伸展状态5～10秒，换另一侧。

● 站立时伸展腿部。这项简单的伸展运动可以让腿部获得休息：抓住厨房操作台台面、结实的椅背或其他坚固的物体作为支撑，站直。弯曲右膝，让右脚尽量靠近右侧臀部。用右手抓住右脚，使其进一步靠近臀部，将右侧大腿向后伸展，保持背部挺直。该伸展姿势保持10～30秒，换左腿。

卡的热量。如果你觉得自己在运动后补充的热量足够多，但体重还是不增加，可能就是因为运动过量了。

补充运动中消耗的液体。对于中等强度的运动来说，平均每运动半个小时，就需要至少喝一杯水才能补充消耗的水分。如果天气较热，运动中出汗较多，所需补充的水分更多：运动前、运动中、运动后都要喝水，但每次喝水最好不要超过500毫升。开始运动前30～45分钟饮水是个不错的主意。

选择适合的小组。如果你喜欢参与到小组中和大家一起运动，可以报名参加那些专门为孕妇设计的课程（报名前先打听清楚授课老师的资质）。对一些女性来说，健身班比独自运动更合适（特别是那些自律能力较差的女性），还能提供更多支持和反馈。最好是提供中等运动量的课程，一般每周上课3次左右，教练要了解每个学员的能力，课程团队中配有医生和运动专家，随时解决问题。

当成一项娱乐。对于任何锻炼计划，不论是小组练习还是个人练习，你肯定希望过程充满乐趣而不是充满折磨，每天都期待运动，而不是害怕运动。如果选择自己喜欢的运动项目，就更容易坚持下去——不管是你缺乏精力的日子，还是感觉自己像一辆越

单峰骆驼式

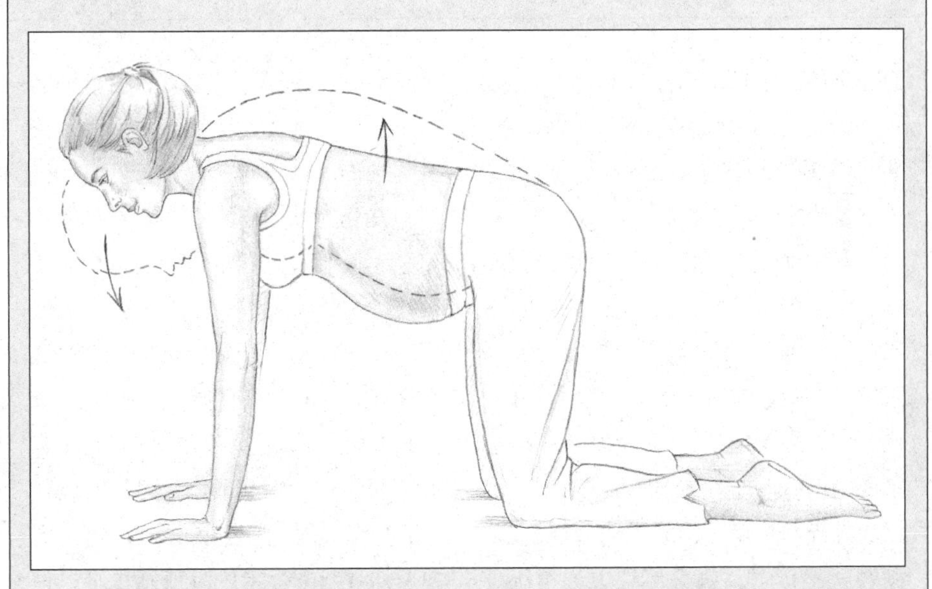

缓解背部压力的好办法之一：双手双膝着地，放松背部，头部向前伸，脖子与脊柱保持在一条直线上，然后弓起背部——你会感觉自己的背部和臀部肌肉紧绷。头轻轻垂下，然后慢慢回到最初的姿势。反复几次，每天尽可能重复练习几次，如果你在工作中需要久站和久坐时更要如此。

放松颈部

这项练习可以帮助你减轻颈部压力。在有支撑力的椅子上坐直，闭上眼睛，深呼吸，然后轻轻将头偏向一侧，并将它慢慢放在肩膀上。不要耸起肩膀碰头，也不要强迫头贴近肩膀。坚持3~6秒，换到另一侧。重复练习3~4次。慢慢将头前倾、让下巴轻轻触碰胸前。转动头部，让脸颊接触右侧肩膀（同样，不要过于勉强，也不要把肩膀转过来接触脸），坚持3~6秒，换另一侧。每天最好练习3~4组。

野车般跃跃欲试的日子。和朋友一起运动，也有助于长期坚持。所以，不要再约朋友去咖啡厅或甜品店了，约她去散步吧！

量力而为。永远不要运动到极限。下面的一些办法可以让你检查自己是否运动过度。首先，如果运动中感觉自己状态良好，运动程度可能刚刚好。如果身体某个部位感觉疼痛或紧绷，就说明运动过量。皮肤表面渗出少许汗水可以，但如果衣服被汗水湿透就不行了。如果出现上述情况，就不应该再坚持。运动过程中，最好感觉自己的呼吸稍微变得沉重，但不要运动到上气不接下气，无法流畅说话、唱歌或吹口哨的程度。如果运动结束后不得不小睡一会儿，就说明运动过量了。运动结束后，要以感觉兴奋为标准，而不是感觉辛苦。

知道何时停止。身体会向你发出信号："嘿，我累了！"及时地发现这个信号，然后下场休息。如果出现以下这些更严重的信号，需要联系医生：任何部位的疼痛（臀部、背部、骨盆、胸腔、头部等）；运动过后出现严重的痉挛或剧烈疼痛持续存在；出现宫缩；头昏眼花；心跳快；严重呼吸不畅；行走困难或感觉难以控制肌肉；突然头痛；手、脚、脚踝及脸部水肿加重；羊水渗漏或阴道出血；28周以后，发现胎动次数减少甚至消失。

在孕中期和孕晚期，你会发现自己的运动实力和效率有所下降。这是正常的，也是另一个需要减少运动量的信号。

孕晚期逐渐减少运动。大多数孕妇发现她们在孕晚期，特别是第 9 个月，会不由自主地想偷懒。一般来说，这个时候，进行一些日常的伸展运动，轻快地散步或在水里玩一小会儿就足够了。如果你依然觉得自己精力充沛，可以胜任更有活力的运动，医生可能会同意你参加能胜任的日常运动，并一直持续到分娩。不过切记，一定要先咨询医生的意见。

即使不运动，也不要久坐。如果长时间坐着不活动，血液就会在腿部淤积，使脚肿起来，还会引起其他问题。如果工作需要久坐，或是你想连续看几小时电视，或经常在汽车、火车、飞机上长途旅行，一定要每隔 1 小时起来走动 5～10 分钟。坐着时，也要定时做一些促进血液循环的运动，比如深呼吸、伸展小腿、活动双脚、扭动脚趾。也可以试着收缩腹部和臀部的肌肉（坐着的“骨盆倾斜运动”）。如果手经常肿，就定时向上伸开手臂，握拳再松开，反复几次。

骨盆倾斜运动

每天练习这项简单的小运动可以帮你改善体形、加强腹肌、减轻背痛，为分娩做准备。

靠墙站立，放松脊柱。吸气，并用腰背部抵住墙面，呼气；反复做几次。这种运动也可以减轻坐骨神经痛。另外，保持背部平直的同时，前后摆动骨盆——跪着、双膝双手着地或站着时练习都可以。每天多做几次骨盆倾斜运动，每次持续 5 分钟。

胸前弯举运动

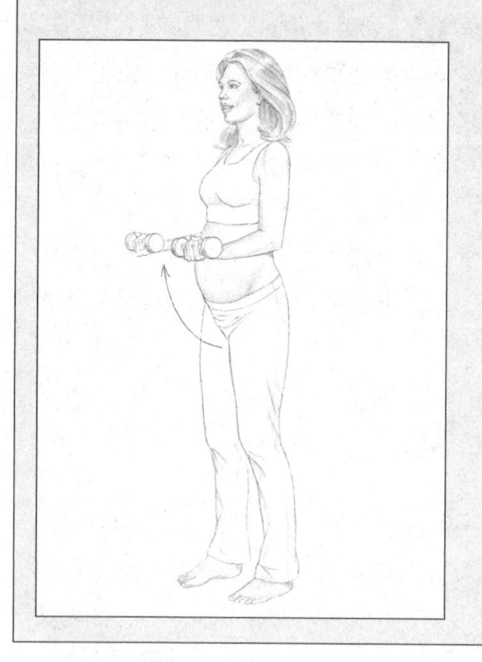

找一对轻的物品作为道具（新手选择 1.5～2.5 千克重的就可以，千万不要选择超过 5.5 千克的物体），用双手握住。双脚分开，与肩同宽，站直。注意膝盖不要绷太直。夹紧肘部、挺胸。弯曲手肘，慢慢举起两侧的物体，并保持手臂处于身体前方（保持正常均匀的呼吸），到上臂与地面平行后即可停止。慢慢放下手臂，重复一次这个动作。反复练习 8～10 次，觉得累了先适当休息。你会感觉自己的肌肉在燃烧，但千万不要紧张或屏住呼吸。

选择合适的锻炼方式

虽然孕期不是学习滑水或参加跳马比赛的时候，你还是可以享受大部分的锻炼项目，也可以使用健身房里的大部分器械。有很多健身课程专为孕期女性设计（例如，孕期水中有氧体操和孕期瑜伽）。但也要确保医生同意，并记得问问医生选择运动项目时有什么注意事项。你可能会发现绝大多数不能参加的运动项目其实在怀孕时不方便做。下面是一些孕期运动的宜忌事项：

散步。基本上人人都可以参加，所以你可以放心，随时、随地都可以散步。没有什么活动比散步更适合你繁忙的日程安排了（每天计算运动量时，需要把每一段路程都算进去，比如去超市时走了两站路，遛狗时走了 10 分钟等）。而且你可以坚持这项运动一直到分娩（即使到了分娩那天，如果想要宫缩来得更快，也可以走一走）。最好的是，这项运动不需要任何辅助器械，也不需要花钱报任何健身班。你需要的仅是一双舒适的运动鞋和一件透气性良好的衣服。如果刚刚开始坚持每天走路锻炼，要注意开始阶段慢一些（开始时慢慢走，然后选择更加轻快的步伐）。需要一点属于自己的时间？一个人走路可以让自

抬腿运动

抬腿运动可以利用自身的体重锻炼大腿肌肉。面朝左侧躺下，肩部、臀部和膝盖成一条直线。右手放在胸前的地板上，左手撑起头部，放松并吸气。呼气的时候缓缓抬高右腿。尽可能抬到最高处，吸气并将腿缓慢放下。重复做10次，然后换另一边重复10次。伸直腿或弯曲膝盖都可以。

己安静一下。但如果希望有人陪你走，和爱人、朋友或同事一起散步吧，甚至还可以加入一个“走路俱乐部”（早上和邻居一起，午餐时和同事一起）。如果天气不好，就到商场里走吧。

慢跑。经验丰富的跑步爱好者可以在孕期继续坚持慢跑——但可能需要限制距离，对地面环境也有要求，或者你只能在跑步机上跑。记住，妊娠期韧带和关节松弛会使得跑步时膝盖用力更加困难，也让你更容易受伤，所以一定要小心不要运动过度。

运动器械。跑步机、健身车在孕期可以安全使用。把这些器械的速度、倾斜度及紧张度调节到舒适的水平（如果你是新手，刚开始要放慢速度）。到孕晚期，你会发现器械运动有些过于激烈。在看不到自己的脚之后，要更加注意别被器械绊倒。

有氧健身操。经验丰富、体质出色的准妈妈可以继续参加一些有氧舞蹈和有氧健身操的课程。不过需要把运动强度调整得温和一些，并记住千万不要让自己感觉到疲惫。如果你是初学者，可以选择慢节奏的有氧健身操或考虑水中健身操，后者非常适合妊娠期女性。

踏板操。只要你现在身体情况良好，身材不影响运动，而且在踏板操方面经验丰富，孕期可以继续这项运动。但要记住，妊娠期你的关节更容易受伤，所以在开始运动之前一定要做好热身的伸展运动，不要运动过度。另外，不要进行远离地面的运动。随着肚子变大，你要避免参加那些需要很好的平衡能力才能胜任的运动。

跆拳道。跆拳道对运动者的冷静和速度要求很高——这两者都是孕妇欠缺的。很多怀孕的跆拳道运动员发现她们踢得不够高、移动速度不够快。但如果这项运动的确让你感觉很舒服，你又很有经验，可以继续坚持，新手就不要尝试了。当然，还是要避免一些难以完成及费力的动作。确保自己和其他跆拳道运动员有一定距离：与周围人保持两腿长的距离比较合适。另外，也要确保健身班里其他人都知道你怀孕了，或选择专门的孕妇健身班。

游泳和水中运动。现在的你也许不太想钻进小小的比基尼里去，但考虑一下：在水里，你的体重只有陆地上的1/10，想想看，最近这段日子里，还有什么时候能比这时感觉身体更轻盈呢？更重要的是，很多孕妇都发现水中运动可以帮助缓解腿部、足部水肿和坐骨神经痛。很多带有游泳池的健身中心都开设了水中有氧健身课，还有很多专门开设了为孕妇设计的课程。不过要小心别在游泳池里滑倒，也不要潜水。另外，要坚持在用氯消过毒的游泳池里运动。

户外运动（登山、露营、溜冰、骑自行车、滑雪）。孕期不适合开始

双臂伸展

双腿交叉坐下，伸展双臂，这可以帮助你放松，了解自己的身体（对自己的身体越熟悉，分娩的时候越容易）。坐下时尝试不同的伸展姿势——试着把双手放在肩膀上，然后向上抬起超过头顶。你也可以两只手臂交替伸展，或者靠一只手支撑身体，另一只手向上伸展（注意不要突然抬起手臂，而是要慢慢抬高）。

活动臀屈肌

臀屈肌是控制你抬起膝盖和弯腰的肌肉。周期性地伸展这些肌肉，可以让身体更灵巧，分娩时腿部打开幅度更大，更有利于宝宝娩出。你可以站在一组台阶下，一条腿屈膝放在第一级或第二级台阶上，以感觉舒适为准；下面一条腿保持膝盖伸直，脚后跟贴着地面，就像你要开始上楼梯一样（需要的话，可以用一只手抓住扶手）。保持背部挺直，身体前倾，加大前一条腿的弯曲幅度，你可以感受到后一条腿的肌肉伸展。两腿交替重复练习。

任何新的运动项目，尤其是那些挑战孕妇平衡性的运动。但有经验的运动员可以继续她们习惯的运动（在医生同意的情况下，并且要特别小心）。登山时，要避免走不平坦的路（尤其是孕晚期，你几乎看不到路面了），避免去海拔过高的地方，避免太滑的路面。骑自行车时，一定要格外小心，记得戴上头盔；不要在潮湿、蜿蜒崎岖的路面上骑车，现在稳定的慢速骑车会让你获益更多。对于滑冰来讲，如果经验足够丰富且动作小心，你可以试一试。孕晚期，你可能会在平衡能力上出现很大问题，所以一旦发现自己以往的优雅姿态变成了笨手笨脚,就应该立即停止这项运动。同理，滑雪和骑马也一样，即使你多年前就达到了最高级别，也应该注意避免滑雪或滑雪板运动，这些运动造成严重摔伤的风险极高。不管是哪种户外活动，确保自己不要运动到筋疲力尽。

举重训练。提举重物可以帮助你锻炼肌肉，但很重要的一点是：你必须避免过重的物体，以及需要憋气的训练，这些训练会影响子宫的血液供应。选择轻一点的重物，可以多做几次练习。

瑜伽。瑜伽强调放松、集中注意

下蹲式

这个小练习可以强化并调节大腿肌肉，对那些打算采用下蹲式分娩姿势的女性特别有帮助。首先，双脚分开与肩同宽，站直，保持背部挺直，慢慢弯曲膝盖，感觉自己的身体慢慢下降，蹲下的程度以感觉舒服为准。如果做不到，可以试着把两脚再分开一些。保持下蹲姿势10～30秒，然后慢慢回到站立姿势。反复练习5次。（注意避免突然前倾和膝关节弯曲程度过大，这样很容易造成关节损伤。）

力，而且格外关注呼吸——是孕期的理想选择，同时还能为分娩、哺乳做好准备。瑜伽可以提高对宝宝的氧气供应，加强你的灵活性，使得分娩更容易。选择孕妇瑜伽班，或向私人教练请教是否可以修改个别动作使得孕期练习更安全。比如，怀孕第4个月后不能平躺着做运动，重心也随着妊娠变化了，所以需要相应调整你最喜欢的动作。特别需要小心的是:远离高温瑜伽。它需要在高温房间内进行（温度一般能达到32℃～37℃），还要拒绝任何会引起你体温升高的运动项目。

普拉提。普拉提是一种类似瑜伽的运动，不需要过多训练，可以提高人体的灵活性和力量，改善肌肉形状。其重点在于它可以从内而外地提高力量，塑造身材，减轻背痛。参加一个孕妇健身班，或告诉教练你怀孕了，这样可以避免一些不利于孕期的动作(包括那些拉伸程度过大的动作)。

太极拳。作为一种古老的运动，太极的基础动作非常舒缓，即使身体最僵硬的人也可以通过它来放松并加强身体素质，并且没有受伤的风险。如果你很喜欢打太极，而且经验丰富，完全可以在孕期继续这项运动。找一些专门为孕妇开设的健身班，或只做一些容易完成的动作——要格外小心那些对平衡能力要求高的动作。

呼吸练习。不管你相信与否，连呼吸练习这样的运动，你都应该获得医生的批准——至少，你需要以正确的方式呼吸。深呼吸可以放松身心，

扭腰运动

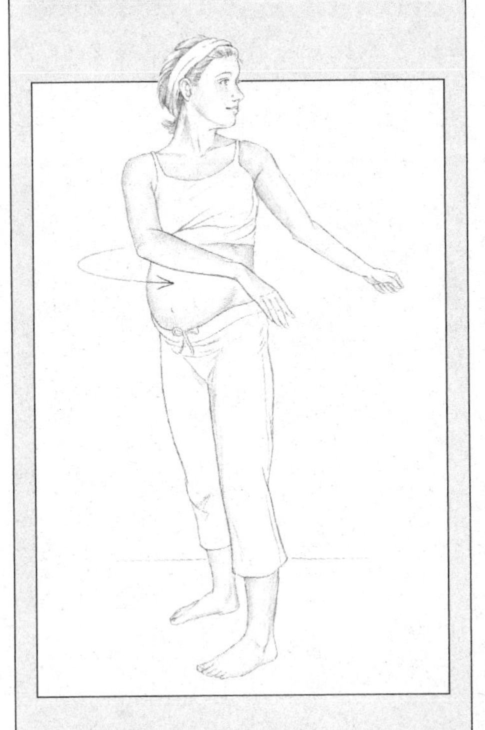

如果你觉得自己坐得太久，感觉浑身肌肉紧张不适，试试这个促进血液循环的简单练习。轻柔地转动腰部，慢慢地从一侧转到另一侧。保持背部挺直，放松双臂。不方便站起来？你可以坐着进行这项运动。

与胸腔的浅呼吸动作（大部分人这样呼吸）相比，它可以提高身体意识，摄入更多氧气。下面是深呼吸的方法：坐直，将双手放在肚子上，感受呼吸时的肚子起伏变化，用鼻子吸气，从嘴巴呼出。通过数数进一步将注意力集中在呼吸上：吸气时，数到 4；呼气时，数到 6。每天都花些时间集中注意力练习深呼吸。

如果不做运动

总体来说，孕期做运动对你确实很有好处。但在某些情况下，遵照医嘱或不运动也不会有太大伤害。事实上，如果医生不允许你运动，这种放弃是对你和宝宝的一种负责态度。如果你曾经在怀孕 3 个月以后出现过流产或早产，或有子宫颈松弛、孕中期和孕晚期出血、心脏病、前置胎盘的情况，医生肯定会禁止你做运动。多胎妊娠、有妊娠期高血压(先兆子痫)、甲状腺疾病、贫血或其他血液疾病、胎儿发育不良、体重偏低或偏高，以及一直以来都不运动的人，医生也会限制运动。如果你曾经有过急产或以前怀的宝宝都不太健壮，医生也会对你的锻炼计划亮红灯。在一些情况下，当其他运动都被列为禁忌时，一些只活动手臂的运动和专为孕妇设计的水中运动是安全的，可以和医生谈谈。

床上活动

医生要求你卧床休息？即使这样，你也应该尽可能找机会活动肌肉，还要明白这样做非常重要（参考第 560 页）。

扩胸运动

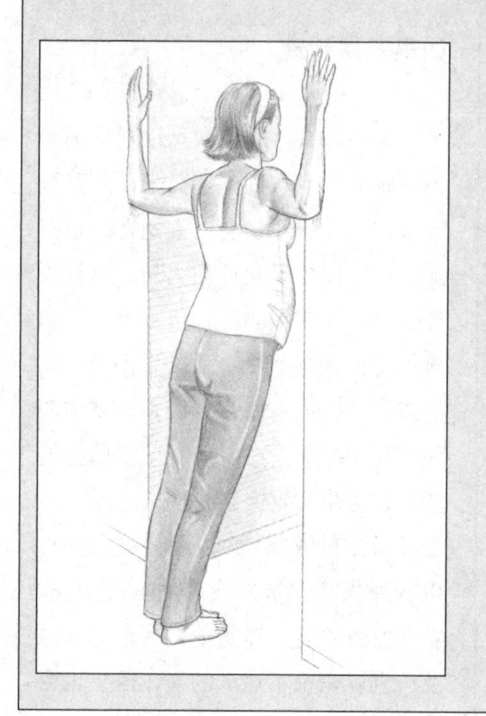

怀孕改变了你的体形和重心，使身体出现了一系列奇怪的变化，引起身体某些部位的疼痛不适。轻轻地伸展胸部肌肉有助于血液循环，让你感觉更舒服。下面是运动的方法：站在打开的门前，双臂弯曲并平举到与肩同高，双手扶住两侧门框。身体前倾，感受胸部的伸展。保持该姿势10～20秒后放松，重复5次。

第10章　第5个月

（18~22周）

到这个月，以前抽象意义上的宝宝已经能让你切切实实感受到了。在这个月底或下个月初，你会第一次感受到胎动，有了这种奇妙的感觉，加上变得越来越圆的肚子，你会觉得怀孕更真实。虽然此时离宝宝现身还有很长一段时间，但你可以确切地知道有一个“人”在肚子里，这种感觉真的很奇妙。

本月宝宝的情况

第18周。宝宝已经长到14厘米长，约140克重了！现在，他已经把下腹部撑得满满的，你可以感受到他的扭动、翻身和拳打脚踢。宝宝在本阶段掌握的技能还有打哈欠和打嗝。现在，可以说他是独一无二的，手指和脚趾上已经有了独特的指纹。

第19周。在宝宝生长记录表上，本周可以填上以下数字：15厘米长，230克重。他现在应该有一个大芒果那么大了。宝宝的身体上包了一层胎脂——一种乳白色的保护性物质，外观非常像乳酪，它将宝宝很好地保护起来，不让敏感的皮肤直接接触到周围的羊水。如果没有这层保护，宝宝出生时会皱皱巴巴。分娩时，宝宝会自动脱下这层外衣，但也有部分宝宝出生后还裹着这层胎脂。

第20周。这个月你的肚子像个小甜瓜，肚里的宝宝大约有285克重，16.5厘米长。超声检查能分辨出宝宝的性别了。但不管是男宝宝还是女宝宝，他这个月都很忙——女宝宝忙着形成子宫和阴道，她的卵巢已经有了700万左右原始的卵细胞（到出生时，会下降到200万个左右）；男宝宝忙着让睾丸从腹腔下降，几个月之后，睾丸就会下降到阴囊里（现在阴囊还没有形成）。幸运的是，子宫留给宝宝的空间足够，他能在里面扭动、翻身、踢打，甚至偶尔翻跟斗。如果你还没有感受到宝宝的体操动作，别着急，接下来的几周一定会感受到。

第21周。宝宝这周长约18厘米（像一只大香蕉那么长），重约310克。说到香蕉，如果你希望宝宝也像你一样喜欢吃香蕉，这周可以多吃一点；其他食物也是这样。原因在于，羊水的味道每天因食物而异（今天是红辣椒味，明天是甜香蕉味），宝宝现在每天都会吞咽羊水（摄取水分、营养，也锻炼吞咽和消化功能）。他将了解你现在菜谱上的食物味道，并会对这些食物有特殊的偏好。另外，宝宝还有一个很大的进步：胳膊和腿开始协调动作——肌肉和大脑之间的联系已经建立，全身的软骨开始慢慢转化为骨骼。也就是说，当宝宝运动时，动作已经更协调，不再是着急的抽动了。

第22周。本周，宝宝的重量已经达到450克了，长度有20厘米，看起来像一个小洋娃娃——有了逐渐发育的感觉，包括触觉、视觉、听觉

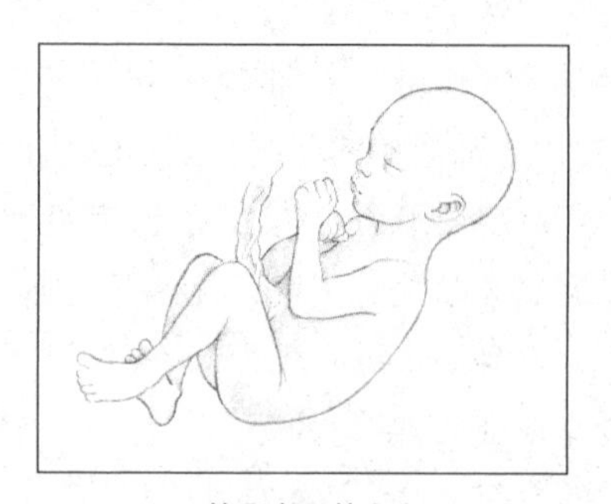

第5个月的宝宝

和味觉。宝宝有可能会抓住脐带，好好锻炼一下抓握能力，在他出生之后，会用这招来抓你的手指和头发。宝宝能看到什么？虽然子宫内一片漆黑，而且宝宝眼睑紧闭，但他在这个阶段已经可以感知光线和黑暗。如果用一束光照射肚子，你也许能感受到宝宝的反应——他可能想翻过身，躲过“亮”的一面。宝宝能听到什么？你的声音、他爸爸的声音、你的心跳、血管里血液流过的声音、你的胃和肠子消化时发出的“咕咕”声、狗叫声、汽笛、电视里的声音。宝宝能尝到什么？你吃到的大部分味道宝宝都能尝到。

你可能会有的感觉

记住，还是那句老话：每位女性的每次妊娠过程都不同。以下症状你可能全部经历过，也可能只经历过其中的一两种。有的是上个月症状的延续，有的可能是这个月新出现的，还有些可能已经习惯了而很难察觉。当然，你也可能出现其他不太常见的症状。下面是可能会有的感觉：

身体上

- 活力增加。
- 胎动（可能会出现在本月底）。
- 阴道分泌物增多。

●下腹部两侧疼痛（支撑子宫的韧带拉伸所致）。

●便秘。

●烧心、消化不良、胀气、身体浮肿。

●偶尔出现虚弱、眩晕等症状。

●背痛。

●鼻塞，偶尔流鼻血；耳朵有闷塞感。

●牙龈敏感，刷牙时容易出血。

●食欲旺盛。

●腿部痉挛。

●脚及脚踝轻微肿胀，手和脸偶尔肿胀。

●腿部静脉曲张或痔疮。

●腹部或脸部皮肤颜色变化。

●肚脐突出。

●脉搏（心率）加快。

●很容易（或很难）达到性高潮。

精神上

●怀孕的真实感逐渐加强。

●情绪波动减少，但会偶尔流泪或出现急躁情绪。

●持续健忘。

观察自己

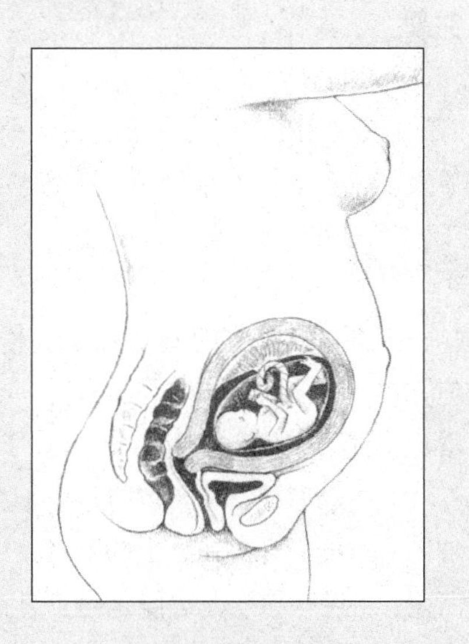

现在孕期已经过半。在20周左右时，宫底会达到肚脐处。这个月底，宫底会到达脐上2.5厘米左右。你再也隐藏不住怀孕的事实了。

本月可能需要做的检查

到今天，你可能已经对产检轻车熟路了。虽然每位医生的临床经验和习惯不同，每个孕妇的具体需求也不同，但这个月医生很可能会为你做如下检查：

●测量体重和血压。

●尿常规，检查尿液中是否有糖和蛋白质。

●听胎心。

●通过触诊感觉子宫大小。

●测量宫高。

●检查手和脚的水肿情况，腿部是否有静脉曲张。

●你的一些妊娠期症状，特别是少见的症状。

●你想要了解的问题。

你可能关心的问题

身体过热

“大部分时间我都感觉很热，并且出汗很多，这正常吗？”

这些日子里感觉自己像着火了？你可以怪罪于激素分泌，它增加了皮肤的血流量，加快了孕期的新陈代谢，并造成了那种持续的潮湿感。幸运的是，不管是户外、室内还是体内的温度高，都有很多办法让你感觉更舒服。感觉特别热时可以采取下面的方法让自己凉快：

● 穿宽松、浅色的衣服，选择透气性良好的材质，例如纯棉。或者多穿几层衣服，热的时候可以脱掉一些。

● 避免在热天参加户外活动；把精力留起来，早饭前或晚饭后散散步，或者到有空调的健身中心参加健身课程，并在身体发热前结束运动。

● 尽可能避开太阳，尤其在炎热的天气里。

● 洗个温水澡让身体凉快下来。如果可能的话，可以去游泳。

● 待在有空调的地方。气温到32℃以上时，仅使用风扇不能帮助你凉快下来。如果家里没有空调，就尽量多花时间在电影院、博物馆、有空调的朋友家、商场等地方。

● 成为家里的温度指挥官，让你能一直保持舒适状态。如果爱人觉得很冷，让他加一件毛衣或者披一条毯子。

● 喝水、喝水，还是喝水。脱水状态会让你在热的时候感觉不到虚弱和眩晕。每天至少喝2升水，如果参与运动或出汗较多需要喝更多。

● 皮肤上拍一点痱子粉可以帮助水分吸收，还可以预防痱子。

从另一个角度来说，出汗增多让你的体味减小。这是因为妊娠期间，由大汗腺分泌的汗液减少，这种汗液是指腋下、乳房下面及生殖器周围的汗腺分泌的汗液。

眩晕

“我坐着或躺着时起身总会感到眩晕，昨天在买东西时差点晕倒，这是怎么了？”

孕期觉得眩晕会让你惊慌失措，但其实并不危险。事实上，这是一种常见的妊娠症状，因为：

● 在孕早期，眩晕可能是由于血液供应不能满足迅速扩大的循环系统所需；而在孕中期，可能是由于日益增大的子宫压迫到了血管。

● 整个妊娠期间，你的老朋友孕激素在血液中的含量很高，它使得血管松弛、变粗，增加了给宝宝的血液供应，却减少了给你的血液量。血流

什么情况算“过度”？

慢跑时觉得呼吸困难、筋疲力尽？辛苦打扫卫生的时候感觉怎样，是不是觉得吸尘器有一吨重？在你晕倒前停止运动（工作）。把自己推向疲劳的顶点永远不是一件好事，孕期这样做更加有害，因为过度工作造成的伤害不仅体现在你身上，还体现在宝宝身上。这样的过量工作或运动只会让你耗尽元气。如果有些事情还没有做完，先放一放吧，现在不需要一口气把它们都完成。

量减少也就意味着对大脑供血减少，这会引起头重脚轻、眩晕的感觉。

- 起身太快会引起血压下降，从而引发一种特殊的瞬间头晕的感觉。对于这种头晕的解决办法很简单：起身时慢一点。急着跳起来接电话也很可能让你绊倒在沙发上。

- 低血糖时也很容易感觉眩晕（孕妇非常容易出现这种情况）。为了避免出现这种血糖降低的情况，每顿饭尽量多吃一些富含蛋白质和碳水化合物的食物（这种组合可以帮助维持血糖水平），并注意少量多餐（每顿正餐之间吃些零食）。在包里放一包什锦干果、一些水果、燕麦棒，它们可以帮助你快速提升血糖。

- 眩晕可能是脱水的征兆，一定要确保自己摄取足量的液体——每天8杯，如果出汗的话要多喝一些。

- 眩晕也可能是房间内空气不流通造成的——在太热或人潮拥挤的商店、办公室、公交车上——特别是当你穿得很多的时候更容易感觉不舒服。如果出现这种情况，走出门呼吸点新鲜空气，或者打开窗户透透气。脱掉外套或解开衣服扣子（特别是脖子和腰部的）也会有所帮助。

如果感觉头晕，就面朝左侧躺下休息一会儿，可以的话抬起你的腿。你也可以在坐着时身体前倾，把头置于两膝之间。深呼吸，解开所有紧身的衣服。一旦感觉舒服些了，就去吃些东西。

下一次见医生时告诉他你的眩晕症状。事实上，晕厥现象非常少见，但如果你的确出现了这种情况，也没必要担心，它不会对宝宝造成危害。

背痛

“我背痛得非常厉害，很担心到第9个月月底就站不起来了。”

孕期的不适和疼痛虽然令人痛苦，但你要认识到，这种痛苦是身体在为宝宝降生这一刻做准备而出现的副作用，背痛也是如此。妊娠期间，原本稳固的骨盆关节为了分娩时能使宝宝顺利通过而开始松弛。再加上你硕大的肚子使整个身体失去了平衡，为了保持平衡，你会不由自主地将双肩后移，脖子前伸。站立时，突出的肚子更加重了这个问题，结果就导致后背下部严重弯曲，背部肌肉紧张，背痛难忍。

虽然疼痛有其正当理由，但我们还是可以采取一些措施克服（至少是减少）疼痛。下面的做法可能会有帮助：

● 坐姿合适。坐着时对脊柱施加的压力比其他任何活动都大，因此要特别注意保持坐姿正确。尽可能找一把能提供足够支撑力的椅子，最好有结实的椅背、扶手和靠垫。有一定倾斜度的椅背可以帮助分散背部压力。找一个脚凳抬高双脚（参考第 242 页的详细描述）。另外，注意不要跷腿，因为双腿交叉会使你的骨盆过于前倾，加重背部疼痛。

● 久坐也不好。坐 1 小时就起来走动、休息或做些伸展运动，最好以半小时为限。

● 不要站太久。如果必须站着，最好一只脚踩在一个较矮的物体上，以便帮背部下方分担些压力。当站在硬地板上时（比如在厨房做饭或洗碗），在脚下垫一小块防滑垫以缓解压力。

● 避免提举重物；如果不得不做这些事，注意动作要缓慢一些。双脚分开些以保持身体稳定；弯曲身体时尽量弯膝盖而不要弯腰；提东西时主要使用胳膊和腿的力量，不要用背部力量（参考第 241 页图）。如果必须搬一大箱杂物，可以把它们分装在两个购物袋里，用两只手分别提着，这样会比抱在胸前走好得多。

● 穿合适的鞋子。鞋跟过高的高跟鞋和非常平的平底鞋会加重背痛。5 厘米高的粗跟鞋可以帮助你站直。也可以考虑矫正鞋，孕期矫正鞋加入了支持肌肉的设计。

● 通过使用孕妇枕（至少有 1.5 米长）获得的舒适睡眠可以缓解疼痛。早上起床时，先把腿放到床边，触到地板时再慢慢站起来，千万不要扭着身子起床。

● 考虑使用专门为孕妇设计的十字交叉型托腹带，它可以帮你分担肚子的重量，减轻背部压力。

● 不要伸手够高处的东西。用一个较矮的结实的脚凳垫在脚下，再去拿高处的东西，这样可以避免背部肌肉受到多余压力。

● 选择交替冷热敷的方法暂时缓解肌肉酸痛。先用冰袋冷敷 15 分钟，再用电热垫热敷 15 分钟。冷热敷时，用毛巾或软布把冰袋或电热垫裹起来。

● 洗个温水澡（注意不是热水）。或者淋浴的时候用喷头冲冲背部，享受背部的水流按摩。

●接受正确的按摩。一定要选择专业的治疗性背部按摩师（一位了解你妊娠情况的按摩师，并接受过良好的孕期按摩培训）。

●学会放松。背部疼痛可能会因为压力增大而加重，如果你属于这种情况，当疼痛来袭时，可以尝试做一些放松练习。同样，也需要注意遵守第 146 页提到的一些应对生活压力的技巧。

●通过一些简单的练习增强腹部肌肉，比如单峰骆驼式（参考第 225 页）、骨盆倾斜运动（参考第 227 页），或坐在一个健身球上前后滚动（或躺在上面以缓解背部和臀部不适）。参加孕期瑜伽班或水中健美操班，如果你能找到合适的有医学经验的水疗专家，可以考虑水疗法。

●如果疼痛很严重，可以考虑请医生为你推荐一些物理治疗师或者辅助医疗（例如针灸、生物反馈疗法）方面的专家，他们也许能提供一些帮助。

腹痛

“我很想知道近来出现的小腹疼痛是怎么回事？”

你感觉到的可能是妊娠期的生

抬举重物时，膝盖弯曲

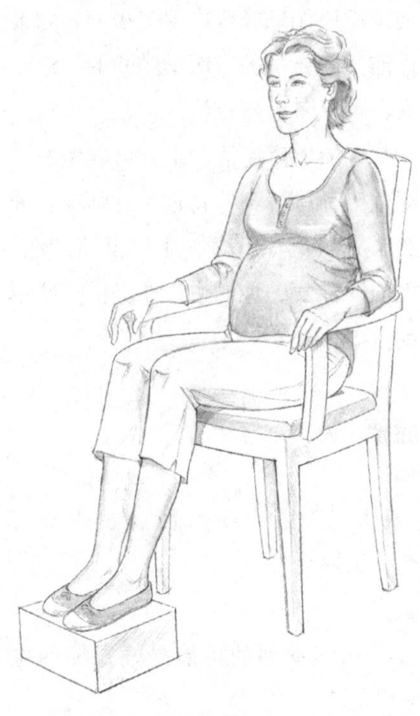

舒适的坐姿

长痛，支撑子宫的肌肉和韧带随着子宫扩大而不断被拉伸，这被称做环状韧带疼痛。大部分孕妇都会遇到这种疼痛，可能是痉挛性的，也可能是强烈的刺痛，尤其当咳嗽或从床上、椅子上起身时，疼痛感格外明显。这种疼痛可能短暂出现，也可能持续几个小时。如果只是偶尔发生，不会持续，不伴有高烧、发冷、出血、昏厥或其他不正常的症状，就不用担心。

找个舒服的姿势休息一下，就可以缓解这种疼痛。当然，和其他症状一样，你应该在下次就诊时跟医生说一说。他一定会告诉你，这是正常的妊娠现象。

脚长大

“我开始感觉到鞋子变紧了，穿着不舒服。脚也会长大吗？”

在孕期，肚子不是唯一会变大的部位。你可能会和很多女性一样发现自己的脚也在长大。这对那些喜欢搜集漂亮鞋子的女性来说是个好消息，但对于害怕买鞋的人来说，就不是什么好消息了。

脚变大的原因是什么？有些人是因为孕期正常的体液滞留，导致双脚肿胀；有些人是因为增重速度太快，脚上长出了新的脂肪。但还有其他原因：松弛素，一种妊娠期激素，它会引起韧带和关节松弛。对于你来说，某些部位的韧带和关节松弛（比如骨盆）是有用的，这样有利于宝宝的居住；但松弛素也带来了你不欢迎的效果，比如脚部的关节和韧带松弛，导致骨架略有扩展，需要穿大半码的鞋。虽然分娩后关节有可能再次变紧，但你的脚可能从此就要穿大点的鞋了。

如果水肿是你的主要问题，学习一下减轻水肿的方法（参考第 285 页），并选择一双能满足脚“长大”需求的鞋。买鞋时，首要考虑舒适度，然后再考虑款式与美观。挑选时，注意鞋跟不能超过 5 厘米，鞋底必须具

你的新生皮肤

不知道你是不是发现了，怀孕对身体的各个部位产生的影响——从头（讨厌的健忘症）到脚（长大的双脚），以及身体中间的所有部分（乳房、肚子）。所以，如果你的皮肤在孕期发生了变化也并不奇怪。下面是一些可能会出现的皮肤变化：

黑线。腹部中央出现了一条暗线？孕期的激素分泌会引起乳晕色素沉着，也会引起身体上一条从腹部中央垂直到耻骨上方的白色线条颜色变暗。它在肤色较深的女性身上看起来明显一些，一般会在孕中期出现，在分娩后几个月消退（虽然永远不可能完全消失）。热衷于根据它的样子猜宝宝的性别？根据老奶奶们的说法，如果这条黑线只延续到肚子下方，你可能怀的是女宝宝。如果它延伸到了肋骨附近，很可能怀的是男宝宝。

妊娠斑。50%～75%的孕妇，尤其是那些肤色较黑的孕妇前额、鼻子和脸颊上可能会出现变色现象（面具形或碎屑状）。这些变色的部位在皮肤白皙的孕妇身上呈深色，而在皮肤较黑的孕妇身上呈浅色。不要害怕，这种妊娠斑或黄褐斑会在产后几个月内逐渐褪色；产后，皮肤科医生还可以帮你开一种漂白霜（仅限于非母乳喂养者使用）或推荐其他疗法（比如激光、磨皮等）。但这些治疗目前绝对禁止，现在你还是用遮瑕霜和粉底来解决问题吧（参考第153页）。

其他色素沉着现象。很多孕妇发现，雀斑和痣在孕期会变得更暗、更明显，一些摩擦多的部位（比如两腿中间）的皮肤也会变暗。所有这些皮肤变色现象都会在产后逐渐淡化。阳光会加深这些颜色变化，如果需要长时间暴露在阳光下，最好在皮肤上涂防晒指数（SPF）大于15的防晒霜，并尽量避免较长时间的暴晒。为了保护脸部，可以戴上遮阳帽。

掌心和脚底发红。激素又一次发挥作用了（增加血流供应），这一次，它引起了手掌（有时候是脚底）发红、发痒。这种现象在白种人身上的发生率为2/3，在其他人身上的发生率为1/3。对于这个症状，没有什么好的治疗方法，但有些女性发现每天将发红发痒的部位（掌心、脚底）放在冷水里泡一泡，或者用冰袋敷几分钟会有所缓解。远离任何可能引起你双手和双脚发热的东西（比如洗热水澡、洗盘子、戴手套等），因为它们会让情况变得更糟糕。当然，也要远离可能的刺激物，例如刺激性较强的肥皂或有香味的沐浴露。这种掌心发红的症状分娩后会很快消失。

腿上发青，出现斑点。由于突然增加的雌激素，很多孕妇寒冷时腿上（有时是胳膊上）会出现这种暂时的、斑驳的变色现象。这没什么危害，产后会很快消失。

皮赘。皮赘是皮肤上生长出来的小块多余皮肤，是孕期女性常见的一种良性皮肤问题，常常出现在摩擦较多的部位，例如腋下。皮赘经常在孕中期和孕晚期出现，产后会自动消失。如果它持续存在，医生可以轻松帮你去除。

痱子。一般来说痱子只会在宝宝身上出现，但其实在孕妇身上也很常见。因为孕期女性体温变高，过量排汗导致皮肤潮湿，这种情况下，皮肤与皮肤，以及皮肤和衣物之间的摩擦就很容易引起痱子。在双乳中间和乳房下面的褶皱处、凸起的小腹和阴部上方的接壤处，以及大腿内侧都很容易长痱子。凉爽、湿度低的环境能帮你减少长痱子的可能性。沐浴后扑上爽身粉并尽量保持凉爽，可以减少痱子带来的不适并防止再度发生。少量使用炉甘石洗液也能有所缓解，而且是安全的，但在你想使用任何药用解决方案前，都要问问医生的意见。如果皮疹现象持续了好几天，给医生打个电话问问下一步该如何处理。

过敏性皮疹。很多时候，孕妇敏感的皮肤在试用了某种产品之后会发生反应，出现一些过敏性皮疹。赶快换一种刺激性较小的产品可以减轻这种现象，但如果出现了一些持续性皮疹，一定要让医生知道。

等等看，可能还会有更多皮肤变化出现。不管信不信，你的皮肤可能会有各种各样的情况。想了解关于妊娠纹的知识，参考第 183 页；干性皮肤或油性皮肤可以看看第 163～164 页；发痒的丘疹，请翻到第 286 页；蜘蛛静脉，可以参考第 161 页。

有防滑功能，并有足够的空间让脚伸展（可以在晚上脚最肿的时候去挑鞋）。鞋子的材质应该具有弹性，且透气性良好，比如软羊皮，千万不要选合成皮（PU）。

你的脚和腿会不会很疼（尤其在一天结束的时候）？专门为孕期设计的皮鞋和矫正鞋可以改变重心，使你的脚更舒服，缓解腿疼和背痛。每天都应该周期性地让双脚休息一下，这样可以减轻肿胀和疼痛。一有机会就把脚抬高，或周期性地伸展腿部。在家时换上柔软的拖鞋，可以有效缓解疲劳和疼痛。

快速生长的头发和指甲

“我的头发和指甲从没有长得这么快。”

怀孕期间激素似乎带来了很多烦恼，同样是这些激素，也引起了你身上其他部位的飞速生长：指甲的生长速度快得惊人，甚至来不及修剪就又长出来了；头发也在飞快生长，你都来不及和发型师约时间（如果够幸运，你的头发会变得更浓密，更有光泽）。孕期激素促使循环加快、代谢旺盛，滋养了头发和甲细胞，让它们比怀孕前更健康。

但是任何繁荣景象都会带来一些不太愉快的副作用：毛发可能会在一些你不希望见到的部位出现。脸部（比如嘴唇、下巴和脸颊）更容易受到妊娠引发的多毛症状困扰，手臂、腿、背部和腹部也会受到激素影响(想知道哪些脱毛措施在孕期是安全的吗？参考第 150 页)。另外，虽然指甲可能长得很快，但它们也很可能变得脆弱、易断。

要记住，这些头发和指甲的变化是暂时的。头发秀丽的日子会随着分娩而结束——作为报复，到时很可能每天脱发的数量比怀孕前还要多。产后你的指甲很可能比怀孕前长得还要慢（这并不是一件坏事——在宝宝到来后的崭新日子里，你需要保持指甲利索）。

视力变化

“怀孕后视力好像下降了，现在隐形眼镜都不合适了，是我的错觉吗？”

这不是错觉——你现在的视力可能真的不如怀孕前了。眼睛看似与怀孕无关，但确实会受到孕期激素的影响。你会发现，不仅视力不如以前敏锐了，隐形眼镜也会突然让你觉得不舒服。这是因为激素引起泪液分泌减少，导致眼睛干燥，从而引起了眼睛的敏感和不适。体液停滞改变了眼睛的屈光度，引起部分孕妇的眼睛出现近视或远视。生完宝宝后，你的视野就会渐渐清晰起来，恢复到从前的正常状态，所以不用为在孕期配新眼镜而担忧——除非你实在看不清，影响了日常生活。

现在也不是考虑做激光矫正手术的时候。虽然手术不会伤害到宝宝，但可能会过分矫正你的视力。而且，如果要动第二次手术的话，需要休息的时间更长，需要用的滴眼液也对孕妇不安全。眼科医生建议孕妇在妊娠期、怀孕前 6 个月及产后 6 个月不要实行该手术。

孕期视力下降并不是异常现象，但如果出现其他眼部症状，就意味着有问题存在。如果你发现视力模糊，经常看到斑点或漂浮物，或眼前出现重影长达 2~3 个小时以上，立即给医生打电话。不过，久站或突然站起来时眼前暂时出现斑点的情况很正常，不用担心，在下一次去医院时告诉医生。

胎动

“上周我每天都能感觉到轻微的胎动，但今天一直都没有感觉到，这是怎么回事？”

感觉到宝宝的扭动、蠕动、拳打脚踢及打嗝应该是孕期最令人激动的事情之一。没有比这更好的证据证明你的肚子里有一个崭新的、精力充沛的生命正在成长。但胎动也可能会引起准妈妈们的各种问题和疑虑：宝宝是不是动得太少？是不是动得太频繁？怎么现在一点都不动？上一分钟还切切实实地感受到宝宝在踢你，下一分钟又开始质疑（会不会是肠道胀气）；前一天还觉得宝宝一直在不停地扭动和翻身，第二天小运动员似乎就退出比赛了，基本上感觉不到他的运动。

不要担心。在孕期的这个阶段，没有必要担忧宝宝的胎动，因为现在明显胎动的频率和形式各不相同，而且差异很大。虽然宝宝大部分时间肯定都在动，但你可能不会连续感受到——必须等到他的力量显著增强之后。由于胎位（例如面向你还是背向你），有很多胎动可能感受不到。或者孕妇自身的运动——当你四处走动或做运动时，宝宝被摇摇晃晃地弄睡着了；或者你太忙没有注意到他的运动；也有可能当宝宝最活跃的时候你正好在睡觉（这个阶段，宝宝容易在妈妈躺下时开始运动）。

如果你整天都没有感觉到胎动，晚上可以喝一杯牛奶、一杯橙汁或吃其他零食后躺下1～2小时——保持不动加上食物能量的刺激作用，或许可以让宝宝活动起来。如果这也不奏效，不要担心，几小时后再试一次。很多准妈妈在这个阶段都会一两天，甚至三四天感觉不到胎动。如果还是担心，给医生打个电话确认一下。

第28周以后，胎动更加频繁、持续时间更长，妈妈最好养成每天检查宝宝活动的习惯（参考第288页）。

孕中期的常规超声检查

“目前为止我的孕期一切正常，没有任何问题。但这个月医生还建议做一次超声检查，有必要吗？”

现在，对孕中期的女性进行第二阶段的超声检查已经成为常规检查，不管妊娠进展得多么正常都是如此。其主要原因是由于医生们发现超声检查是观察宝宝发育情况的好办法，也是直接给孕妇们提供“一切都很好”的最佳证据。另外，对于准父母而言，这也是一次有趣的“窥视”宝宝的机会——还可以把超声检查拍下来的照片带回家做纪念。这次检查还可以确定宝宝的性别。

第一阶段的超声检查图像可以作为存档依据并推算怀孕日期，或作为孕早期的常规筛查，而第二阶段的超声检查更详细，特别针对18～22周的宝宝，可以给医生提供大量有用的资料，判断宝宝的发育情况和孕妇子宫内的情况。例如，它可以测量出宝宝的大小，并检查各器官发育情况；可以测出羊水量，让医生判断是否正常；还可以用来估计胎盘位置。简单地说，第二阶段的超声检查除了看起来有趣之外，也能让你和医生对孕期情况和宝宝的整体健康状况形成清晰的认识。

如果你对图片存有疑虑，不知道那些斑点意味着什么，可以和医生谈一谈，问问他该怎么辨别。你很可能会大受启发，并对自己的情况长舒一口气。

"我打算在怀孕20周时去做孕中期的常规超声检查，这时能确定宝宝的性别吗？"

要记住：利用超声检查来鉴定宝宝性别并不是一门精确的科学，它不同于羊膜穿刺（通过分析染色体判断）。个别情况下，一些家长从超声检查技师嘴里听说宝宝是个女孩，而到了分娩那一天："是个男孩！"（或是情况相反）所以，用超声检查来判断宝宝的性别只是一种猜测，尽管它有一定的依据。

胎盘位置

"医生说，超声检查显示胎盘位置很低，靠近子宫颈。她说现在担心还太早，但我还是有点担心。"

你的子宫里不只有宝宝在动。和宝宝一样，胎盘在整个怀孕过程中也会向四周移动。随着子宫底的拉伸和生长，胎盘自然也会上移。虽然约有10%的孕妇会在孕中期发现胎盘位于子宫下部（在怀孕第14周之前，这个比例更高），但临近分娩时，胎盘基本都会上移。如果没有上移，胎盘还位于子宫下部，医生就会诊断为"前置胎盘"。这种情况只发生在极少

一张值得珍藏的照片

孕中期的超声检查给了你一张宝宝最初的画像，你打算将它永久保留。为了确保这张珍贵的图片永远不会损坏（或褪色），可以把它扫描到电脑里保存。也可以发送到网络相册上，并用真正的相片油墨和相纸打印出来。这样，你的纪念品和记忆就不会褪色了。

数足月分娩的妊娠女性身上，比例大约为1/200。换句话说，你的医生是对的，现在担心还为时过早。而且统计数据表明，你担心的事发生概率很低。

“超声检查中，技师告诉我是‘胎盘前壁’，这意味着什么？”

这意味着你的宝宝现在躲在了胎盘后面。通常，受精卵会位于子宫后部，即靠近脊柱的部分，这也是胎盘最终发育的部位。然而有时候，受精卵处在了相反的位置，靠近你的肚脐。当胎盘形成时，它就长在了子宫的前方，而宝宝就躲在它后面。显然，你就是这种情况。

好在宝宝并不关心自己躺在子宫前面还是后面，胎盘位置也没有太大影响。对于你来说，不利之处就是宝宝踢你时不太容易感觉到，因为胎盘充当了宝宝和肚皮之间的垫子，你不必太担心。同理，医生或助产士会发现听胎心更难，施行羊膜穿刺术也会比较困难。除了这些小小的不便以外，胎盘前壁并不需要担心。更重要的是，随着孕程发展，胎盘有可能慢慢向后移——这是胎盘前壁常见的结局。

睡眠姿势

“以前我总是趴着睡觉，现在我害怕

宝宝的第一张照片

想看看子宫里是什么样子吗？超声检查是观察这个精彩世界的窗口，你可以偷窥到里面的景象。但是这样做安全吗？

美国食品药品管理局还没有对这些孕期影像工作室做出相关规定，但确实对娱乐性质的超声检查（不是出于医学原因）提出了警告，因为这些机构使用的三维成像仪器比医生使用的标准超声设备功率更大。而且，很多医学专家担心精神紧张的准妈妈们会在这些机构的检查中得到关于宝宝的错误结论，更糟糕的是，这些没有经过太多培训的技术人员会遗漏掉真正的问题（而专业技师会检查出来）。

如果你还是很想看看宝宝的样子，在行动前和医生商量一下。即使你仍然决定选择这项超声检查，也要谨慎行事：只做一两次这类超声检查，每次不超过15分钟。带上钱包，虽然宝宝的照片非常珍贵，但这类工作室可能对宝宝的照片、CD和DVD定价很高。

会对宝宝不好。但以其他姿势睡觉，又总是感觉不舒服。”

不幸的是，两种最受欢迎的常见睡眠姿势——趴着睡和平躺——都不是最好的选择。趴着睡会让你不舒服的原因显而易见：随着肚子不断变大，你就像是趴在一个大西瓜上。平躺睡虽然舒服些，但会把整个子宫的重量都压在你的后背、肠道及两条主动脉（负责从心脏向身体下部输送血液的血管）上，从而加重背部疼痛和痔疮，使你消化不良，导致呼吸和血液循环问题，还可能引起高血压或低血压，从而造成头晕。

准妈妈可以试着把身体蜷缩起来，或舒服地侧躺着（最好是左侧卧），一条腿交叉放在另一条腿上，双腿中间夹一个枕头，这对你和宝宝来说是最佳姿势。不仅可以保证血液和营养以最大流量进入胎盘，还可以提高肾功能——更好地排出体内的废物，使踝关节、手和脚不那么肿胀。

侧躺着睡觉

很少有人会整晚保持一个姿势睡觉。如果你醒来时发现自己平躺着或趴着，也不要担心，不会有什么危害，只要再恢复侧睡的姿势就可以了。可能刚开始几个晚上会不太习惯，但身体很快就会适应这种新姿势。可以用一个至少 1.5 米长的孕妇枕，它能提供支撑，让你侧着睡更舒适，更容易保持这个姿势。也可以利用家里多余的枕头，把它们垫在不同的身体部位，直到找到最佳睡姿。

胎教

“我有个朋友坚持带着肚子里的宝宝去听音乐会，她说这会让宝宝成为一个音乐爱好者。另一个朋友天天要求丈夫对着她的肚子念书，说这样宝宝以后会成为文学爱好者。我是不是也要刺激一下宝宝？”

所有家长都望子成龙，望女成凤。但是给宝宝听贝多芬的曲子和背诵莎士比亚的名篇并不那么重要。

在孕中期最后这段日子里，宝宝的听力确实发育得相当完备，但还

怀孕第5个月

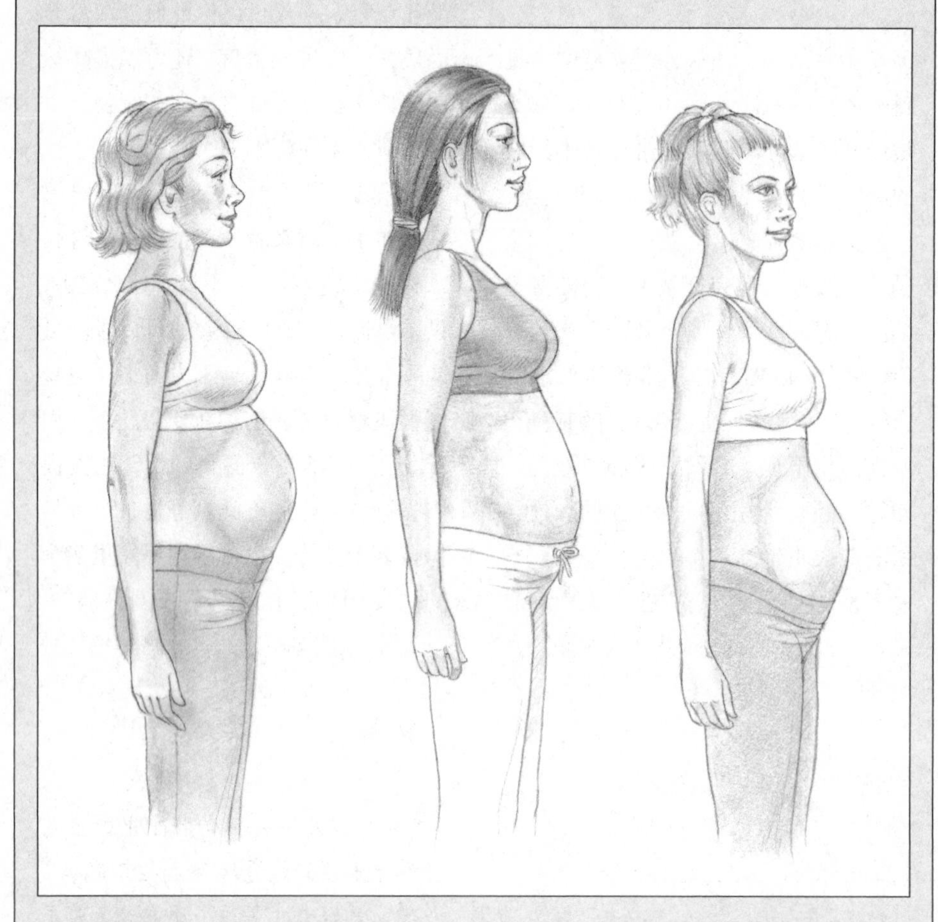

到第5个月底，准妈妈怀孕的样子各不相同，上面是3种不同的怀孕姿态，并会随时变化。根据准妈妈的身高、体形、增加的体重及宝宝位置的不同，子宫可能高一点，低一点，大一点，小一点，宽一点，窄一点。

没有足够证据表明，宝宝在子宫内时，给他播放协奏曲或讲一堂关于伟大古典音乐的课会对他形成“教育”。这么着急教育或培养宝宝也可能有害——特别是当传递的信号过早，过于强调成就时，对于脆弱的宝宝无疑是一种揠苗助长的行为。宝宝会按自己最好的速度发育、学习，没有强求的必要。另外，还有理论认为，当父母尝试把子宫变成教室时，他们很可能会无意识地打乱宝宝天然的睡眠格局，影响宝宝的发育，而不是在培养宝宝（就好像是把一个熟睡的新生儿摇醒，让他陪你玩拼图游戏）。

但这样做也没什么错——至少有些益处。当你为宫内的宝宝提供丰富的语言、音乐环境时，就可以在第一次拥抱他之前就和他亲密接触。对宝宝说话、读书或唱歌(不用扩音器)，不能保证他将来一定可以拿到知名大学的奖学金，却可以保证宝宝出生时能辨别出你的声音——而且一出生就和你们非常亲密。

现在播放古典音乐可能会增加宝宝将来爱好音乐的概率，在他长大后情绪不好时通过这些音乐可以得到心灵的慰藉。不过有数据表明，音乐和文学对孩子最好的影响阶段是出生后，而不是产前——把那些好听的乐曲留到宝宝出生后吧。另外，不要忽视触觉的作用，因为这种感觉也是宝宝在子宫内发育起来的。现在开始天天摸肚子，有利于你和宝宝之间的感情维系。

只要你喜欢，而且有体力，不会被这些活动累倒，那就播放莫扎特和巴赫的曲子，再拿出沾满灰尘的莎士比亚十四行诗吧！只要确保所做的一切都是为了与宝宝亲近——而不只是让宝宝将来可以上个好大学。

当然，如果鼓胀的肚子让你不方便进行上述活动，也不用担心宝宝不够了解你。在你和准爸爸日常对话时，宝宝已经开始习惯你们的声音了。享受现在和宝宝的沟通吧，没必要这么早就考虑宝宝的教育。你会慢慢发现，孩子的成长是那么快，没有必要推动这个进程，尤其是在出生前。

抱孩子的准妈妈

“我有一个3岁的孩子，她总要我抱，怀孕时可以抱她吗？这让我的后背非常疼。”

孕期抬举适量的（16～18千克）重物是安全的，除非医生特别警告过你不要这样做。怎样让后背得到休息，则是另一个问题。让大孩子放弃想要妈妈抱的习惯远比让你累得筋疲力尽明智得多，所以试着教会她走路的乐趣，和她进行小小的“赛跑”，跟她说自己爬上楼梯就给她唱歌。当她同意靠自己的双脚走路而不乘坐“妈妈出租车”时，或责怪你弯腰捡东西很慢（而不是她将来的兄弟姐妹）时别忘了给她鼓励的掌声，也可以给一些物质奖励，或拥抱和握握她的小手。不过她不可能每次都答应自己走，你要学会节省背部的力量，以正确的方式把她抱起来（参考第239页）。

对成为父母的担心

“我一直担心，宝宝出生后是否会喜欢我。”

大部分人在人生中需要完成很多重大变化（但没有任何变化会比即将到来的分娩更重大），所以你会担心这个变化是否会让自己更开心。

如果你想象着从医院抱回一个面带微笑的完美宝宝，就应该先好好了解一下新生儿是什么样子。实际上，你抱回家的新生儿除了哭之外根本无法与人交流，还总会在你刚坐下吃饭，与爱人亲热，想去洗澡或累得不想动时开始哭。

如果你认为做了父母后的任务无非是早晨惬意地带着宝宝在公园里散步，在阳光明媚的日子里逛动物园，与小衣橱和干净的小宝宝衣物打交道，那现在必须重新审视一下现实。将来会有无数个早晨一转眼就变成了黑夜，你会把许多阳光灿烂的日子耗费在洗衣房里，家中的一切都将被宝宝的呕吐物、黏糊糊的香蕉泥和宝宝的维生素搞得一塌糊涂。

但你可以期望那些美妙神奇的人生经历：当你怀抱着熟睡的宝宝时（即使刚才他还是个令人讨厌的小恶魔），那份满足感是任何事都无法比拟的；每当宝宝咧开没牙的嘴对你微笑，所有那些不眠的夜晚、被耽搁了的晚餐、一堆堆的换洗衣服，以及与爱人尴尬的亲热都是值得的。

快乐吗？妈妈们，只要你有耐心等待，一切都是美好的。

系安全带

“坐车的时候系安全带安全吗？怀孕时气囊会是个安全隐患吗？”

对于孕妇和还没出生的宝宝来说，旅行时没有比系安全带更安全的做法了。在绝大多数地方，开车时系安全带这条要求已经被写入了法律。为了给你提供最大的安全系数和最小的不舒适程度，要把安全带系在肚子以下、大腿以上，横跨骨盆。将肩带搭在肩膀上（不要从胳膊下面绕过去），穿过双乳中间到肚子一侧。害怕汽车突然停下时安全带产生的压力会伤害到宝宝？别担心，羊水、子宫

为两个人系安全带

肌肉形成的保护垫把宝宝保护得好好的，这些是世界上最好的减震物质了。

至于气囊，最安全的做法是与它保持距离。当你坐在副驾驶位置时，尽可能将座椅靠背向后调。当你开车时，把方向盘调整到胸前的位置，远离肚子，可能的话，最好与方向盘保持25厘米以上的距离。

旅行

"我和丈夫已经计划好这个月外出旅行，这安全吗？"

以后再带宝宝出门就不会这么方便了。展望一下明年的旅行计划，不管去哪里，你们都得塞一车尿布、玩具，以及给宝宝装食物的各种瓶瓶罐罐。在孕中期安排旅游是最好的时机。毕竟，孕早期的疲惫、恶心、情绪化已经渐渐离开了你，肚子也没有到最大的时候——那时你连拖动自己都不容易，更别说行李了。

选择恰当的时间。当你计划孕期度假时，选择恰当的时机最重要。如果想进行长途旅行，孕中期是最好的选择。远距离旅行，对于孕早期的孕妇（即使是低危妊娠）非常不合适，特别是在晨吐、疲劳，以及其他孕早期症状比较严重的时候。同样，孕晚期后几个月的不方便也不适合出门远行：因为有提前分娩的可能，你最好不要离医生太远。

选择合适的目的地。炎热、潮湿的地方不适合，由于新陈代谢加快，你可能很难适应。如果你们已经选择了这样的地方，那要保证住的宾馆、乘坐的交通工具都有空调，保证摄入充足的水分，同时避免阳光直射。海拔高的地方（高于2000米）可能有危险，因为氧气减少对你和宝宝来说都是严重的负担。其他不适合的旅行地点还包括一些需要接种疫苗的地区，在孕期接种某些疫苗是有害的(咨询一下医生)。重要的是，这些地区可能会有某些还没有预防性疫苗的恶性传染病，食物和水源也可能携带常见病菌。

放松的旅行。对现在的你来说，只有一个目的地的旅行要比在6天里逛遍6个城市更合适。你自己安排的行程要比旅行社安排的更好。几小时的观光购物应当与读书、看电影、听音乐会或睡觉时间穿插进行。

给自己上保险。要给自己上旅行保险，以防万一出现妊娠期并发症。最好待在离家近的地方，万一出现必须立即返回或需要医疗监护的情况，旅行医疗保险会相当有用。提前检查一下保单。

带上"孕期救护队"。带上足够的维生素，以备整个旅程之用；带一些健康的点心；如果有晕动病的话，带上防晕止吐腕带，以及一些医生推

减轻时差反应

怀孕的疲劳加上时差的影响，你很可能没等旅程开始就已经不想去了。所以尽量减少时差带来的麻烦很有意义。下面是一些小技巧：

出发前就开始倒时差。把你的手表和日程安排调整成目的地模式，以便更好地适应当地的时间。如果往东去，在出发前几天早晨早点起床，晚上早点上床；如果往西走，就晚点上床，晚点起床。

按当地时间作息。到达目的地后就完全遵照当地作息时间。如果你早晨7点到达巴黎，尽管整夜的飞行让你非常疲惫，也一定要等到午睡时再上床休息。你可以吃一顿丰盛的早餐，出去散散步，看看风景。不要逼自己不断走路，可以经常坐下来休息，把双腿抬高，但一定要避免平躺的姿势，如果躺下，睡意一定会袭来。按照当地时间（而不是你的胃肠需要）就餐，饿的话先吃点零食，不到时间不要吃正餐。尽量保持清醒，直到接近当地的睡眠时间再睡觉，这可以帮助你在晚上睡好觉。尽量避免睡懒觉，不然第二天的正常睡眠更困难。即使你认为没有需要，也可以定一个闹钟。

出去看看太阳。接受阳光照射可以帮助你调节生物钟，到达目的地当天一定要到户外走走。如果天气不好，没有太阳，也至少要在白天出去走走。

多吃、多喝。经常旅行的人都知道，空中旅行非常干燥，而干燥会加重时差反应（还会带来妊娠期并发症）。所以，在飞机上一定要大量喝水，到达目的地之后也要多喝水。要经常吃东西，选择能满足长时间能量需求的食品，比如蛋白质和碳水化合物。锻炼也可以让你不那么疲惫，不要做剧烈运动，可以去公园散步或在酒店的游泳池玩一会儿。

不要冒险。不要未经医生许可就使用任何西药或中草药治疗时差反应。

给自己一点时间。开始时你会感觉很疲劳，几天后就会与当地的作息同步了。

在旅行中，你可能发现睡眠一直是困扰你的一个问题，疲劳也不可避免，但必须面对现实。这其实与时差没多大关系，主要是因为你身上多余的“行李”——机场搬运工、酒店服务员也没法帮你。

荐的有利于旅行者肠胃的药物；要有舒适而宽大的鞋子，可以容得下经过几小时观光和工作之后肿胀的双脚；还有防晒霜。

高海拔妊娠

一直居住在高海拔地区的女性已经习惯了呼吸更为稀薄的空气，会比那些刚从海平面附近搬到高原地区的女性患妊娠期并发症（高血压、水肿、宝宝出生体重轻等）的可能性低一些。因此，很多医生建议如果有游览计划或要从低海拔地区搬到高海拔地区，尽量推迟到分娩后。

如果必须去高海拔地区旅行，应该逐渐上升高度（如果开车去，可以一天上升600米，不要一下子上升2500米）。为了尽量减少急性高山症的发病风险，应该在到达后的前几天限制自己的活动，大量喝水，少食多餐而不是一日三餐，避免油腻和难以消化的食物。可能的话，尽量在海拔较低的地方安排住宿。

出国旅行。记得准备一份当地的产科医生联络表，以备不时之需，部分大型连锁酒店可以提供这方面的信息。在海外时，如果出现任何紧急情况，而酒店不能解决问题，应马上给大使馆打电话。如果你有旅行医疗保险的话，会提供一些有用的电话。

带上你的孕期食谱。你正在度假放松，而肚子里的宝宝却在一如既往地忙着生长发育，他需要的营养供给没有变化。准妈妈一定要认真选择饮食，既可以品尝到当地的美味，还能满足宝宝的营养需求。最重要的是：坚持规律吃饭并在需要时吃点零食。不要为了省钱，选择吃一顿奢侈的晚餐，就放弃了早饭或午饭。

谨慎挑选食物。一些地区的沙拉使用的是新鲜未削皮的水果和蔬菜，很可能不太安全。（吃水果时自己削皮，之前先将手和水果洗干净，防止将细菌带进果肉里；香蕉和橘子必须剥皮，比别的水果安全一些。）不管去哪里，注意不要吃凉的或室温以下的食物，生或半生的肉、鱼、禽类，以及未经巴氏灭菌或未冷藏的乳制品、果汁。不要碰路边摊的食物——即使是熟的、热的也不可以。

不要喝当地的生水，不要用生水刷牙（除非你能确定它的安全性）。如果目的地的水的纯净度令人不太放心，就喝瓶装水，刷牙也用瓶装水（而且要确保开瓶前封口处完整）。当然，也要避免食用当地水做的冰块，除非你能确定它是用瓶装水或开水做成的。

谨慎游泳。一些地方的湖水和海水可能已经受到了污染。和当地的疾病预防控制中心确认一下，在下水前确定安全性。当然也要小心游泳池中的水，可能没有经过正确的加氯消毒(水质微微发酸才是加氯消毒过的，可以简单判断一下)。

防止排便不规律。日程和饮食发生变化会使便秘更加严重。为避免这种情况，旅途中应该确保以下 3 点：多摄入膳食纤维、多摄入水分、多锻炼。同时，早点吃早餐，至少吃一点小点心，出发前保证有时间上厕所。

想大小便时马上去。旅途中不要耽误上厕所的时间，以免给尿路感染或便秘可乘之机。如果想大小便，尽快去卫生间。

护腿长袜。对已经患有静脉曲张（或出现静脉曲张倾向）的准妈妈，应该在久坐（在汽车、飞机或火车上）及久站（在博物馆、机场排队等）时穿护腿长袜，可以使腿和踝关节的肿胀降至最小。

不要长时间保持一种状态。久坐会限制腿部血液循环，所以要在座位上经常移动，伸展、弯曲、扭动、按摩你的腿，不要跷腿。可能的话脱下鞋，抬高双脚。乘飞机或火车时，至少要每一两个小时起身走动一下。自驾车旅行时每两小时停下车出去走走或伸展一下身体。

乘飞机出行。事先与航空公司确认，看是否有对孕妇的优惠政策。预定一个靠前的座位（最好靠走道，这样你可以站起来伸展身体，去卫生间也方便）。如果座位不能预订，可以要求提前登机。

订飞机票时，询问一下是否有餐食服务。现在越来越多的航空公司不提供餐食了。如果飞机上提供的食物分量很小，自己带些食物（三明治、沙拉等）。即使你觉得提供的餐食还不错，也要考虑下面一些情况：分量小；不适合孕妇吃；飞机可能延误而增加等候时间。根据具体情况选择要带的零食：乳酪条或乳酪块、新鲜蔬菜、水果、什锦干果、燕麦片及健康的薯片。不要忘记喝足够的水、牛奶和果汁，以防长途飞行中造成脱水。多喝水也能让你多去几次卫生间，保证双腿周期性伸展。

把安全带系在肚子以下，这样更舒服一些。如果你要去不同时区的地方旅行，把时差因素考虑在内（参考第 254 页小贴士）。事先充分休息，以便到达目的地后能够轻松应对。

乘汽车旅行。记着带上一大包有营养的点心，以及一大瓶果汁或牛奶，肚子饿时可以吃。如果座位不够舒适，可以买或借一个专门的靠垫。再准备一个颈枕，会让你更舒服。关于汽车旅行的安全常识，参考第 252 页。

乘火车出行。确认火车上是否有菜品齐全的餐车。如果没有，带上足够的食品和零食。如果要在车上过夜，尽可能预定卧铺车厢。你也不希望旅行一开始自己就累得筋疲力尽。

“味道鲜美”的孕妇

有没有发现怀孕后蚊子比以前更喜欢你了？科学家们已经发现，孕妇对蚊子的吸引力是非孕妇的两倍。这可能是因为这个讨厌鬼喜欢二氧化碳，而孕妇呼吸频率快，排出的二氧化碳更多。蚊子喜欢孕妇的另一个原因是：蚊子会追逐热的物体，而孕妇体温偏高。因此，如果你在一个多蚊地区居住或旅行，一定要采取正确的防护措施。在蚊子多的地区，你可以躲在家里，安上纱窗，使用不含有毒制剂的驱蚊剂防止叮咬。

怀孕女性的性生活

任何一次怀孕都是从性开始的，可为什么曾经这么吸引你的东西现在却成了最大的问题？

不论你们的性生活是多了还是少了，不论你更享受还是觉得没有以前舒服。有了宝宝之后，你们的做爱方式很可能必须改变。从区分床上（或卧室地毯上、厨房台面上）哪些行为安全，哪些行为不安全，到研究为了适应你的大肚子，哪个姿势最好；从调整情绪时差（你情绪上来的时候，丈夫没感觉了；丈夫感觉最好的时候，你又没情绪了），到激素突然分泌旺盛（让乳房比任何时候都更诱人，但也疼到不能触碰），孕期的性生活充满了挑战。但不要担心，一点创造性、一点幽默感、足够的耐心（和练习）和绵绵爱意，可以战胜孕期的种种困难。

孕期的性生活

在孕早期，很多女性发现自己的性本能有所下降，这时性兴趣降低不足为奇。毕竟，疲劳、恶心、呕吐和一碰就痛的乳房让她们不能成为理想的性伙伴。但还是那句话，所有女性的怀孕情况都不同，孕妇的性本能也可能不同。如果你足够幸运，也许会发现自己在孕早期欲火燃烧，甚至比之前还要兴致高昂。这也是激素带来的好影响：生殖器官更加敏感，乳房更大、更柔软。

一般来说，到孕中期，夫妇两人从身体和心理上都比较适应怀孕的现实了，所以这段时间，他们有更多精力投入到做爱事业中。从来没有过多次性高潮（或从来没有过性高潮）？这段时间可能是你的幸运期——有可能会一次又一次地获得高潮。原因在于阴唇、阴蒂、阴道部位增多的血液供应让你比以前更容易达到高潮。不过孕期没有定论，部分女性在孕中期丧失了做爱的感觉——或在孕期的 9 个月里再也没有感觉了，这也是正常的。

随着分娩到来，性欲通常会再次

降低，甚至比孕早期降低得更明显。原因也显而易见：首先，做爱时越来越难回避不断隆起的肚子；其次，随着孕程进展，各种疼痛和不适会浇灭火热的欲望；最后，在孕晚期末尾，除了盼望那个令人兴奋的分娩时刻，很难再把精力集中在其他事情上。

什么让你激情燃烧（欲望破灭）

随着孕期9个月里经历各种身体变化，你的性欲受到影响并不奇怪——不管是积极的还是消极的。要学着适应这些消极变化，将它们对性生活的影响减到最低。

恶心呕吐。晨吐自然会影响你好好享受性生活。毕竟，当晚餐一直在胸口上涌时，很难感受到快感。所以一定要灵活安排自己的日程，把好的时间段派上用场。如果晨吐的欲望和太阳一同升起，可以好好利用天黑后的时机。如果恶心感出现于傍晚，可以试试早上登上爱的列车。如果晨吐现象占据了日日夜夜，那爱人可能就要等到这些症状消失了（至少也要等孕早期的典型症状消失）。不管你是哪种情况，都不要在没有兴趣做爱的时候强迫自己，这会让双方都很不舒服。

疲惫。当你连脱衣服的力气都没有时，自然很难开始床上运动。所幸，最糟糕的疲惫感会在孕期第4个月逐渐消失（但会在孕晚期再次袭来）。在这之前，可以在白天做爱，而不要逼迫自己熬得很晚。如果周末下午有时间，可以先做爱，再小睡一会儿，或者反过来，然后在床上吃一些不会掉渣的食物。

不断变化的身材。当不断隆起的肚子变得像喜马拉雅山那样高大得令人望而生畏，做爱就变成了难以把握又不舒服的事。随着妊娠继续发展，对一些夫妇而言，为了翻越高耸的肚子付出了太多努力，有些不值得。此外，孕妇的曲线也可能会让双方失去兴趣——此时你可以告诉自己：怀孕的时候，“大”就是美。

生殖器充血。孕期的激素变化会导致流向骨盆区的血液增多，从而使某些女性的性反应增加。但如果高潮后这种充血的感觉仍然持续，也可能使性生活不那么令人满意（特别在孕晚期），让女性感觉好像刚才没有做爱。对男性来说，怀孕的妻子生殖器充血可能会增加他的满足感，但也可能会降低他的满足感（感觉太紧而难以勃起）。

初乳渗出。在孕晚期，一些孕妇开始产生初乳，在受到性刺激时，初乳会从乳房渗出，使前戏变得尴尬（甚至是混乱）。当然，用不着担心，如果这令你和爱人不悦，可以取消胸部游戏，改成刺激身体的其他地方。

乳房刺痛。一些幸运的夫妇整

个孕期都会陶醉于这前所未有的胸部“玩具”（比任何时候都丰满、坚挺）。但很多孕妇发现，在孕早期的性爱当中，应该跳过爱抚胸部这个阶段，因为它们敏感而刺痛。如果乳房给你带来的疼痛超过了愉悦，跟丈夫谈谈，让他每次都能记得（并提醒他这种刺痛会在孕晚期结束后才逐渐消失，而乳房会持续胀大）。

阴道分泌物的变化。孕期阴道分泌物会增多，黏稠性、气味也会发生一些变化。对于妻子阴道很窄，做爱时感觉干涩的夫妇来讲，这种分泌物的润滑可以增加性生活的乐趣。但这种润滑也使阴道过于湿滑，导致男性有时难以达到高潮。由于阴道分泌物的气味加重，口交变得不太愉快，在耻骨处或大腿内侧（不是阴道）涂一些有香味的按摩油会有所帮助。

一些孕妇在性生活中会出现阴道干燥的情况，即使有这些阴道分泌物也不行，可以试试无味的水质润滑剂。

子宫颈敏感引起出血。在子宫充血的日子里，子宫颈也会充血（很多额外的血管交错分布，满足增加的血

孕期性生活的细节

想知道孕期的性生活中哪些行为安全，哪些不安全吗？下面为你列举了一些：

口交。在孕期都是安全的，而且会充满快感。但要注意让爱人小心不要把空气吹进阴道里。对于一些夫妻来说，这种做爱方式甚至是性生活被禁止时的良好替代。但如果爱人患有性传播疾病的话，最好避免口交。

肛交。肛交在孕期或许是安全的，但是要小心进行。首先，如果你有痔疮这种孕妇职业病的话，肛交不会舒服——而且很容易引起出血。其次，不管你有没有怀孕，都应该记住肛交的一些原则，尤其要注意严格遵守以下细节：肛交后一定要彻底清洁阴茎才能再进入阴道。如果不注意的话，很可能将一些有害细菌带入阴道，引起感染，危害到宝宝。

自慰。除非医生要求你不能达到高潮，否则不管在什么情况下，孕期自慰都是最安全的做爱方式，还可以让你减轻对于孕期性爱的顾虑。

电动按摩器和假阴茎。只要医生允许你做爱，假阴茎和电动按摩器在孕期都可以安全使用，它们只不过是真实器官的机械版本而已。但要确保你放入阴道的所有东西都是干净的，也要当心不要插入得太深。

性爱练习

没有比在性爱中练习凯格尔运动更能寓教于乐了。这项运动可以锻炼会阴部位的肌肉,为分娩做好准备,减少你在分娩时需要做外阴切开术的可能性,并降低阴道撕裂的概率。当然,经常做凯格尔运动还能加速产后的恢复。虽然你可以随时随地做这个运动,但在做爱时练习,可以给双方都带来无穷趣味!

流要求),并比怀孕前更柔软。这就意味着,做爱时如果插入较深偶尔会引起出血,特别是在孕晚期子宫颈成熟时。这种出血一般不必太担心,但为了安全起见需要告知医生。

还有一些是影响孕期性生活乐趣的心理因素。同样,你也可以将这些影响降至最低:

担心伤害到宝宝或引起流产。停止这种担心,好好享受你的性生活吧。在正常妊娠中,性生活不会产生危害——宝宝在子宫里被羊水很好地保护着,宫颈口还有黏性栓塞,可以将子宫同外界分离开。如果孕期不能同房,医生会告诉你相应的理由,只要医生没有相关警告,就大胆地享受吧。

害怕性高潮会导致流产和阵痛。高潮之后子宫确实会收缩,有些女性甚至收缩感非常明显,在做爱后要持续半个小时。但这种收缩并不是分娩迹象,对正常的孕期也没什么危害。如果孕期需要避免高潮,医生会告诉你的,比如流产、早产风险高,或有胎盘问题的女性,其他人不必担心。

担心宝宝能看到或感觉到。这是不可能的。虽然宝宝喜欢性高潮时子宫收缩引起的轻微摇晃,但他不会看到你正在做什么,也不知道是怎么回事,更不会对此有记忆。宝宝只会对激素和子宫的变化作出行为反应(在你做爱时,他会缓慢地运动,随后是激烈的踢腿和扭动,而在你高潮后他的心跳会加快)。

害怕碰到宝宝的头。虽然丈夫可能不愿意承认,但实际上,没有任何阴茎会大到伤害宝宝(或者足够接近他)。宝宝被很好地保护着。即使宝宝的头已经下降到骨盆里,较深的插入也不会有危害。

担心做爱会引起感染。只要爱人没有性传播疾病,你的宫颈口还没有打开,做爱就不会给孕妇和宝宝带来感染的危险。在羊膜囊里,宝宝很安全,不会受到精液和感染性微生物的影响。

对即将到来的生活感到焦虑。准妈妈和准爸爸对即将到来的生活很容易产生一些(或很多)压力,你们可能会对宝宝的到来出现很复杂的感情。当你们担心即将到来的责任感和生活方式变化时，也就没什么情绪做爱，更不用提养育一个孩子需要投入的物质和情绪。放轻松，一起好好谈一下，不要把情绪带到床上。

正在变化的关系。可能你在适应即将到来的家庭成员变化上会有些困难，觉得你和丈夫之间不再仅是爱人关系了，也将变成父母。你可能会发现，这给性爱带来了一种新的亲密感，还有随之而来的兴奋感。

怨恨。丈夫可能会嫉妒你在怀孕后成为了众人关注的焦点；或者你对丈夫产生了这种心理，因为你要为你们共有的子女受罪。这种感觉一定要坦率地说出来，在睡觉前聊聊天。

认为在孕晚期做爱会引发阵痛。在妊娠进程中，性高潮的确有可能使宫缩变得更强烈。不过除非子宫颈已经成熟且做好准备，否则这些宫缩不会引起阵痛和分娩——一些过了预产期的夫妻想通过这个办法加速阵痛，其实没什么用。事实上，研究表明，孕晚期热衷于性生活的夫妻反而容易引起分娩延迟。

当然，心理变化有时也能促进性生活。有些一直努力想怀孕的夫妇怀孕后非常高兴，因为此时他们可以为了性需要而做爱，不用继续做监测排卵的奴隶了。另一方面，很多夫妻发现有宝宝使他们之间的关系更亲密，并不觉得隆起的肚子是累赘，而是一种亲密的标志。

当性生活受到限制时

对于怀孕期间的夫妻来说，做爱的意义重大。虽然每对夫妻都希望能在整个孕期充分享受它，但对某些夫妇来说确实不行。对高危妊娠的孕妇，性生活在某个阶段甚至全部9个月里都会受到限制——或者允许做爱，但不允许女性达到高潮；或者要求前戏时间越长越好（避免阴茎插入）；或者必须使用安全套。要知道什么行为是安全的，什么时候是安全的——这是最基本的要求。如果医生要求你避免做爱，一定要问清楚，了解相关原因，是避免做爱、性高潮还是两者都有，是暂时禁止还是整个孕期都如此。

如果你出现以下情况，做爱一般会受到限制：

- 出现早产迹象或有早产史。
- 确诊为子宫颈机能不全或前置胎盘。
- 有出血现象或有流产史。

如果不允许阴茎插入，但允许有性高潮，可以考虑一下互相自慰。如果高潮对于你来说是个禁忌，也可以通过这种方式使丈夫感到愉悦。如果允许做爱，但不建议达到高潮，尽管这不会让你完全满足，却可以帮助丈夫达到高潮而获得想要的亲密感。如果怀孕期间禁止性生活，那就尽量避免出现想做爱的情绪。以其他方式获得亲密——一部浪漫的纯爱电影；牵

如何感觉舒适

在孕期做爱，姿势很重要。侧躺式（面对面或同一方向侧躺）通常最舒服，这样可以解放你的背部。女上位或后进式也很好。男上位的时候应该更迅速（丈夫要用手臂支撑自己的体重），但第4个月后，准妈妈平躺时间太长也不太好。

手、拥抱、亲吻等。

即使次数少，也要好好享受

持久而美好的性关系很少在一天（或一个火辣的晚上）建立起来，它需要练习、忍耐、理解和爱的培养。已经建立起来的美好性关系在经历孕期时，也会受到身体和情感的影响。下面是几种保持最佳状态的方法：

- 享受性生活，而不要比较。不要把精力集中在你们是否应该频繁做爱上（质量永远比数量更重要，在孕期更是如此），也不要用现在的性生活质量和之前的比较。
- 强调积极的方面。做爱可以看做是为阵痛和分娩做准备，如果做爱时也能记住练习凯格尔运动就更好了。把性爱当做放松——不管从哪个方面说，放松都是好的。让每一次拥抱都是心灵的拥抱，而不仅是肉体上的亲近。
- 小小的冒险。旧的做爱姿势已经不再适合？现在是尝试新姿势的最佳时机，但要给自己时间适应这种新姿势。你可以考虑一次“彩排”——先穿着衣服练习，这样等到真正做爱的时候就可以更熟练（也会更成功）。
- 期望要符合实际。孕期的性生活充满了挑战，所以放松一下自己的要求吧。虽然一些女性会在孕期第一次做爱就达到高潮，但大部分女性在孕期比怀孕前更难获得高潮。你的目标并不是达到高潮，提醒自己，有时仅是身体上的亲近就能让你感到满足。
- 别忘了其他形式的交流。沟通是每一段关系的基础，尤其现在你们的关系将面临一个很大的变化，夫妻应该在一起好好讨论一下面对的所有问题，并要在上床前把这些问题解决掉。如果出现了比较大的问题，觉得靠自己的力量不能解决，可以寻求专业人士的帮助。要解决两个人之间的问题，再也没有比现在更好的时机了，因为你们马上就要成为三口之家了。

不管是好是坏，还是和以前一样，记住，所有夫妻对于孕期性爱的感受都不一样——不管是肉体上还是情绪上。在妊娠期，你和丈夫最自然的状态就是最正常的。拥抱每一次做爱时的感受，拥抱彼此吧，但注意不要“运动”到出汗才停下来休息。

第11章　第6个月

（23~27周）

从现在起，不用再担心肚子里的动静是胃肠运动的功劳：真的是宝宝在动，而不是胀气。宝宝的胳膊和腿越来越有力气，你可以经常感觉到宝宝在做操，有时候他在阵阵打嗝，同时也在欣赏你身边的各种事物。这个月是孕中期的最后一个月，也就是说，你已度过了孕期的2/3。然而，前方还有较长的一段路，宝宝还有很多需要发育的地方——相对于一两个月后来说，他现在还算比较轻。趁着还能看到自己的脚（至少能摸到自己的脚趾），好好享受这段时光吧。

本月宝宝的情况

第23周。如果你能看到子宫，就能发现宝宝的皮肤有点下垂，松松地搭在他的小身体上。这是因为皮肤发育得比脂肪快，所以目前的脂肪还不够填充皮肤。不要担心——脂肪的生长很快就能赶上大部队了。从这周起，宝宝（大约20厘米长，450克重）开始快速增重。到这个月底，宝宝的体重将会增加一倍。一旦脂肪储存完成，宝宝就不会像现在这么透明了。目前，透过宝宝的皮肤就能看到他的器官和骨骼，但因为血管系统已经发育起来，整体色调看起来偏红。到第8个月时，宝宝就不再是透明的了。

第24周。宝宝本周的体重已经有680克，头臀长22厘米。现在宝宝每周的体重都可能再增加170克——赶不上你要增加的体重，但也慢慢接近了。这部分体重中绝大多数都是宝宝增加的脂肪，也有器官、骨骼、肌肉的发育。到现在为止，宝宝可爱的小脸已经完全形成——长长的睫毛，俊俏的眉毛，还有一头亮丽的秀发。宝宝的头发是什么颜色？事实上，现在他的头发是银白色，因为头发里还没有色素。

第 25 周。宝宝飞快地成长着，这周头臀长达到了 23 厘米，体重超过了 680 克。发育方面也非常激动人心：皮肤下的毛细血管在慢慢形成，并充满血液。这周结束后，由毛细血管参与构成的肺泡组织也将完成，让宝宝为第一次呼吸新鲜空气做好准备。但现在他的肺还不能胜任呼吸工作——还需要很长一段时间才能成熟。表面活性剂是一种帮助宝宝出生后肺部展开的物质。现在宝宝的肺组织上已经有了这种物质，但肺部还不能完成向体内输送氧气、排出体内二氧化碳的工作。宝宝的鼻孔还是堵塞的，但从这周起将会慢慢打开，接下来他就会自己开始练习"呼吸"。宝宝的声带也发育完了，他会不时打一下嗝（你一定会感觉到）。

第 26 周。下次去逛菜市场的时候别忘了买一块 900 克的鸡胸肉——不是用来做晚餐，只是让你感受一下肚子里宝宝本周的体重。他的头臀长也超过了 23 厘米。本周另一个重大的变化：宝宝的眼睛要睁开了。过去几个月里，宝宝的眼睑是闭合的，这样才能让视网膜发育，视网膜的功能在于让物体在眼睛里成像。眼睛里有色的部分叫做虹膜，本阶段它还没有色素沉着，所以还看不出宝宝眼睛的颜色。不过，宝宝现在可以看见东西了——虽然子宫这个小房子里黑漆漆的，没什么好看的。不过随着宝宝的

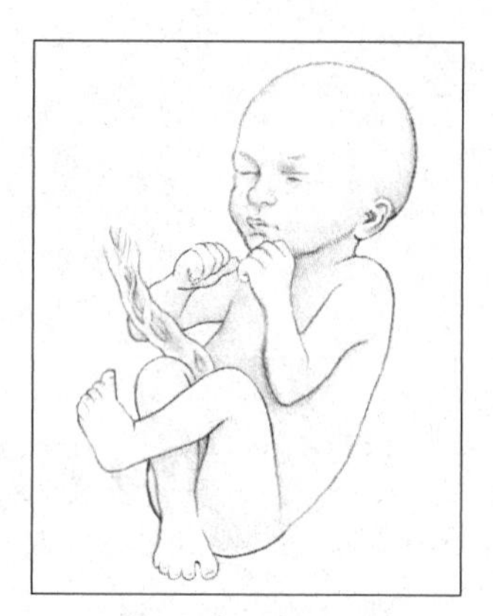

第 6 个月的宝宝

视觉和听觉越来越强，你能感到一旦有亮光或声音刺激，宝宝在体内的运动就会加强。如果带有震动的声音靠近你的肚子，宝宝会受到惊吓，会以惊慌的眨眼来作出反应。

第 27 周。这周开始，记录宝宝身长大小的表格可以换一张了——头臀长已经不适用了，测量从头到脚趾的长度更科学。本周，宝宝全长大约有 38 厘米，体重也上了一个台阶，达到了 900 克。有一种有趣的说法：宝宝现在拥有的味蕾比他出生后还要多，也就是说，宝宝不仅能够通过吞咽羊水分辨出你每天吃的食物，还可以对食物作出反应。例如，一些宝宝会在妈妈吃了辣的食物之后打嗝；或者，当他们被辣到时，会舞动着小腿踢妈妈。

你可能会有的感觉

记住，还是那句老话：每位女性

的每次怀孕过程都不同。以下症状你可能在某个时间全部经历过，也可能只经历过其中的一两种。有的是上个月症状的延续，有的可能是这个月新出现的，还有些你已经习惯了而很难察觉：

身体上

- 更多清楚无误的胎动。
- 持续出现阴道分泌物。
- 下腹部两侧疼痛（支撑子宫的韧带拉伸所致）。
- 便秘。
- 烧心、消化不良、胀气、身体浮肿。
- 偶尔出现头痛、虚弱、眩晕等症状。
- 鼻塞，偶尔流鼻血；耳朵里有闷塞感。
- 牙龈敏感，刷牙时容易出血。
- 食欲旺盛。
- 腿部痉挛。
- 脚及脚踝轻微肿胀，手和脸偶尔肿胀。
- 腿部出现静脉曲张，可能有痔疮。
- 腹部瘙痒。
- 腹部或脸部皮肤颜色有变化。
- 出现妊娠纹。
- 乳房增大。

精神上

- 情绪波动较少。
- 持续性健忘。
- 开始对怀孕感到厌倦。
- 对未来感到焦虑。

本月可能需要做的检查

这个月的检查可能像例行公事。

观察自己

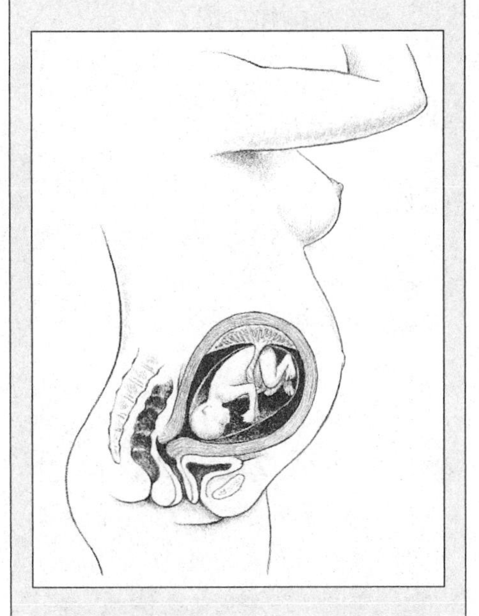

这个月初，宫底大约位于肚脐上方 4 厘米处。到这个月末，宫底又会再升高 2.5 厘米左右，可以在脐上 6.5 厘米左右的地方触及。现在你的子宫已经有一个篮球那么大了。

孕中期的最后一个月，医生可能会检查如下项目：

● 测量体重和血压。

● 尿常规，检查尿液中是否有糖和蛋白质。

● 听胎心。

● 测量宫高。

● 通过触诊估计宝宝大小和胎位。

● 检查手和脚的水肿情况，腿部是否有静脉曲张。

● 你的一些妊娠期症状，特别是少见的症状。

● 你要了解的问题。

你可能关心的问题

失眠

“我从没有失眠过，可现在怎么总是入睡困难？”

半夜不停往卫生间跑，大脑高速运转，腿抽筋，烧心……这一切让你无法安睡，即使睡着了，旺盛的新陈代谢又会让你热醒。而且，当你的肚子里似乎有人在参加篮球赛时，晚上睡不着当然不足为奇。等到宝宝出生，你们加入了新手父母的队伍，无法获得良好的夜间睡眠也将成为常态——现在的失眠就当成准备工作吧。但这并不意味着你必须睁大眼睛一直清醒地躺着，尝试下面这些措施，看能不能把你的睡眠精灵召唤出来：

● 白天多运动。白天运动会让你晚上睡得很沉，但不要在睡觉前锻炼，运动引起的兴奋感反而会使你很难入睡。

● 整理思绪。如果失眠是由于睡觉时你反复考虑工作上的事或生活中的一些问题，那么向丈夫或朋友倾诉吧。如果周围没有人可以说话，就把你的疑虑写下来，这也是一种有效的解决办法，还能帮你想到问题的解决方案。到了上床时间，把焦虑的情绪放到一边，清空大脑，仅留一些开心的事就可以了。

● 晚饭要慢慢吃。不要把晚饭狼吞虎咽地吃下去，即使非常饿也不行，一定要以一种放松的心情吃晚饭。缓慢安静地吃晚饭并仔细咀嚼食物能减轻夜间烧心的症状，让你不会在夜里辗转反侧。当然，也不要刚吃完晚饭就睡，因为满满的胃会让你非常不舒服。

● 上床睡觉前吃点零食。睡前吃得太多或太少都会影响睡眠。促进睡眠的传统做法——睡前喝一杯热牛奶很有用。当蛋白质和某些碳水化合物结合时，就会产生催眠作用。所以，喝牛奶后啃几口水果，或者边吃乳酪、酸奶、葡萄干，或在牛奶里泡一个松饼或一些燕麦片。

● 减缓液体流动。如果上卫生间

的次数太多影响睡眠，晚上 6 点以后就控制饮水，只需要保证白天摄入足够水分就可以了。渴了可以喝点水，但上床前喝水不要超过 500 毫升。

● 不要让自己进入兴奋状态。下午和晚上要避免接触咖啡因，它会让你在接下来的 6 小时都处于兴奋状态。同理，糖也一样，那些包含咖啡因的糖更应该禁止，比如巧克力。糖会为你迅速提供能量，导致夜间血糖水平不稳定。

● 形成睡前仪式。这不仅对孩子有用，重复的生活规律同样有利于成人晚间入睡。为了实施起来更容易，可以晚餐后尝试一些放松的活动，并以舒适的节奏进行。一些好的选择有：轻松地读一本书或看电视（避免暴力或会引起感伤的节目），听使人镇定的音乐，做伸展运动或瑜伽，洗一个热水澡，按摩背部或做爱。

● 舒适。孕期再多的枕头也不嫌多。在任何需要的时候都可以用它们来支撑你的身体。孕期越早学会左侧睡越舒服。同时也要确认一下床垫是否舒适，卧室是否太冷或太热。

● 呼吸新鲜空气。在空气污浊的地方，很难不感觉困倦。除了最冷或最热的天气（可以用风扇或空调调节气温），都应该打开窗户。不要蒙着头睡觉，这样会减少吸入的氧气，增加体内的二氧化碳含量，从而导致头痛。

● 用药前咨询医生。的确有些助眠药物可以在孕期偶尔服用，但除了医生开具的助眠药物，别碰其他任何药物（处方药、非处方药、中草药）。如果医生推荐你服用镁补充剂（或钙镁合剂）来对抗便秘或腿抽筋，可以在睡觉前服用，因为镁元素具有天然的放松作用。

● 闻着清香入眠。把一袋干薰衣草香囊塞到枕头里或放到床边，这种香味可以帮助你放松并更快入眠。

● 除了睡觉（和做爱），不要待在床上。对有些人来说，在床上读书、看电视、整理信件和做其他事会影响睡眠。

● 觉得累了再上床睡觉。你需要的睡眠可能比想象的少，将睡觉时间延后反而有助于睡眠。但也不要等到支持不住或过分疲惫后才睡觉。

● 不要使用闹钟，根据自己的感受来判断睡眠是否充足，而不是根据睡了几小时来判断。记住，许多觉得自己睡眠有问题的孕妇实际上的睡眠时间比她们想象的多。如果不是总觉得累，就说明你得到了足够的休息。如果看到闹钟的指针不停往前走让你很有压力，就把它放到视线之外。

● 如果几小时都睡不着，在床上翻来覆去，就不要再继续躺在床上了，起来找点放松的事情做。读书、看电视，直到你感到困了再睡。

● 不要因为失眠而失眠。因为睡

时光宝盒

当你有了宝宝并开始养育他们，会发现时间过得飞快。为了给自己存下孕期的记忆，你可以准备一个盒子。很多年之后，你的宝宝不再是个小孩了，他可以打开这个时光宝盒，看到自己出生前的景象。找一个盒子（或箱子），把你的照片、丈夫的照片，以及宠物、房子和汽车的照片都放进去，不要忘了宝宝的超声检查照片，以及那家天天给你送外卖的餐厅目录、最新的报纸和杂志，还有其他所有代表你这个孕期的纪念品，都放在里面。把盒子封起来放好，一直到宝宝长大懂得欣赏它的时候再拿出来。

不着而造成的压力会让你入睡更困难。事实上，很多时候失眠就是由于不断担心“我什么时候才能睡着”。

肚脐凸出

“我的肚脐曾经是个完美的‘内陷’肚脐，现在却一点点凸了出来，分娩后会不会也一直这样？”

这些天你的肚脐开始摩擦衣服？不要担心，孕期肚脐凸出并不是新鲜事。随着膨胀的子宫向前扩展，即使最深陷的肚脐也会鼓出来（大多数孕妇的肚脐常在怀孕第6个月就凸出了）。不过，它会在分娩后几个月恢复到原有的位置。到那时，你就发现肚脐凸出的好处了：它给你提供了一次清理肚脐里脏东西的好机会。如果你觉得这个肚脐凸出的造型不满意，可以考虑把它按进去(只要没有感染，可以使用创可贴，或其他专门固定肚脐的产品)。但要记住，它是又一个值得你骄傲的妊娠荣誉勋章，真的要把它藏起来吗？

宝宝的踢动

“有的日子宝宝一直在踢我，有的日子他又很安静，这正常吗？”

宝宝和我们一样，也有“情绪高涨”的日子——这时他会想踢踢腿(或是活动手肘和膝盖)；在“情绪低落”的日子，他会想躺下来放松一下。通常，宝宝的活动更多和你的活动有关。宝宝喜欢被摇晃，如果你一整天都在活动，宝宝就会因为你的活动而安静下来，这样你就不太容易察觉到很多踢动——部分原因是宝宝活动的节奏慢了下来，部分原因是你太忙，忽略了这一感觉。当你停下来休息时，他一定会开始捣蛋。这就是为什么准妈妈常常在晚上睡觉或白天休息时感觉到胎动。在你吃过饭或零食后，宝宝的活动也会增加，这时他可能是对血糖的突然增加作出反应。在你兴奋或紧张的时候，胎动也会增加，这也许是因为体内肾上腺素的增加刺激了宝宝。

事实上，宝宝在 24～28 周时最活跃，这时他还小，可以在子宫里自由地转动。但他的活动没有规律，通常持续时间也比较短，虽然超声检查可以看到他的活动，但忙碌的准妈妈不一定总能感觉到。在 28～32 周的时候，宝宝的活动会变得更有规律，休息和活动的时间也更稳定。当然，对于胎盘前壁的孕妇来说，感觉到胎动自然要晚一些，也不会这么明显(参考第 248 页)。

不要把宝宝的活动与其他孕妇的宝宝作比较——每个宝宝都有不同的活动和生长方式：有的似乎一直很活跃，有的大多数时间都很安静；有的宝宝活动很规律，妈妈甚至可以据此来调整手表时间，有的根本没有明确的活动方式。只要宝宝的活动没有很反常地减速或停止，任何变化都是正常的。

另外，怀孕 28 周之前记录宝宝的踢动没什么必要（参考第 288 页）。

“有时宝宝踢得太狠了，我很疼！”

随着宝宝在子宫内慢慢长大，他变得越来越强壮，曾经像蝴蝶拍翅膀般的胎动，现在也变得越来越有力，如果你被他用力地踢到肋骨，或者戳到肚子或子宫颈，肯定会觉得很疼。当你受到猛烈的“攻击”时，可以试着换个姿势，这也许会让小运动员因失去平衡而暂时停止动作。

“宝宝似乎从四面八方踢动，我是不是怀了双胞胎？”

几乎每个孕妇都会在孕期的某个时刻觉得自己怀了双胞胎，或者怀了一个章鱼般的宝宝。除非长到了一定大小，活动受到了子宫内空间的限制（一般在 34 周左右），否则宝宝可以在子宫里表演无数高难度动作。虽然你现在觉得肚子里好像有十几个拳头，但实际上可能只有两个小拳头，还加上两个小膝盖、两只小胳膊和两个小脚丫。

腹部发痒

“肚皮一直非常痒，我快疯了。”

孕期的肚皮确实会发痒，在接下来的几个月里还可能会越来越痒。这是因为随着肚子变大，皮肤被快速撑开，导致皮肤丧失水分，于是出现瘙痒不适。注意不要抓挠，这样只会更痒，且容易引起过敏。保湿霜可以暂时缓解这种瘙痒的感觉——选择一种刺激性较小的，并坚持使用。炉甘石洗剂可以在较长时间内缓解瘙痒，也可以试试含燕麦成分的浴液。如果你全身发痒，似乎和敏感性皮肤或皮肤干燥没关系，或者腹部开始出疹，咨询一下医生。

笨拙

“最近我总是拿起什么就掉什么，为什么突然变得这么笨呢？”

像肚子大起来一样，你的手指似乎变得不灵活。像许多孕期的副作用一样，这种暂时性的笨拙也由关节松弛和水潴留引起——两者都会使你抓取物品时不像以前那么有力、稳当。其他的因素可能包括：因为孕期健忘导致注意力不集中（参考第 217 页），或是腕管综合征引起的灵敏度不足。当然，还有日益变大的肚子引起的重心改变，从而打乱了肢体平衡。这种令人担心的平衡感下降在上楼梯、在较滑的路面上行走、抬举重物时更加明显。肚子挡住了眼睛到脚的视线也容易导致绊倒（在路边、台阶、丈夫扔在卫生间门口的运动鞋上）。最后，孕期的疲惫感会让你在所有活动中都保持一种懒洋洋的状态，很容易被绊倒或摔倒。

大部分孕期的笨拙感都令人讨厌。例如，需要反复从地板上捡起车钥匙，这不仅会引起持续的脖子疼痛，如果忘了用弯曲膝盖来代替弯腰，还会造成背痛。如果摔倒，问题更严重，这就是为什么孕期“小心”二字会跟你的名字结伴而行。

如果这些天你就像一头闯入瓷器店的牛，一定要注意改改日常的行为习惯。不要再去任何瓷器店。把你最喜欢的水晶花瓶留在架子上，不要动它。把餐具放入洗碗机时让别人代劳，特别是其中的某些比较昂贵时。当然，做事情慢一点也会有帮助，走路从容一点、小心一点（特别是脚下有雪或冰的时候）。在浴室要格外注意脚下的情况。保持过道和楼梯清洁，没有可能绊倒你的杂物。尽量不要站在梯子上，不要强迫自己继续做事（越疲惫你就越笨拙）。最重要的，意识到目前你面临的限制和缺乏协调性这一特点，并用一种幽默的态度对待它。

双手麻木

“我经常半夜里醒来，因为右手的几个手指麻了，这与怀孕有关系吗？”

觉得手指刺痛？这很可能与宝宝即将到来而产生的兴奋感无关。手指和脚趾麻木、刺痛在孕期很正常，因为肿胀的身体组织压迫到了神经。如果麻木和疼痛感只限于大拇指、食指、中指及无名指，也许是因为你患了腕管综合征。这种病常见于需要不断重复活动手的人身上（例如弹钢琴或打字），孕妇也可能患这种病。通往手指的神经会通过腕管，孕妇的腕管在妊娠期会变得肿胀，由此带来的压力就导致了麻木、刺痛及灼烧感。这些症状也会扩展到手和手腕，甚至辐射到整只手臂。

虽然腕管综合征带来的疼痛可能在一天中任何时候发生，但你可能更多会在夜里感觉到这种疼痛。这是因为下肢积聚了一天的体液，躺下时会重新分配到身体各个部位（包括手部）。睡觉时压着手也会让这个问题更严重，可以在睡觉时把手单独放在一个枕头上。感到麻木时，甩手也许能缓解。如果没有用，而且麻木的感觉影响了睡眠，就将这个问题告诉医生，听听他的意见。带手腕夹板会有用，针灸也有一定效果。

非甾体抗炎药和一些治疗腕管综合征的类固醇处方药都不应该在孕期服用，具体情况要咨询医生。幸运的是，分娩后身体组织肿胀的现象就会消失，腕管综合征也会销声匿迹。

如果你认为腕管综合征与工作习惯和怀孕都有关，翻到第 195 页。

腿部痉挛

“我的腿晚上总痉挛，实在睡不着。”

杂乱的思绪和隆起的肚子已经让你难以入眠，现在还要加上腿部痉挛的折磨。不幸的是，这些使人痛苦的痉挛通常会发生在晚上，而且在妊娠中后期很常见。

没有人能确定腿部痉挛发生的原因。大量理论将其怪罪于孕期需要支撑庞大体重导致的劳累，压迫到腿部血管，或者是由于饮食（高磷、低钙、低镁）。你也可以再一次责怪激素分泌，因为它们似乎引起了太多妊娠期疼痛。

不管原因是什么，下面有一些好办法帮你预防或减轻这种痛苦：

- 腿部痉挛时，伸直你的腿，缓慢地把脚尖向鼻子方向弯过来（不要绷脚尖），这样会减轻疼痛。每晚睡觉前两条腿交替多做几次这个运动，可以预防夜里腿部痉挛。
- 伸展运动也可以预防痉挛发生。睡觉前，面向墙壁站立，距离墙面 60 厘米，并用手掌贴在墙面上。前倾，保持脚后跟着地。坚持 10 秒，然后恢复之前的姿势并放松 5 秒。重复做 3 次（参考第 272 页图）。
- 为了减轻双腿的负担，经常把双脚抬高，休息时交替放松，并穿有弹力的连裤袜。周期性地活动双脚也有帮助。
- 光脚站在冰凉的地面上，有时候也能让双腿停止痉挛。
- 你也可以采用按摩或局部热敷等方法缓解症状，但一定要在活动和冷疗无效的情况下才能进行按摩和热敷。

●确保每天喝足够的水。

●摄入营养均衡的饮食，包括足够的钙和镁。

十分严重的痉挛会引起持续几天的肌肉酸痛，不用担心。但如果疼痛十分严重且持续时间过长，就要与医生联系，可能静脉里出现了血栓，这种情况需要立即进行恰当的治疗(参考第 553 页)。

赶走腿部痉挛的伸展运动

痔疮

“我很担心痔疮问题，听说这在孕期非常常见，有什么预防措施吗？”

这真是非常麻烦的一个问题，但是超过半数的孕妇的确出现了痔疮。就像腿部会出现静脉曲张一样，直肠也会出现静脉曲张。子宫日益变大，产生的压力连同骨盆区增加的血液供应，会使直肠壁上的静脉肿胀、隆起、发痒。

这会加重便秘，甚至引起痔疮，所以你首先应该采取预防措施（参考第 177 页）。练习凯格尔运动（参考第 293 页）可以增强这些区域的血液循环，减少痔疮发生。另外，应该采用侧卧的睡姿，而不要用背部平躺，以减轻该区域的压力。避免久站或久坐。不要在厕所里待太久（把厕所里的书和其他阅读材料搬出去，这样你就不会为了看书一直坐在马桶上了）。坐在马桶上时踩着脚凳也有利于大便顺利排出。

为缓解痔疮的痛苦，可以试试金缕梅或冰袋，洗个温水澡也能缓解不适。如果坐下时感觉很疼，可以选一个圆圈形的痔疮坐垫，它有减轻压力的效果。使用任何口服药或局部外用

发现不正常的情况

腹部抽筋般的疼痛，阴道分泌物突然发生变化，后背或骨盆疼痛（或者无法指出疼痛的具体部位），这些可能都没什么问题。但为了保证安全，翻到第143页看看是否应该通知医生。如果在清单中没有找到你的症状，最好也通知医生。及时报告不寻常的症状有助于发现早产和其他妊娠期并发症，这和孕期能否顺利结束有很大关系。记住，你比任何人都熟悉自己的身体。

药之前，都必须咨询医生的意见。忘了老人跟你说的那一招吧（喝一勺矿物油），矿物油会将肠道内很多重要的营养物质排出体外。

虽然肛裂（由于便秘的压力引起肛门皮肤疼痛性开裂）容易引起直肠出血，痔疮有时候也会，特别是当你使劲儿憋气想把大便排出去时。所有直肠出血都应该让医生来鉴定，但一般罪魁祸首都是痔疮。痔疮除了不适之外并没有什么危害，一般会在分娩后消失——虽然漫长的分娩过程也容易造成产后痔疮。

乳房肿块

“我很担心乳房一侧的小肿块，这到底是什么东西？”

虽然离给宝宝喂母乳还有几个月的时间，但你的乳房已经开始增大，结果就是：堵塞的乳腺导管。这些摸起来软软的红色乳房肿块很常见，生过宝宝的孕妇更常见。热敷（或用温水轻轻冲洗乳房）及轻柔地按摩可能会使乳腺肿块在几天内消失，哺乳期内也可以这样做。有的专家认为避免穿带钢圈的胸罩也有用，但一定要保证你选择的胸罩能提供足够的支撑。

怀孕后也要坚持每个月检查乳房。如果怀孕后乳房发生了变化，即便很难检查是否有乳房肿块，也要试一试。如果不能确定是不是肿块，下一次产检时让医生帮你看看。

害怕分娩时疼痛

“我想做妈妈，但不想经历分娩过程，我怕疼。”

几乎每个准妈妈都在盼望着宝宝出生，但没有几个会盼望分娩那一刻，尤其是那些从未经历过重大疾病的人。对于这种未知疼痛的恐惧很自然，也很正常。

在大脑里谨记如下要点非常重要：分娩是人生正常的过程，作为女人必不可少的一段经历。它的确非常疼，但这种疼痛有积极的意义：让你

妊娠中后期的出血

孕期内裤上出现粉红色或红色的血迹永远都会让你坐立不安。但妊娠中后期有轻微出血不用太担心。一般是由于内检或做爱碰伤脆弱的子宫颈，或是一些未知却无害的原因引起的。

所有越来越严重的出血现象都应该告知医生。如果出血严重，伴有疼痛不适，要立即去医院，超声检查可以判断有没有问题。

的子宫颈变薄打开，让宝宝顺利出来，进入你的怀抱。而且这种疼痛有时间限度，分娩不会持续太久。不仅如此，分娩疼痛并不是一种你必须要忍耐的痛苦，分娩时医生可以使用镇痛药物。

所以，没有必要怕疼，你需要知道一些准备措施——现实而理智地为分娩做好准备，在这个过程中清醒地看着每一步操作和每一个变化。现在就开始做准备（包括身体和精神上的准备，这两方面都会影响到你对疼痛的感受），可以减轻焦虑，以及宫缩开始时的各种不适。

获得足够的知识。以前的孕妇之所以会觉得分娩可怕，是因为她们不清楚身体发生了什么，为什么会这样。如今，分娩培训班会一步步地为你传授知识，引导你做好分娩准备。如果不能参加培训班，就尽可能多地找有关阵痛和分娩的资料来阅读，不了解实情会对你造成更大伤害。即使你已经计划了硬膜外麻醉或剖宫产，参加分娩培训班也很有必要。

活动起来。没有专门的训练，你肯定不会去跑马拉松。同样，没有经过专门训练，你肯定也不想分娩（其挑战性并不小于马拉松比赛）。在医生或分娩教练的指导下，进行呼吸、肌肉伸展及力量训练，再加上凯格尔运动。

成立分娩小组。你是否和丈夫商量好了，分娩时他会在一旁陪伴你？是否有一位产妇护导员（参考第296页）帮你按摩背部？是否有朋友帮你擦去前额的汗水？如果你非常喜欢团队合作，他们的帮助可以让你减轻恐惧。即使已经紧张得不想再多说话，知道自己不是一个人在战斗，也会让你安心很多。当然，也要保证你的队伍获得了培训，让他们和你一起参加分娩培训班，或阅读本书第372页关于分娩的相关章节，这样他们才能知道自己需要面对什么，怎样做才能为你提供最大的帮助。

准备后备计划。可能你已经决定了分娩时采用硬膜外麻醉；可能你希望宫缩时自己可以调整呼吸，或用催眠等辅助医疗手段控制疼痛；或者你希望自己先试试看，再决定采用什么方式缓解疼痛。无论哪种情况，提前考虑清楚，保持思路开阔（分娩不会总按照计划进行）。你要做最有利于自己和宝宝的事情（即使接受镇痛治疗的时候你已经快熬到头了）。事实上，有时候缓解疼痛的治疗非常有必要，可以让妈妈提高分娩效率。第295页有更多分娩中的疼痛缓解方法。

对于分娩的顾虑

“我很害怕自己分娩时出现令人尴尬的情况。”

这是因为还没有到分娩的时候。现在想想分娩时的尖叫、高声咒骂或无意识地大小便，真的让人很尴尬，但在分娩时，你最不应该想的就是避免丢脸。分娩时你的所作所为不会使医生震惊或讨厌，因为他们已经看过、听过很多次了，看见你这样也不会觉得奇怪。所以，不要压抑自己，放松地做任何觉得舒服的事。如果你是感情外露的人，就不要试图抑制呻吟和尖叫；如果你说话温柔，坚忍克己，也不要觉得有义务比其他产妇喊得更夸张。

呼唤催产素

“我已经决定分娩时该怎么做，不想在那种情况下失控。”

如果你是责任感很强的人，把自己的控制权交给负责为你分娩的医疗团队，一定会感到几分气馁。不过，你必然需要医生、护士和助产士的帮助，他们能给予你和宝宝最好的护理。你也可以要求注射催产素，很可能这个要求会得到满足，特别是你对分娩过程了如指掌的情况下。如果还没有达到这个程度，参考第292页的内容，

确诊先兆子痫

很可能你听说过一些女性患有先兆子痫。但事实上这种疾病并不太常见，发病率只有3%～7%。而且幸运的是，对于那些一直规律接受产前护理的女性来说，先兆子痫可以很早被诊断出来，并得到有效治疗，防止很多不必要的并发症。虽然规律的产检在一次健康的妊娠中显得有点浪费时间，但一般先兆子痫的早期征象都能在这几次检查中发现。

先兆子痫的早期症状包括：体重突然增加，和过量饮食无关；手和脸严重水肿；无法解释的头痛；胃和食管疼痛；全身发痒或出现视力问题。如果你有上述任何情况，一定要告诉医生。如果你规律地参加了每一次产检，就不用太过于担心先兆子痫问题。参考第515页和第538页了解更多关于妊娠期高血压和先兆子痫的知识和应对方法。

为自己制订分娩计划，明确自己在正常的分娩过程中想经历哪些、不想经历哪些，这样可以让你更好地控制整个过程。

你也要明白，不管准备得多么充分，不管什么医生给你接生，分娩过程中不可能一切自己说了算，任何最佳计划都要让步于各种不可预见的情况，所以要做好准备。例如，你已经计划了整个分娩过程不使用药物，但也许极端漫长、艰苦的阵痛活跃期已经耗尽了力气，最终不得不使用药物。或者你希望采用硬膜外麻醉，但分娩来得太快、太顺利，还没有等到麻醉师到来就已经结束了。要懂得什么时候放弃自己的决定，灵活变通，这对你和宝宝都有好处。

去医院看看

“我总是把医院和疾病联系在一起，很害怕医院，怎样才能放松一些？”

实际上，产科是医院里最幸福的地方。但如果你不知道这里是什么样子，住进去时就会充满恐惧。登记住院前可以先参观一下环境，或者在网上查看图片或相关视频。有的医院和分娩中心的网站提供了虚拟参观的体验项目。产检时也可以顺便看一看环境，即使那时你还不能进入真正的产房，也可以参观一下产后病房，仔细看看育儿室。这样能让你对将要分娩的地方感到放松，还能幻想一下宝宝的模样。

你很可能会在参观时感到惊喜。各个医院和分娩中心的产科设施不尽相同，随着行业竞争越来越激烈，他们会提供越来越多的服务设施。

分娩培训

倒计时开始——宝宝即将出生！你当然非常期待宝宝的到来，但对于分娩是否也有同样的期待？你在激动盼望中是否会夹杂着不安和恐慌？

放轻松。对分娩过程感到紧张是正常的，特别是第一次怀孕的女性。每一对准父母都会紧张。幸运的是，有办法让你缓解不安，不再焦虑，充满信心地从第一次宫缩开始面对这个事实，那就是掌握相关知识。

知识和充足的准备可以让你在进入产房时不那么害怕。阅读下面关于分娩的内容可以让你大致了解将会发生什么（这样你就可以顺利进入第373页描述的分娩过程），不过参加分娩培训班可以弥补更多的空白。所以，准父母们，再次找回校园时代的学习精神吧。

参加分娩培训班的益处

从分娩培训班和分娩教练那里

能获得什么？这取决于你参加的课程、授课的老师及你的态度（就像上学时一样，投入越多，获得越多）。不管怎样，对所有即将分娩的人来说，都会有一些益处，包括：

● 有机会和其他准父母相处，交流孕期经验，比较各自的妊娠进展，互相诉说苦恼、忧虑和疼痛的症状，交换自己在购买婴儿车、挑选儿科医生方面的经验。换句话说，很多孕妇在这里建立起了同志般的友谊，并有一种惺惺相惜的感情。当然，你们也有机会和其他夫妻成为朋友，这对于那些身边没有朋友经历过这一过程的人更重要。产后继续和这些认识的朋友保持联系，你们会成为一个集体，将来孩子们还可以结伴玩耍。有的班级在宝宝出生后还会举行聚会。

● 一个让准爸爸加入到孕期中来的好机会。准妈妈在孕期会面对各种需要解决的问题，很多时候准爸爸干着急却不知如何是好。分娩培训班的目标是让夫妻双方都有收获，并对准爸爸进行重要的教育，让他们觉得自己是分娩团队里重要的一员。培训班也能让准爸爸更快地熟悉阵痛和分娩过程，从而在孕妇宫缩时成为更有效的产程指导员。最好的是，他们有机会和其他准爸爸接触——看看别的准爸爸如何应对妻子孕期的情绪波动和唠叨。一些课程还有专门为准爸爸准备的部分。为了不增加妻子的负担，准爸爸一般不愿意把自己的焦虑告诉她们，但在这里可以很好地表达和发泄。

● 有机会询问一些在两次产检之间出现的问题，或不愿意问医生的问题（或者每次产检医生因为忙碌而无法交流的问题）。

● 有机会学习关于阵痛和分娩的知识。通过课本、讨论、场景模拟和录像，可以深入了解分娩的过程——从产前症状到最终剪断脐带。了解得越多，当这一切发生时就越放心。

● 学会所有缓解疼痛方式的好机会，从杜冷丁（一种止痛药）到硬膜外麻醉，甚至包括各种辅助疗法。

● 学习呼吸技巧、放松技巧和其他减轻疼痛方法的机会。学习时还可以得到专家的直接反馈。这有助于你在分娩过程中保持放松，降低疼痛感。如果你在硬膜外麻醉同意书上签了字，现在也可以得到一些指导。

● 熟悉一些阵痛和分娩过程中可能用到的介入性检查和仪器，包括胎心监护仪、静脉输液系统、真空吸引器及剖宫产用具等。你可能不会用到这些仪器，或只会用到其中一两个——提前认识它们会让你不再恐惧。

● 鉴于上述影响，你可以获得一个相对更愉快，压力更小的产程。做好充足分娩准备的夫妻，对整个分娩过程的满意度较高。

●增加自主性的好机会。知识就是力量，这种力量在分娩中更有用。知识的增长有助于驱散对未知的恐惧，分娩培训班可以让你感觉自己对分娩过程更有控制力，更有把握——可以应对分娩过程中的各种情况，以及大自然提出的各种难题。

选择合适的分娩培训班

看来你已经决定要参加分娩培训班了，去哪里找适合自己的培训班？该如何选择判断？

在某些地方，分娩培训班的选择有限，作出选择也很简单。但有些地方，各种培训班广告铺天盖地，让人难以选择。这些培训班可能是医院开设或私人办的。有些产前培训班从孕早期或孕中期就开始了，内容覆盖营养、运动、宝宝发育情况及性生活；也有一些到最后关头的“冲刺班”提供分娩前6～10周的准备知识，一般会在孕期第7~8个月开课，主要内容集中在阵痛、分娩及产后对妈妈和宝宝的护理方面。

任何培训班都比没有好。如果你的选择很多，做决定前可以考虑以下几点：

谁是这个培训班的发起者。最好的选择就是由医生开办、赞助或推荐的培训班。你要分娩的医院提供的培训班也不错。如果培训班老师的分娩理念与分娩时的助产人员或团队大不相同，到时肯定会有摩擦，一旦有了不同想法和意见，一定要在预产期前向医生提出来。

培训班的规模如何。一个5～6对夫妻的小班最理想，超过10对的话就太多了。在亲密的小团体里，老师能给予每对夫妇更多的时间和关注，小团体里的友爱之情也会更加牢固。

课程怎么样。打听一下，了解课程表。好的课程有关于剖宫产（有1/4的人最终可能会采用这个方法）和使用药物（很多情况下你会需要它的帮助）的讨论，不仅涉及分娩的技术问题，还会涉及心理和精神方面的问题。

如何授课？形式生动活泼，让你

重返校园

除了学习分娩技巧，你还应该参加一个培训班：宝宝心肺复苏和急救培训班。虽然还没有宝宝，但现在是学习这些知识的最佳时机。首先，你不可能在需要照顾宝宝的时候带着他参加这些培训。其次，也是更重要的一点，你必须先学会这些重要的措施，才能在紧急情况到来时知道该怎么做，从你把宝宝带回家那一刻就要时刻准备着了。

上完课后脑子里像放电影一样看到分娩的过程？会不会听到最近要分娩的准父母提起这位老师？上课中有没有给学员足够的提问机会？课堂上有没有留出足够的时间练习传授的技巧？这些问题都值得仔细考虑。

分娩培训的类别

分娩培训班可能由护士、助产士或其他获得职业资格认证的专业人士来授课。上课方式可能多种多样，最常见的一些培训内容包括：

拉玛泽法。拉玛泽法由费尔南·拉玛泽医生于20世纪50年代提出，目前是在美国应用范围最广的一种方法。其基础观点是通过让产妇掌握放松和呼吸技巧，获得配偶（或其他指导者）持续的帮助，在受过培训的护士引导下，以一种更自然的方式娩出宝宝（过去很多孕妇分娩时都需要麻醉）。拉玛泽理论认为分娩是一个正常、自然、健康的过程，根据其受到的外界支持和分娩环境不同，孕妇自然分娩的信心和能力可以得到增强或削弱。

拉玛泽法的目标是通过培养孕妇练习放松和有节奏的呼吸，从而积极地集中注意力，它鼓励女性将注意力放在某一焦点上。课程内容里包括舒适的分娩姿势、呼吸、分散注意力和按摩的技巧、沟通技巧，以及其他一些让你更舒服的方法，还有产后初期和哺乳的注意事项。拉玛泽法原则上希望女性更多发挥自然的力量，尽量少用药物等其他医疗介入手段，但课程里也会涵盖一些常见的辅助措施（包括缓解疼痛），以帮助准父母们面对分娩时可能遇到的各种问题。

布拉德利法。这种方法强调深层的腹式呼吸，而不是急促的喘气。建议女性把注意力集中在自己身上，通过调整身体的状态来控制宫缩疼痛，而不是试图转移注意力。在培训课上，孕妇需要模拟夜间睡眠的姿势，深而慢地呼吸，以将这种呼吸用于将来的

第二次怀孕时的分娩培训班

顺利完成任务，怀上了第二个宝宝？即使你拥有丰富的经验，也应该再从分娩培训班里吸收点养分。首先，每一次分娩过程都不同，你上一次的经历不一定会在这一次原样复制。第二，分娩护理技术变化很快，现在的情况可能与几年前完全不同，你需要及时更新信息。现在比以前有更多的分娩辅助手段，一些以前最常规的做法现在已经不常见了；以前不常用的手段，现在反而成了常态。如果你选择了与上一次不同的医院或分娩中心，再次参加产前培训就更有必要了。如果时间太紧不能从头开始学习，可以选择性地参加一些课程。

分娩过程中，或者用一些放松技巧让分娩更舒适。

按照布拉德利法的要求，在分娩过程中，女性需要一个黑暗、安静的环境，需要用枕头支撑身体，并闭上眼睛。它承认分娩疼痛，但强调产妇直面这种疼痛，将药物尽量留在出现并发症时使用。课程中也会讨论剖宫产的问题，但87%学习了布拉德利课程的学员最终都会选择阴道分娩。

催眠法。现在越来越多的个人或团体开办关于催眠法的分娩培训班，催眠可以减轻身体疼痛，达到更深层的放松，改善阵痛和分娩时的情绪和态度。（想了解更多关于催眠分娩的情况，参考第302页。）

在家自学。如果你需要卧床休息，或者住在交通不便地区，或因为其他原因没办法参加集体学习，可以购买DVD自己在家学习相关内容。

第12章　第7个月

（28~31周）

欢迎你来到孕期第三个阶段——孕晚期，你离终点线不远了。再过3个月，你就可以拿到胜利的奖杯，拥抱、亲吻胜利的果实。在最后一段路途上，你会发现兴奋和期望开始蔓延，当然还有身体上的疼痛，这些疼痛正在成倍增加。离终点越近也意味着很快要面临阵痛和分娩，应该开始为此计划和准备，并接受相关培训。如果你还没有参加这类培训班，可以考虑报名。

本月宝宝的情况

第28周。这周，宝宝不可思议地长到了1200克，40.5厘米长。他在这周学会了新的技能：眨眼。其他动作也开始增多：咳嗽、吮吸、打嗝、练习呼吸。梦到了宝宝？宝宝可能也会梦到你——他现在已经开始拥有快速眼动睡眠了，那就是做梦的时候。但这个小人儿现在还没做好出生的准备。虽然宝宝的肺已经快要发育成熟了，但还需要更多成长。

第29周。宝宝现在有43厘米长，1360克重了，只差约7.5厘米就达到他最终的出生长度了。在接下来的11周里，宝宝的体重几乎是两三倍地增长，其中大部分是皮下的脂肪储备。随着宝宝变大，子宫内的空间也越来越小，你可能不容易感受到宝宝的踢打，更多地感觉到他手肘和膝盖的挪动。

第30周。什么东西43厘米长，体重超过了1360克，却还能这么可爱？就是你的宝宝——他每一天都在长大。同时长大的还有大脑，它在为宝宝将来外部世界的生活做准备。从这一周开始，宝宝的大脑初具规模，有了典型的沟回，这些褶皱有助于宝宝出生后脑组织继续增长，使他逐渐从新生儿成长为有反应的宝宝，有语

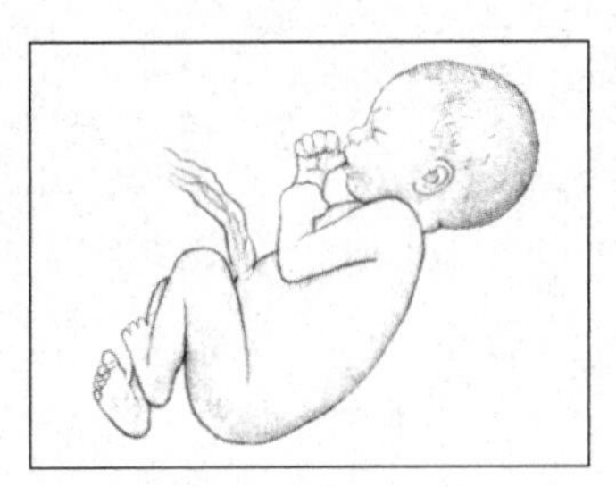

第 7 个月的宝宝

言能力的幼儿，然后成为好奇的学龄儿童。越来越大的大脑也将开始担负起控制身体其他部位的责任，比如调节体温。现在宝宝已经可以自己产生热量了，胎毛开始慢慢脱落——那些毛茸茸的柔软胎毛曾经为宝宝保暖。

第 31 周。分娩前，宝宝还要再增长 1360～2300 克，与上周相比，他又重了。身长为 45 厘米，正飞快地接近到出生时的大小。这段日子里显著增强的还有大脑内部精细的连接通路（现在已经有数以亿计），宝宝现在可以很好地利用大脑这个复杂的网络处理各种信息，跟踪光线，通过五大感觉系统感知各种信号。有大脑活动的宝宝仍然嗜睡，在每次打盹儿的间歇都会伸伸懒腰，你可能会注意到宝宝醒着的时间（也就是他踢你的时间）比睡着（安静）的时间多。

你可能会有的感觉

记住，还是那句老话：每位女性的每次妊娠过程都不同。如下症状你可能全部经历过，也可能只经历过其中的一两种。有的是上个月症状的延续，有的可能是这个月新出现的，还有些由于你已经习惯了而很难察觉。

身体上

- 越来越强烈、越来越频繁的胎动。
- 阴道分泌物增多。
- 下腹部两侧疼痛。
- 便秘。
- 烧心、消化不良、胀气、身体浮肿。
- 偶尔出现头痛、虚弱、眩晕等症状。
- 鼻塞、偶尔流鼻血；耳朵里有闷塞感。
- 牙龈敏感，刷牙时容易出血。
- 腿部痉挛。
- 背痛。
- 脚及脚踝轻微肿胀，手和脸偶尔肿胀。

宝宝大脑需要的食物

你曾经想过为宝宝的大脑提供食物吗？孕晚期的 3 个月，宝宝的大脑进入快速发育期，所以这个阶段为其提供大量的 omega-3 脂肪酸比任何时候都更重要。参考第 103 页，看看有益的脂肪都有哪些。

●腿部静脉曲张。

●出现痔疮。

●腹部瘙痒。

●肚脐凸出。

●入睡困难。

●出现间歇性宫缩（布雷希氏宫缩），一般没有疼痛(子宫收紧一会儿，再恢复正常)。

观察自己

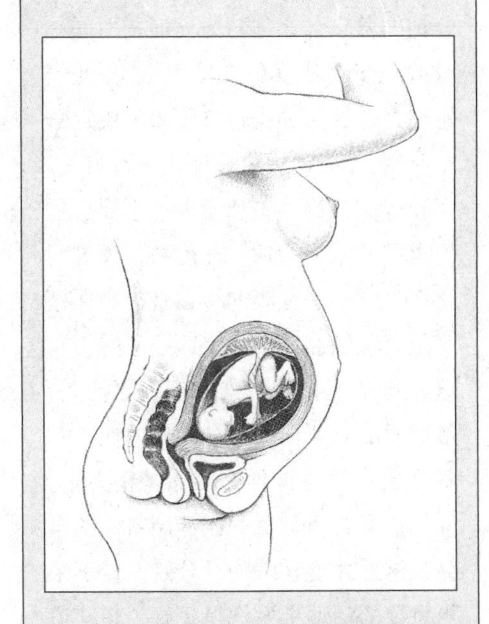

在这个月初，宫底大概位于耻骨上方28厘米处。到这个月底，宝宝的小房子会再增大约2.5厘米，可以在脐上约11厘米的地方触及。你的子宫可能没办法再长了（它好像已经填满了整个肚子），不过未来的8～10周里，它还会继续扩大！

●行动笨拙。

●乳房增大。

●溢乳，从乳头渗出或挤出初乳(一般出现在产后)。

精神上

●兴奋感增加。

●忧虑感增加。

●持续健忘。

●奇怪而生动的梦境。

●无聊和疲劳感增加。如果你的身体感觉良好，会有一种满足感和安全感。

●开始对妊娠感到厌倦。

●对未来感到忧虑。

本月可能需要做的检查

除了旧的检查内容之外，本月的检查表上会出现很多新项目。随着你进入孕晚期，医生可能会做以下几项检查：

●测量体重和血压。

●尿常规，检查尿液中是否有糖和蛋白质。

●听胎心。

●测量宫高。

●通过触诊估计宝宝大小和胎位。

●检查手和脚的水肿情况，腿部是否出现静脉曲张。

●糖耐量试验。

● 检查是否贫血。

● 你的一些妊娠期症状，特别是少见的症状。

● 你想了解的问题。

你可能关心的问题

疲惫再次袭来

“前几个月我感觉自己精力充沛，现在又开始觉得乏力，这真的是我天天盼望的孕晚期吗？”

孕期充满了各种起伏和变化——不只是情绪（和性欲），精力也一样。孕早期标志性的疲惫之后往往接着精力旺盛的孕中期，让你在这几个月的舒服日子里做一切喜欢的活动（运动、做爱、旅行）。但这 3 个月过后，很多准妈妈再次发现自己开始出现乏力——每天只想闭着眼躺在沙发上。

这并不奇怪。虽然一些女性在快到终点线时冲刺的速度较快，但依然有很多理由解释你为什么落后。最好的理由在于你的肚子。毕竟现在那里的负担越来越重了，携带这些多出来的重量非常费体力。另一个原因是这部分增加的体积让你晚上无法获得足够的睡眠，所以早上会感觉非常疲惫。大脑超负荷运转（满脑子都是购物清单、待办事项、宝宝名字候选清单、咨询医生的问题清单）也会让睡眠受到影响，从而降低精力水平。还有一点，工作、照顾其他孩子等生活责任也会让你的疲倦指数飞速增长。

疲惫通常会在孕晚期卷土重来，不过这并不意味着你在整个孕晚期都必须无精打采地度过，和往常一样，疲惫只是身体发出的信号。如果你的生活节奏比较快，就放慢脚步，去掉一切不必要的事项，在每天的行程安排里加上休息和恢复体力的时间。适量运动，但要选择适合的项目（30 分钟的散步会让你精力充沛，而一小时的跑步会让你倒在沙发上），并安排在合适的时间进行（不要太接近睡觉时间，才能让你更好地入眠）。另外，空腹奔波会让你更加疲惫，不要忘了给自己的精力增加一些燃料，通过间歇性地吃一些健康的零食来提高血糖水平（乳酪、饼干、什锦干果、酸奶），这比咖啡因和糖带来的精力更持久。最重要的是要记住，孕晚期的疲惫并不是大自然告诉你需要储备精力了。你仍然需要争取每一次伸展身体的机会，这样才能在阵痛、分娩及接下来更重要的活动中发挥得更好。想知道怎样高效储备体力吗？请翻到第 132 页。

如果你已经为了满足身体的需要休息了很久，但还是感觉撑不住，就和医生谈一谈。有时，孕晚期贫血引起的乏力并不容易缓解（参考第 211 页），这也是为什么在第 7 个月开始，医生会反复进行血常规检查的原因。

水肿

“我的踝关节和双脚浮肿，特别是一天结束时，这会带来不好的影响吗？”

这段日子里，肚子并不是唯一鼓起来的地方。肿胀也常会出现在肢体末端。虽然这些肿胀的部位看上去一点也不漂亮（鞋子、手表都开始紧得让你感觉很不舒服，戒指也越来越难从手指上取下来），但踝关节、双脚和手部的轻微水肿完全正常，而且和孕期的体液增加有关。事实上，有75%的女性在妊娠期出现过这种水肿现象。就像你发现的那样，这种水肿现象在一天结束后、温暖的天气里，以及久站或久坐之后比较明显。躺几小时或经过一夜的休息，这种水肿现象就会自然消失。

总的来说，水肿并没有什么危害，只会带来一点不适，以及对时尚的一点妥协——你现在不能再把肿起来的脚踝放进那双时髦的皮靴里了。下面是一些缓解水肿的方法：

● 避免长时间站立。如果长时间站着或坐着是你工作的一部分，就周期性地休息一下。如果一直站着，就不时地坐一会儿；如果一直坐着，就不时地站一会儿。为了取得最好的休息效果，可以散步5分钟以启动你的循环系统（帮助你把多余的液体排出体外）。

● 抬高双腿。坐下时把腿抬高。如果说谁有资格把脚跷在桌子上，那就是孕妇了。

● 侧躺着休息。如果你还没有养成侧躺休息的习惯，现在是时候试一下了。侧躺可以让肾脏达到最高的工作效率，加快体内废物排出，减轻水肿。

● 选择合适的鞋。现在一切都必须从舒适出发，而不是考虑时尚的时候。心仪的鞋子应该适合你的脚，一到家就应该换上拖鞋。

● 运动。保持日常的运动习惯可以帮助你抵抗水肿。散步有利于肿胀的双脚，可以加快血液循环，不让血流停滞不动。游泳或水中体操更好，因为水的压力会挤压身体组织，让体液回到静脉中，再从静脉流入肾脏，你就可以把它们排出去了。

● 用水“冲走”水肿。看上去有点不合逻辑，但这是真的：喝的水越多，水潴留越少。每天喝8～10杯240毫升的液体可以帮助身体排出废物，限制液体摄入并不会减轻水肿。

● 用盐调味。过去一直认为限制盐的摄入量可以减轻水肿，现在的观点是限制盐的摄入量反而会加重水肿。所以用盐来调味吧，适量即可。

● 提供所需的支撑。有支撑力的长筒袜可能看起来不太性感，但在减轻水肿方面有出众的表现。很多产品都适合妊娠期穿着，包括连裤袜、及膝和到大腿根的类型，挑选时要注意袜口不要太紧。

水肿是正常的暂时性现象。你可以期待自己分娩后踝关节消肿，手指瘦下去（部分女性的水肿现象分娩后需要几周时间才会完全消失，其他人需要一个月或更久）。不过，你的肚子很快会变得很大，那时就看不到自己肿胀的双脚了，眼不见心不烦。

如果水肿情况有些严重，告诉医生。过分水肿可能是先兆子痫的征兆之一，如果是这种情况，通常还会伴有其他症状（包括突然出现的、无法解释的体重过度增加，以及血压升高，蛋白尿）。如果血压和尿检都正常，就没什么好担心的。如果短期内体重突然增加过多，或出现严重头痛、视力变化，立即给医生打电话，向他描述你的症状。

取下来

你的戒指是不是越来越紧？在它还没有紧到让你不舒服之前，将它取下来，放在安全的地方保管。现在就很难取下来了？早上试试看，或把手放在冰水里泡一会儿之后再摘（手指越热越肿）。用一点洗手液可以让戒指变滑，比较容易取下来。

奇怪的皮疹

“长妊娠纹很糟糕，但现在妊娠纹上又长出了一些瘙痒的疹子。”

振作起来。还有不到 3 个月就分娩了，到时你就可以对所有这些讨厌的孕期反应说再见了！这些疹子也是其中之一。你会发现，它们除了不舒服和不美观之外，对你和宝宝没什么危害。从医学角度说，这叫做妊娠瘙痒性荨麻疹性丘疹及斑块病。它在分娩后会完全消失，再次怀孕时也不会卷土重来。这种丘疹一般出现在腹部妊娠纹的位置，偶尔也会出现在大腿、臀部或手臂上。指给医生看一下，他可能会给你开一些局部外敷药物、抗组胺药，或给你打一针，从而缓解不适。

孕期还可能发生各种皮疹，让你看到自己的皮肤就不开心。虽然每一次出现疹子都应该让医生看一下，但一般不必担心（参考第 243 页了解更多）。

背部和腿部疼痛（坐骨神经痛）

“我背部的右下方非常疼，一直蔓延到右侧屁股和大腿，这是怎么回事？”

看上去应该是宝宝压住了你的神经——坐骨神经。在孕期接近尾声的日子里，宝宝开始慢慢进入到要出生的正确位置。他的头和你日益增大的子宫，会慢慢压迫脊柱下部的坐骨神经，让臀部、背部下方及腿部突然产生尖锐的疼痛感。虽然宝宝的位置会变，但你的症状不一定会减轻，也许要等到分娩后才会消失，甚至会在产后持续一段时间。

怎样才能让宝宝离开你的神经，减轻这种坐骨神经痛？

● 坐一会儿。解放双脚可以减轻与坐骨神经相关的腿部和下背部疼痛。只要你能找到舒服的姿势，躺下也可以减轻压力。

● 热敷。将一块温热的毛巾敷在疼痛的地方，可以稍微缓解一下，其效果相当于长时间泡热水澡。

● 运动。练习骨盆倾斜运动或多做一些伸展运动可以减轻压力。

● 游泳。游泳和水中运动不用让下半身承受体重，非常适合患有坐骨神经痛的孕妇。游泳的伸展动作能强化背部肌肉，减轻背痛。

● 选择辅助疗法。针灸、脊柱按摩疗法或治疗性按摩等辅助疗法都可以缓解坐骨神经痛，但要注意选择有资质的医生。

如果疼痛感十分严重，可以问问医生能否给你开一些镇痛药。

下肢不宁综合征

“尽管夜里非常疲倦，但我还是静不下来——腿总是那么不安分。我已经试过了所有解决腿部痉挛的方法，都没有效果，还有好办法吗？”

孕晚期有太多因素导致你在夜间无法获得充足的休息，双腿也是其中之一。大约有 15% 的孕妇会出现这种下肢不宁综合征。这个名字描述出了这种情况的全部特征——脚或腿躁动、出现虫爬感、刺痛感，导致身体其他部位无法安定下来。它常发生于夜间，也可能在下午或躺下时发生。

专家们至今没有找到下肢不宁综合征的确切病因（看似和遗传有一定关系），甚至在治疗上也束手无策。适用于腿部痉挛的所有办法，包括按摩和伸展运动，似乎都不能缓解症状。药物似乎也不是一个好选择，因为目前治疗下肢不宁综合征的药物对于孕期不安全（问问医生）。

饮食、压力、环境等因素也可能是下肢不宁综合征的诱因，注意自己平时吃什么、做什么及情绪如何，看是否一些生活习惯引起了这个问题。例如，一些女性在晚上吃了糖之后会出现或加重下肢不宁综合征的症状。另外，缺铁性贫血也可能引起相关症状，可以问问医生能否通过血常规检查发现这个问题，能否推荐相关的治疗方法。针灸、瑜伽、药物和一些放松技巧可能会有效果；再试试本书第 266 页介绍的一些睡眠技巧。然而不幸的是，一些女性一直都无法找到好的缓解办法，并觉得这种症状对睡眠影响很大。如果你在孕期出现了这种情况，可能就需要等到分娩后（或者等到宝宝断奶后）才能采用药物治疗。

宝宝打嗝

“有时我会感到腹部轻微痉挛，这是宝宝在踢我，在抽搐，还是其他情况？”

这可能是宝宝在打嗝，这种现象在孕后期经常发生。一些宝宝每天都会打嗝，一天打很多次，还有些宝宝从来不打嗝。这种情况会一直持续到宝宝出生。

不用为此担心，宝宝打嗝不会引起像成年人打嗝的那种不适，即使是持续20分钟或更长时间也没关系。放松并享受肚子里的这点小乐趣吧。

意外摔倒

“今天我出去散步时没有看到台阶，结果肚子先着地摔倒了，这会伤害宝宝吗？”

孕期容易绊倒？这并不奇怪——毕竟，一旦进入孕晚期，有太多的因素会导致你摔跟头。一方面，你的平衡感下降了，因为随着肚子鼓起来，重心开始前移。另一方面，松弛、不太结实的关节也让你容易摔倒，腹部还会先着地。造成行动笨拙的原因还有：容易疲劳、走神，很难看清脚下等。

跌一跤会让身体上出现多处擦伤和青肿，但很少会伤害到宝宝，他现在正受到世界上最复杂的减震系统的保护——由羊水、坚韧的羊膜、有弹性而肌肉发达的子宫，以及肌肉和骨骼包围的坚固腹腔组成。那些可能造

数胎动

从第28周起，每天数两次胎动非常明智——一次在早上，胎动一般少一点；另一次在晚上胎动较多的时候。医生会给你推荐一个计数方法，你也可以自己看着表来数。数一下所有形式的胎动（包括踢动、颤动、抽动、滚动等），数到10下时看看花了多少时间。一般来说，10次胎动会在10分钟左右——有时会稍长一些。

如果一小时后还没有数够10次，喝点果汁，吃点零食，走一会儿，甚至可以晃一晃肚子，然后放松地躺下继续数。如果两小时后胎动还没有达到10次，给医生打电话。虽然宝宝这种暂时的缺少运动并不意味着出现危险情况，但偶尔也是需要尽快进行胎儿状况评估的警告。

越接近预产期，数胎动就越重要。

成羊膜破损并伤及宝宝的摔伤，应该非常严重——可能需要立刻入院。

如果你还心存疑虑，就给医生打个电话，他可以让你安心。

性高潮和胎动

“每次性高潮后，肚子里的宝宝总有半个多小时不再踢我，性生活对他有害吗？”

不管这段时间里你做了什么，宝宝都在自己的小世界里待着。你们做爱时，宝宝会自己乖乖睡觉。性生活中有节奏的宫缩，以及接下来出现的高潮，都会让宝宝觉得像躺在舒服的摇篮里。然而，部分宝宝会在父母做爱时更加活跃。任何一种反应都是正常的，都不表明宝宝意识到了正在发生的事（实际上，宝宝的世界是一片漆黑）。

除非医生禁止，否则在分娩前你都可以继续享受性爱和性高潮。珍惜这段时光吧——你们很难有机会在与宝宝同屋的时候做爱了。

梦境和幻想

“我白天黑夜都会做很多关于宝宝的梦，而且梦境生动逼真，我怀疑自己是否失去了理智。”

最近梦里常常出现一些奇怪的情节？梦境和幻觉——噩梦（比如把宝宝落在了公交车上）、美梦（在阳光灿烂的日子里推着婴儿车去公园），甚至奇怪的梦（生出了一个带着辫子的小孩或一窝小狗）都是孕期正常、健康、常见的现象。虽然这可能会让你觉得自己精神失常，但你的心智非常健全。在妊娠期，当焦虑、恐惧、期望和不安统统涌入你的生活，这些梦境就成了潜意识发泄的通道——成百上千种纠结的情感（矛盾、害怕、开心、激动）无法找到更好的表达方式，不约而同找到了这样一个出口。把它们当做帮助你获得安稳睡眠的解药吧。

当然，激素也会从某种程度上引发梦境，使梦境变得更生动。浅层睡眠也能让你清晰地回想梦境。不论是想上卫生间、踢被子或仅是翻身，你都会比平时更容易醒来。一般来说，在快速眼动睡眠阶段醒来的概率更大。

下面是最常出现的孕期梦境和幻想，有些内容看上去可能非常眼熟：

- 感到抱歉的梦境：梦到丢了东西或把东西放错地方（从车钥匙到宝宝）；忘记给宝宝喂奶；忘记去医院检查；出去购物，而把宝宝一个人留在家里；宝宝要出生，但你还没有做好准备。这些梦境都表明你害怕将来会成为不称职的妈妈。

●痛苦的梦境：遇到强盗、动物的攻击或伤害；被人推倒或滑倒，从楼梯上摔下来。这表明你很脆弱。

●求救的梦境：梦见被困在地道、汽车、房子里出不去；在池塘、充满泥泞的湖中和洗车时被淹没。这表明你担心新来的家族成员会控制你的自由。

●惊愕的梦境：梦见自己没有遵照饮食计划，结果增加的体重太多，或一夜之间变成胖子；吃得过多；吃错或喝错了东西。这些梦境在那些正尽力控制饮食的准妈妈中非常常见。

●讨厌的梦境：梦见自己失去魅力，对丈夫不再有吸引力；讨厌丈夫；丈夫变心出轨。这表明孕妇担心怀孕会永远破坏自己的形象而吓跑丈夫。

●性梦：梦见做爱（不管是主动还是被动的，让你有快感还是有负罪感）。这可能反映出你对孕期的性生活有困扰和矛盾情绪。

●关于记忆的梦境：梦见死亡和复活（已去世的父母或其他亲人复活）。这可能反映出你在潜意识中把上一代和下一代联系了起来。

●与宝宝一起生活的梦境：梦见准备生宝宝；和宝宝一起玩。这表明你正在练习做父母，在宝宝出生之前与他建立联系。

●想象宝宝的梦境：梦见宝宝的样子意味着你担心很多问题。梦见宝宝畸形、生病、太大或太小，表明你担心孩子的健康；梦见宝宝有不寻常的技能（比如一出生就会说话或走路），暗示你担心宝宝的智力，并对他的前途充满期望；梦见自己生了个男孩或女孩，可能说明你心里倾向于生什么性别的宝宝；梦见宝宝的头发或眼睛的颜色，或长相更像爸爸还是妈妈，也说明你的心理倾向；梦见宝宝一出生就是个大人，表明你害怕面对一个小宝宝。

●有关分娩的梦境：梦见分娩时阵痛，或无法把宝宝生下来。这可能反映出你害怕阵痛和分娩。

重要的是不要因梦境和幻觉而影响睡眠。孕妇出现各种梦境，和烧心、妊娠纹等身体症状一样正常，准爸爸们也有很多奇怪的梦境和幻想，因为他们会对即将到来的父亲身份产生有意识或无意识的焦虑。早上起床交流梦境是一件很有意思的事，也是一种很好的治疗方法，让你们在现实生活中可以更容易完成父母身份的转

处理好宠物

想想你的宠物，它们已经适应了你的床、你的大腿，宝宝出生后，会不会和他争宠？想在宝宝出生前的日子里采取措施处理好你的小猫小狗？参考《海蒂育儿大百科（0～1岁）》（*What to Expect the First Year*）中的小诀窍吧！

变，也能让你们更亲密。所以，继续做梦吧。

责任问题

“我开始担心自己是否能胜任工作，是否能处理好家务、婚姻及宝宝方面的问题。”

在你开始做一切事情之前，首先必须记住：你不可能完成所有事情，不可能把所有事情都做好，不可能同时做所有事情。每一个妈妈都是“超人”，但她们中最优秀的也是普通人。很多新妈妈想尽力做好所有事——处理好工作的事，把家里安排得井井有条，保证冰箱里食物充足，餐桌上饭菜齐全，同时又是性感十足的伴侣和模范妈妈，能处理好各种突发事件。但几乎所有人最后都会意识到必须要放弃某些东西。

你能否掌控新生活取决于什么时候意识到这一点。没有比现在更合适的时机做出改变了——在生活中最大的变化到来之前。

首先，你必须好好整理一下思路，看看有哪些必须要做的事，并把它们按轻重缓急排序。如果宝宝、丈夫和工作是重点，也许打扫房间就应该暂时退居二线。做饭的事可以交给外卖餐厅。把洗衣服这项任务交给别人。如果全职妈妈对你很有吸引力，也有经济能力在家里待上一段时间，或许可以暂时把工作放一放，也可以考虑兼职。可能的话，可以考虑和另一位准妈妈一起分担一项工作，或挑选一个在家办公的工作。

一旦重新确定了你的工作先后次序，就要把一些不切实际的期望去掉。和一些有经验的妈妈交流一下，可以更快进入正轨。就像很多妈妈或早或晚发现的那样：没有人是完美的。你越想把所有事做好，越不可能做到——而且在怀孕这段日子里，你可能会把所有事都搞砸：付出了全部努力，发现床还没铺好，洗干净的衣服没有叠起来，来不及做饭只能叫外卖，变得性感还要多花时间卸妆……把目标定得太高，只会让自己失望。

然而，一旦你下定决心要重新安排自己的生活，并且有人支持的话，就会容易一些。大多数成功妈妈的背后都有一个好爸爸，他们不仅能和妻子一起平等分担家务，还是育儿过程中积极的参与者和同伴。他们会参与育儿的方方面面，从换尿布、给宝宝洗澡，到哄宝宝睡觉。如果伴侣做到的没有你期望中这么多，就要考虑其他帮助：宝宝的祖父母或其他亲友、儿童保育员或保姆、照看儿童的互助组织或日托班等。

分娩计划

“一位刚生完宝宝的朋友说，分娩前她和医生制订了一个分娩计划，我也应该这样做吗？”

如今，关于分娩的讨论越来越多。对于分娩，孕妇和她们的丈夫比从前拥有更多决定权。但怎样让医生坚持你们做出的决定呢？参考分娩计划吧。

在分娩计划中，准妈妈和准爸爸可以设想分娩中最期待的情景：他们需要怎样的分娩方式。除了列出这些喜好之外，典型的分娩计划还应该考虑到实际情况，什么做法可行，什么是医院（或分娩中心）能接受的。它不是一份合同，而是一份孕妇、医生及医院之间的备忘。一份良好的分娩计划不仅有利于获得更好的分娩过程，也可以提前预防不切实际的希望，将失望值降到最低，消除孕妇和医生之间的主要分歧和误解。

部分分娩计划只涵盖基本条款，另一些则会详细规划出所有细节，甚至细到产房里的音乐和灯光。因为每位孕妇都不同——不仅因为她们怀孕时感觉不同，也因为她们有着不同的医疗背景：药物史、产科病史。所以，分娩计划会依据个体化原则制订。关于是否该将某个问题列入计划，可以参考下面的通用清单，并根据你的需要加以完善。

- 阵痛开始后你能在家坚持多久，希望什么时候去医院或分娩中心。
- 阵痛活跃期的饮食（参考第364页）。
- 阵痛时可以下床活动：四处走动或坐着休息。
- 个体化的环境氛围：使用音乐、灯光，甚至家里的小饰品打造让自己放松的环境。
- 使用无声的照相机或录像机。
- 使用镜子，以便你可以看到自己的分娩过程。
- 使用静脉输液设备（参考第364页）。
- 采取镇痛措施。
- 胎心监护措施（持续或间断的，参考第365页）。
- 用催产素诱发宫缩（参考第361页）。
- 热敷和按摩会阴（参考第347页和367页）。
- 是否采取会阴切开术（参考第367页）。
- 使用真空吸引器或产钳（参考第368页）。
- 是否采取剖宫产（参考第389页）。
- 在阵痛和分娩时除丈夫之外是否还要有其他重要的人在场。
- 如果有较大的孩子，是否可以在分娩时或分娩后立即出现。

孕期的主要运动

宝宝可能还没做好分娩准备，但你现在应该做好身体准备——盆底肌可以助你一臂之力，加速分娩日的到来。盆底肌是支撑子宫、膀胱、肠道的肌肉，在宝宝出生时可以伸展开，在你笑或咳嗽时保证尿液不渗漏（很多女性产后可能出现尿失禁，也跟它有关）。这些功能多样的肌肉组织也让你在性生活中获得更多快感。

幸运的是，有很多运动可以帮助你锻炼这些肌肉，用最少的时间和最小的努力塑造它们（不用塑身衣，不去健身房，甚至不用出汗）。每天只需短短5分钟练习一下这项神奇的运动——凯格尔运动，你的肌肉就能获得很大的益处。健壮的盆底肌可以减轻很多孕期和产后症状，包括痔疮、大小便失禁等，也可以帮助你避免在分娩过程中实施阴道切开术或出现阴道撕裂的可能。另外，坚持做凯格尔运动也能让阴道在分娩后更快恢复原来的状态。

做好准备练习凯格尔运动了？方法如下：收紧阴道和肛门附近的肌肉并坚持一会儿（就像憋尿时的感觉），保持10秒钟，然后慢慢放松并重复练习；每天做3组，每组练习20次。记住，做凯格尔运动时，注意力需要集中在盆底肌上，不要用其他部位发力。如果感到胃部紧张或大腿、臀部收缩，说明盆底肌没有得到足够锻炼。将这项运动作为孕期的主要运动（等红绿灯时，查收电子邮件时、在自动取款机前排队时，在超市里排队结账时，以及坐着办公时都可以练习）。做爱的时候也可以尝试——你和丈夫会有不同的感觉。

●产后立即抱宝宝，进行母乳喂养。

●在你和宝宝见面后再剪断脐带，给宝宝称重或处理宝宝的眼部分泌物。

●让丈夫给宝宝剪脐带。

●储存脐带血（参考第325页）。

你可能还想在分娩计划中加入一些产后事宜，比如：

●给宝宝称体重、做新生儿检查，以及第一次洗澡时在场。

●医院里对宝宝的喂养如何安排。如果选择母乳喂养，是否可以不用奶瓶。

●宝宝与妈妈同室，让大孩子也和你们待在一起。

●产后需要你和宝宝服用的药物以及其他治疗措施。

● 除并发症外，住院时间长短是否可以由自己控制（参考第421页）。

一份好的分娩计划最大的特点就是灵活。和其他方面一样，大自然有着强大的力量，所以分娩也是不可预知的。尽管你有了计划，但并不是方方面面都能像计划得那样完美。对于分娩进程，人们永远也不可能精确预测——直到宫缩来临。提前制订的分娩计划很可能在实施时才发现不符合产科学或其他医学的实际情况，在最后一分钟需要调整。毕竟，在任何分娩过程中，妈妈和宝宝的健康与安全最重要。

越来越多的准父母已经从分娩计划中获益良多。想了解更多，或想知道它是否适合你，下一次去医院时好好询问医生吧。

血糖筛查

“医生说我需要做一次血糖筛查，以检查是否有妊娠期糖尿病。我为什么要做这个检查？它包括哪些内容？”

不要担心，几乎所有的医生都会在妊娠第24～28周时让孕妇做这项检查，这只是常规检查罢了。

这个检查很简单，如果你喜欢甜食的话更是求之不得——医生会要求你喝下一瓶非常甜的葡萄糖，等1小时后检测血糖值。这项检查不需要禁食。大部分孕妇喝完这些葡萄糖后不会出现任何不适，也不会产生副作用，只有少数不喜欢甜饮料的孕妇会感到有些恶心。

如果你的血糖值偏高，说明身体可能没有产生足够的胰岛素以消耗体内多余的葡萄糖。这时你需要做糖耐量试验——这个试验大约要3小时，要求禁食。检测时，医生会要求你喝高浓度的葡萄糖水，以诊断是否有妊娠期糖尿病。

有4%～7%的孕妇会患妊娠期糖尿病，它是很常见的妊娠期并发症。幸运的是，也是最容易控制的一种。因为血糖水平可以通过饮食、锻炼和药物控制，患妊娠期糖尿病的女性很可能孕期非常健康，并生下健康的宝宝(参考第537页了解更多相关信息)。

不要憋尿

憋尿的坏习惯会让你肿胀的膀胱刺激子宫，有引发宫缩的危险，还可能导致尿路感染。所以，想小便时马上去。

低体重儿

“我看过很多有关低体重儿的资料，怎样确保不出现这种情况？”

大部分出生体重过低的情况都

可以避免，你可以做的事情很多。在美国，每100个新生儿就有8个是低体重儿（低于2500克），少于1%的宝宝属于出生体重极低（低于1500克）。但对于坚持接受产前医疗和自我护理的女性来说，这个概率低得多。引起低出生体重的大部分原因是妈妈吸烟、喝酒、滥用药物（特别是可卡因）、营养不良、过分焦虑，以及产前照顾不充分等，这些都可以预防。许多其他因素（例如妈妈患慢性病）也可以通过与医生建立良好互动得到控制。

有时，引起宝宝出生体重过低的原因不可控，例如准妈妈的出生体重很低，胎盘不合格，或遗传性疾病等。两次妊娠间隔时间太短(少于9个月)也可能引起宝宝出生体重过低。但即使在这些情况下，合理的饮食和良好的产前护理也可以让情况得到很大改善。目前良好的医疗护理措施也可以大大提高宝宝健康存活的概率。

如果你担心自己会生下低体重儿，把疑虑告诉医生。一项超声检查就能帮你确定宝宝是否发育正常。如果检查结果表明宝宝的确有这方面的问题，赶紧寻找原因，可能的话立刻加以改善（参考第541页了解更多信息）。

分娩镇痛

让我们面对现实。分娩是一件辛苦的事，你需要忍受长时间的剧痛。如果你想知道分娩中究竟会发生什么，回答毫无疑问是疼痛。分娩期间，

挽救新生儿生命的筛查

绝大多数宝宝都能健康出生，并茁壮成长。但有一部分宝宝生下来的时候很健康，却突然病了。幸运的是，有很多方法可以检查出这种代谢性疾病。大部分宝宝都需要检查苯丙酮尿症、先天性甲状腺功能减退症及听力损伤等疾病。

如果你的居住地没有把这些疾病列为核心检查项目，可以找一些私人实验室进行相关检查。他们会和医院一样，采用宝宝的足跟血进行检查（用一根针在宝宝的脚后跟扎一下，并挤出血液）。

少数情况下，宝宝有可能得到“阳性”检查结果（证明患了某种疾病），如果有必要，儿科医生或遗传病医生会及时采取治疗措施。尽早诊断和治疗可以大大改善宝宝的健康情况。

产妇护导员——分娩的最佳选择

越来越多的夫妻选择让产妇护导员参与分娩过程。产妇护导员是一些接受过专门训练的女性分娩助手。研究证实，产妇护导员参与的分娩过程，一般更少采用剖宫产、使用催产素及镇痛药物，通常产程更短，并发症概率更小。

产妇护导员（Doula）一词起源于古希腊，最早用来形容家庭分娩中的女性助手——在当时的医疗条件下，绝大多数分娩都由她们帮助完成。在分娩过程中，产妇护导员究竟能做什么？这取决于你选择的产妇护导员，以及你的个人爱好。一些在第一次宫缩之前就加入到分娩团队中的产妇护导员常常表现得很好，她们一般会参加分娩计划制订，并帮助产妇减轻分娩前的不安。一旦到了医院或分娩中心，产妇护导员就开始担负多种责任。最典型的情况是，她将扮演一个让你一直保持舒适的角色，并在分娩过程中给予你精神和身体上的支持。她会用柔和的语气在一旁传授各种分娩经验（这对于第一次分娩的女性来说非常重要），提示你放松和练习呼吸技巧，采取适合的分娩姿势，并会帮你按摩，握住你的手、随时调节枕头和床的位置。产妇护导员也可以扮演中介和渲染情绪的角色，当医生需要你配合时，她可以及时告诉你；当医生说了一些专业名词时，她可以立刻用你能理解的语言解释，并描述产程进展。她们会事先熟悉医院的一切特点和条件，也不会喧宾夺主取代医生或值班护士的位置。相反，她们清楚地了解医生和护士需要的帮助和服务（如果一个护士同时要为你和多名产妇服务，或你的分娩过程漫长，护士需要换班工作，产妇护导员就更重要了）。除了医生之外，她将会是你分娩过程中最熟悉、最亲切的人，会一直陪在身边给你支持。另外，很多产妇护导员的工作不会在分娩后结束，她们能为产后及哺育宝宝等各方面提供帮助和建议。

很多准爸爸可能会担心雇佣一名产妇护导员会不会让自己退居二线，其实不必担心。优秀的产妇护导员可以给予准爸爸良好的帮助，让他放松下来。她会一直在准爸爸的身边帮忙，当他有些问题不好意思向医生或护士启齿时，产妇护导员可以帮他完成。当产妇的腿或后背需要按摩时，需要往嘴里塞小冰块时，宫缩来临需要调整呼吸时，产妇护导员都可以出上一份力。在分娩过程中，她将会是有责任感、配合良好的搭档——很好地参与进来，并不会把准爸爸挤走。

你该如何寻找产妇护导员？很多分娩中心、医院甚至医生都有产妇护导员的名单。你也可以问一些最近用过产妇护导员的朋友，请她们推荐，或上网查找一些本地的产妇护导员。一旦你确定好候选人，在雇用前应该和她们分别谈一谈，确保双方都感到满意。问问她以前的经验和获得的培训，她将做什么，不做什么，以及她对于分娩的理念（例如，如果你已经计划采用硬膜外麻醉，问问她会采取什么应对方式），她是否能做到随时电话待命，如果她不能及时出现会由谁来代替，她是否可以提供产后咨询服务，她的收费标准如何。

如果不需要产妇护导员，可以寻找一些经历过分娩的女性朋友或亲人代替产妇护导员，这个人必须是你非常喜欢的——这会让你受益良多。另外还有一点：她们的服务完全免费。缺点是她们也许没有专业产妇护导员的渊博知识。

宫缩会一次次发生，在本已非常狭窄的空间里（你的子宫颈），进一步挤压已经很大的宝宝，并将他推向更狭窄的地方——你的阴道。

没有不伴随疼痛的分娩，但也有很多应对办法。可选择的镇痛方式非常多，你可以在整个分娩过程或其中某些阶段（例如宫口最初打开几厘米时）不选择医疗介入，选择替代医疗和非药物镇痛方法（例如针灸、催眠、水疗等），也可以接受麻醉，例如最常用的硬膜外麻醉（让你在分娩时几乎感觉不到疼痛，并能在整个分娩过程中保持清醒）。

要做出选择，最好先仔细研究。阅读有关分娩镇痛的资料，并与医生好好商量一下。咨询一些最近分娩的朋友，认真考虑。记住，最适合你的方法可能不是单一的方法，而是多种方法的结合（硬膜外麻醉和放松技巧，或者多种放松技巧加上针灸）。也要记住，灵活应对非常重要——分娩姿势不一定局限于你在分娩培训班上学到的那几种。你必须及时调整（计划进行硬膜外麻醉，却发现自己可以忍受这种疼痛——反之亦然）。最重要的是，除了一些产科情况需要医生决定某种分娩方式，选择以什么方式分娩完全是你的自由。

用药物减轻疼痛

谈到分娩中的镇痛药物，选择范围非常大，包括麻醉剂、止痛剂及镇静剂。大部分情况下，你可以自由选择喜欢的镇痛药物，让分娩更加舒适——当然，选择必须基于现实的分娩阶段：情况是否紧急，你的病史和

早产征兆

虽然宝宝提前出生的概率非常低，但每位准妈妈都应该了解并熟悉早产征兆，尽早发现以采取措施。把下面的情况通读一遍，如果在37周前出现了以下任何一种症状，立即给医生打电话：

● 类似月经的持续性腹部抽搐，伴有腹泻、恶心或消化不良。

● 规律性阵痛，平均每10分钟（或更短）一次，并且不随体位变化而缓解（不要与布雷希氏宫缩混淆，后者并不意味着早产，参考第307页）。

● 背部下方持续疼痛或有压迫感，或背痛性质改变。

● 阴道分泌物增多或颜色变淡，甚至出现粉红或深红色血迹。

● 骨盆、大腿或腹股沟疼痛或有压迫感。

● 阴道渗漏液体（液体持续流下或喷薄而出）。

记住，如果你有上述某些症状，且未到预产期（很多孕妇会在某个时期出现骨盆压力或下背部疼痛），一定要警觉。事实上，绝大多数出现早产症状的女性并没有提前分娩，但一切只有医生能确定。

了解早产的危险因素和预防措施，参考第47~50页。想知道如何处理早产情况，参考第546页。

现在的情况（以及宝宝的情况）是否限制了某些药物的使用，以及麻醉师的习惯和专业经验。

在做出选择前，也应该记住：药物的止痛效果取决于孕妇本人的情况，以及用药剂量和其他因素。这往往可能造成最终得到的药效与你的期望相去甚远，甚至无效。不过大部分情况下，镇痛药物都可以发挥预期的效果，让你得到想要的结果。

下面是一些常用于阵痛和分娩阶段的镇痛手段：

硬膜外麻醉。住院分娩的女性中有2/3选择了硬膜外麻醉。主要原因在于其很大的安全性（达到理想效果只需要很少的药物），而且结果比较人性化（下半身的局部镇痛，让产妇在分娩中保持清醒）。通常也认为硬膜外麻醉比其他麻醉对宝宝更安全，因为它将麻醉药直接注射到产妇的脊柱内（确切的说是硬膜外腔，位于椎管骨膜和硬脊膜之间的腔隙），药物只会进入产妇的体循环（不像其他麻醉药物）。更好的一点是：硬膜外麻醉可以在你需要时随时注射，而不需要等宫口再开3~4厘米。研究表明，即使较早进行硬膜外麻醉，也没有增加中途转剖宫产的概率，没有明显降低分娩速度。即使硬膜外麻醉引起分娩速度降低，医生还可以注射催产素（一种人工合成的激素，能自然诱发宫缩）帮助你更快分娩。

如果选择了硬膜外麻醉，过程可能是这样的：

● 在实施硬膜外麻醉前，需要先进行静脉输液（因为有时硬膜外麻醉会引起低血压，补液就是预防这种情况）。

● 一些医院会在硬膜外麻醉开始前或刚开始时对孕妇插管导尿（因为硬膜外麻醉药可能会抑制主动排尿），而有些医院则到了孕妇膀胱充盈需要导尿时再进行相关操作。

● 麻醉时需要你坐着或侧躺，也可以靠着桌子或由丈夫、医生、护士将你扶起来靠着床。然后，麻醉师会在你背部的中下部选取进针点，并将周围区域消毒，进针处需要采用局部麻醉。麻醉师会用一根较粗的针从麻醉区域进入你的硬膜外腔。一些女性可能只会在进针时感到压力，还有些会在针头进入正确位置时感到轻微刺痛。如果你运气好，可能会在整个进针过程中没有任何感觉。另外，与宫缩的疼痛相比，这点疼痛实在算不了什么。

● 针管拔出后，留下一根纤细、柔软的橡胶管。橡胶管固定在孕妇背上，这样她就可以随意翻身了。初始剂量 3~5 分钟后，子宫的神经就会麻木，一般 10 分钟之后就可完全起效。这种麻醉手段可以完全麻醉下半身的神经，让你完全感觉不到宫缩。

● 医生会频繁给你测血压，确保不会降得太低。静脉输液和侧躺可以对抗血压下降。

● 由于硬膜外麻醉可能引起宝宝心率下降，一般需要进行持续胎心监护。虽然这种监护仪某种程度上限制了你的活动，但医生通过它可以了解宝宝的心跳情况，并让你“看到”宫缩的强度和频率。

对有些女性而言，硬膜外麻醉只让她们的一侧身体感到麻木（理想情况下应该是两侧麻木），但这没有什

无痛分娩

分娩必须要承受痛苦吗？并非如此。事实上，很多女性发现硬膜外麻醉的帮助非常有效——在医生和护士的帮助下，可以很快掌握宫缩的发生时间，更有效地把宝宝往外推。如果无痛分娩不适合你（或宝宝）——缺少知觉会影响你的配合——这时就不应该采用硬膜外麻醉，而要让自己感受宫缩。分娩完成后，药物可能让你的感觉变得麻木，有利于阴道撕裂处的愈合。

么副作用。另外，如果出现了臀位难产，硬膜外麻醉提供的镇痛作用就不太够了。

腰硬联合麻醉。腰硬联合麻醉取得的效果和一般传统的硬膜外麻醉相同，需要的药物量更少。并不是所有医院和麻醉师都能进行这种麻醉（问问医生这种方法是否适合你）。麻醉师一开始会向你的脊液里注入一些镇痛药物以帮助减轻部分疼痛，但由于这些药物只分布于脊液里，你仍然能感受到自己的双腿，并能运动这部分肌肉。当你需要更多镇痛药物时，麻醉师会向硬膜外腔内注入。

腰麻（为剖宫产做准备）或鞍麻（为仪器协助的阴道分娩做准备）。这些局部阻滞手段现在已经使用得很少，通常在分娩前给予一次剂量的注射（换句话说，如果你没有预定硬膜外麻醉，又临时需要分娩镇痛，就可以采取这种快速麻醉方法）。与硬膜外麻醉一样，这些局部阻滞在操作时需要你坐起来或侧躺。腰麻和鞍麻的副作用和硬膜外麻醉相同（可能引起低血压）。

阴部神经阻滞麻醉。这种麻醉方法偶尔用于第二产程，只适用于阴道分娩。一般使用注射器将麻醉药注入阴道，药物会减轻该区域的疼痛，但不能缓解子宫的不适。在使用产钳或真空吸引器的情况下，这种麻醉方式非常实用，其药效甚至可以持续到整个会阴切开术结束，以及阴道撕裂的恢复期。

全身麻醉。如今全麻已经很少用于分娩，只在来不及实施局部麻醉的手术分娩中使用。手术室/产房里的麻醉师会通过静脉给药让你睡着，直到分娩结束——你不会知道分娩用了多长时间。当你醒来后，可能会觉得头晕、迷惘、焦虑不安，也可能咳嗽和咽喉痛（由于气管插管导致），感到恶心或出现呕吐。

减少使用全身麻醉的主要原因是宝宝有可能会和妈妈一起睡着。医疗团队需要通过减少药量来控制这种宝宝的镇静反应，尽可能贴近自然分娩状态。这样可以让宝宝在麻醉药对他造成影响之前出生。医生也可能让你侧躺，并给你输氧，让宝宝摄取更多氧气，减少对药物的反应。

杜冷丁。杜冷丁是一种最常用的产科镇痛药物。注射这种药物可以减轻疼痛，让产妇放松下来更好地应对宫缩。它的给药方式一般为静脉注射，偶尔采取臀部肌肉注射。根据需要，可能会每2~4小时注射一次。并不是所有女性都喜欢杜冷丁导致的那种昏昏欲睡的感觉，部分女性甚至觉得杜冷丁的影响让她们更难对付分娩疼痛。

杜冷丁也有一些副作用，包括恶心、呕吐及低血压。杜冷丁对于新生儿的影响取决于使用的剂量，以及使用时是否接近分娩。如果给药时接近分娩，宝宝会瞌睡，出生后不能吮吸；少数情况下，宝宝的呼吸可能会受到抑制，需要额外输氧。对于新生儿的所有影响都是短期的，如果必要，可以采取适当治疗。

一般在确定分娩即将开始时才会使用杜冷丁，在分娩前2~3个小时使用。

镇静剂。这类药物（例如非那根和安他乐）可以使极度焦虑不安的孕妇很快获得平静和放松，让她们能够积极投入分娩。镇静剂还可以增强止痛剂（比如杜冷丁）的疗效。和止痛剂一样，镇静剂也需要在真正临产时才能使用。但如果产妇的焦虑已经减缓了分娩进程，也可以偶尔在产程早期使用。产妇对于镇静剂的反应差别很大。一些女性喜欢这种昏昏欲睡的感觉，另一些发现它干扰了她们的控制力和记忆力。剂量不同会造成很大区别，小剂量使用可以减少孕妇的焦虑，大剂量使用则会引起口齿不清和两次宫缩之间瞌睡，不利于准妈妈运用分娩培训班中学到的分娩技巧。虽然镇静剂对宝宝的影响非常小，但大部分医生都建议除非万不得已，否则不要使用。如果你觉得自己在分娩时过于焦虑，现在可以开始学习一些非药物放松技巧（比如冥想、按摩、催眠等，参考后文），这样就可以避免使用这类药物了。

使用替代疗法应对疼痛

并不是每位女性都想使用传统的镇痛药物，但大部分都希望自己分娩的过程尽可能舒适。所以辅助疗法和替代疗法（CAM）应运而生。如今，越来越多的医生都希望在治疗中加入CAM这个强大武器。CAM可以作为一种替代性的镇痛药物或放松技巧。即使已经确定采取硬膜外麻醉，你也可以探索一下CAM的世界。记住，选择有资格认证的CAM医生，不要考虑那些自称在怀孕、阵痛和分娩方面有大量经验的所谓专业人士。

针灸或指压按摩。科学研究证实了中国几千年来的智慧：针灸和指压按摩都是有效的疼痛缓解方式。研究人员发现，通过将针插入特定的穴位，能引起一些大脑化学物质的释放，包括内啡肽等，可以阻滞疼痛信号，减轻分娩疼痛（甚至可以加快分娩进程）。指压按摩的原理和针灸一样，只不过它不使用针刺激穴位，而是用医生的手指按压并刺激它们。指压脚心可以帮助改善臀位难产。

反射疗法。反射疗法的医生认为人体内脏器官与脚部的一些穴位有着深刻联系，分娩时通过按摩相应穴位可以放松子宫，刺激脑垂体，明显减轻分娩疼痛，甚至加快产程。一些穴位的作用非常强大，除非到了分娩时，否则要避免刺激它们。

呼吸

不希望采取医疗措施，但又做不到？心理助产法（或其他天然的分娩方法）可以帮你有效应对宫缩疼痛（参考第277页了解更多信息）。

物理疗法。从按摩、热敷到冰袋冷敷，以及在疼痛点施压，分娩时的理疗可以减轻疼痛。细心的医生、助产士或技巧娴熟的专业保健人员还可以通过按摩让你放松。

水疗。没有什么比得上洗一次温水澡（特别是洗澡时再用热水流按摩疼痛部位）更能让人放松，这太有用了，尤其是阵痛时。分娩疼痛出现时，找一个带淋浴的浴盆进行一次水疗，可以有效减轻疼痛，并让你放松下来。很多医院和分娩中心现在都提供这种浴盆，你甚至可以在水中分娩。

催眠。虽然催眠不能掩盖疼痛、麻醉神经或抑制宫缩，但它可以让你达到深层次的放松，以至于完全意识不到任何不适。催眠不适用于所有女性，它要求你具有较高的可影响性。不过，现在越来越多的女性开始向一些获得了资格认证的催眠师求助，他们可以对孕妇进行培训，以便在阵痛时进行自我催眠。催眠需要在孕期多多练习——当催眠师在你身边时，按照他的指导练习以达到最大程度的放松。催眠的一大好处是，即使你处于催眠状态，整个人也还是清醒的，一直到宝宝生下来都有意识，对于你和宝宝的身体没有任何副作用。

分散注意力。即使属于不适合用催眠术的人，你也可以尝试分散注意力的方法和技巧，从而减轻阵痛。做点别的事（看电视、听音乐、冥想），分散对疼痛的注意力能让你感知不到它的存在。把注意力集中在别的事物上（宝宝的超声照片、美丽的风景、最喜欢的风景照），或者做一些想象练习（想象宝宝正被每一次宫缩往外推，他正激动而开心地准备从子宫里出来）。正确地把宫缩疼痛反映到大脑里，也是一种帮助分娩的好办法。保持放松而积极的态度（每一次宫缩疼痛都会让你更接近想要的结果——很快就会见到宝宝，这种疼痛不会持续很久）可以让你更舒适。

经皮神经电刺激疗法。这种方法是使用电极对到达子宫和宫颈的神经通路给予低电压的脉冲刺激。它是否能有效减轻阵痛，研究尚不充分，但目前看来的确可以加快第一产程的速度，并减少镇痛药物的使用。

做出决定

现在你已经了解阵痛和分娩的各种镇痛方法，需要做决定了。在你做出最有利于自己和宝宝的决定之前，还应该做到以下几点：

● 临产前尽早和医生仔细讨论镇痛和麻醉手段。医生的专业背景和丰富经验让他可以成为最有价值的讨论伙伴，参与你的决策过程。在第一次宫缩之前，明确他最常使用哪些药物或辅助疗法，可能存在哪些副作用，什么情况下他觉得药物必不可少，什么时候你可以做出选择。

● 打开思路。虽然提前计划好非常明智，但有些事无法预测：你将面临的阵痛和分娩类型，身体对于宫缩的反应，是否需要医疗援助。即使你完全确信一定会采用硬膜外麻醉，也很可能在走进产房大门的那一刻想要尝试辅助疗法。毕竟，你的阵痛和分娩很有可能比想象中更容易应对（或时间更短）。即使你已经决定完全不依靠医疗手段，也不要将医疗援助拒之于门外——一旦情况变得复杂，这些帮助会很有用。

最重要的是，即使你已经将这些镇痛方法排好了顺序，也要记住一点——不管如何应对分娩疼痛，都会生下你的宝宝。

第13章 第8个月

（32~35周）

在开始倒计时的这个月，你可能还在享受怀孕的每一刻，也可能已经越来越厌倦挺着大肚子到处走。不管是哪种情况，一直渴望的事肯定占据了身心，让你激动异常，那就是——宝宝的出生。当然，这也伴随着你和丈夫的极度不安和恐惧。充分利用身边的朋友和家人，向已经做父母的人请教，你会发现，他们第一次当父母时也有相同的想法。

本月宝宝的情况

第32周。本周宝宝会有1800克重，48厘米长。长大已经不是最近这段时间唯一的日程安排了。你天天都在为宝宝的到来做准备，宝宝也在为自己的第一次华丽登场做准备。在最后这几周，宝宝每天会练习、练习、再练习。当他练就了这些技能，面对外面的世界就能像在子宫里一样生存——吞咽、呼吸、踢腿、吮吸。谈到吮吸，现在宝宝已经可以吸着大拇指好一会儿了。本周的另一个变化：宝宝的皮肤不再透明，皮下脂肪也越来越多。

第33周。宝宝增重非常快，几乎和你这段日子的增重差不多了（平均每周约230克），现在他的重量已经超过了2000克。宝宝仍然还有很多需要发育的地方。他已经达到了出生时的身长，而截止到出生，他的体重会翻番。现在有这么大一个宝宝在你肚子里，羊水量也到了上限（因为再也没有空间供羊水增加了），这也是为什么宝宝踢你会让你不舒服的原因：缓冲踢打的“垫子”减少了。在宝宝形成自己免疫系统的同时，你身体里的抗体也会进入到宝宝体内。当宝宝到了外面的世界，这些抗体可以保护他免受大量细菌的侵袭。

第34周。宝宝现在大约有50

厘米长，体重2300克。肚子里是个男宝宝？这周他的睾丸将会从腹腔进入它们最终的目的地——阴囊（有3%～4%的男宝宝出生时睾丸未降，不用担心；一般会在一周岁之前完成这个重要的过程）。另外还有一些与宝宝相关的新闻：宝宝的手指甲长到了指尖，所以别忘了买婴儿指甲刀！

第35周。如果宝宝能站起来的话，已经挺高了——大约50厘米，并会继续保持每周230克的增重计划。本周体重为2500克。虽然身长增加速度渐渐放缓（宝宝出生时身长平均为50厘米），宝宝的体重还会一直增加。其他持续增加的还有脑细胞。大脑依然以难以置信的速度飞快发育，让宝宝看上去有点头重脚轻。绝大多数宝宝在妈妈骨盆里的体位会在本周（或很快）固定下来，头朝下，臀部朝上。这是件好事，更有利于分娩，因为宝宝的头部最大。另外，宝宝的头部还很软（至少颅骨很柔软），这样宝宝在通过产道时可以稍微承受一点挤压，更容易通过。

你可能会有的感觉

记住，还是那句老话：每位女性的每次怀孕过程都不同。如下症状你可能全部经历过，也可能只经历过其中的一两种。有的是上个月症状的延续，有的可能是这个月新出现的，还

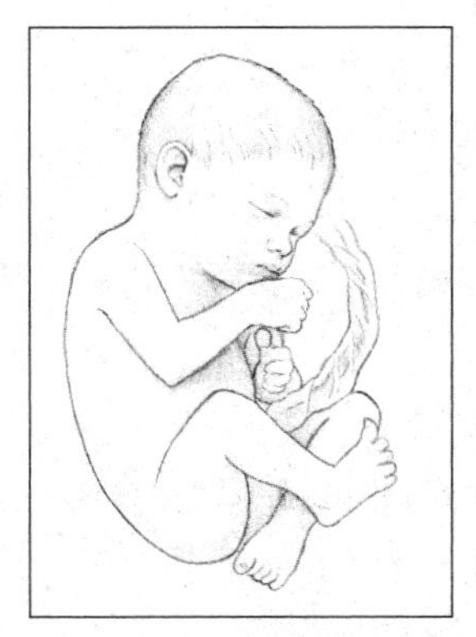

第8个月的宝宝

有些由于你已经习惯了而很难察觉：

身体上

- 胎动有力而规律。
- 阴道分泌物增多。
- 便秘加重。
- 烧心、消化不良、胀气、身体浮肿。
- 偶尔出现头痛、虚弱、眩晕等症状。
- 鼻塞，偶尔流鼻血；耳朵里有闷塞感。
- 牙龈敏感。
- 腿部痉挛。
- 背痛。
- 骨盆有压迫感或疼痛感。
- 脚及脚踝轻微肿胀，手和脸偶尔肿胀。
- 腿部静脉曲张。
- 痔疮。
- 腹部发痒。

●肚脐凸出。

●妊娠纹明显。

●随着子宫压迫肺部，呼吸会越来越短促，宝宝下降入盆后症状会减轻。

●入睡困难。

●宫缩（布雷希氏宫缩）增多。

●身体越来越笨拙。

●乳房增大。

●溢乳，从乳头渗出或挤出初乳(一般出现在分娩后)。

观察自己

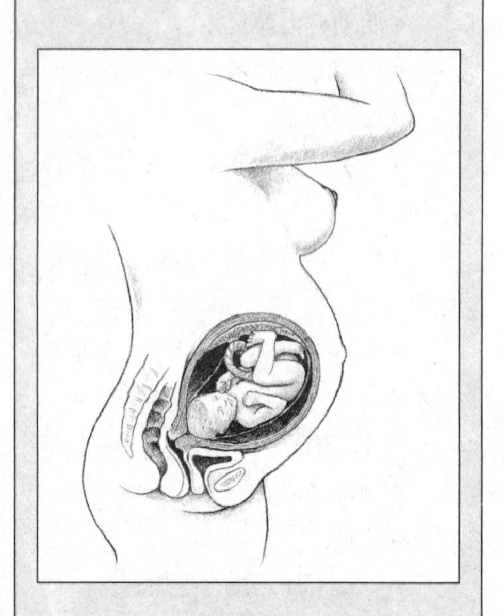

一个有趣的孕期小知识：可以根据你的孕周估算从耻骨顶部到宫底的距离（厘米）。比如，怀孕 34 周时，宫底距耻骨约为 34 厘米。

精神上

●越来越盼望孕期快点结束。

●担心阵痛和分娩。

●越来越健忘。

●因为快做妈妈而感到不安（特别是第一次怀孕的人）。

●兴奋和激动——意识到离终点不远了。

本月可能需要做的检查

怀孕 32 周之后，医生会要求你隔一周检查一次，这样可以更密切地监控你和宝宝的情况。根据医生的临床经验和你的具体需求，你可能会接受以下检查：

●测量体重和血压。

●尿常规，检查尿液中是否有糖和蛋白质。

●听胎心。

●测量宫高。

●通过触诊估计宝宝大小（可能得到一个粗略的体重估计值)和胎位。

●检查手和脚的水肿情况，腿部是否出现静脉曲张。

●检查 B 型链球菌。

●你的一些孕期症状，特别是少见的症状。

●你想了解的问题。

你可能关心的问题

布雷希氏宫缩

“我的子宫每过一阵就好像缩成一团而且变硬了，这是怎么回事？”

这是一种演习。随着分娩即将到来，身体会通过活动子宫肌肉为这个大日子进行热身。你感觉到的这种子宫的柔软体操叫做布雷希氏宫缩，一般发生在怀孕20周左右。这种演习性宫缩（生过宝宝的人会更早且更强烈地感觉到）带来的紧缩感，从子宫顶部开始逐渐向下扩散，持续15～30秒不等，也可能持续2分钟以上。如果在布雷希氏宫缩发生时观察自己的肚子，你可能会看到平时圆圆的肚子凸起或缩成一团。看上去很奇怪，但是非常正常。

布雷希氏宫缩并不是真正的宫缩，但很难和后者区别开——尤其当分娩临近，宫缩越来越强烈的时候。它们不足以使宝宝娩出，却可能导致子宫颈提前扩张，在真正的分娩开始之前帮你一把。

为了减轻这种宫缩带来的不适，试着改变体位——如果你一直站着，就躺下来放松一下；如果坐着，就站起来四处走走。另外，一定要确保摄入足够的水分。脱水（哪怕是轻度脱水）有时也会引起宫缩，包括这种演习性宫缩。你可以把这样的阵痛当做演习，练习呼吸技巧及其他你学过的分娩技巧，当真正的宫缩开始时，就可以更从容地应对。

如果这种宫缩没有随着身体活动而得到缓解，开始变得越来越强烈，越来越规律，就可能是真正的临产了，要赶紧给医生打电话。一个值得表扬的好方法：如果在一小时内出现了4次以上布雷希氏宫缩，就要给医生打电话，让他了解你的情况。如果你很难分辨布雷希氏宫缩和真正的临产宫缩，看看第353页的内容，了解不同类型的宫缩，并向医生描述你的情况。

肋骨挠痒

“我似乎觉得宝宝的双脚挤进了胸腔，真的好痛！”

在最后的几个月，子宫变得狭窄，宝宝没有了伸展空间。这些足智多谋的小东西通常会去妈妈的肋骨间为双脚找到舒适的位置，这就是你感到的这种肋间“挠痒”。换个姿势也许会说服宝宝乖乖改变姿势，或者试试用这种方法使他换换位置：一只手臂高举过头，深吸气，然后放下手臂同时呼气。换另一只手臂，重复做几次练习。

如果上述方法都不奏效，就等一等吧，等肋间的这个小东西有别的事忙起来，或等他下降到骨盆（首次妊娠一般发生于分娩前2~3周，其他人需要等到阵痛开始后），他就不能把脚放得那么高了。

胸腔疼痛的另一个原因不能怪宝宝，是孕激素造成这些区域的关节松弛。对乙酰氨基酚（扑热息痛）可以减轻这种疼痛。同时也应该尽量避免提举重物，那会使疼痛加重。

呼吸短促

“有时我感觉呼吸困难，即使没有耗费任何精力也这样，这是怎么了？是不是意味着宝宝没有得到足够的氧气？”

这段日子，你感觉到空气不足一点也不奇怪。日益增大的子宫已经占领了内脏所需的大量空间，这样才能为宝宝提供更宽敞的住所。这些内脏会感觉受压迫，肺也是其中之一。子宫的压迫使肺在呼吸时不能充分张开。另外，黄体酮的分泌已经导致你呼吸困难长达几个月，这两个因素叠加起来，进一步解释了为什么这些天上几层楼梯就气喘得像跑完马拉松。幸运的是，虽然呼吸困难让你非常不适，却对宝宝没什么影响，他已经通过胎盘得到了足够的氧气储备。

要缓解气喘现象，通常要等到妊娠快结束，那时宝宝会下降到骨盆里，为出生做准备。在那之前，你可能觉得上半身坐直比靠着坐呼吸更顺畅，睡觉时用两三个枕头支撑着身体半坐着也能让你更容易呼吸。

有时候，呼吸困难有可能是铁储备不足的征兆，一定要问问医生。如果严重的呼吸困难伴有呼吸急促、嘴唇和指尖发紫、胸痛或脉搏急促，需要立即与医生联系，或去急诊。

小便失禁

“昨天晚上看了一部很有趣的电影，但每次大笑时我都想小便，这是怎么回事？”

频繁出入于卫生间还不够，孕晚期又增加了新的小便问题：压力性尿失禁——导致你在咳嗽、打喷嚏、提起重物，甚至笑的时候出现少量的尿液渗漏。这种压力性尿失禁是扩大的子宫对膀胱不断增加的压力造成的。有些女性在孕晚期还会突然出现无法克制的尿意。下列方法可能有助于在一定程度上预防或控制这些情况：

- 每次小便时身体前倾，尽可能完全排空膀胱。
- 认真练习凯格尔运动。它有助于强化盆底肌，从而克服孕期及产后可能出现的尿失禁。想了解这项运动，请翻到第293页。
- 感觉要咳嗽、打喷嚏或笑的时

候，做凯格尔运动或交叉双腿。

●如果需要，或者害怕发生意外，可以在内裤上垫护垫。如果尿失禁特别厉害，尽量穿长一点的衣服。

●避免便秘。大便积聚太多也会对膀胱产生压力，排便时太用力也会影响盆底肌。想学习预防便秘的办法，请翻到第177页。

●如果尿急现象几乎要把你逼疯了，试着锻炼膀胱。频繁排尿，每30～60分钟去一次卫生间，这样就不会有要失禁的感觉了。一周后，努力延长上卫生间的间隔时间，每次增加15分钟。

●即使患了压力性尿失禁或常受尿急尿频的折磨，也应该坚持每天摄入8杯液体。限制液体摄入不会抑制尿液渗漏，却很可能引起泌尿系统感染或脱水，还会引起早产等各种问题。泌尿系统感染也会加重压力性尿失禁。（参考第491页的小技巧，可以让你的泌尿系统保持健康。）

为确保喷薄而出的液体的确是尿液而不是羊水，你可以试着闻一下。如果闻起来不像尿液（羊水闻起来有点甜），立即告诉医生。

怀孕的样子

“大家都说，对于怀孕8个月的孕妇来说，我的肚子又小又低，是不是宝宝发育不正常？”

事实是，不能用孕妇肚子的形状来判断宝宝的状态。你怀孕的样子不仅和宝宝的体积有关，还和以下因素息息相关：

●你的体型、身材，以及骨架大小。孕妇的肚子有多种形状。娇小的女性可能看起来比高大的女性更结实，肚子小一点、低一点、并位于正前方。一些太胖的女性可能肚子一点也不明显，因为宝宝有足够的生长空间。

●肌肉的结实程度。肌肉结实的女性没有肌肉松弛的女性的肚子明显。已经生过宝宝的女性更容易显怀。

●胎位。宝宝位于子宫内的位置也会影响到肚子的大小。

●增重情况。孕期增重过多并不意味着宝宝更大，只是让你的体型比别人大而已。

评估胎儿大小的唯一医学根据是产检时医生说的话，而不是亲戚、同事、超市里的陌生人说的话，或是网上查到的说法。为了精确地判断宝宝的大小，医生不会只看你的肚子，他会定期帮你测量宫高，通过触诊确定宝宝的位置和方向，估算他的大小。需要的话，超声等其他检查可以进一步确定宝宝的大小。

换句话说，数字背后才是真相，可能在你小小的肚子里面长着一个大宝宝。

怀孕8个月的样子

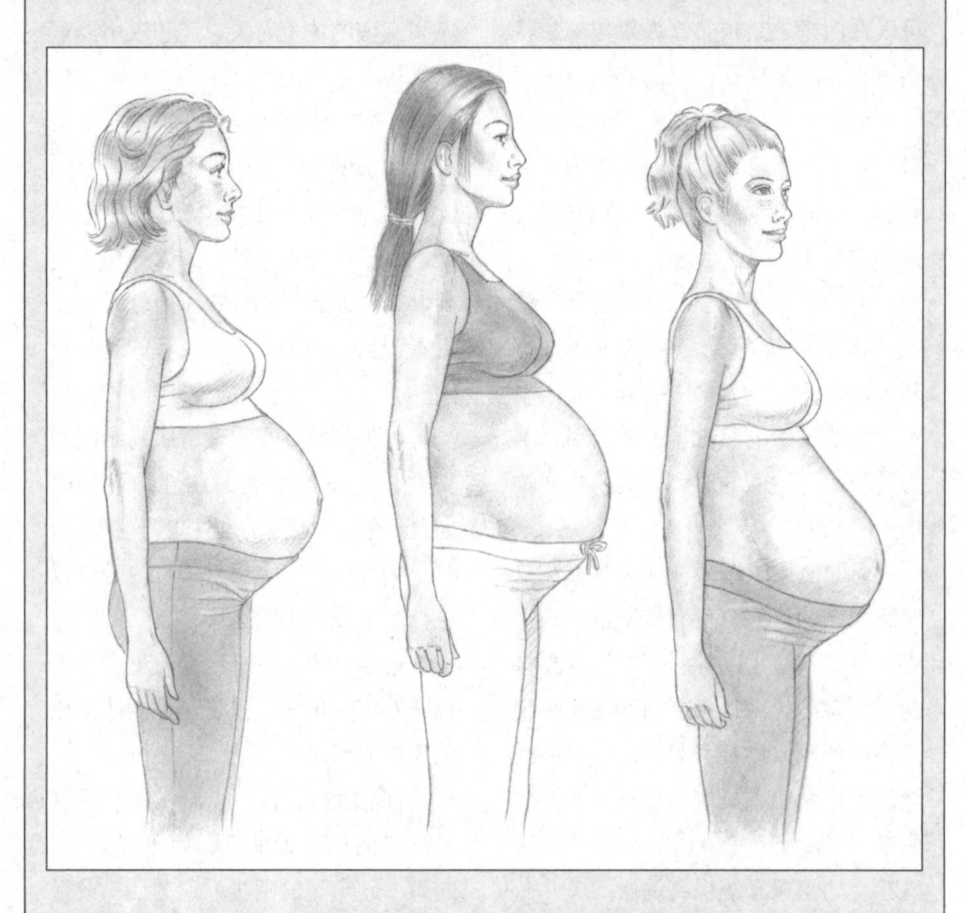

上图是孕期8个月末的3种截然不同的体型,她们的差异比孕早期还明显。根据宝宝的大小和位置不同，以及孕妇的体型和增重情况，肚子的形状有高有低、有大有小，有的更宽，有的比较紧凑。

"大家都说我怀的是个男孩，因为我肚子很大、臀部没胖。我知道这是老人们的说法，但一点真实性都没有吗？"

不管是老奶奶还是其他人，对于宝宝性别的预测，大约有50%的正确率。但如果依这个结论来给宝宝起名字或者布置房间的话就不太明智了。

"肚子向前凸是怀男孩，肚子圆是怀女孩"，"怀女孩会让鼻子变大，怀男孩就不会”，这一类预测都不是遗传学报告或超声检查得出的结论。

身材与分娩

“我只有1.52米高，身材非常娇小，担心分娩会很困难。”

现在谈谈身材问题和分娩能力的关系——起决定作用的是身体内部，而不是身体外部。你是否会难产，取决于骨盆的大小和形状与宝宝头部是否相称，与身高和身材无关。骨盆大小不能从外表判断，身材娇小不代表骨盆也很小。一个娇小纤弱的女性的骨盆可能会比一个高大健壮的女性宽。

怎样才能知道自己的骨盆大小？医生会对你做出专业评估——通常根据第一次产检时获得的数据做出粗略估计。如果阵痛时担心宝宝头太大不能通过骨盆，可以利用超声检查来精确测量。

一般来说，骨盆和其他骨性结构一样，身材娇小的人也会有较小的身体结构。幸运的是，大自然一般不会让“小号”妈妈的肚子里出现一个“大号”宝宝来为难她。新生儿一般都和妈妈的规格很匹配，出生时也很适合妈妈的骨盆。所以，宝宝很可能非常适合你的骨盆尺寸。

增重情况和宝宝大小

“我体重增长太快，很担心宝宝太大，导致分娩困难。”

你的体重增长太快并不意味着宝宝也是这样。决定宝宝大小的因素非常多，包括基因、你的出生体重（如果你出生时个头很大，宝宝很可能也会这样）、孕期体重（肥胖的孕妇往往会生下胖宝宝），以及你增重时吃的食物。根据这些因素的差异，增重16～18千克可能让宝宝长到2.7～3.2千克，而增重11千克宝宝也可能达到3.6千克。一般来说，增重越多，宝宝的确会大一点。

通过腹部触诊和测量宫高，医生可以估算出宝宝的大小——这种结果可能会和实际相差约0.5千克。超声检查可以给你更精确的估值，但也可能出错。

即使宝宝很大，也不一定意味着难产。一个2.7～3.2千克的宝宝确实比4～4.5千克的宝宝娩出速度快，但大多数产妇都能通过阴道产下“特大号”宝宝，而且不会出现并发症。对顺产与否起决定作用的因素是宝宝的头（最大的部分）能否通过妈妈的骨盆（参考上一个问题）。

胎位

“怎么才能知道胎位是否适合分娩？”

晚上玩“猜猜是什么”的游戏（猜猜哪里是宝宝的肩膀、手肘、臀部）可能比看电视更好，但这并不能准确判断胎位。医生用训练有素的手来触摸你的肚子，才能够辨认出宝宝身体的各部分，他的推测可能比你更准确。宝宝的心跳是另一个线索，可以帮助你确定胎位：如果是头位，通常会在肚子下半部分听到心跳；宝宝背对着你时心跳声最大。如果对胎位有任何疑虑，可以做超声检查来确认。

依然忍不住想玩有趣的猜测游戏？那就继续玩吧——为了让你们的游戏更有意思（也让你发现一些关于胎位的线索），可以注意以下标志：

- 宝宝的背部一般都是光滑的，凸出的，而身体正面是一串不规则的小东西——手、脚、手肘。
- 在第8个月时，宝宝的头通常位于骨盆里，圆圆的，硬硬的。如果按压下去，它会在身体其他部位不动的情况下自己弹回来。
- 宝宝的臀部比头部软，形状不规则。

臀位

“上次产检时，医生说宝宝的头接近肋骨，这是不是意味着宝宝是臀位？”

即使宝宝活动的空间越来越狭窄，他也可以在孕期最后几个月里好好练习体操运动。事实上，虽然大部分宝宝在第32～38周时成功地转到了头位（足月分娩的臀位发生率低于5%），但也有部分宝宝不到分娩前最后几天就是不乖乖进入骨盆。现在宝宝臀部朝下并不意味着分娩时一定是臀位。

如果宝宝分娩前依然顽固地保持臀部朝下，可以和医生讨论一下怎样回转胎位，采取什么分娩方法最好（参考下文）。

“如果宝宝是臀位，能帮他转向吗？”

有很多好办法可以哄宝宝乖乖

帮助宝宝转位

一些医生建议孕妇进行一些简单的小练习，从而帮助臀位宝宝转到头位，有利于分娩。问问医生，你是否需要自己在家做这项练习：用双手和双膝支撑身体，抬起臀部，使其高过头部，前后来回晃动肚子；做骨盆倾斜运动（参考第227页）；双膝分开跪地，然后弯腰、翘臀，让肚子尽量接近地面（每次保持这个姿势20分钟，每天最好练习3次）。

面部朝向

谈到胎位时，不是头部朝上或朝下这么简单——还有“前”和“后”的区别。如果宝宝面朝你的背部，下巴靠向自己的胸口，你就是幸运儿。这种“枕前位”是最理想的分娩胎位，因为宝宝的头可以很顺利地通过骨盆。如果宝宝背朝你（即枕后位），分娩时就可能引起严重的背痛（参考第 360 页）——因为宝宝的背部压住了妈妈的脊柱，这也意味着宝宝娩出的时间更长。

到了分娩的日子，医生会告诉你宝宝的位置，如果你现在非常想知道，可以从下面一些线索中判断。当宝宝是枕前位时，你会觉得肚子坚硬且轮廓光滑（那就是宝宝的背）。如果你的小东西是枕后位，肚子看起来会平一点、软一点，因为宝宝的胳膊和腿朝外，不像背部那样光滑、坚硬。

即使宝宝是枕后位，也不要担心分娩时出现严重的背痛。大部分宝宝都会在分娩过程中顺利转到枕前位。一些助产士建议，在阵痛开始前，可以四肢着地慢慢晃动一下骨盆，这样可以推宝宝一把。这些运动能不能顺利帮助宝宝转位，目前还不太清楚，但它一定没有害处，至少可以帮助你减轻目前背痛的情况。

把头转下来，甚至不需要高科技帮助——医生可能会推荐你做一些简单的运动，例如第 312 页小贴士中描述的那些。另外，辅助疗法，包括艾炙、针炙、中草药等，都可以帮助回转胎位。

如果宝宝似乎下定决心不想动弹，医生可能会向你推荐高技术含量的办法——外倒转术，这可以帮助宝宝乖乖回到最利于分娩的头位。施行外倒转术的最佳时机是孕 37～38 周，或刚开始阵痛时，这时子宫还相对松弛。有些医生倾向于实施硬膜外麻醉后才开始外倒转术。医生会在超声的引导下，将手放在你的肚子上（会感到一点压力，但一般不疼），轻柔地帮你把宝宝的头往下推。一般来说，操作完成后需要进行持续的胎心监护，保证宝宝安好。

外倒转术的成功率相当高，大约为 2/3（对于生过宝宝的妈妈来说，因为子宫和腹部肌肉松弛，成功率更高）。少数宝宝坚决拒绝回转，也有小部分宝宝会在成功回转后又转回臀位。

“如果宝宝一直保持臀位，会影响阵痛和分娩吗？我能不能尝试阴道分娩？”

你能不能采用阴道分娩，取决于很多因素，包括医生的对策及你的情况。很多医院的产科对于臀位妊娠的孕妇都直接采取剖宫产（只有0.5%的臀位宝宝可以顺利通过阴道分娩），原因在于大量实验证实剖宫产安全得多。然而，也有些医生和助产士觉得在某些情况下尝试阴道分娩合情合理，比如已经明确是单臀位，而孕妇的骨盆有足够的空间供宝宝通过。

如果宝宝仍然保持臀位，要记住：灵活对待分娩计划。即使医生允许你尝试阴道分娩，如果宫颈打开得太慢，宝宝没有进入产道或出现其他问题，就要临时改为剖宫产。现在就和医生谈一下各种备用方案，以备分娩出现问题时及时应对。

其他异常胎位

“医生告诉我宝宝处于斜位——这是什么意思？对分娩有什么意义？”

宝宝可能会在移动时形成一些异常胎位，斜位就是其中之一。斜位指的是宝宝的头指向了你的臀部，而没有正对宫颈，导致宝宝很难从阴道分娩，医生一般会施行外倒转术（参考第313页）。否则，可能会帮你剖宫产。

还有一种异常胎位是横位。这时，宝宝没有乖乖待在垂直的正常胎位上，而是侧躺着，横在子宫里。你也可以试试通过外倒转术回转胎位。如果依然无效，可能需要剖宫产。

剖宫产

“我很想顺产，医生却告诉我可能需要剖宫产，这真是让人失望。”

虽然剖宫产依然被视为一种重大的外科手术，却也是一种非常安全的分娩方法，在某些情况下，甚至可以说是最安全的。目前，剖宫产已经越来越普遍，30%的女性通过剖宫产生下宝宝，也就是说，就算你没有已知的危险因素，也有30%的可能会借助剖宫产取出宝宝。

已经下定决心要采取阴道分娩，却突然得知必须改为剖宫产，你的失望可以理解，但完全没有必要。也许从这一刻起，你开始对这一外科手术感到担心，害怕需要在医院里多住几天，担心产后恢复变得更困难，也担心伤口会不会成为以后的问题。

但是，如果医生最终认为剖宫产是最好的选择，你应该做如下考虑，理解医生的想法：绝大多数医院现在都已经尽量让剖宫产更加人性化，妈妈可以保持清醒，爸爸可以待在手术室里陪伴。如果没有特殊医疗原因需要隔离宝宝，你们还可以看见宝宝出生，然后立刻把他抱在怀里，甚至亲亲他的小脸蛋。所以，这种借助外科手术的分娩过程比你想象中舒服得多。另外，虽然康复时间会变长，肚子上的疤痕也不可避免，但分娩后你的会阴未受破坏，阴道肌肉没有拉伸。还有一个从美观角度考虑的原因：剖

宝宝的姿势

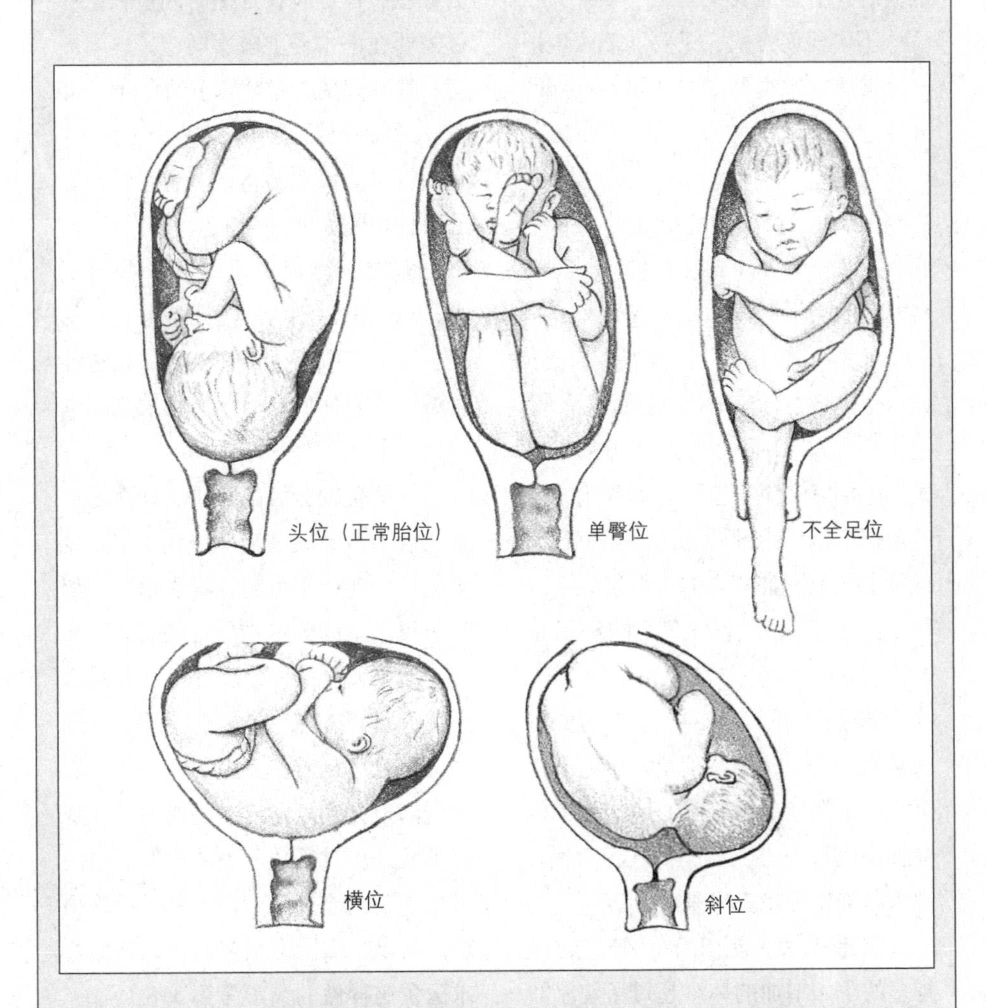

提及分娩，胎位非常重要。大部分宝宝都是头位，即正常胎位。臀位可能有很多形式：单臀位是指宝宝臀部先露，两条腿向上伸到面前。不全足位是指宝宝的一条腿（或双腿）先露。横位情况下，宝宝是侧躺在你的子宫里。斜位是指宝宝的头指向妈妈的臀部，而没有指向子宫颈。

宫产生下的宝宝头部没有受到产道的挤压，所以通常是圆的，而不是尖的。

但要记住，关于如何生下宝宝这个问题，最重要的只有一点：最安全的就是最好的。当有医疗需求的时候，剖宫产绝对是最安全的。

不论任何方式，只要能让医生把一个健康宝宝交到你的怀里，这样的分娩过程就是完美的。

“为什么如今剖宫产的比例这么高？我身边每个人都是剖宫产（我的姐妹、朋友，甚至遇到的每一个人）。”

目前，剖宫产率一直居高不下（超过了30%），几乎每个人身边都会有人通过剖宫产生下宝宝。如果前几年的数据可以作为预测，这个数值还会继续上升——剖宫产的人越来越多。

造成剖宫产比例提高的因素很多，包括：

安全性。剖宫产对于宝宝和妈妈来说格外安全——特别是在医疗条件进步飞快的情况下（胎心监护和其他检查手段），一旦宝宝出现任何问题，都可以被精确检查出来。

宝宝较大。近几年，随着越来越多的孕妇增加的体重超过了建议的11～16千克，妊娠期糖尿病的发病率日益升高，出现了越来越多的巨大儿。这时，如果妈妈打算阴道分娩，就会遇到各种困难。

妈妈较胖。随着妈妈肥胖度的增加，剖宫产的比例也升高了。超重（或孕期增重过多）会增加剖宫产概率，一方面是由于肥胖常伴有其他并发症（例如妊娠期糖尿病），另一方面肥胖的女性产程更长，阵痛时间过长，往往需要在手术台上解决问题。

高龄妈妈。越来越多的女性在30岁以后（甚至接近40岁时）怀上宝宝，她们更可能需要剖宫产。患有慢性病的女性也是如此。

多次剖宫产。虽然在一些情况下，可以考虑剖宫产后阴道分娩，但很少有医院或医生建议女性做出这种尝试，一般他们会为孕妇再次安排剖宫产手术。

仪器辅助分娩的减少。现在通过真空吸引器等仪器辅助分娩的宝宝越来越少，连产钳也越来越少用了。相对于仪器辅助分娩这种古老的办法来说，医生们更倾向于选择手术分娩。

妈妈的态度。剖宫产不仅很安全，而且可以避免分娩疼痛，使产妇免受阴道分娩可能造成的伤害。尤其是那些经历过阴道分娩的孕妇，她们可能更愿意选择剖宫产而不愿意顺产。所以，实际上很多时候是她们要求医生这样做的（参考第318页）。

满意度。更加人性化的剖宫产政策大大提高了孕妇对剖宫产的满意度。很多妈妈都可以在清醒的状态下进行手术，比较人性化的医院甚至可

你需要知道

你知道得越多，分娩过程中会表现得越好，剖宫产也不例外。下面是一些应该在第一次宫缩发生前和医生讨论的问题：

- 如果产程没有进展，是否可以采用其他方法试试，没有效果再实施剖宫产。例如由催产素刺激宫缩或者换蹲位让宝宝更容易出来。
- 如果宝宝是臀位，能不能先试试其他回转胎位的方法（例如外倒转术或其他小技巧）？有没有可能顺产臀位的宝宝？
- 什么样的手术切口更好？
- 需要麻醉吗？如果保持清醒，丈夫是否可以一直陪在你身边？
- 助产士能不能陪着你？
- 宝宝出生后你和丈夫是否可以立即抱他？你是否可以在病房里进行母乳喂养？
- 如果宝宝需要特殊护理，是否可以和你住一间病房？
- 恢复时间总共需要多久（包括住院观察和在家恢复）？你可能出现的不适症状包括哪些？

想知道剖宫产中具体会发生什么，请翻到第389页。

以在宝宝出生后立即把他送到产妇怀里。更重要的是，剖宫产速度很快，只需10分钟不到就可以完成（顺产一般需要30分钟）。

即使剖宫产率已经非常高，你也应该记住，手术分娩仍然只占少数。毕竟，2/3的宝宝都是从阴道里出来的。

“要实施剖宫产通常会提前知道还是到最后一分钟才知道？”

对大多数孕妇而言，直到进入阵痛阶段才能确定是否要实施剖宫产。偶尔，如果指征明显，医生可能会在分娩开始前就安排剖宫产。不同的医生对于是否需要剖宫产有不同的标准，下面是一些常见的需要进行剖宫产的指征：

- 曾做过剖宫产手术，手术原因仍然存在且不能克服（例如孕妇骨盆形状异常），或在上一次剖宫产中使用的是垂直切口（而不是更常见的低位水平切口，后者在承受分娩压力方面更有优势）；经历过一次剖宫产的女性主动要求再次剖宫产。
- 宝宝的头过大，不能顺利通过妈妈的骨盆（头盆不称）。
- 多胎妊娠（几乎所有三胞胎以上的妊娠都需要进行剖宫产；大部分

双胞胎也由剖宫产生下)。

● 臀位或其他异常胎位。

● 妈妈患心脏病、糖尿病或先兆子痫等，可能会在分娩过程中存在很高风险。

● 妈妈体型肥胖。

● 疱疹感染活跃期（尤其是初期)，或感染艾滋病病毒。

● 前置胎盘（部分或全部胎盘遮住子宫颈）或胎盘早剥。

一些剖宫产需要在阵痛时才能决定：

● 产程没有进展，比如宫口开得太慢，或者推出宝宝耗时太长。(大部分情况下，在实施剖宫产之前，医生会使用催产素加快宫缩。)

● 胎儿窘迫。

● 脐带脱垂。

● 子宫破裂。

如果医生说情况严重到必须实施剖宫产，要详细问问原因，还要问问是否有其他可行的办法。

选择剖宫产

“一些女性朋友们说会选择剖宫产，我也应该考虑吗？”

按需进行的剖宫产比以前更多了，但并不意味着你也必须这么做。不能过于草率地在非医疗需求的情况下做出剖宫产的决定，在这件事上不能追逐流行趋势，你需要仔细考虑，并与医生讨论利弊。

虽然你可能有很多理由想选择剖宫产，在考虑每一个因素时，也想想它的对立面。如果你属于以下这些情况：

害怕阴道分娩的疼痛。记住，剖宫产不是唯一避免这种疼痛的方法。如今已经有了大量有效缓解分娩疼痛的办法（参考第 298 页）。

担心阴道分娩后的影响。比如骨盆磨损、阴道撕裂或松弛。记住，凯格尔运动可以显著减少这些影响的风险。更重要的是，阴道分娩后引起尿失禁的可能性小于剖宫产(也就是说，大自然并不会让宝宝出来的通道更容易出现产后尿失禁)。

希望在方便的时候分娩。那你要确保自己考虑好了。如果接受剖宫产，你和宝宝都需要更长的恢复时间和住院时间，这就不太方便了。

还会要宝宝。如果这次选择了剖宫产，以后的分娩方式会受到一定程度的局限。一些医生和医院在剖宫产后阴道分娩方面要求非常严格，也就是说如果第一个宝宝采用剖宫产，第二个宝宝就不一定能采用阴道分娩了。

另外，还有一些非医学因素，在你考虑剖宫产时也应该格外慎重。宝宝准备好要出来的时机是最佳时机，如果选择了剖宫产，就可能让宝宝提前生出来（特别是在预产期计算得不太精确，实际足月的日子晚于预产期的情况下）。

如果仔细考虑后你仍然决定选择剖宫产，和医生仔细谈谈，看看这对你和宝宝是不是正确的选择。

多次剖宫产

“我已经进行了两次剖宫产，还想进行第三次。在剖宫产次数方面有没有限制？”

想要很多宝宝，又不确定自己能不能频繁出入医院里的那间手术室？可能有很多人这么想。关于剖宫产次数的要求已经不太严格了，现在通常认为多次剖宫产的安全性比过去高得多。具体的安全系数取决于上一次手术中选择的切口位置和形状，以及上一次手术完成后伤口愈合的情况。所以，一定要仔细和医生讨论一下你的具体情况。

根据接受剖宫产的次数不同、部位不同、伤口愈合情况不同，复杂的剖宫产手术可能会让你有较高风险患上某些妊娠期并发症，包括子宫破裂、前置胎盘，胎盘粘连（胎盘异常附着在子宫壁上）。所以孕期出现鲜红色出血及分娩迹象（宫缩、见红、破水）时，一定要格外警惕。出现上述症状中任何一条，都应该及时通知医生。

剖宫产计划和分娩培训班

以为计划了剖宫产就不用再参加分娩培训班了吗？没有这么简单。的确，你可以不用再进行呼吸练习或练习推出宝宝，但分娩培训班仍然能让你获益良多（包括了解在硬膜外麻醉下剖宫产都会经历什么）。大部分分娩培训班还会提供宝贵的育儿经验，不管你以何种方式生下宝宝，这些经验都很实用，例如宝宝的喂养方式、妈妈产后的身材恢复等。另外，在老师教导别的学员进行呼吸练习时，也不要漠不关心，你将发现这些技巧在处理产后疼痛（子宫收缩到原来的大小）或宝宝从涨奶疼痛的乳房吃奶时会非常实用。放松技巧对所有新妈妈（爸爸）都很有用。

剖宫产后阴道分娩（VBAC）

“我的上一个宝宝是通过剖宫产生下来的，现在我又怀孕了，这一次能否尝试阴道分娩？”

这个问题的答案因你谈话对象的不同而有所差异。当谈到剖宫产后阴道分娩是否安全的时候，专家们总是报以不确定的态度。曾经，医生和助产士都建议剖宫产后的孕妇首先尝试阴道分娩，但一项研究警告人们这样做的风险非常高（子宫可能会在上次手术切口的附近发生破裂），这使得医生和孕妇们开始迷惑，究竟剖宫产后能不能再次尝试阴道分娩？

然而，看看统计数据，成功概率还是很高的，大约有60%以上的女性在剖宫产后获得了正常的阴道分娩。只要采取恰当的预防措施，即使是经历过两次剖宫产的孕妇也可能成功地阴道分娩。另外，又有新研究发现，VBAC引起子宫破裂其实非常少见，发生率低于1%。更重要的是，那种风险是针对特定人群、特定环境的，例如子宫上的切口是垂直的，而不是水平的（95%的剖宫产切口是水平切口，位置比较低；查阅你上一次接受剖宫产的病历可以确定切口类型），或者阵痛由前列腺素或其他激素诱发（这种情况下宫缩会更强烈）。这也意味着，如果医院或医生同意的话，你不妨先试一下。

如果你已经决定了试一试，一定要找个好医生以备出现紧急情况。最重要的一点是，既然决定尝试，就应该在尝试前尽量多学习相关知识，了解出现紧急情况时的应对方法，包括分娩中的镇痛措施（有些医生限制VBAC过程中使用镇痛药物，有些则可以提供硬膜外麻醉）。记住，如果在分娩过程中情况变得复杂，医生很可能放弃VBAC。

如果你已经尽了最大努力，却还是再次以剖宫产告终，不要失望。提醒自己，即使是没有经历过剖宫产的女性还有1/3的可能转为剖宫产。如果直接计划再次剖宫产，而没有尝试VBAC，也不要感到愧疚。剖宫产的妈妈有1/3都选择再次剖宫产，其中很多是妈妈们直接要求的。对宝宝最好的做法，对你来说也是最好的，这一点最重要。

“产科医生劝我试一下VBAC，但我觉得没必要这么麻烦。”

虽然要不要尝试VBAC的最终决定权在你手里，但产科医生的建议也非常值得考虑。VBAC的风险非常低，而剖宫产不管怎么说也是一场大手术。阴道分娩意味着住院时间更短，感染的可能性更小，不用在腹部进行外科手术，恢复速度更快——所有有利因素都指向VBAC。所以，在决定前，一定要对比一下VBAC和再次剖宫产的利弊。

如果在经过周全的考虑和多方探讨之后，你仍然深信VBAC不适合自己，让产科医生知道你的决定和具体的原因，他会做出后续的剖宫产安排，不必有任何内疚。

B型链球菌

“医生要给我检查是否有B型链球菌

感染，这是什么意思？”

这是医生为了确保安全而做的安排，你最好检查一下。

B 型链球菌是存在于健康女性阴道中的细菌，和 A 型链球菌一点关系也没有，后者常常引起喉部感染。它对携带者（10%～35% 的健康女性携带了该病菌）没有坏处，但新生儿可能在通过阴道的过程中接触到这种细菌，从而引起严重感染（虽然每 200 个 B 型链球菌检查阳性的妈妈中，只有一个宝宝会感染）。

如果你是 B 型链球菌携带者，可能不会有任何症状，也意味着你可能不会发现自己是携带者。这就是为什么现在很多医生对怀孕 35～37 周之间的孕妇做常规 B 型链球菌检查的原因（35 周之前做的检查不能准确预测分娩时会不会携带此种病菌）。看到这里立刻跑到医院去做检查？你会发现检查结果出来得非常快——一般不到一个小时。怀孕 35～37 周时专门为此跑一趟似乎有点不合算，却是必要的。

这种检查如何进行？和子宫颈抹片检查的方式一样，该项检查也是用药签取下阴道和直肠的黏液标本。如果检查结果呈阳性，医生会在阵痛时给你静脉注射抗生素——这种治疗可以完全消灭对宝宝的潜在危害。如果在尿液中检查出 B 型链球菌，在孕期最后几周，医生可能会给你开口服抗生素。

如果医生并没有在孕期最后几个月检查 B 型链球菌，你可以主动提出要求。即使你没有进行检查，而在阵痛时出现了感染的征兆，医生也会立即为你静脉注射抗生素，以防止感染宝宝。如果你曾经生下过感染 B 型链球菌的宝宝，医生很可能不再检查，而直接在阵痛开始时采取治疗。

为了安全起见而检查，并且在需要时及时治疗，就可以让宝宝远离 B 型链球菌感染。

放开吃吧

这段日子，你可以抛开顾虑，随心所欲地吃！日益增大的子宫挤压了胃部，让你每顿饭都吃得很少，要满足宝宝的营养需求也变得更具有挑战性。也就是说，你现在比以往任何时候都更应该采用一日六餐的饮食方案。

洗澡

“现在洗澡安不安全？”

洗澡不仅没问题，热水澡还能帮助你在孕晚期缓解漫长一天后的各种疼痛。所以，享受浴缸里的完美时光吧！

担心洗澡水可能会进入阴道？大可不必担心。除非受到压迫（例如灌洗阴道或跃入泳池），否则水不会进入阴道。即使有一点水进入，阴道内的黏液也可以有效保护羊膜囊、羊水及宝宝不受浴盆里的感染性微生物侵害。

即使当阵痛开始，黏液栓塞脱落，你也可以继续洗澡。事实上，水疗是一种非常有效的镇痛方式，你甚至可以选择水中分娩(参考第31页)。

带着宝宝在浴盆里洗澡有一点值得注意，尤其是在孕晚期：一定要确保浴盆表面是防滑材质，或者加了防滑垫。还要避免泡泡浴及过热的洗澡水。

开车

“现在我几乎没法挤进驾驶座，还可以开车吗？”

只要能坐上驾驶座，你就可以开车。将驾驶座后移，抬高方向盘，这样会有帮助。只要驾驶座有足够的空间（你没有眩晕或其他可能影响安全驾驶的症状），除了分娩那天，你可以在其他时间里短距离驾驶汽车。

然而，不管开车的是不是你，孕晚期坐车超过一小时都太累了。如果必须做距离较长的旅行并得到了医生的许可，就要经常在座位上动一动，每隔一两个小时站起来走走。放松颈部和做伸展活动也会让你舒服些。

不过，千万不要在阵痛开始时自己开车去医院（强烈的宫缩会在开车时造成危险）。而且，不管是作为司机还是乘客，永远也不要忘了遵守交通规则，在去医院或分娩中心的路上记得系好安全带！

旅游

“这个月我安排了很多重要的出差。在孕期这么晚的时候安排远行会不会不安全？我是否应该将它们取消？”

在计划出行之前，应该安排去医院，或给医生打一个电话。不同的医生对于孕晚期3个月的出行有不同见解。这时，医生究竟会鼓励你上路还是持相反意见，主要取决于他个人的观点及其他原因。其中最重要的一点：你的妊娠属于哪一类。没有并发症的妊娠一般都可以获得医生许可。另外，旅行距离长短（大部分医生建议孕36周后不宜飞行），以及你是否存在早产风险等，也值得综合考虑。另一点非常重要的是，你是否感觉疲惫。随着孕程发展而加重的孕期症状往往会随着旅行里程而增加；出行会导致背痛和疲惫症状更明显，加重静脉曲张和痔疮，同时给身体和心理添加更多负担。其他需要考虑的因素有：出差时间长短，你的身体和心理对这次出差的渴望度，以及这次出差的重要性（可以择期进行或暂缓的出差最好安排在分娩后）。如果要乘坐飞机出行，根据选择的航线、航空公司不同，可能会对你有不同的限制。有的航空公司要求怀孕9个月以上的孕妇有医生许可，证明其不会在航班上突然出现临产情况，否则不能登机。

如果医生给了你通行证，除了出行计划之外，你还应该做好各个方面的安排。翻到第253页阅读相关章节，可以帮你获得开心、健康、舒适的旅行。注意保证足够的休息，这非常重要。不过最重要的是，一定要保证自己有目的地那边的医生（以及他所在的医院或分娩中心）名单、电话、地址。如果需要去很远的地方，考虑一下有没有可能和丈夫一起去，防止突然出现阵痛需要去医院分娩，想必你不愿意在没有他陪伴的情况下生下宝宝。

性生活

“关于孕晚期性生活的安全性，我听说了大量完全相反的意见，这到底会不会诱发阵痛？”

这并非因为孕晚期的研究还不够多，只是因为其中大部分结论都互相矛盾，所以你和所有同样处境的准妈妈一样不敢确定其安全性。目前最广泛的看法是，做爱或性高潮都不会诱发分娩。理论上说，如果条件成熟，精液中的前列腺素的确会诱发分娩。然而，这只是一种理论，不是确定的事。事实上，一项研究发现，孕期最后几周还有性生活的低危妊娠孕妇，整个孕期会比那些没有享受性生活的人更长。你是不是又困惑了？

根据已知的情况来看，大部分医生和助产士认为正常怀孕的女性一直到分娩前都可以有性生活，因为大部分这样做的夫妻并没有出现什么问题。

问问医生，看看最新的科学观点是什么，也问问你这样做是否安全。如果医生亮绿灯，就在你想要且有精力的时候好好抓住时机吧。如果医生亮红灯（有早产迹象、前置胎盘或难以解释的阴道出血情况），就尽量采取别的方式亲热吧：一次浪漫的烛光晚餐，漫步在星空下，看电视时和丈夫拥抱一下，洗澡时帮对方抹上沐浴露，或是互相按摩。如果医生不允许有性高潮，就不要让丈夫试图满足你一时的开心。请谨记，今后的路还长，你们还有很多机会获得美妙的性爱——虽然在宝宝夜里睡着之前，机会还相对较少。

和伴侣的关系

“宝宝还没出生，我和丈夫的关系好

像已经发生了变化。我们都太关注即将到来的分娩和宝宝，而不再像过去那样关注彼此。”

宝宝的到来给夫妻间带来了很多新的东西——开心、激动，也带来了不小的改变。

毋庸置疑，你们之间的关系就是改变的地方之一，看起来你已经发现了这些变化。在你们变成三口之家之后，生活的重心会发生转移。研究显示，如果夫妇二人在孕期就开始了角色转变的过程，宝宝出生后带来的冲击相对会小一些。所以，你最好现在就开始体验这一变化，而不是等到宝宝出生后。有的夫妇将温馨的三口之家的生活想得太浪漫了，一点也没有预料到浪漫的美梦会破碎。三个人的生活自然没有两个人的日子滋润，至少很多方面会改变——有一个嗷嗷待哺的宝宝的现实将会更难以应付。

所以，提前考虑并预先计划，做好准备应对改变。但是，当你调整好自己进入哺育状态时，也别只想着宝宝，他并不是唯一需要你照顾的人。在尽可能保证自己孕期正常、健康，按照希望的方式分娩的同时，保留一些情绪和精力经营好夫妻关系，让生活愉快非常重要。现在正是在关爱宝宝和关爱婚姻之间取得平衡的时候。在你努力编织温馨小巢的同时，尽量规律地做一些浪漫的事情，至少每周和丈夫一起做一些与怀孕和宝宝没关系的事，比如看场电影，出去吃晚餐，打一场小型高尔夫，到跳蚤市场淘货。去商场为宝宝采购时，买一些特别的小东西给你的另一半作为特别的惊喜，或者突然变出两张他喜欢的电影或演出门票。晚饭时，多关心他一天的工作进展如何，谈谈你的经历，讨论一下一天的新闻，一起回忆你们第一次约会的场景，畅想下一次蜜月旅行。不时把按摩精油带到床上，以正确的方式为对方按摩；即使没有心情做爱，任何形式的抚摸也可以让你们彼此靠得更近。这些勾起欲火的行为并不会让你觉得接下来没什么值得期待，反而会提醒你，生活中除了“心理催产法”、“婴儿服”等琐事之外，还有很多美好的事情。

现在记住这些要点，能让你们之间的爱火持续，哪怕到宝宝出生后你们需要半夜两点哄他睡觉。毕竟，你们在一起努力为宝宝准备一个温馨的小窝，这是多么温馨的景象。

哺乳

在过去的几个月里，你很可能看到（感觉到）自己的乳房一直在膨胀。如果仔细分析过这个现象，一定会明白，乳房并不会毫无缘由地长大，这是自然赋予人类的一大功能，也是一大任务：哺育宝宝。

考虑储存脐带血

又有一个决定需要你认真考虑了：是否应该为宝宝储存脐带血？如果需要，怎样做？

脐带血采集是在宝宝出生后脐带被夹住然后剪断时进行的一项无痛操作，总共只需要不到5分钟。它对于宝宝和妈妈是完全安全的。新生儿的脐带血含有干细胞，在某些情况下可以用来治疗一些免疫系统疾病或血液病。另外，目前有大量研究致力于发现这些干细胞是否能用来治疗其他疾病，例如糖尿病、脑瘫，甚至心脏病。

储存脐带血的办法有两个：花钱存在私人脐血库，也可以免费捐献到公共脐血库。私人脐血库收费不菲，对于低风险的家族来说（家族中没有任何免疫系统疾病），并不是一项太合适的投资。

出于上述原因，美国妇产科医师学会建议医生向产妇及家人说明脐带血储存的利弊。美国儿科学会也不推荐将脐带血存入私人脐血库，除非家族中存在一些可能会从干细胞移植中获益的病例。这些疾病包括：白血病、淋巴瘤及神经母细胞瘤、镰状细胞性贫血、再生障碍性贫血，以及地中海贫血症；戈谢病、赫尔勒氏综合征、湿疹血小板减少伴免疫缺陷综合征，以及一些严重的血红蛋白病。儿科学会非常支持家长把脐带血捐献到公共脐血库中，造福大众。这种性质的捐献不用花钱，而且可以回报社会。

研究一下你们的家族史，看是否有必要寻找私人脐血库。或者你觉得将脐带血存入私人脐血库将来很可能带来很大好处，无论有没有家族病史，都可以储存脐带血。你也可以和医生讨论一下有关脐血库的事宜。

很明显，你的乳房已经做好准备接受这个任务了。你是否也做好准备了？或者，你还在各种喂养方式间来回权衡，现在非常想了解一下这种神奇的喂养方式（母乳喂养），以及这种世界上最完美的婴儿食品(母乳)？在本章你可以找到一些非常有用的信息。

为什么母乳最好

就像羊奶是小羊羔最好的食品，牛奶是小牛犊最好的食品一样，人类妈妈的乳汁也是人类宝宝最好的营养食品。下面是一些原因：

为宝宝独家定制。母乳中含有至少100种宝宝需要的营养成分，这些

母乳喂养的准备事项

大自然已经计划好了所有细节，当你怀孕时，就不用再为母乳喂养过分操心了。一些育儿专家建议在孕期最后几个月最好不要用肥皂等产品清洗乳头和乳晕——用清水就可以了。肥皂可能导致乳头过于干燥，引起开裂和哺乳疼痛。如果你的乳房又干又痒，可以用一些柔和的乳霜润滑，注意不要涂抹在乳头和乳晕区域。如果乳头很干，可以试试主要成分为羊毛脂的乳霜。

以上这些原则也适用于那些乳头小或平坦的女性。乳头平坦的准妈妈并不需要在孕期借助乳头保护罩、提拉练习或手动吸奶器等为哺乳做准备。因为这些准备不见得有效，还有可能弊大于利。戴上乳头保护罩会非常显眼，看上去让人很尴尬，还可能引起出汗和湿疹。提拉乳头或使用吸奶器有可能引发宫缩，甚至引起乳房感染。

只有一种情况例外：对于乳头凹陷的准妈妈，需要提前做些准备。所谓乳头凹陷，就是指挤压乳晕时，乳头会陷进去，使得哺乳困难。乳头保护罩可以帮助你把乳头固定在外面，但由于前面提到的原因，你可能不愿意经常使用它。问问医生，当地有没有哺乳方面的专业人士可以帮助你，或者联系当地的国际母乳会。

营养物质是牛奶中没有的，配方奶也不能精确复制。尽管每个妈妈奶水中的脂肪成分类似，但她们的宝宝对自己妈妈的奶水更能有效消化吸收。与牛奶相比，母乳中的重要微量元素更容易被宝宝吸收。

安全。可以相信，直接从乳房中流出来的母乳最安全，没有污染，没有添加剂，也没有变质。它永远不可能被挤出来装在瓶子里摆在货架上出售，更不可能标上保质期。

润滑肠胃。母乳易于吸收，所以母乳喂养的宝宝很少便秘。他们也很少腹泻，因为母乳似乎可以消灭一些引发腹泻的微生物，同时促进消化道有益菌群的生长，从而进一步阻止腹泻。另外，母乳喂养的宝宝大便气味更加新鲜（至少在食用固体食物之前），也更少发生尿布疹。

对肥胖免疫。一方面，母乳喂养很少导致宝宝超重。另一方面，母乳喂养的宝宝将来患肥胖症的概率更低，成年后体内胆固醇的含量也较低。

有利于大脑发育。母乳似乎能使孩子的智商指数稍有增加。这可能得益于母乳中富含营养大脑的脂肪酸

(DHA)，也可能与哺乳时母子之间的亲密交流有关，这种交流可以很自然地促进智力发育。

可以控制过敏现象。事实上，没有哪个宝宝会对母乳过敏（但有些宝宝对妈妈吃的某种食品过敏，包括牛奶）。而牛奶中的 β-乳球蛋白会引发宝宝过敏，症状或轻或重。在宝宝对配方奶粉过敏时，配方豆奶粉可以充当替代品，但豆奶的成分偏离了大自然的安排，也可能导致过敏。研究显示，母乳喂养的宝宝比奶粉喂养的宝宝更不易在儿童期患上哮喘。

保护宝宝免受感染。母乳喂养的宝宝很少腹泻，第一年患上各种感染性疾病的可能性也更低，包括泌尿系统疾病和耳部感染等。大量研究提示，很多疾病在母乳喂养的宝宝中发生率更低，包括：细菌性脑膜炎、婴儿猝死综合征、糖尿病、部分儿童期癌症、克罗恩病，以及其他慢性消化系统疾病。成熟的母乳和初乳中有很多免疫因子，哺乳时从母体进入宝宝体内，从而有效地保护了宝宝。

坚固口腔。宝宝吃母乳时要比吸奶瓶更努力，所以母乳喂养可以最大限度促进宝宝下巴、牙齿及上颚的发育。近来有研究显示，吃母乳的宝宝童年期患龋齿的可能性更小。

刺激味蕾。想培养一个能吃的宝宝？从母乳喂养开始吧。不管你吃了什么，食物的口味都可以在乳汁中体现出来，这可以让宝宝一到这个世界上就接受各种美食的刺激。研究者发现，与配方奶喂养的宝宝相比，母乳喂养的宝宝断奶后一般不太挑食，会乖乖张大嘴巴吃下一勺红薯（或咖喱鸡）。

母乳喂养也对妈妈们好处多多：

方便。母乳喂养不需要事先计划，不需要调配，不需要任何工具，随时可以哺乳（公园里、飞机上、半夜），而且温度永远合适。需要哺乳时，抱起宝宝就行了，不需要收拾奶瓶、奶嘴、奶瓶刷，等等。就算出远门，乳房也不会忘记携带。采用母乳喂养，意味着你不需要半夜两点钻进厨房帮宝宝准备配方奶；深夜哺乳也不过是翻个身，继续在温暖的被窝里进行。如果你因为在外工作等各种原因不能和宝宝待在一起，可以先把奶挤出来放在奶瓶里，并放入冰箱保存，需要时直接取用就可以了。

经济。母乳是免费的，它的生产过程也是免费的。

产后恢复迅速。宝宝吮吸乳房能刺激释放催产素，帮助子宫回缩到产前状态，并降低恶露（分娩后的阴道排泄物）的排泄量，减少血液流失。母乳喂养也“迫使”新妈妈更多地休息，在产后的前 6 周里，你很快就会发现这一点非常重要。

迅速恢复到孕前身材。哺乳能帮你燃烧掉孕期积累的脂肪。如果你很

> **乳房：性器官还是实用器官？**
>
> 可能两者都是？其实生活中具备两种甚至多种作用的事物并不罕见，即使作用大不一样，需要不同的处事技巧和态度（例如爱人和妈妈）。你可以用同样的态度看待乳房的不同功用——一种有关性爱，一种具备实用性。每一种作用都很重要，但都不是唯一的功能。在决定是否母乳喂养时，记住这一点。

注意饮食，只摄取保持母乳供应和自身精力的热量，并确定所有热量都来自高营养食品，就可以在满足宝宝营养需求的同时尽快恢复原先的身材。

延缓经期。如果分娩后经期可以推迟几个月，谁不乐意呢？当然，如果想很快再要一个宝宝另当别论。不过，可不能借此避孕。大部分纯母乳喂养的新妈妈可以推迟几个月恢复月经。一般来说，女性恢复月经 4 个月后，就又恢复生育力了。

强健骨骼。如果摄取了足够的钙来满足自身和制造母乳的需要，哺乳可以增加骨骼中的矿物质含量，降低绝经后发生髋关节骨折的风险。

有利于健康。母乳喂养可以减少新妈妈患Ⅱ型糖尿病和某些癌症的危险。哺乳的女性患子宫癌和乳腺癌的可能性也比较低。

最重要的优点。母乳喂养将你和宝宝联系在一起，每天至少 6~8 次的亲密接触，让你们在情感上获得满足，分享爱和喜悦，这不仅让你觉得非常充实，有利于培养牢固的亲子关系，还可以促进宝宝大脑发育。双胞胎妈妈请记住：所有母乳喂养的好处，到了你这里都可以加倍（参考第 439 页学会给双胞胎哺乳的技巧）。

为什么有人选择配方奶喂养

可能你已经确定了母乳喂养不适合自己的实际情况，或者因为某些原因不能采取母乳喂养（至少不是完全母乳喂养），不要因为采用配方奶养（或混合喂养，参考第 330 页）而感到愧疚。下面是配方奶喂养的一些好处：

可以让父亲一起分享责任感。配方奶喂养更能让父亲承担起哺育宝宝的责任，培养父子之间的感情（母乳喂养宝宝的父亲其实也可以，假如宝宝肯吸奶嘴，他可以用奶瓶喂宝宝挤出来的母乳，也可以做一些照顾宝宝的事，例如洗澡和摇摇篮。）

更多自由。采用配方奶喂养的妈妈不必待在宝宝身边，她可以外出工作而不必担心挤奶和存奶的问题，可以独自外出旅行，甚至可以一夜安睡——因为别人也可以喂宝宝（采用母乳喂养的妈妈如果提前挤出乳汁或采用混合喂养，也可以享受到这些自由）。

能带来更多浪漫。配方奶喂养不会影响性生活（除非宝宝在不恰当的时间醒来要吃奶），而母乳喂养会对性生活有影响。首先，哺乳期的激素分泌会使得阴道干燥（用润滑剂可以弥补）；其次，做爱过程中可能会有乳汁溢出，这会令一些夫妇感到扫兴。

饮食限制更少。配方奶喂养对妈妈的饮食没有要求。你的饮食习惯不会受到限制，你可以吃所有想吃的辛辣食品和卷心菜（虽然很多宝宝并不讨厌这些味道，但某些味道的确会让他们不舒服），可以每天喝一杯酒，也不必担心营养方面的要求。

不会影响公众。在公共场合哺乳可能让你非常尴尬，配方奶喂养就没这个问题。不过这个棘手的问题常常很快就克服了：很多女性在尝试了一次母乳喂养后就发现，哺乳是人类的第二天性，甚至在大庭广众之下也不

乳房手术后的哺乳

很多接受过缩乳手术的女性依然拥有哺乳能力，但相对来说产乳量较少，甚至不能满足一个宝宝的需求。你是否可以喂养你的宝宝？除了母乳之外还需要补充多少配方奶？这部分取决于手术如何进行。问问你的外科医生，如果在手术中格外注意没有伤及乳腺导管及神经，你仍然可能生产一些乳汁。同理，接受过乳房癌或乳腺纤维囊肿手术的患者也一样。

如果外科医生的答案让你放心，你也和一些非常了解哺乳情况的育儿专家谈过这个问题，觉得自己有可能成功喂养宝宝，就在哺乳过程中严密观察，注意宝宝的生长速度和大小便，这非常重要。如果你无法生产足够的乳汁，可以用奶瓶给宝宝额外增加一些配方奶。同时也可以考虑采用哺乳辅助器（在装有配方奶的奶瓶里插入一根细长的管子，把管子的另一头固定在乳头附近，宝宝可以同时吸吮乳房和管子），这样可以保证配方奶喂养的同时坚持母乳喂养，刺激乳汁生产，让宝宝得到足够的奶量。记住，无论母乳量多量少——即使不是宝宝唯一的营养来源，也是有益的。

在影响母乳喂养方面，隆胸手术就不像缩乳手术那样令人烦恼，但也取决于手术方式、切口，以及做手术的原因。很多乳房里有植入材料的女性采用纯母乳喂养方式，只有很少一部分表示奶水不足。为了确保为宝宝提供足够的食物，你需要严密观察宝宝的生长速度和排泄量，把这些数字记录下来，每天进行统计。

在乎。

更少压力。有的女性天生缺乏耐心、容易焦虑，无法耐下性子哺育宝宝。但哺乳其实是一件让人很放松的事，也是一种令人惊讶的减压方式。

选择哺乳

如今，越来越多的女性可以果断地做出选择。有的女性还没怀孕时就已经决定将来要用母乳喂养宝宝；有的女性孕前从来没有考虑过这个问题，一旦知道哺乳的许多优点，就会选择母乳喂养。有些女性在整个孕期甚至分娩时都处于犹豫不决的状态。极少数女性深信自己不适合母乳喂养，又摆脱不掉自责心理，所以决定无论如何都要试一试。

还没有决定？先试一试吧，你可能会喜欢上母乳喂养的感觉。如果不喜欢可以放弃，这样做至少可以让你摆脱自责心理。另外有一个好处：即使只尝试很短的时间，你和宝宝也能获得一些最重要的益处。

一定要合理尝试。即使对最热心的哺乳支持者来说，最初几星期也很难。母乳喂养是妈妈和宝宝一起学习的过程，通常需要一个月，甚至6周的“试用期”才能成功地建立起母子间的情感纽带，才能让妈妈最终决定哺乳是否是最好的选择。

乳环？

你已经做好了母乳喂养的一切准备，但有一点——有一个首饰，让你非常疑虑。如果你已经穿了乳环，有一个好消息：没有任何证据证明乳环会影响女性的哺乳能力。但专家们认为，你应该在哺乳之前去掉乳环。这样可以避免不必要的感染，而且宝宝的牙龈、舌头和上颚非常娇嫩，很容易在吃奶时被首饰弄伤或引起窒息。

混合喂养

有些选择母乳喂养的妈妈发现，因为某些原因，她们不能也不想采用纯母乳喂养：可能纯母乳喂养对她们来说不切实际（有太多的出差安排，或工作使得挤奶很难完成）；可能是因为纯母乳喂养太困难（受到多种乳房疾病的折磨或母乳持续分泌不足）。幸好，不管是母乳喂养还是奶瓶喂养，都不是唯一的选择，对于某些女性来说，将两者结合起来是一种折中的方法。如果选择混合喂养，那一定要等到宝宝和妈妈都已经习惯母乳喂养后（至少2~3周），才能开始使用配方奶。关于混合喂养的知识，可以在《海蒂育儿大百科（0~1岁）》一书中找到更多相关知识。

不能或不应该采取母乳喂养的情况

遗憾的是，并不是每一位新妈妈都可以母乳喂养，有些女性不能或不应该用母乳哺喂宝宝。出现这种情况可能是因为妈妈的健康状况或宝宝的健康情况，可能是情感上或身体上的原因，有的是暂时的选择（哺乳推迟一段时间再开始），有的是长期选择。可能妨碍或影响妈妈哺乳的最常见因素有：

● 严重的疾病（例如患有心脏病、肾功能不全或严重贫血）导致身体虚弱或体重严重不足。不过，仍然有一些女性克服了各种障碍来哺育宝宝。

● 严重的感染，如未经治疗的活跃性肺结核。如果正在接受治疗，可以先规律地挤出乳汁（扔掉），建立起乳汁供应模式，以便将来及时恢复母乳喂养。

● 患有慢性疾病，需要服用药物，而药物可能会对宝宝有害。这些药物包括：抗甲状腺药、抗癌药、降压药，以及情绪调节药物（例如锂剂、镇静剂和止痛药）。如果需要服用上述任何药物，在母乳喂养之前先和医生谈一下。有时换一种药或把服药间隔时间拉长就可以哺乳。有时只是临时需要用药（例如青霉素），在哺乳期间服用也不会造成太大影响。分娩时或因乳腺炎而需要抗生素治疗的女性可以在服药期间继续哺乳。

● 工作时会接触某些有毒的化学物质。

● 酒精过量。偶尔饮酒可以，但喝太多就会给哺乳带来问题。

● 滥用药物，包括镇静剂、可卡因、海洛因、美沙酮或大麻。

● 艾滋病或艾滋病病毒感染，病毒会通过体液传播，包括乳汁。

有些新生儿的情况会使得哺乳难以进行，但也并非不可能，包括：

● 早产儿或过小的新生儿，他们可能存在吮吸困难的情况。患病的早产儿需要在新生儿重症监护室里待很久，不太可能接受母乳喂养，不过你可以将乳汁挤出来，交给医院的工作人员帮你喂。

● 患有乳糖不耐症或苯丙酮尿症的宝宝，他们不能消化母乳，也不能

让爸爸了解母乳喂养

虽然母乳喂养是两个人的事，但往往需要3个人参与。研究者们发现，当父亲支持母乳喂养时，有96%的妈妈会采取母乳喂养；当父亲的态度动摇时，只有26%的妈妈选择了母乳喂养。研究者认为，更重要的是让爸爸们加入哺乳小团队（让他们知道如何更好地支持你），增加妈妈们进行母乳喂养的时间——从而让整个哺乳过程更容易。爸爸们，做好笔记，加入学习母乳喂养的大军吧！

消化牛奶。在补充不含苯丙氨酸的配方奶的情况下，可以采取母乳喂养。对乳糖不耐症的宝宝（非常少见），可以用乳糖酶来分解妈妈的乳汁，从而使宝宝接受母乳。

● 唇腭裂或其他口腔缺陷会影响吮吸。能否成功哺乳取决于宝宝嘴部缺陷的形状，但只要采取特殊的辅助措施，通常都可以哺乳。腭裂患儿不能直接进行母乳喂养，但可以用奶瓶喂挤出来的母乳。

很少情况下，无论妈妈和宝宝多么努力，都不能完成母乳喂养，这是由于乳房腺体组织不足造成的。

如果无法哺乳，不要在失望之余再有内疚或失败的感觉。实际上，重要的是：不要让这些想法影响你逐渐了解并热爱宝宝的过程——这个过程并非必须有哺乳作陪。

第14章　第9个月

（36～40周）

终于，你一直在等待的，一直努力为之奋斗的，还带有一些担忧的这一刻就要到来了。出现各种情况都是正常的：也许你已经做好了接受变化的准备（能抱着宝宝，能再次看到自己的脚趾，甚至能趴着睡觉）；当然也可能一点心理准备都没有。除了大量不可避免的活动（去医院的次数增多，需要经常去婴儿用品店，要赶紧把手头的工作项目完成，需要给宝宝的房间装修配色，等等），你可能会觉得第9个月过得最漫长。当然，如果你到了预产期还没分娩则是例外——那样的话最漫长的一个月就是第10个月了。

本月宝宝的情况

第36周。重约2700克，身长50厘米，宝宝刚好适合被你抱在怀里。现在，宝宝的大部分功能系统（从循环系统到肌肉骨骼）都将齐备，准备面对外界的生活。消化系统已经发育完全，但还没有获得足够的锻炼。到现在为止，宝宝的营养都通过脐带从妈妈那里获得——还没有启动消化系统的必要。宝宝一吸到乳房（或奶嘴），消化系统就正式启用——也该开始用尿布了。

第37周。告诉你一个激动人心的消息：如果宝宝今天就生下来，他就被认为是足月宝宝了。但这并不意味着他停止生长了，也不说明他完全做好了在外界生活的准备。其实他还在继续保持每周约230克的增长速度，体重在这周应该有3000克。宝宝身上的脂肪还在继续积累，形成了美丽得让人想亲一下的小肘窝、膝盖、双肩，以及讨人喜欢的腰部和颈部肉肉的小褶皱。为了第一次华丽登场，宝宝要做到完美：吸入和吐出羊水（让肺为第一次呼吸准备好），吮吸自己的大拇指（为第一次吮吸做准备），眨眼，以自身为轴左右转动。

第38周。小宝贝已经不小了：3200克重，50厘米长。他已经大到可以登场了——真是激动人心。还剩下2周（最多4周）在子宫内生活的时间，他的所有系统就要投入运行了。为了彻底完成第一次亮相前的最后准备工作，宝宝还有一些细节需要注意，比如褪去保护皮肤的皮脂和胎毛，生产更多的表面活性剂——宝宝开始呼吸时用来保护肺泡彼此不粘连的物质。

第39周。本周没有什么需要汇报的新消息，至少体重和身长没有变化。对于你那被撑开的皮肤、疼痛的背部来说有一定好处——宝宝的增长速度放缓了，在分娩前出现了暂时的停顿。宝宝这一周的体重约为3200～3600克，身长48～53厘米。但在其他方面宝宝仍然有进步，特别是他的大脑，正以一种不可思议的速度迅速生长（这种极快的发育速度会一直持续到宝宝出生后的前3年）。更重要的是，宝宝粉红色的皮肤已经变白（不管是什么人种，宝宝的皮肤现在都是白色，他会在出生后很短时间内发生色素沉着，定下自己的肤色）。如果这是你第一次怀孕，可能会注意到一些变化：宝宝的头可能下降到你的骨盆里。这种位置的变化可能是为了让他呼吸更容易（也缓解你的烧心），但也可能导致你走路困难。

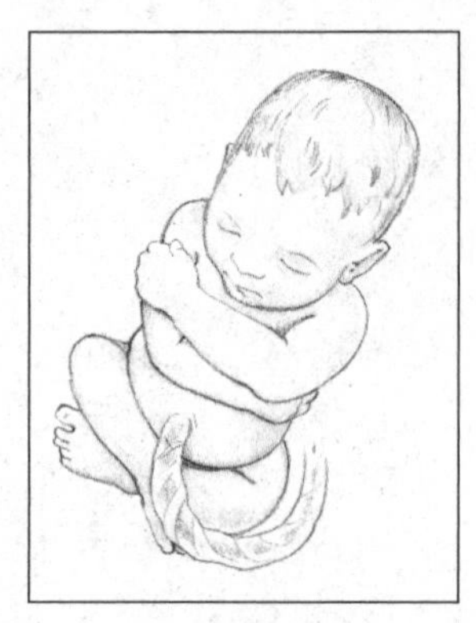

第9个月的宝宝

第40周。恭喜！你终于到达了妊娠的终点。宝宝本周重量为2700～4000克，身长为48～53厘米。很多完全健康的宝宝的测量值可能会与上述数值略有出入。你可能会发现，即使到了预产期，宝宝仍然会乖乖地蜷缩在他的小房子里——这可能是由于宝宝已经养成了习惯，舍不得这个小房子。如果你准时见到了这个新生命，一定要好好打个招呼。虽然这是你们第一次碰面，但宝宝可以分辨出妈妈和爸爸的声音。如果那一刻没有准时到来，你会很着急，但有很多情况类似的盟友。大约有一半的女性在怀孕40周时没有准时生产，不过谢天谢地，医生不会让你等到超过42周。

第41～42周。看来宝宝选择等到最后。只有不到5%的宝宝在预产期那一天出生——约50%的宝宝选择在妈妈肚子里那温暖友好的旅馆里多住一段日子，甚至想待到第10个月。很多时候，“过期”的宝宝只是预产期推后了。少数情况下，真正意义上过期分娩的宝宝第一次登场可能会呈现出干燥、开裂、脱皮、松弛及褶皱的皮肤，但这些都是暂时现象。因为在过去几周内，宝宝皮肤表面的保护性皮脂已经脱落，他却没有在预产期出来。这些稍微“年长”的宝宝会有更长的指甲，更长的头发，几乎没有或完全没有留下胎毛。他们更警觉，眼睛已经睁开。为了安全起见，医生可能会通过无应激试验、检查羊水和进行胎儿生理评估，从而对“过期”宝宝实行更严密的观察。

你可能会有的感觉

你可能会经历下列所有症状，也可能只经历其中几种。本月你出现的症状有些是上个月的延续，有些是新出现的，还有些由于你已经习惯了而很难察觉，或者被一些预示分娩来临的令人兴奋的新症状掩盖了：

身体上

●胎动发生变化（蠕动次数增多，踢腿动作减少，这是因为宝宝越来越大，周围的活动空间减少）。

●阴道分泌物更多。做爱、骨盆检查或子宫颈开始收缩后有红色、棕色、粉红色血迹出现。

●便秘。

●烧心、消化不良、胀气、身体浮肿。

●偶尔出现头痛、虚弱、眩晕等症状。

●鼻塞，偶尔流鼻血；耳朵里有闷塞感。

●牙龈敏感。

●夜间腿部痉挛。

●背痛加重，出现沉重感。

●臀部和骨盆疼痛不适。

●脚及脚踝肿胀加重，手和脸偶尔肿胀。

●腹部瘙痒，肚脐凸出。

●妊娠纹出现。

●腿部静脉曲张。

●出现痔疮。

●宝宝下降后，呼吸困难症状有所缓解。

●宝宝下降后再次给膀胱造成压力，小便更频繁。

●入睡困难更严重。

●间歇性宫缩（布雷希氏宫缩）更频繁，更剧烈（有可能带来疼痛）。

●行动越发笨拙，四处走动困难。

●溢乳，从乳头渗出或能挤出初乳（一般出现在分娩后）。

●疲劳或格外有精力（“筑巢”综合征），或两种情况周期性交替出现。

●食欲增加或丧失。

观察自己

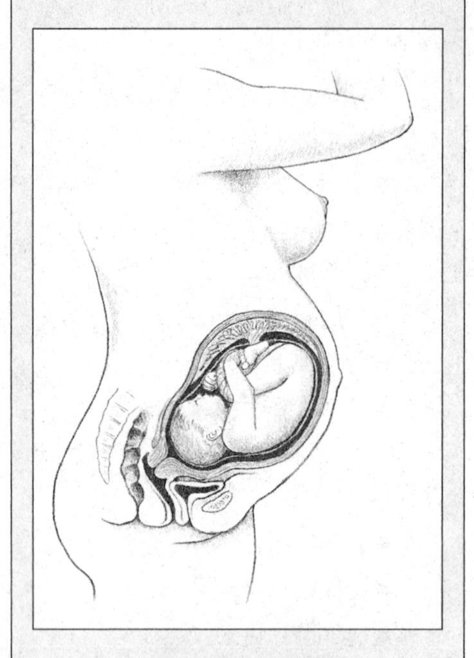

现在你的子宫底刚好位于肋骨下方，三围不再像以前那样每周飞快变化。子宫约位于耻骨上方38~40厘米处。随着预产期临近，体重增加速度减慢或停止，腹部皮肤不断扩展，走路会觉得更加摇摇晃晃——这可能是因为宝宝下降到骨盆造成的。

精神上

● 更兴奋，更焦躁不安，更忧虑，更心不在焉。

● 稍微放松一些。

● 烦躁易怒，过分敏感（尤其是当人们不停地问“你怎么还没生”的时候）。

● 没耐心且无精打采。

● 梦到、想象到宝宝的样子。

本月可能需要做的检查

这个月你待在医生办公室的时间会更多，一般一周检查一次，所以应该多备几本书在候诊时阅读。这几次就诊会比以前有趣，医生会估计宝宝的大小，甚至会大胆预测一下你的分娩日期。离预产期越近，你也会越兴奋。一般来说，医生会给你做以下检查：

● 测量体重（体重增加速度减慢或停止）。

● 测量血压（可能会比孕中期略高）。

● 尿常规，检查尿液中是否有糖和蛋白质。

● 检查手和脚的水肿情况，腿部是否出现静脉曲张。

● 通过内检查看子宫颈是否开始消退（变薄）或扩张。

● 测量宫高。

● 听胎心。

● 通过触诊确定宝宝大小（也可能得到粗略的体重估计值）和胎位（头位还是臀位，面朝前还是朝后），以及入盆情况。

● 你想和医生讨论的问题，特别是有关阵痛和分娩的问题——事先准备好清单。如果注意到有间歇性宫缩，记录出现的频率和持续时间，也要记录其他异常症状。

你也可能收到一份医生为你制订的阵痛和分娩方案（发现临产时，什么时候给医生打电话，什么时候去医院或分娩中心）。

你可能关心的问题

再次尿频

“在孕期最后几天，我好像每天都不断地上厕所，小便如此频繁正常吗？”

看上去，孕早期的老朋友——尿频又来拜访你了。这是因为子宫又回到了最初的地方：骨盆底部，而且正好压住了膀胱。这一次，子宫的重量有些增加，对膀胱的压力更大了，所以造成了你随时想小便的感觉。想去就去吧，次数无所谓。只要这种尿频不伴随任何感染征兆(参考第491页)就完全正常。不要以为限制喝水就能减少去厕所的次数，身体现在需要的液体比以往任何时候都多。还是那句老话，一旦想小便马上就去，不要憋尿。

溢乳

“一个朋友在怀孕第9个月时出现了溢乳，我却没有，这是不是意味着我的乳汁不足？”

乳汁在宝宝需要之前不会产生——也就是说，它在分娩后3~4天开始生产。你的朋友所说的溢乳其实是初乳，一种稀薄、黄色的液体，是成熟乳的前身。初乳富含各种抗体，可以保护新生儿；与之后的成熟乳相比，初乳中含有更多蛋白质、更少的脂肪和乳糖，更易于消化。

少数女性会在孕晚期出现明显的溢乳现象，但那些没有溢乳的女性同样会产生初乳。没有溢乳让你觉得奇怪？挤压乳晕部位可能会帮助你挤出几滴乳汁。还是没有挤出来？不要担心，宝宝可以从你身上获得一切他需要的东西，不出现溢乳并不意味着乳汁供应不足。

如果出现了溢乳，可能也只是几滴。但如果溢乳量太多，可能就需要在胸罩里垫上防溢乳垫来保护衣服，防止出现尴尬时刻。另外，你可能要多穿一件T恤打底，如果发生溢乳，很容易就被看出来——特别是胸罩外面只穿了一件衬衫的时候。

轻微出血

“今天早上做爱后，我发现自己内裤上出现了一点血迹，这是不是意味着要分娩了？”

不要这么早就下结论。做爱或阴道检查后出现的粉红或鲜红色血迹或黏液，或48小时后出现的棕色黏液或轻微出血，通常都只是敏感的宫颈擦伤，并不是临产开始的征兆。但是，如果同时伴有宫缩或其他临产征兆，就可能即将分娩（参考第352页）。

如果发现了鲜红色出血或做爱后持续出血（任何时候、任何原因），都应该告诉医生。

在公共场合羊膜破裂

“我很担心在公共场合破水。”

大部分孕晚期的孕妇都会担心羊水流出，特别是在公共场合，但这样的情况很少发生。羊膜一般不会在阵痛开始之前破裂。事实上，85%的女性在走进产房后羊膜还保持完整。就算你属于15%的少数人群，也不用担心羊水喷薄而出。除非你躺着（在公共场合不太可能发生），否则羊水只会慢慢流出一部分——最多会少量喷涌。这是因为当你走路或坐着时，宝宝的头会顶住子宫颈，就像酒瓶上的塞子一样。

还有一点应该记住：就算你真的在公共场合发生羊膜破裂，羊水突然溢出，周围的人也不会指指点点或笑话你。相反，他们会为你提供帮助，要么会谨慎地避开。没有人会忽视你怀孕的事实，把羊水误当成什么不好的东西。

羊膜破裂好的一面是，意味着临产会紧随其后，一般不会超过24小时。如果届时分娩还没有自动开始，医生就会帮助你完成。

在孕期最后几周，用一片护垫可以让你更放心，同时也可以保持阴部干爽，因为这时阴道分泌物会增多。夜里睡觉时可以在床单下铺上塑料布、医用垫布或厚毛巾，以免半夜羊水溢出。

宝宝已经开始哭了？

对于所有新父母们来说，最愉悦的声音莫过于宝宝出生后第一声啼哭了。不过信不信，宝宝在你体内已经开始哭了？研究者发现，孕晚期的宝宝在妈妈肚子里已经出现了各种哭泣的行为——微颤的下巴、张开的小嘴、深深的抽泣和大口吐气。尤其当妈妈肚子附近出现剧烈的声响或震动时，宝宝还会有被吓坏的反应。众所周知，即使是早产宝宝也有哭泣反射，所以就算现在紧急分娩，宝宝出生后会哭也不足为奇。

入盆

“如果过了第38周宝宝还没有‘下降’，就意味着预产期推迟吗？”

宝宝现在还没有往出口走，并不意味着他会晚出生。“宝宝下降”又叫“入盆”，是指宝宝下降到妈妈的骨盆里，是先露部位（通常是头部）移动到骨盆上方的征兆。如果是首次妊娠，入盆通常发生在分娩前2~4周。对于已经生育的女性来说，会到阵痛后才发生。但和孕期的任何情况一样，这个规律也包含了个体差异——你可能在预产期前4周就已经入盆，却推迟了两周分娩；也可能不入盆就直接分娩；宝宝甚至还可能入盆后再回去——宝宝的头部已经进入到骨盆，过一段时间又回到宫内了。

通常，入盆的感觉非常明显，你会发现肚子隆起部位向下、向前移动。随着子宫对膈肌的压力消除，准妈妈会觉得呼吸比以前容易。同时，腹部不会那么拥挤，吃饱时也不会太难受了。不过宝宝下降也给腹部和会阴带来了压力，从而产生不适——小便次数增加（需要频繁跑向卫生间）、对骨盆关节的影响（行走困难）、会阴的压迫感增强，有时还伴有疼痛。如果宝宝的头抵在骨盆底部，孕妇会感到有点震动和疼痛，有些孕妇甚至能感觉到宝宝在骨盆里转动。由于身体重心发生变化，宝宝下降后孕妇会感觉失去平衡。

当然，入盆也可能在你毫无察觉的情况下悄然发生。例如，如果你原本胎位就很低，入盆后体形轮廓也不会发生显著变化。如果你从前没有出现过呼吸困难，吃饱后也没有明显不适，小便一直很频繁，可能就不会注意到入盆前后有什么显著不同。

医生会用两个基本方法来判断宝宝是否入盆：第一，为你做内检，看看先露部位是否在骨盆里；第二，从体外触诊，这时将会感觉到宝宝的头位于骨盆中，不再四处游动。

先露部位在骨盆里的进展情况是用“站位”来表示的。每个站位1厘米。一个“完全衔接”的胎儿是0站位，也就是胎头达到坐骨棘水平。一个准备下坠的宝宝大概在－4~－5站位。一旦分娩开始，胎头穿过骨盆，经过0、＋1、＋2站位直到外阴出口处＋5站位。虽然一个在0站位才开始阵痛的孕妇推出宝宝要比一个在－3站位开始阵痛的孕妇省力一些，但情况并非一贯如此，因为站位不是影响分娩进程的唯一因素。

入盆通常说明宝宝能顺利穿过骨盆——但可能性不是百分之百；同样，宝宝在游动的状态中临产，也不意味着分娩一定有困难。事实上，大部分宝宝在临产时还没有入盆，最终也顺利地通过了骨盆。那些已经生育过的女性更容易出现这样的情况。

胎动发生变化

“过去宝宝踢得非常厉害，现在他好

像不够活跃了。"

回想第4~5个月时你第一次感觉到胎动，那时子宫里有足够的空间可以让他玩杂耍、拳打脚踢。不过现在有了变化——子宫变得有些拥挤，所以他的体操动作减少了。在子宫这个小房子里，宝宝除了转身、扭动和摇摆之外，很少有多余的空间做其他活动。而且，一旦入盆，他的活动就更少了。这时你感觉到的胎动并不重要，甚至只在一侧感觉到胎动也没问题，只要能感觉到宝宝每天都在活动就行。但如果你感觉不到胎动（参考下一个问题），或突然感觉到宝宝的活动非常剧烈、慌张、混乱，就应该立即让医生检查。

"今天一下午都没有感觉到宝宝踢我，这意味着什么？"

可能宝宝只是睡着了（和新生儿一样，子宫里的宝宝也有一个周期性熟睡期），也可能是因为你太忙了，没有注意到任何胎动。为了进一步确认，你应该用更正规的方法检查一下（参考第288页）。孕期最后的3个月中，应该每天在固定时间检查胎动。每次检查都测到10次以上的胎动，说明宝宝正常，如果少于这个数，就要去医院做检查，诊断宝宝活动减少的原因。如果不好的情况确实发生了，你应当立即和医生联系。宝宝不够活跃也可能完全健康，但在这个阶段，胎动不活跃可能表示胎儿窘迫，早诊断就可以尽早采取措施，预防严重后果。

"书上说胎动在分娩临近时应该减少，但我的宝宝似乎比以前更活跃了。"

每个宝宝都不一样——哪怕在出生前也是如此。其中差异最大的莫过于宝宝的活动了，在接近分娩的阶段尤为突出。一些宝宝在快要出生的

体重下降？

你可能惊奇地发现了这个现象，并一直在和朋友探讨——这个月的增重是怎么回事？很多孕妇都发现孕晚期的增重情况很奇怪。在孕期最后几周，体重秤上的数字不仅没有飙升，反而基本不变，甚至下降了。但身体没有变苗条，脚踝依然水肿，更别提肿胀的臀部了。事实上，现在这种情况完全正常。这种增重停滞（甚至下降）的现象是因为身体正准备进入临产状态，羊水开始减少，肠道松弛，出汗增多，这些都能让体重减轻。如果你觉得这种体重减轻的感觉非常刺激，就好好期待分娩那一天吧，那一天的减重能带来前所未有的刺激感！

日子里变得安静了，另一些继续保持旺盛的精力，直到见到爸爸妈妈为止。在孕期最后的日子里，胎动一般都会减少，可能是由于越来越狭小的活动空间、羊水量减少、宝宝活动更协调等诸多原因。不过，除非宝宝的每一次活动你都能注意到，否则不太可能意识到显著不同。

筑巢本能

“我听说过有关筑巢本能的说法，是真的吗？”

人类的筑巢本能其实和四条腿的动物们一样真实又强烈。如果你以前见过小狗或小猫分娩，可能会注意到分娩前它们会变得焦躁不安，紧张地跑来跑去，在角落里疯狂撕扯纸屑，最终等到一切安排妥当后才乖乖回到准备分娩的地方。很多孕妇在分娩前也确实会有这种无法控制的欲望，想要把“巢”安排好。有些孕妇的症状比较微妙：突然清理冰箱，或确保家里储备的卫生纸足够用6个月，并认为这些事至关重要。另外一些孕妇突然爆发的狂热行为非常夸张，有时甚至有些荒唐，让人感到滑稽可笑——比如用牙刷擦洗婴儿房里的每一个缝隙，按顺序重新摆放厨房储物柜里的各样物品，清洗所有不平整或没穿过的衣物，不停地把宝宝的衣服叠了又叠。

虽然不能把筑巢本能当做阵痛开始的准确信号，但它的出现通常强调了这个伟大时刻即将到来的事实，这可能是母体循环系统中肾上腺素增多的表现之一。但要记住，不是所有的孕妇都会出现筑巢本能，没有出现这一本能的孕妇在分娩和育儿方面一样成功。孕期的最后几周，很多孕妇只想懒洋洋地躺在电视机前，这种感觉和想收拾衣橱的冲动一样常见，你应该理解这一点。

如果真的出现了筑巢本能，就要用常识小心谨慎地缓解这个问题。压抑住想动手粉刷宝宝房间的冲动，让别人拿着油漆桶和刷子去爬梯子吧，你远远地监工就可以。不要因为过分狂热地清扫屋子而把自己累得筋疲力尽，你的精力应该留到应对阵痛、分娩和照顾新生儿上。最为重要的是：记住人的能力有限——你不可能在小生命到来之前就把所有的东西准备好。

什么时候分娩

“刚做了检查，医生说我很快就要分娩了，他能确切地告诉我还要多长时间吗？”

医生可以预测你何时分娩，但这仍然只是基于科学的猜测而已，就像

做好准备

毫无疑问，学习有关分娩的知识是为这个伟大时刻做准备的最好方法之一，所以务必保证你和丈夫在这方面接受了良好教育：阅读本书下一章，以及手边其他有关阵痛和分娩的资料，观看 DVD，并参加分娩培训班。但这些还不够，还应该做好其他准备。你可以考虑是否要把整个分娩过程录下来？或是只拍几张照片就够了？当你需要平静时，音乐是否能抚慰你？或者你喜欢安静的环境？宫缩来临时什么活动最能帮助你分散注意力？和朋友一起玩扑克还是自己玩手机游戏？是用笔记本电脑处理电子邮件还是打开电视看喜欢的情景喜剧？当然，也要做好心理准备：当宫缩来临时，可能你再也没耐心做这些分散精力的事情了。别忘了为你的计划做好物质准备，比如相机的电池、手机充电器等。把这些东西提前放入需要带入医院或分娩中心的行李箱里（参考第 350 页，你可以得到一份完整的打包目录）。

预产期一样。在第 9 个月，医生会通过腹部触诊和内检两种方法来观察孕妇是否快要分娩了。另外，还有几项衡量指标：入盆了吗？先露部分下降了吗？到什么程度了？子宫颈是否开始消退或扩张，是否变软并转移到阴道上方（这是临产的另一个征兆）？或是还很坚硬，位置靠近背部？

但是，“很快”也可能意味着 1 小时～3 周或更长的时间。对有的孕妇来说，医生说“你今晚就要生了”，结果几周后仍没有一点宫缩的迹象；而一些听到医生说“还要等几周”的孕妇，接下来的几小时就分娩了。事实上，入盆、子宫颈消退或扩张是逐渐发生的，可能是几周或一个月，甚至更长时间，也可能是一夜之间的事。也就是说，所有这些线索都不是临产的绝对可靠信号。

所以放轻松，收拾准备住院的行李，但不至于现在就紧张得把汽车发动起来待命。像所有比你更早进入产房的孕妇一样，你要做的是继续等待，直到属于你的那一天或那一晚到来。

超过预产期的宝宝

“已经超过预产期 1 周了，我不能自己分娩了吗？”

你肯定早已在日历上用红圈标出了预产期这神奇的一天。经过漫长

宝宝的状态如何？

随着妊娠步入尾声，医生将会严密监控你和宝宝的健康状况——特别是超过40周时。因为40周是宝宝在子宫内发育的最佳时间；那些待得更久的宝宝可能会面临一些挑战：发育得太大而不方便被推出阴道，胎盘功能下降或羊水量下降等。幸运的是，医生有多种检查方式保证宝宝情况良好，并最终健康地生下来：

数胎动。虽然不能做到万无一失，你记录的胎动（参考第288页）还是可以从某个角度显示宝宝的状态。通常1小时10次是比较放心的结果。如果观测到的胎动次数不够，就需要做其他检查。

无应激试验（NST）。把胎心监护仪连接到孕妇身上，就像临产时一样，这可以观测出胎动时胎心的反应。这种监护仪会持续监护胎儿20～40分钟，一旦胎儿出现窘迫，它可以及时发现。

胎儿声音刺激（FAS）或震动声音刺激（VAS）。这种无应激试验需要在孕妇腹部安装一个能够产生声音和震动的设备，从而监控宝宝对声音或震动作出的反应。这种方法比传统的无应激试验更精确，也可以用来评估其他检测结果。

宫缩应激试验（CST）或催产素应激试验（OCT）。如果无应激试验的结果不明确，医生可能会为你做应激试验。这种测试的目的是检测宝宝对宫缩的反应，从而判断他是否可以应对宫缩阵痛。这个检测较为复杂，也耗时较长（大约需要3小时），孕妇要连接一台胎心监护仪。如果没有自动出现宫缩，可以通过静脉注射催产素或刺激乳头（用热毛巾热敷，必要的话可以用手刺激）的方法来推动宫缩。宝宝对宫缩产生的反应表明他及胎盘目前的状态。这种阵痛模拟试验可以预知宝宝在子宫内是否安全，以及他是否能经受住阵痛的强烈刺激。

胎儿生理评估。通过超声检查来监测宝宝的呼吸、胎动、肌张力和羊水量。如果这4个方面的数据正常，说明宝宝可能状态很好。如果这几方面表现异常或没有明确结论，就应该进一步检查宝宝的情况。

胎儿生物物理指标联合监测。这种“改良”的胎儿生物物理指标监测是把无应激试验和羊水量的检测结合在一起。羊水量低可能表明宝宝状态不正常。如果宝宝对无应激试验作出恰当的反应且羊水量适当，情况就一切正常。

多普勒脐动脉血流测定。这种检

查是用超声检测脐动脉的血流量。如果血流微弱、没有或倒流，说明宝宝没有获得足够的营养，生长发育不良。

其他检测宝宝健康状况的方法。包括普通的超声检查（用来记录宝宝的生长情况）、羊水抽样检查（借助羊膜穿刺术）、心电图扫描或其他测试（以检查宝宝的心脏）、胎儿头皮刺激试验（检查胎儿对头皮压力及挤捏头皮作出的反应）。

大多数时候，宝宝都能顺利通过这些测试，这说明他们将继续待在子宫里，等待出生。极少数情况下，检查结果可能不太好，但实际情况并没那么糟糕，因为这些检查假阳性率很高，得到"不太好"的结果也不意味着胎儿窘迫——只意味着医生需要对宝宝做进一步检查。如果真的发生了胎儿窘迫，医生会为你催产。（想了解更多关于催产的知识，参考第 361 页。）

的等待，伟大的终点终于来了！但有一半的女性会遇到这样的情况：预产期到了，但宝宝并没有出来，期待成了失望。婴儿车和婴儿床又要再空几天。接下来，大约有 10% 的女性，特别是那些第一次怀孕的女性会再等两周。你不禁会怀疑，这漫长的孕期还有没有结束的时候？

那些孕期到了第 42 周的孕妇甚至在催产前都很难相信这一点，但研究确实发现，大约 70% 的延期妊娠其实不是真的"过期"，而是由于怀孕日期计算错误（通常是因为排卵不规律或记错末次月经的日期）。实际上，自从超声检查开始用于预测预产期，延期妊娠误判已经由过去的 10% 下降到了大约 2%。

即使你的确属于这 2% 的人群，医生也不会让你超过 42 周这个时间点。事实上，大部分医生不会让妊娠保持这么长时间，一般在 41 周就会选择恰当的方式帮你催产。当然，如果在孕期中某个阶段，医生发现胎盘功能已经弱化，羊水量过少，或其他任何现象表明宝宝存活有困难，他就会立即采取行动催产或实施剖宫产。也就是说，就算到了那个时候你不能自然分娩，也不能再继续妊娠了。

"我的孕期已经过了 40 周，是不是意味着现在需要把宝宝生下来？"

孕期超过 40 周并不意味着子宫不欢迎宝宝继续居住了。很多超过预产期的宝宝在妈妈体内发育得很好，甚至待到了第 10 个月。但当孕妇超

自己催产?

如果你已经到了预产期，但看起来一点临产征兆都没有，该怎么办？是否应该继续耐心等待自然分娩——不管还需要等待多长时间？或者应该自己动手解决，采取一些催产技巧？虽然有大量自然的方法可以帮你催产，但其实它们并没有得到足够的理论支持证明其有效。的确有女性取得成功，但并没有任何一种"家传"的方法可以做到万无一失，也无法确定究竟是这些办法的功劳，还是刚好到了自然临产的时候。

如果你已经到了"瓜熟蒂落"的时候（40周足够了），可以尝试以下做法：

走动。有人建议，四处走动可以帮助宝宝入盆——主要得益于重力和臀部晃动的作用。一旦宝宝压住了子宫颈，阵痛就开始了。就算散步最终不能诱发分娩,你也不会有任何损失。事实上,不管孕期什么时候开始散步，都有利于塑造最佳的体格，为分娩做好准备。

性生活。诚然，你现在的体型就像一头小河马，但还是可以把自己搬到床上和丈夫享受性爱，以最娱乐的方式做点正事。研究者发现，精液中的前列腺素可以刺激宫缩。但奇怪的是，也有观察者发现，孕期有性生活的女性，可能比没有性生活的女姓怀孕时间更长。如果想尝试一下这个游戏，清楚可能导致的后果，然后好好享受吧。毕竟，也许在分娩前这会是最后几次享受性生活的机会了。如果它引起了分娩，那真是太棒了！如果没有，也会让你感觉非常好。

其他自然的方法可能存在潜在的缺点，在你尝试前，一定要先问问医生的意见：

刺激乳头。喜欢捏乳头的游戏？每天刺激乳头几小时可以使身体释放天然的催产素，从而诱发宫缩。需要注意的是：刺激乳头几小时可能引起疼痛、强烈而漫长的宫缩。所以，除非医生建议你用这种方式模拟临产进程，否则你和丈夫在采取行动前一定要三思。

蓖麻油。想通过喝点蓖麻油来帮助疏通产道？这种传统做法代代相传，靠的是蓖麻油的促排泄作用，刺激肠道，从而刺激子宫收缩。需要警告你的是，蓖麻油会导致腹泻、严重抽搐，甚至呕吐。在你大口喝下它之前，仔细考虑一下是否真的要用这种方式引发分娩。

花草茶和药物。覆盆子叶、黑升麻——这些药用植物一定是祖母告诉你诱发宫缩的方法。但因为没有研究证明这些草药的安全性，所以没有医生的同意不能使用。

当你考虑这些自我催产的方法时，提醒自己，其实很快就能分娩了——不管是自然开始，还是在医生给予帮助的情况下——再等 1~2 周一定可以！

过预产期时，曾经认为是最理想的宫内环境就不再友好了。逐渐老化的胎盘通常无法再胜任给宝宝输送足够氧气和养料的重任，羊水也远远不足。

在这种不良环境中待一段时间才出生的宝宝就会被认为“过熟”。他们的皮肤比较干燥、皲裂、脱皮、松弛，布满皱纹，体表的保护性皮脂也已经脱落。他们比其他新生儿“年长”，指甲更长，毛发更多，出生时通常睁着眼，非常清醒。他们在宫内有时会发生窘迫，所以过熟儿常常需要剖宫产。产后，他们也很可能在新生儿重症监护室里待一段时间，接受特别照顾。所以，大部分过熟儿会比计划晚一点到家，但一样可以健健康康。

为了避免胎儿过熟，很多医生会在确认妊娠超过 41 周、子宫颈成熟（变软并准备张开）时给孕妇催产。有些医生也可能选择再等一段时间，同时进行多项检查，确认子宫中的宝宝一切良好。医生会在一周内做 1~2 次检查（参考第 343 页小贴士），确认宝宝在宫内安好，直到临产。问问医生，如果你超过了预产期，他会怎样处理。

当然，宝宝很可能过一会儿或不久就决定出来了，不需要任何帮助。

邀请他人到产房

“要生孩子了，我真的非常激动，很想让妈妈、姐妹、好朋友和我一起分享这个时刻。如果让她们和我们俩一起待在产房里会不会很奇怪？”

每个人都有生日聚会，宝宝也不例外，所以你们要邀请的客人名单可能会越来越长。想让一些亲近的人参加分娩过程，绝对不是奇怪的事，事实上，这是一种越来越流行的趋势。

为什么如今很多女性更能在分娩日感受到快乐？一方面，硬膜外麻醉的广泛使用让很多女性的分娩不再像过去那么费劲，有了更多机会让分娩更社会化（从情绪上来说，当你不再需要大量呻吟和喘气，也就有了享受聚会的心情）。另一方面，医院和分娩中心允许这种分娩时的聚会行为，并把产房建得更大、更舒服。有的地方甚至准备了互联网，让客人们打发时间。很多医生认为，在分娩时能分散一下注意力，得到足够情感支持和更多扶住后背的双手，可以让产妇在分娩时更加快乐和放松。

显而易见，大量理由证明了同一件事：邀请家人、朋友和你一起走进产房是一件很好的事。但在决定邀请客人前，也有一些需要格外注意的地方，毕竟并不是所有医生都赞成产房里挤满了人，部分医院会严格限制拜访人数。你也需要提前确认丈夫同意客人的名单。也考虑一下，在如此私密的瞬间，有这么多双眼睛看着，你是否真的感觉放松和舒服（整个分娩过程，你会呻吟、大叫、小便，甚至还会大便——而且需要一直保持半裸）。另一些需要斟酌的因素有：你邀请的人（比如你的兄弟、公公）是否愿意参与？如果他们感到不自在，你还能放松吗？当你需要安静(休息)的时候，能忍受身边有人叽叽喳喳聊天吗？当你应该集中注意力用力娩出孩子时，是否会感觉自己有义务招待一下客人？

如果你决定了要找几个同伴，在制订名单时要灵活。记住（也请提醒你的客人）：计划好的阴道分娩很有可能最终变成剖宫产，这样只有丈夫可以进入手术室。或者你决定让客人参加后半段的分娩过程，让她们在分

按摩吧，妈妈们！

在宝宝还没有到来的日子里，双手闲得没事做？好好利用自己（或爱人）的双手吧，为自己按摩。按摩可以帮助第一次怀孕的准妈妈的会阴轻轻舒展，从而缓解胎头出来时的“紧绷”感。另一个能让你振奋的好处是：专家们认为，这种按摩可以减少侧切和阴道撕裂的可能。

如何正确地按摩会阴？参考下面的办法：洗干净手，剪短指甲。如果喜欢的话，可以在手指上抹一点润滑剂，然后插入阴道向下按压（朝向直肠），并用手指按摩会阴底部。在妊娠最后几周每天重复按摩，每次5分钟。没有兴趣按摩会阴？虽然已有很多例子证实这种按摩的有效性，临床研究者也打算深入研究，但如果你觉得这样做感觉很奇怪，不要强迫自己做不喜欢的事。即使不按摩，到了宝宝该出来的时候，你的身体也会自然伸展。另外，如果已经生育过，就没必要再按摩。会阴不需要也不应该获得过多的伸展。

谨记一句话：一定要轻柔地按摩。分娩之前你最不愿意看到的就是自己最敏感的部位被抓伤、发炎了。

娩开始 2 小时后再进入产房。如果觉得自己邀请的客人太多了，不要害怕伤害到谁的感情，立刻缩减围观者的名单。作为一名产妇，你的情绪永远最重要。

不喜欢邀请一队人参观？那就不要赶潮流了，也不要向亲人的压力屈服或感到内疚。符合你和丈夫情感的决定就是正确的。

又一次长时间分娩

“我生第一个宝宝时用时很长，分娩用了大概 3 小时。虽然体力完全可以胜任，但实在不想再经历一次那样的折磨了。”

任何敢于回忆和面对巨大挑战的英雄都应该好好休息一下。如果你上一次分娩时间很长，这一次很可能可以如愿。当然，虽然这一次更顺利的可能性极大，但产房里没有任何定论。宝宝的胎位及其他很多因素都影响着分娩的难易程度。

但第二次分娩一般都比第一次容易，时间也更短，因为产道阻力减小，肌肉更松弛。这个过程不太可能轻而易举地完成，但也不那么费劲。最明显的区别体现在你需要用力推的时间上；之后分娩的宝宝一般只要几分钟就出来了，而第一胎需要几小时。

育儿技巧

“离宝宝出生的日子越来越近，我开始担心怎么照顾宝宝，以前都没有抱过新生儿。”

女性并非生来就是好妈妈，可以本能地知道怎么安抚哭闹的宝宝、换尿布或给宝宝洗澡。为人母是需要学习的，是一门艺术，熟能生巧。

过去，女性通过照顾别人的孩子、年幼的弟妹或家族中的其他宝宝、邻居的孩子等，在自己生宝宝前已经

吃点东西？

阵痛到肚子都饿了？想不想吃一些可以诱发分娩的食物？虽然这些食物的效果没有得到科研人员的证明，但妈妈们会告诉你哪些食物可以在这时候诱发分娩。如果你的胃能够承受，就来点辣味食品吧，或者来一些可以增加肠胃运动的食物（希望肠道运动可以刺激子宫收缩），比如一块麦麸松饼、一瓶西梅汁等。没有心情吃这些东西？有些女性喜欢茄子和西红柿，有些女性发现菠萝可以引发分娩。不管你选择了哪种食物，记住，除非你的身体和宝宝都做好了临产准备，否则不管晚餐吃多少东西都不太可能真的临产。

提前确定临产计划

阵痛到什么程度时应该给医生打电话？是不是应该等到羊膜破了再打电话？如果在非办公时间开始宫缩，怎样和医生取得联系？是不是应该先去医院或分娩中心？

对于这些重要的问题，不要到阵痛开始再寻找答案。在下一次产检时提前把它们和另外一些重要的问题提出来和医生探讨，并把答案记下来。否则，当宫缩开始时，你一定会手忙脚乱忘了这些细节。

另外，确定你已经了解去分娩地点的路线，以及一天中不同时段的交通时间，可以采用的交通工具（千万别计划自己开车去）。如果家里还有其他孩子、老人或宠物，提前计划好如何照顾他们。

把这些信息列出后，复印几份，分别保存在你最常用的包里、待产包里、冰箱门及床头柜上。

锻炼了照顾孩子的能力。如今，包括你在内的很多女性都没有抱过新生儿——直到自己生下一个。锻炼她们做母亲的能力就是一件很重要的工作了——一般可以通过育儿书、杂志、网站等获得帮助，当然，如果你足够幸运，可以在当地找到适合的育儿培训班。在刚做父母的最初一两周，新妈妈常常会感到手足无措，尤其是当宝宝哭的时间比睡着的时间长、尿布湿了、“无泪”配方的洗发水把宝宝弄哭了的时候。

新妈妈会变得越来越熟练，最初的惊慌不安逐渐变成镇定自若。她们最初根本不敢抱宝宝，现在却能很自然地用右臂抱着宝宝摇晃，左手还能付账单或用吸尘器打扫卫生。给宝宝吃维生素、洗澡、把那个小身体放进睡袋里，也再不是难事了，其他的育儿工作也一样。随着慢慢走上母亲的道路，找到了自己的育儿节奏，妈妈们就会觉得自己有当妈妈的样子了。虽然现在觉得无法想象，但总有一天你也会达到同样的心态。

虽然没有办法使抚养第一个宝宝的最初那段时间变得轻松一点（从怎么抱宝宝，如何照顾宝宝不同阶段的需求），但在分娩前学习育儿技巧可以使你在具体操作过程中不至于丢脸，下面这些技巧可以帮你轻松进入妈妈角色：参观育儿室，看一下新生儿；抱一抱朋友（或其他亲戚）的宝宝，给他换尿布，安慰一下他；上网查一下新生儿第一年的情况；观看 DVD 或参加育儿培训班。为了放心起见，最好和一些刚刚成为父母的

住院该带些什么

虽然住院时只需要出示你的大肚子和医保卡就可以了，但两手空空走进医院（或分娩中心）似乎不是好主意。不过，也要注意轻装上阵，没必要挺着大肚子的同时拖着大箱子，只带必需的东西就可以了。注意提前收拾好东西，这样才不至于还有 5 分钟就分娩了却在满屋子找音乐播放器。至于提前多久开始收拾，就随便你了。

为分娩准备的东西

● 这本书，同时也要带上笔和记事本，以便记录阵痛、分娩过程中你和宝宝的状况，照顾你分娩的医护人员名字等。

● 几份分娩计划的复印件，以便医护人员知道你的打算。

● 一块有秒针的手表或钟表，方便为宫缩计时。最好要求丈夫在孕期最后几周也随身携带计时工具。

● 如果音乐能让你放松，带上音乐播放器，以及你喜欢的音乐。

● 照相机、录音机或录像机。不要忘记带上足够的备用电池或充电器。

● 娱乐设备：笔记本电脑、数独或填字游戏、掌上游戏机、正在织的毛衣，或其他能使你放松的东西。

● 润肤乳、精油或你在按摩时喜欢用的其他东西。

● 一个网球或按摩器，如果背部下方痉挛严重的话，可以好好按摩一下。

● 一个枕头，分娩和产后可以让你躺得更舒服一些。

● 无糖的棒棒糖或糖块，用来保持口腔湿润。

● 牙刷、牙膏和漱口水（住院大约 8 小时后你会非常想让口气变得清新一些）。

● 厚袜子，万一觉得脚冷时用。

● 舒适的防滑拖鞋，阵痛时想走动一下你会用得到，产后哺乳的间隙也会想走走。

● 如果你是长头发，带上发带、发饰等，这可以让你保证不蓬头垢面。需要的话，带上梳子。

● 为丈夫带一些三明治或其他点心，当他肚子饿时就不需要离开你身边了。

● 如果丈夫计划也住在医院里，为了舒适起见，带上他的换洗衣服。

● 手机和充电器（虽然病房内可能禁止打电话）。

为产后准备的东西

● 浴衣或睡衣（如果你想穿自己的衣服，而不是医院提供的衣服）。要前面系扣的睡衣，这样便于哺乳。不过要记住，虽然漂亮的睡衣能令你精神振奋，但也容易沾上血迹或斑点。

● 化妆品，包括洗发水、护发素、沐浴露、香体喷雾、化妆镜、彩妆工具和其他基础的卫生美容用品。

● 你最喜欢用的那种长卫生巾（虽然医院也提供卫生巾），不要用卫生棉条。

● 几套换洗的内衣和一个哺乳胸罩。

● 也可以带本书（如果你们还没有决定给宝宝起什么名字，就带一本起名字的书）。

● 大量零食：什锦干果、燕麦条及其他健康食品，让你在医院提供的两餐之间不至于挨饿。

● 所有家人和朋友的电话，以通知他们宝宝的消息；电话卡或电话卡的号码，以便在禁止用手机的医院打公用电话。

● 一件回家时穿的外套。记住，你的肚子还很大（看起来至少有怀孕5个月左右大小），所以要按照这个标准准备衣服。

● 宝宝回家时穿的衣服：和尚服或连身衣、T恤、毛线鞋、婴儿浴巾、睡袋或毛毯；医院可能提供尿布，但还是带一些以防万一。

● 婴儿汽车安全座椅。在美国，法律规定出院时宝宝必须有专门的汽车安全座椅。

朋友聊聊天。当你知道每一个新妈妈（新爸爸）在照顾宝宝方面，每天的工作流程都是一样的，心里也会放松很多。

临产前，假临产，真临产

电视剧和电影里的情节都太简单了。凌晨3点，孕妇坐起来一只手按着肚子，用平静到近乎安详的语气把睡在身边的丈夫叫醒："亲爱的，我要生了。"

你一定很纳闷，她怎么知道要生了？她从来没有分娩过，为什么这么自信地表示自己要生了？她不需要去医院，让医生检查一下？她为什么不会在去医院检查后发现离分娩还有很长一段时间，然后被送回家继续等待？当然，这都是剧本的安排。

真实生活没有任何剧本，我们有可能在凌晨3点突然醒过来，但没法确定是真的阵痛还是布雷希氏宫缩。要打开灯数宫缩吗？要打电话把医生从床上拽起来，问他什么是临产症状吗？如果我打了电话，却发现没有临产，会不会被看成是那种经常喊“我要生了”的孕妇，最终临产时却没人把我当回事？我会是分娩培训班上唯一不会识别阵痛的孕妇吗？会不会去医院的时间太晚，结果在出租车后座上分娩了？这堆问题冒出来的速度比宫缩还要快。

事实上，大多数孕妇都会为此担心，但她们不大可能错误地判断自己的阵痛。也许因为本能或运气，也许因为宫缩时的疼痛，大多数孕妇都会适时地出现在医院里，不早也不晚。你对自己的判断不太可能无中生有。提前熟悉一下临产前的相关征兆，可以帮助你在宫缩开始时消除困惑，减轻担忧。

临产前的征兆

临产之前总会有些征兆。在临产前的一个多月到一个小时，你的身体已经有了许多变化。子宫颈消退和张开是临产的征兆，医生会为你检查确认。当然，还有大部分征兆需要你自己注意。

入盆。一般在临产前2～4周，首次妊娠的孕妇会发现宝宝开始下降到骨盆里。第二次以上的妊娠通常没有这个里程碑式的明显标志。

骨盆和直肠的压迫感增强。痉挛（类似于月经时痉挛）和腹股沟疼痛很常见，在第二次以后的妊娠中更是如此。另外，背部下方还会出现持续的疼痛。

体重减轻或增重停止。在孕期第

把厨房塞满

这些日子你天天都在逛街买婴儿车、纸尿裤、小衣服，但也别忘了花点时间去逛逛超市。即使水肿的脚踝和超大的肚子让你很疲惫，但对于9个月的孕妇来说，现在去超市显然会比将来很长一段时间容易得多，所以现在好好利用时机，采购食物储存起来吧。将橱柜、冷藏室、冰柜里都装满容易保存的食物——乳酪条、独立包装的酸奶、冻水果拼盘、燕麦片、罐头汤、水果和坚果。同时，不要忘了纸制品（卫生纸、一次性纸杯和餐具，这样你就不必每天找时间清洗餐具了）。如果有多余的空闲时间，准备一些容易保存的食物（烤宽面条、烤肉卷、烙饼、松饼），然后把它们放入干净的独立容器中，并放入冰箱保存，产后饿了时可以把它们拿出来用微波炉加热后食用。

9 个月，你会发现体重增长速度放慢了；随着分娩临近，一些孕妇的体重甚至会减少 1~1.5 千克。

精力水平发生变化。一些进入第 9 个月的孕妇会觉得越来越疲惫，有些则精力激增，出现无法控制的擦地和收拾衣柜的冲动，也就是常说的“筑巢本能”（参考第 341 页）。

阴道分泌物改变。如果你一直做记录，这时很可能发现自己的阴道分泌物增多、变稠了。

黏液栓塞消失。随着子宫颈变薄打开，原本封住宫颈口的“黏液栓塞”开始移位（参考第 355 页）。在真正开始宫缩前的一两周，或分娩开始前，黏液栓塞会从阴道流出。

见红。随着子宫颈消退和张开，毛细血管破裂，把分泌的黏液染成粉色或红色。这种“见红”通常说明分娩会在 24 小时内开始，但也有可能在几天之后。

腹泻。分娩前，有些孕妇还会出现腹泻现象。

假临产的征兆

真正的分娩可能不会这样开始：

● 宫缩没有规律，频率或强度没有变化。真正的宫缩或许不会像教科书里描述的那么标准，但至少随着时间推移而在频率和强度上逐渐增强。

● 四处走动或改变一下姿势，宫缩就会消失。

● 见红时出现棕色分泌物——这种分泌物通常由过去 48 小时内的内检或做爱引起。

● 随着宫缩，胎动会稍微增加。（如果胎动剧烈，立即通知医生。）

记住，以上这些征兆虽然不是真正的分娩状态，也不是在浪费时间。它是你的身体为了即将到来的“大事件”所做的充分准备。

真正的临产征兆

没人知道是什么诱发了临产前的阵痛，但目前普遍认为它是多因素作用的结果。这个复杂的过程可能由宝宝大脑里的某种信号开始（类似于“妈妈，让我出去！”之类的话），它激发了母体内一连串的激素反应，这些激素变化又引起了前列腺素、催产素等物质分泌，继而在一切准备就绪时激发宫缩。

如果你出现如下症状，就可以明确分娩即将到来：

● 宫缩逐渐增强，并不会随体位变化而缓解。

● 宫缩变得频繁，并伴有疼痛，通常更有规律。并非每次宫缩都会比以前更疼或持续时间更长（通常持续 30～70 秒不等），但如果分娩真正开始，宫缩强度必然会增加。宫缩频率也并不一定是有规律地增加，可能间歇性增加。

● 宫缩可能像肠胃不适或严重的生理期痉挛，也可能感觉像下腹部受压。疼痛只发生于下腹部、背部下方或腹部，并会辐射到腿部（特别是大腿上部）。宫缩的位置并不是可靠的判断依据，因为非临产宫缩在这些部位也能感觉到。

● 见红。

在15%的临产征兆中会出现羊膜破裂，羊水渗出或流出的情况。但很多情况下羊膜并非自主破裂，而是医生为助产而人工破膜。

什么时候去医院

医生可能会具体地告诉你，觉得自己的分娩到什么程度时去医院，例如，宫缩间隔5分钟、7分钟等。不要完全死守这个数字等待，它们可能永远也不出现。如果你不能确定自己是否即将分娩，但宫缩的确非常规律，就去医院吧。通过你描述宫缩时的呻吟，医生就能判断出来是不是分娩开始。如果根据上文的信息依然无法判断自己的状态，去医院，不要担心最后证实是虚惊一场。这不值得尴尬，你绝对不是第一个也不会是最后一个判断失误的产妇，医生已经习惯了。不要想当然地认为不确定分娩是否开始就不用去医院，这往往容易犯错误。

如果预产期还有几周宫缩却开始增强，如果阵痛还没开始羊膜就破了，如果羊水有绿色斑点，如果发现了鲜红色的血，如果发现脐带从宫颈或阴道里脱落出来——都要立即去医院。

第15章　阵痛和分娩

你是否一直在扳着手指倒计时？迫不及待想见到宝宝的小脚丫？等不及想趴着睡了？不要担心，怀孕即将接近尾声。你可能一直在想象最温馨的那一刻：宝宝不用再待在肚子里，可以真真切切地被你抱入怀里。你也一定在反复思考那一刻到来前的整个过程：阵痛和分娩。阵痛什么时候开始？我能否受得了那种疼痛？是否需要接受硬膜外麻醉？需要实施胎心监护、外阴切开术？我能不能用蹲姿完成分娩？能不能不用药物？如果整个分娩过程太快，没来得及到医院或分娩中心怎么办？

了解了这些问题（及其他重要问题）的答案后，在丈夫、医生、助产士、护士等的帮助下，你可以做好一切准备，应对分娩可能带来的所有问题。记住，阵痛和分娩将会带来美好的结局：漂亮可爱的新生宝贝。

你可能关心的问题

黏液栓塞

“我觉得黏液栓塞消失了，是否应该通知医生？”

不用这么早通知医生。黏液栓塞是孕期“塞住”子宫颈的柔软的胶状物质，偶尔会因为子宫颈的扩张和消退而移开。黏液栓塞消失不是每个孕妇都会经历的现象，对分娩没有影响。虽然黏液栓塞消失是身体开始为分娩做准备的一个信号，但不能准确预示大日子马上到来。分娩可能在1～3周内发生，而在此期间，子宫颈会持续地缓慢张开。没必要这么早就通知医生或开始慌慌张张地收拾东西。

很多女性不会提前出现黏液栓塞消失的现象，没关系，这并不能预示产程的进展。

见红

“我的阴道分泌物呈粉红色，这是否意味着分娩要开始了？”

看上去似乎是见红了。幸运的是，这是一种特别的预示分娩的信号，而不是恐怖电影的镜头。见红时，会出现粉红色或棕色带血的黏液分泌物，它通常意味着，随着子宫颈扩张并消退，最终完全打开，接下来就会分娩了。一旦见红，宝宝很可能会在接下来的一两天出生。但这个过程没有规律，你仍然需要等到第一次真正的宫缩来临。

如果阴道排出物突然变成了鲜红色，立即与医生联系。

羊膜破裂

“半夜我因为弄湿了床单醒来，是膀胱失去了控制，还是破水了？”

闻一闻床单，如果闻起来有一种甜味（尿液闻起来有一股强烈的氨水味），就可能是羊水。宝宝一直被羊膜包裹着，羊膜里就是羊水。羊膜破裂的另一个迹象，就是不停地流出稻草色的暗淡液体。（羊水不会流干，因为人体会不断制造羊水，每几小时替换一次，一直持续到分娩时。）还有一种检查方法：挤压盆底肌（凯格尔运动）来控制液体流出。如果液体停止流出，就是尿液；如果不会停止，则是羊水。

躺着时羊水更容易流出来，站或坐起来时通常会停止——至少会慢下来。这是因为宝宝的头暂时阻止了羊水流出，就像一个塞子一样堵住了宫颈口。如果羊膜裂口在接近子宫颈的地方，羊水泄漏的情况会比羊膜上方裂口时更严重——不管站着还是坐着都是如此。

医生可能已经指导过你羊膜破裂时该怎么做。听从医生的指示，同时遵循相关的预防措施。记住，如果你不知道该做什么，就选择稳妥的办法——去医院，不管在白天还是黑夜。

“刚才羊水流了出来，但还没有开始宫缩，分娩会在什么时候开始？在此期间我应该做什么？”

似乎宝宝快出来了。大多数分娩前羊膜破裂的女性会在接下来的12小时内出现第一次宫缩，另外的孕妇一般会在接下来的24小时内出现宫缩。

还有10%的孕妇会等很长时间才开始分娩。这时，因为羊膜囊已经破裂，宝宝或妈妈感染的危险会随着时间推移而增加，如果确定孕妇已经处于或接近预产期，大多数医生会选择在羊膜破裂后的24小时内实施引产。有的医生会在破膜6小时后就实施催产。毕竟，大多数孕妇在破膜后都希望尽早催产，而不是流着羊水一直等下去。

如果你发现阴道滴下或流出羊水，除了赶快抓起毛巾和一袋大号卫生巾之外，首先应该做的事就是去医院。还要尽可能保持阴部清洁，避免感染。使用卫生巾吸收羊水，不要试图自己检查阴道，大小便要用卫生纸从前往后擦。

极少数情况下，羊膜破裂时宝宝还没有入盆（很可能胎位不正或早产），这时就有可能出现脐带脱垂——脐带被涌出的羊水冲进了子宫的出口（子宫颈），甚至会进入阴道。如果你看见阴道口出现一圈脐带，或感到阴道里有东西，要立刻拨打120。想了解更多脐带脱垂的处理办法，请翻到第555页。

羊水颜色暗淡

“我的羊膜破了，但羊水不清澈，而是棕绿色，这是怎么回事？”

这可能是因为羊水染上了胎便的颜色。胎便是一种来自宝宝消化道的棕绿色物质，一般在分娩后作为新生儿的第一次粪便排出。但有时候（尤其是宝宝在子宫内受到挤压时，常常在预产期之后），胎便会在产前排入羊水中。

羊水着色不一定说明宝宝出现窘迫，但有潜在的问题，所以要立即通知医生。医生很可能会开始帮你启动分娩过程（如果宫缩还没有开始），并严密监测宝宝的情况。

羊水不足

“医生说我的羊水很少，要补充羊水，我该为此担心吗？”

通常，大自然会让妈妈的子宫储存足够的羊水。幸运的是，即使发现羊水不足，也可以使用医学手段来解决这一问题。医生会用导管插入你的子宫，直接向羊膜囊中注入盐水。这叫做羊膜腔灌注术，可以明显降低手术分娩的可能性，在发生胎儿窘迫时非常必要。

不规则的宫缩

“分娩培训班里说要等到宫缩变得规律且5分钟一次时再去医院。现在我不到5分钟就有一次宫缩，但是一点规律也没有，该怎么办？”

没有两位孕妇的情况一模一样，也没有两个人的分娩过程一模一样。书上、分娩培训班和医生说的分娩过程经常是典型的例子，许多孕妇将会有相近的经历，但每位孕妇的分娩过程都不像书上说的那样：宫缩间隔有规律，而且逐步进展。

如果你发生了强烈、持续时间长（20～60秒）、频繁（至少相隔5～7分钟）的宫缩，不要等到它们变得像你听说或书里描写的那般“规律”了才赶往医院。你的宫缩可能完全正常，而且正在稳步进入阵痛活跃期。

阵痛时给医生打电话

“我刚开始宫缩，每三四分钟就有一次。医生告诉我阵痛的前几个小时应该在家里度过。”

做傻事总比后悔好。对大多数第一次做妈妈的孕妇而言，她们的阵痛常常开始得很慢，宫缩逐渐加强，可以在家里安全地度过阵痛前期的几个小时。但如果你的宫缩一开始就非常强烈，每次持续至少45秒，而且频率超过5分钟一次，那么阵痛前期的几小时可能就是最后分娩的几小时。第一次当妈妈的产妇更是如此。在这种情况下，可能第一产程的大部分已经在你没有发现时毫无痛苦地过去了，子宫颈已经很大程度上打开了。这时如果不去医院，而是戏剧性地等到最后一分钟再冲向医院或分娩中心，甚至未能及时赶到，就比现在去医院更傻。

所以，一定要清楚自己宫缩的频率、持续时间、宫缩强度。医生习惯根据孕妇的声音来判断产程，所以不要忍着宫缩说话，也不要对自己的不适轻描淡写或装出一副勇敢的样子，更不必在诉说症状时努力保持声调平稳。把宫缩的情况表现出来，不要出于礼节而抑制自己。自然地对待宫缩，是什么样就表现出什么样。

如果你觉得已经准备好了，而医生觉得还没有，问问你是否可以去医院、分娩中心或医生办公室检查一下进展情况。带上待产包一起过去，但也做好可能要回家的心理准备，有可能宫口还没有完全打开，甚至一点都没有扩张。

未能及时赶到医院

“我担心不能及时赶到医院。”

幸运的是，大部分突然分娩都发生在电影或电视剧中。现实生活中，尤其是第一次当妈妈的产妇，临产前都会出现非常明确的预兆，所以极少发生这种事情。但在极少数情况下，孕妇不会有任何疼痛感，或只是感到无规律的疼痛，当突然难以抗拒地想要产出宝宝时，孕妇经常会以为只是想去卫生间。

虽然这种情况发生在你身上的可能性非常小，但你和丈夫最好还是

独自应对紧急分娩情况

显然，你永远也不想用到这些技巧，甚至连看都不想看，但为了以防万一，把它们记在随身带的笔记本上吧。

1. 尽量保持镇定，相信自己能处理一切。

2. 给 120 打电话寻求急诊医疗帮助，并请他们联系医生。

3. 如果可能，找邻居或其他人帮忙。

4. 大口喘气，以免开始用力推宝宝。

5. 可能的话，清洗双手和阴部。

6. 在床、沙发或地板上铺上干净的毛巾、报纸或床单，躺下来等待援助。

7. 尽管你已经大口喘气，宝宝还是在援助到来之前开始降生，就在每次想用力推时轻轻用力，将宝宝向外推。

8. 胎头露出后，大口喘气，轻轻在会阴部施加压力，阻止宝宝突然冒出。让胎头慢慢出来，千万不要拉扯。如果发现宝宝的脖子上缠着一圈脐带，就用手指从下面把脐带轻轻挪到他的头上去。

9. 接下来，用双手轻轻捧起胎头并稍向下压（千万不要拉），同时用力推以娩出肩膀。前肩娩出后，小心地抬起宝宝的头，然后让后肩娩出。肩膀出来之后，其他部分就容易出来了。

10. 将宝宝放在肚子上。如果脐带很长，就放到胸前。迅速用干净的毯子、毛巾或其他任何手边拿得到的东西把宝宝包起来。

11. 用干净的布清洁宝宝的嘴和鼻子。如果帮手还没有来，而宝宝一直没有哭闹或呼吸，就揉搓他的背部，保持其头部低于双脚。如果呼吸依然没有开始，用干净的手指更深入地清洁口腔，并快速、轻柔地向他的鼻子和嘴巴里吹一口气。

12. 不要想着拉出胎盘。如果胎盘在急救帮助到来之前自动娩出，就用毛巾或报纸包起来。可能的话，把它放在比宝宝高一些的地方，没必要剪断脐带。

13. 注意给自己和宝宝保暖，等待援助。

熟悉一下紧急分娩的基本知识（参考第 362 页小贴士）。看完之后放松一下，因为这种紧急分娩的情况非常少见。

分娩时间短

“持续时间短的分娩对宝宝有伤害吗？”

你认为“持续时间短”的分娩实际上并非如此。在这种分娩情况下，准妈妈的宫缩已经没有疼痛地进行了几小时、几天甚至几周，子宫颈已经慢慢打开了。最终感觉到宫缩时，身体已经过渡到了分娩阶段。

有时子宫颈扩张得很快，几分钟内就达到了大多数孕妇（尤其是第一次当妈妈的人）几小时才能达到的水平。幸运的是，这种急产（从开始到结束只用了少于3小时的时间）不会对宝宝有威胁。

如果你正经历一次猛烈的分娩（宫缩力量很大且汹涌），就要赶紧去医院或分娩中心，这样你和宝宝才能得到最好的监护。一些药物可以稍稍降低宫缩的速度，缓解对你和宝宝造成的身体压力。

背痛性分娩

“阵痛开始后背痛得厉害，我不知道怎样才能熬过分娩过程。”

你经历的有可能是产科学中的“背痛性分娩”。针对这个名词的学术解释是，宝宝位置偏后，头后部压在了妈妈的骶骨上，或骨盆的后部。当然，其他胎位也可能导致背痛性分娩。当宝宝从头朝后的位置转到头朝前时，背痛性分娩依然可能继续（可能是因为这个部位已经成为了压力点）。

如果你正在经历这种疼痛（宫缩间隔中也会觉得疼，甚至变得更痛苦），也不会有什么危害。怎样缓解疼痛才是最重要的。如果你打算采用硬膜外麻醉，就大胆地开始吧（没必要等待，特别是疼痛严重时），很可能你会比别人需要更高的剂量才能达到相同的镇痛效果，一定要确保把背痛的情况告诉麻醉师。另一些选择（例如麻醉剂）也能减轻疼痛。如果你实在不想使用任何药物，还有其他很多办法减轻背痛，都值得一试：

减轻背部压力。试试能不能换个姿势，也可以四处走动（宫缩来势凶猛时，这可能有些困难）、蹲下或跨坐，四肢着地跪着——怎样做最舒服、疼痛感最轻，就怎么做。如果想躺下来，就面朝左侧躺下，弓起背，就像宝宝在子宫里的姿势一样。

冷敷或热敷。让助产士或护士将热敷垫、冰袋或任何可以减轻疼痛的物品放在你疼痛的部位上，冷热敷交替进行。

按压和按摩。让丈夫用各种办法按压最痛的地方，或者自己用觉得有效的方法对背部施加压力并按摩。可以试试用指关节、网球、手掌根部加上另一只手的压力来直接揉压或者用力画圈按摩疼痛的部位。按摩时，你可以坐着，也可以侧躺着。

反射疗法。对于背痛性分娩来说，这种疗法需要用手指用力按压脚心。

减轻疼痛的其他替代方法。水疗可以从某种程度上减轻疼痛。或者，如果你曾经试过冥想、催眠等方法来减轻疼痛，现在也可以试试，它们常常会奏效，也不会有伤害。针灸也有一定作用，但必须事先做好安排。

催产

"医生想催产，但我还没有到预产期，我觉得催产只适用于那些过了预产期的人。"

有时候，做妈妈的本性让孕妇不再是一个理智的女人。大约有20%的孕妇需要剖宫产。一般催产确实广泛应用于过熟儿，但医生也有很多理由要求你接受催产：

- 羊膜已经破裂，但宫缩还没有在24小时内自动开始。
- 检查显示胎盘功能不理想，或羊水量低等，子宫不再能提供让宝宝健康生长的环境。
- 检查显示宝宝发育停滞，已经成熟到可以分娩了。
- 妈妈出现并发症，比如前置胎盘、妊娠期糖尿病或其他急慢性疾病，这些都让你的分娩面临较高风险。
- 由于居住地遥远或有过急产的经历，担心分娩开始后孕妇不能及时赶到医院或分娩中心。

如果医生建议催产的理由仍然不能让你信服，让他说得更具体一点。关于催产的其他基本知识，请继续往下阅读。

"催产如何进行？"

和自然开始的分娩一样，催产也有完整的过程，有时会持续很长时间，但宝宝娩出的过程需要人工帮助。催产通常包含下面几步（不一定要全部经历）：

- 首先，需要催熟你的子宫颈，这样才能开始接下来的分娩过程。如果你到达医院时宫颈已经成熟，可以直接进入下一步了。如果宫颈还没有开始扩张或消退，甚至还没有变软，医生可能就需要使用阴道凝胶（或阴道栓剂）形式的前列腺素E等激素。这个过程是无痛的，只需用注射器将凝胶置入阴道中接近子宫颈的地方。几小时之后，医生会检查子宫颈是否变软并开始消退。如果没有，会再次使用前列腺素凝胶。对大多数孕妇而言，凝胶的剂量足可以推动宫缩和分娩开始。如果子宫颈已经足够成熟，但还没有出现宫缩，一些医生会使用

紧急分娩时丈夫应该知道的技巧

在家或在办公室里

1. 保持镇定，同时安抚妻子。记住，即使你对生孩子一窍不通，妻子和宝宝也可以自动完成这个过程。

2. 拨打 120 寻求急诊医疗帮助，并请他们帮忙联系医生。

3. 让产妇开始大口喘气，防止推出宝宝。

4. 如果有时间，用肥皂和清水清洗双手和产妇的阴部。

5. 如果有时间，将产妇抱到床上（或桌子上），这样可以把她的臀部抬高一些，让她把手放在大腿下面，将大腿垫高。可能的话，找两个椅子来支撑她的脚。头和肩膀下放几个枕头或软垫，帮她保持半坐姿势，这样有利于分娩。如果你在等待急救援助，就让产妇平躺，这个姿势可以减缓分娩速度。

使用桌布、浴帘、报纸、毛巾或类似物品保持分娩区干净。可以放一个脸盆在产妇的阴道下方，接住流下来的羊水和血液。

6. 如果没有时间把她放到床上或桌子上去，就在产妇臀部下垫好报纸、干净的毛巾或叠好的衣物，保护分娩区清洁。

7. 随着宝宝的头开始露出，告诉妻子喘气或吸气（不要拉出宝宝），在会阴部轻轻施加压力以防胎头突然冒出。让胎头慢慢出来，千万不要拉它。如果发现宝宝的脖子上缠着一圈脐带，就用手指从下面把脐带轻轻挪到头上面去。

8. 接下来，用双手轻轻捧起胎头并稍向下压（千万不能拉），同时让妻子用力推，娩出宝宝的前肩。前肩娩出时，小心地抬起宝宝的头让后肩娩出。肩膀出来之后，其他部分就容易出来了。

9. 将宝宝轻轻放在妻子的肚子上，如果脐带很长（千万不要用力拉出），就放在妻子胸前。迅速用干净的毯子、毛巾将宝宝包起来。

10. 用干净的布清洁宝宝的嘴巴和鼻子。如果帮手还没有到来，而宝宝一直没有哭闹或呼吸，揉搓他的背部，保持其头部低于双脚。如果呼吸依然没有开始，用干净的手指更深入地清洁其口腔，并快速、轻柔地向他的鼻子和嘴巴里吹一口气。

11. 不要拉出胎盘。如果在急救帮助到来之前，胎盘已经自动娩出，就用毛巾或报纸把它包起来，放在比宝宝高一些的地方，没有必要剪断脐带。

12. 注意给妻子和宝宝保暖，等

待援助。

去医院的途中

如果分娩开始时你们已经在车上了，就在路边找一个安全的地方把车停好，马上打电话寻找援助。如果没带手机，就打开紧急信号灯或转向灯，如果有人注意到并停下来帮忙，请他拨打120急救电话。如果分娩开始时你们在出租车上，就请司机用广播或手机寻求帮助。

可能的话，把产妇移到车后座上。在她身下铺上外套、夹克或毯子。如果来不及等待急救，就按照在家中分娩那样处理。宝宝娩出后，立即赶往附近的医院。

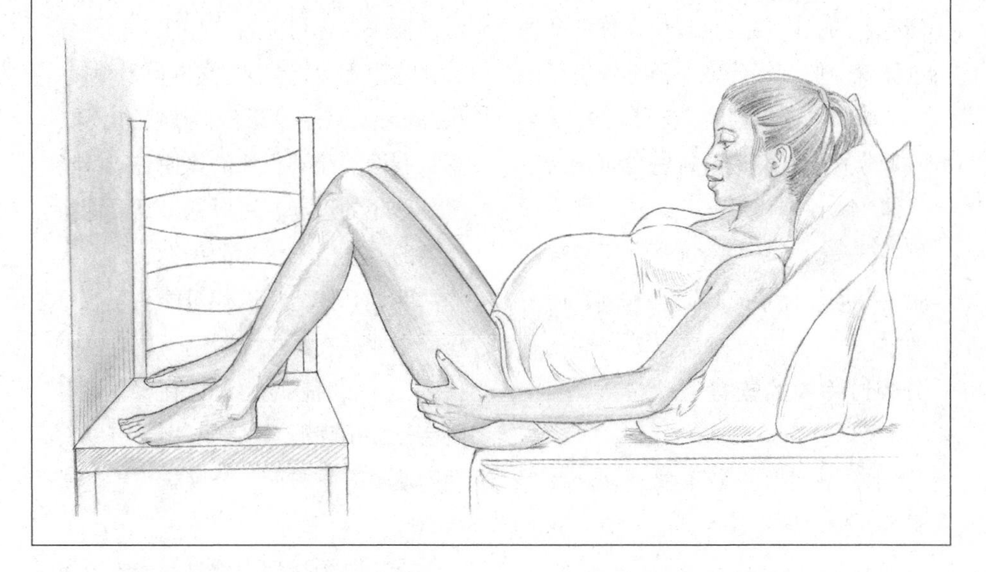

机械手段来催熟子宫颈，例如带有充气囊的导管、带刻度的子宫颈扩张器等。

●如果羊膜囊仍然保持完整，医生可能会用手指将羊膜和子宫分离。这个过程可以刺激身体释放前列腺素，通常是无痛的，虽然目的不是要弄破羊膜，但有时会不小心失手。医生也可能选择直接人工破膜（参考第366页）诱发分娩。

●如果使用前列腺素、人工剥膜、破膜都不能诱发正常宫缩，医生可能会采用静脉注射催产素——一种人工合成的催产素。天然的催产素由孕妇的身体自然释放，在分娩中起到很大作用——促进宫缩正式开始。另外，还可以阴道给予米索前列醇，这也是一种可以促进宫颈成熟的催产手段。

一些研究表明，同时使用米索前列醇和催产素，可以减少催产素的需要量，并使分娩加速。

● 宝宝的情况持续获得监控，医生需要随时了解宝宝对分娩的反应。当然，医生也会对你进行持续监护，观察药物是否过量，诱发的宫缩会不会太强或持续时间太长。如果发生了不好的情况，输液速度会调慢，或直接停止催产过程。一旦宫缩完全开始，催产素的量就要逐渐减少，你的分娩过程就会像自然分娩一样继续进行。

● 如果在使用了催产素 8～12 小时后分娩还没有进展，医生可能会停止催产，让你休息一下，过一段时间再尝试一次。有些情况下，可能会彻底放弃催产计划，转而实施剖宫产。

分娩过程中的饮食

“关于分娩过程中能不能进食，我听到了各种矛盾的版本。”

进食是不是分娩过程中的常规安排之一？这取决于医生。一些医生坚持认为分娩过程中需要严格禁止饮食，以及万一需要全身麻醉时消化道内的食物会被吸进肺部。他们往往只允许产妇通过静脉输液补充所需营养。大部分医生会允许低危产妇喝水并吃少量固体食品，因为产妇需要水和热量来保持体力，这样才能全力投入分娩。另外，上面提到的那种危险只存在于全麻的情况下（低危产妇很少出现需要全麻的紧急情况），且发生率很低：1000 万人里只有 7 个发生危险。有研究显示，分娩时进食的产妇产程平均缩短 90 分钟，也更少需要催产素和镇痛药，宝宝的阿普加评分高于不吃东西的产妇的宝宝。问问医生，看你是否可以吃些东西。

即使医生同意吃东西，一旦宫缩汹涌而来，你可能就不想吃了。阵痛会让你没胃口，但不时吃少量零食（水果冰棒、果冻、苹果酱、煮熟的水果、意大利面、涂了果酱的烤面包或清汤都是理想的选择）可以在最需要保持精力的时候给你极大的帮助，因为阵痛活跃期开始之后，你可能会不想吃任何东西。在医生的帮助下决定吃点什么，什么时候吃，并记住，分娩有时会让你出现严重的恶心感，有些女性即使没有吃东西，分娩过程中还是会呕吐。

无论分娩过程中你是否能吃下东西，丈夫也应该吃一些。提醒他在送你去医院或分娩中心前，打包带上一些零食，这样在他饿的时候不用离开你到很远的地方去吃东西。

常规静脉输液

“据说，分娩时一到医院就必须输液，是这样吗？”

这很大程度上取决于你将要分娩的那家医院的政策。一些医院里，给产妇进行静脉输液是常规做法。采用静脉输液的目的是为了预防脱水，以满足出现其他紧急问题时的给药需求。另一些医院和医生会等到确实需要时才输液。提前和医生聊一聊，了解他的医疗策略。如果你强烈反对提前输液，一定要告诉他，但也做好心理准备，有可能在需要输液时延误了时间。

如果计划了硬膜外麻醉，就一定需要静脉输液。在注射硬膜外麻醉药之前，需要输液来预防镇痛药带来的常见副作用——血压过低。另外，输液也方便使用催产素。

静脉输液唯一的一点不适是针头扎入静脉的时候，但去掉针头后基本看不出针眼。将输液瓶挂在移动架上，你就可以自由地进出卫生间或下楼到花园里散步。如果你非常不喜欢输液，但医院又要求必须输液，问问医生你能不能采用肝素帽。

如果使用肝素帽，输液导管会插入你的静脉滴入肝素，防止形成血栓，然后将导管固定并关闭。这种方法为医院提供了可随时开放的静脉通路，一旦出现紧急情况，可以随时打开肝素帽，将液体输进去，是一种不错的折中办法。

胎心监护

“分娩过程中必须采用胎心监护吗？有什么要点？”

宝宝安静地漂在温暖舒适的羊水中，在那里度过了生命最初的9个月。现在他要通过妈妈狭窄的骨盆，这可不像开车兜风那么好玩——他可能会被挤压，他的姿势会受到每一次宫缩的影响。虽然大部分宝宝可以毫发无损地通过产道，但还是有部分宝宝作出不太配合的反应：心率下降，胎动加快或减慢，或出现其他胎儿窘迫的征兆。胎心监护可以通过测量宝宝的心率对于宫缩发生的变化，从而评估宝宝在应对压力时的反应。

这种评估一定要持续进行吗？大部分专家的答案是否定的。一些研究表明，在低风险的分娩中，这些高科技手段在发现问题方面并不比传统的多普勒超声仪好。如果你属于这类孕妇，可能就不需要在整个分娩过程中使用监护仪。然而，如果你需要催产，采用硬膜外麻醉，或有其他危险因素（例如羊水粪染），就可能需要在整个分娩过程中戴上胎心监护仪。

持续性胎心监护有3种方式：

体外监护。这是最常用的监护方式。把两个仪器一起绑在腹部：一个是超声波传感器，测量胎儿心跳；一个是压力计，测量宫缩的强度和持续时间。两者都会连接到监视器上，由监视器显示或打印出结果。采取体外监护时，你可以在床边或椅子边活动，如果采取遥感监护措施（参考本页），你就可以自由活动了。

在第二产程（推出宝宝的阶段），宫缩可能会非常快且强烈，产妇很难弄清什么时候该使劲推，什么时候该抑制推出宝宝的冲动。但从监护仪上可以准确看到每次宫缩的开始和结束。为了不影响妈妈集中精力，医生可能不会再用监护仪，而会用多普勒超声仪定时测量胎心。

体内监护。当需要更精确的监护时（例如怀疑发生胎儿窘迫），就可以采取体内监护措施。将一个负责传输胎心数据的电极穿过阴道贴在胎儿的头皮上，绑在妈妈肚子上的压力计可以测量宫缩强度。虽然体内监护对宝宝的心率和你的宫缩情况都能得到更精确的结果，但只有在非常必要的时候才会采用这种办法，因为它有引起感染的风险。宝宝头上连接电极的地方会出现轻微的瘀青和擦伤，但几天之后就会自动痊愈。如果使用了体内监护系统，你的行动会更加受限，但翻身等动作还是可以的。

遥感监护。只有少数医院拥有这种设备。使用这种监护系统时，医生会在你的大腿上安装一个信号捕捉器以捕捉宝宝心跳的信号（通过无线信号）并传递到护士站——这样即使你在走廊上跑步，监护仪也能实时探查到你的信号。

注意，不管是体内监护还是体外监护，假警报都很常见。一般来说，监护仪已经由医护人员预先设定好了，当宝宝心率的变化超过一定范围、宝宝翻身，以及监护仪本身没有正常工作时，都会发出很大的嘟嘟声。医生在做出宝宝有问题的结论之前，会充分考虑出现这些警告的各种因素。如果监视器继续得出不正常读数，在诊断胎儿窘迫之前，还需要充分考虑多种因素。如果确诊为胎儿窘迫，需要进行剖宫产。

人工破膜

“我担心羊膜不能自然破裂，只好人为弄破它——这会伤害宝宝吗？”

人工破膜时，大多数孕妇一点感觉都没有，尤其是已经进入阵痛期的时候。少数孕妇会觉得有点不舒服，但更可能是由于羊膜钩插入阴道导致的，而不是由于羊膜破裂。你可能会看到羊水涌出，随后很快发现宫缩越来越有力，越来越快，宝宝开始往外移动。

如果羊膜没有自然破裂，许多医生会等到子宫颈扩张到 5 厘米时采取人工破膜。但如果分娩进展太慢，有的医生在子宫颈扩张到 3~4 厘米时就会将羊膜钩拿到手里了。如果产程进展顺利，没有出现紧急情况需要弄破羊膜，你和医生就可以再等等。少数情况下，羊膜顽固地一直保持完整，宝宝生下来时会被一层完整的水囊包着。也就是说，一旦将宝宝生下来，就需要立即人工破膜，这也是好办法。

会阴切开术

“我听说现在不再常规施行会阴切开了，是这样吗？”

幸运的是，你听说的是真的。会阴切开术通过切开会阴使得胎头出现时阴道打开得更大，目前这种手术方法已经不再是常规手段。事实上，如果没有充分理由，很多助产士和大部分医生都不会采用这个方法。

过去认为会阴切开术可以防止会阴撕裂及产后大小便失禁，同时减轻新生儿产伤风险。但目前已知的情况是，即使妈妈不做会阴切开术，宝宝也可以安然无恙，甚至情况更好。总的来说，未施行会阴切开术的分娩过程并不会比做手术的分娩持续更长时间，产妇失血较少，感染风险也较小，产后会阴部疼痛较轻（虽然还是存在出血、感染、撕裂等可能）。更重要的是，研究者发现，会阴切开术后更容易发生3~4度的撕裂（即到达直肠附近的撕裂，有时会引起大便失禁）。

虽然现在会阴切开术不再是常规手段，但在某些特定的产科情况下，仍然是首选的解决方法。在宝宝很大时，需要用产钳或真空吸引器时，在发生肩难产（分娩时宝宝的肩膀卡在产道里）时，可能还要实施会阴切开术。

如果的确需要会阴切开术且时间允许，就要在手术前实施局部麻醉。如果你已经接受了硬膜外麻醉，或者会阴因为胎头的压力已经麻木，医生可能会拿起手术剪，正中切开（朝直肠处剪开）或侧切（偏离直肠剪开）。在娩出宝宝和胎盘之后，医生会帮你缝合切口（如果硬膜外麻醉已经失效或之前没有局部麻醉，现在还需要实施局部麻醉）。

为了降低会阴切开术的概率，并缓解分娩的压力，一些助产士建议孕妇在预产期前几周按摩会阴（参考第352页）。当然，前提是你是初产妇(如果经历过阴道分娩，阴道已经获得了足够的伸展，提前按摩阴部就不必要了）。分娩时，以下方法也可以帮你缓解不适：热敷；按摩会阴；站立或蹲下，用力推出宝宝时呼气以协助会阴伸展；避免局部麻醉，这使会阴肌肉松弛。在推动的过程中，陪产者可以轻轻地对你的会阴部施加压力，这样胎头就不会突然冒出，避免造成不必要的撕裂。

如果你还没有开始做上述准备，和医生讨论一下会阴切开术的相关事宜。他很可能认为，没有足够的恰当理由不要轻易手术。但也要记住，在非常少见的情况下，会阴切开术必不可少，要在产房里才能做出最终的决定。

产钳

"分娩中使用产钳的可能性有多大？"

产钳是一种长而弯的钳子样工具，用来帮助宝宝在产道里下降。这种工具现在只在少部分分娩过程中采用。但如果医生决定使用产钳，你也不用怕，只要有经验的医生正确使用，它和剖宫产、真空吸引器一样安全。很多年轻医生没有接受过使用产钳的系统培训，有些医生则不愿意使用产钳。

一般在产妇已经筋疲力尽，或有心脏病、血压极高等情况时，自然分娩很可能不利于产妇健康，这时候就需要使用产钳。另外，如果由于胎儿窘迫或在分娩过程中胎位变得不利于娩出时，也可以使用产钳。

在使用产钳前，产妇的子宫颈必须完全打开，膀胱排空，羊膜已经破裂。接下来，产妇就会接受局部麻醉（除非提前接受了硬膜外麻醉）。还可能需要接受外阴切开术，这样才能帮助阴道打开得更大，以便放入产钳。接下来，就可以将产钳伸入阴道，用钳头环住胎头的太阳穴，轻轻将宝宝拉出。产钳有可能对宝宝的头皮造成压伤，导致肿胀，但一般出生后几天就可以痊愈。

如果医生尝试用产钳帮你分娩，但失败了，这时很可能需要剖宫产。

真空吸引器

"我朋友生孩子的时候用了真空吸引器，这和产钳一样吗？"

作用是一样的。真空吸引器是将一个塑料"杯子"放在宝宝的头上，然后轻柔地将宝宝吸出产道。这种抽吸力可以防止胎头随宫缩再次退回产道，并在宫缩期间帮助产妇拉出宝宝。5%的分娩会采用真空吸引器，在恰当的条件下，它是产钳和剖宫产的良好替代品。

医生使用真空吸引器的原因通常和使用产钳一样。而与产钳相比，真空吸引器造成的损伤更小，需要实施外阴切开术的可能性更小，也不太依靠局部麻醉。所以，如今越来越多的医生倾向于选择真空吸引器。

通过真空吸引器分娩出来的宝宝头皮可能有些水肿，但这不是什么严重的问题，也不需要治疗，几天后就会自愈。和使用产钳一样，如果不

真空吸引器

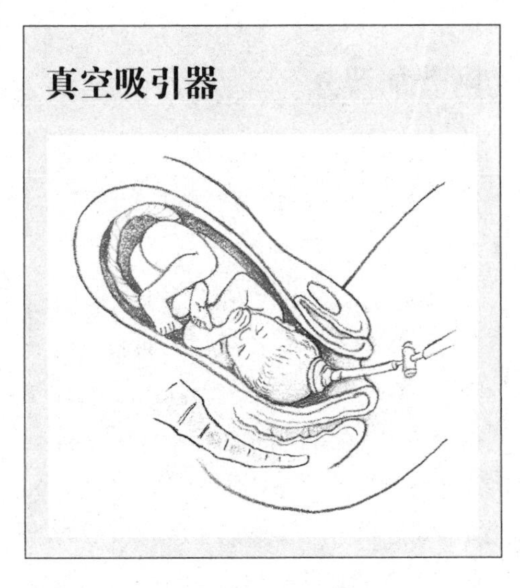

成功，就需要进行剖宫产。

分娩过程中，如果医生建议使用真空吸引器加速进程，你可以先问问他能否让你休息几分钟之后再尝试用力推；短暂的休息可以让你恢复正常的呼吸，更加高效地娩出宝宝。你也可以尝试变换体位，比如四肢着地，或者跨坐，重力的作用可以帮助胎头下降。

分娩前，问问医生你想了解的关于真空吸引器（产钳）的问题。你了解得越多，所做的准备就越充分。

分娩姿势

“我知道分娩时平躺着不太好，那什么姿势最好呢？

分娩时没有必要躺下来。事实上，平躺是最不利于分娩的姿势：首先，没有获得重力的额外帮助；其次，这个姿势还可能挤压大血管，甚至影响宝宝的血液供应。医生会鼓励产妇采取其他更舒适的姿势分娩。如果愿意且行动自如，尽量经常变换姿势。这样不仅可以减轻不适，更能加速分娩进程。

你可以从下面的分娩姿势中选择适合自己的：

站立或走动。站立不仅可以减轻宫缩疼痛，还可以有效利用重力，从而有助于骨盆打开，让宝宝进入产道。由于宫缩开始之后不可能很快进入推动阶段，所以分娩早期你可以尝试靠在墙边站着。

晃动身体。宝宝很喜欢摇晃的感觉——尤其是当宫缩开始的时候。另外，晃动身体也能让受到宫缩影响的准妈妈舒服一些。坐到椅子上，或继续站着，慢慢地前后晃动身体。这种摇晃的动作可以让骨盆动起来，并帮助宝宝下降。还是一样的道理，保持身体直立可以充分利用重力的帮助。

蹲姿。分娩时你可能不能站着了，一旦到接近分娩的推动阶段，可以考虑蹲着。几世纪以来，分娩时蹲着的好处都被人们广为传颂：蹲着对加快分娩很有效，让骨盆打开得更大，留出更多空间让宝宝下降。可以让伴侣帮助你蹲着，或使用床栏，很多产床上都有这种装置（双腿抵着床栏，可以不那么辛苦）。

分娩球。坐或靠在这种大运动球上，可以帮助骨盆打开，比长时间跨坐更轻松。

坐着。不管是坐在床上（产床的床头部分可以升降，将床头升起来你就可以坐在床上了）、丈夫的怀里还是分娩球上，都可以帮助减轻宫缩疼痛，并在重力的帮助下让宝宝顺利进入产道。另外，可以考虑使用分娩椅。它是专门为分娩时坐着及蹲着设计的，理论上可以帮助你加速分娩进程。采用这种椅子，产妇们能更清楚地看到整个分娩过程。

双膝跪地。扶着一把椅子或丈夫的肩膀双膝跪地是一种很好的分娩方式，特别是当宝宝的头压住脊柱让你背痛时。这种姿势会让宝宝尽量前移，减轻背部的负担。即使你不属于背痛性分娩，双膝跪地也很有效，可以让你在推出宝宝时将部分压力转移到脊柱下段。这种姿势比坐着更能减轻分娩疼痛。

四肢跪地。四肢跪地也能有效缓解背痛性分娩，并让宝宝更快出来。这种姿势能让骨盆倾斜，有利于丈夫或助产士帮你按摩背部。你甚至可以考虑用这种姿势分娩，因为它打开了骨盆，利用了重力，可以加速宝宝出生。

侧躺。坐着或跨坐都太累了，只想躺下来？侧躺比平躺好得多，它不会压住身体的大静脉，也是一种很好的分娩方式。如果分娩速度太快，侧躺的姿势可以将速度稍微放缓，缓解部分宫缩疼痛。

阿普加评分

阿普加评分是宝宝的第一次测试，它可以迅速评估新生儿的状况。在宝宝出生1分钟及5分钟后，由护士、助产士或医生检测宝宝的外貌(肤色)、脉搏（心率)、反射、肌张力及呼吸。得分在6以上的宝宝是正常的；得分在4～6分之间的需要再次实行复苏救治，通常包括抽吸清洁呼吸道并输氧；得分在4分以下的宝宝需要更进一步的救治护理。

记住，最好的分娩姿势是让你最舒服的姿势。一些分娩早期非常舒适的姿势可能会随着分娩进展而变得让人难受，可以随着自己的感觉经常变化体位。如果正在接受持续的胎心监护，姿势可能有些受限，也许没机会四处走动，但你一定可以继续采用跨坐、晃动身体、坐着、四肢跪地或侧躺等姿势。即使已经接受了硬膜外麻醉，也可以尝试坐起来、侧躺及晃动身体等姿势。

阴道因为分娩而伸展

“我很担心分娩时造成阴道伸展，阴

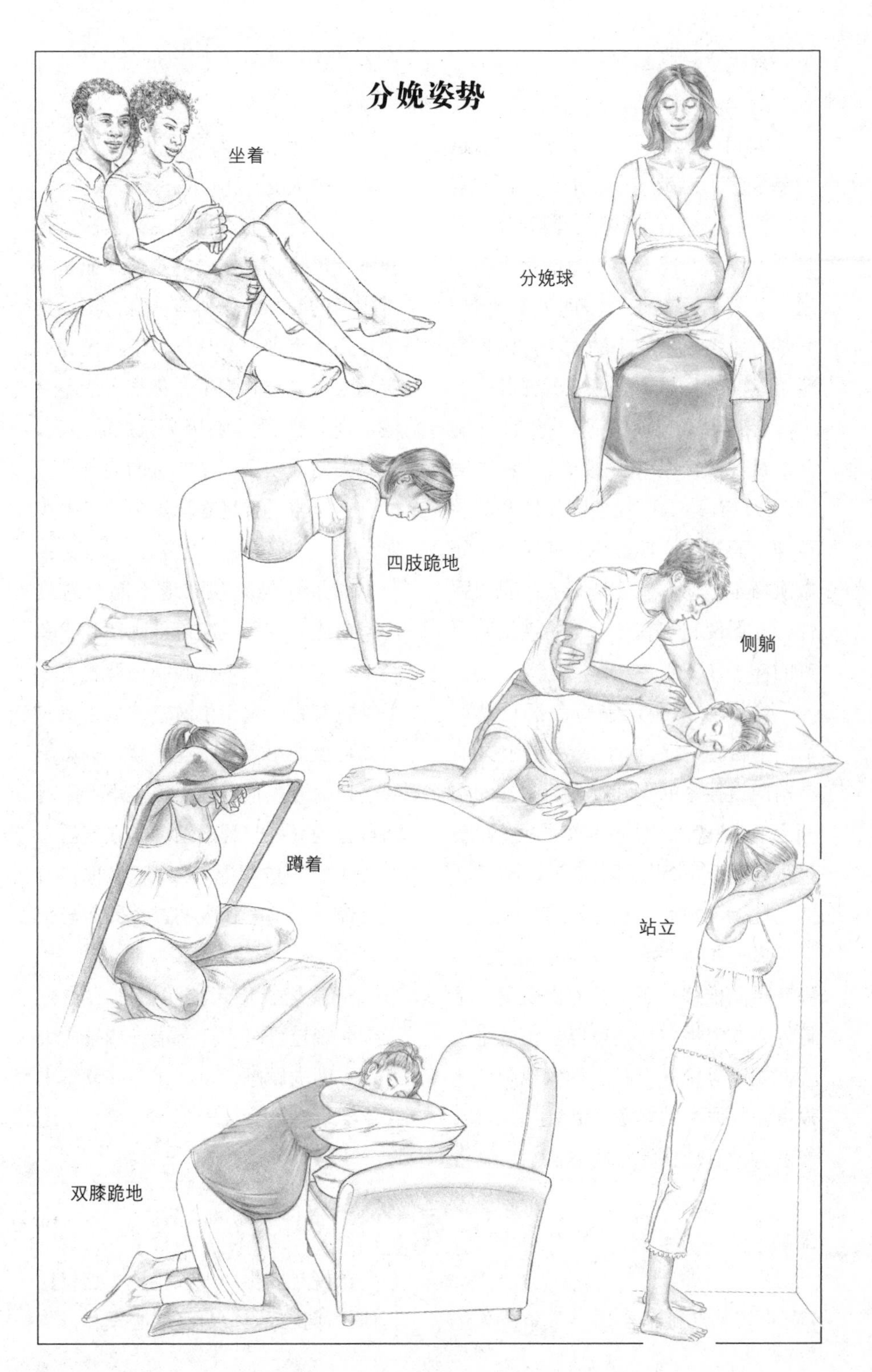
分娩姿势
坐着
分娩球
四肢跪地
侧躺
蹲着
站立
双膝跪地

道会永远这样吗？”

大自然考虑到了妈妈们对阴道的要求。阴道是一个非常有弹性的器官，手风琴一般的褶皱会因为分娩而打开，让3.2～3.6千克重的宝宝顺利通过。然后，经过一段时间的修复，它又可以恢复到原来的大小。阴道完全可以完成你想要它完成的任务。

会阴部位也很有弹性。在产前几个月开始按摩（不能过度，参考第347页）有助于增强会阴弹性并减少拉伸。同样，产前锻炼盆底肌（例如做凯格尔运动）也能增强会阴肌肉弹性，并促使它们在产后尽快恢复到原来的样子。

大多数女性几乎不会察觉到产后阴道松弛，性生活也不会受到影响。孕前阴道很紧的女性，产后阴道的空间会有所增大，使做爱变得更愉悦。极少数情况下，以前阴道“大小合适”的女性，分娩后确实会阴道松弛，降低了做爱的快感。但大多数情况下，随着时间推移，阴道会再次变紧，坚持经常做凯格尔运动可以加快这个进程。如果分娩6个月后你发现阴道还没有恢复原来的样子，和医生谈一谈，看看有没有什么治疗的方法。

晕血

“我看见一点血都会觉得头晕，分娩时看见出血晕过去怎么办？”

对于晕血的人来说有些好消息。首先，分娩过程中并不会出太多血，不会多于月经时的出血量。其次，你并不算是真正意义上的观众，而是非常积极的参与者，所有注意力都会集中在把宝宝推出来这件事上。因为完全陷入了兴奋和期待，你很可能不会注意到流血，更不会因为流血而不安。如果去问问刚刚当了妈妈的朋友，极少有人能告诉你她在分娩中流了多少血。

如果你仍然强烈地不愿意看到任何血迹，在医生实施外阴切开术和娩出宝宝时，只要把眼睛移开就可以了。只有在宝宝出生时，才低下头看看你可爱的小宝贝，这样就几乎看不到任何血迹。但在做出决定不亲眼目睹自己的分娩过程之前，先在家看一些关于分娩过程的DVD吧，你很可能会惊讶于这个伟大的过程，而忘记了害怕。

一些爸爸们可能也会担心自己看到分娩过程时不知所措。如果丈夫有这方面的顾虑，可以让他阅读本书第475页。

分娩

分娩是人生中一大挑战，它也比其他任何挑战需要更多的心理和身体上的付出。有可能在分娩开始之前，你就能预料到自己的恐惧和害怕。但在分娩过程结束后，会发现它充满了最纯净的快乐，你将来会不断地回想这段经历。

幸运的是，你并不是一个人在战斗。除了丈夫之外，还会有很多医疗专业人士加入到这个过程中。但即使你的阵营里有这么多专家，自己了解一些有关分娩的知识也会很有帮助。

在妊娠9个月之后(经历了恶心、腹胀、烧心、头痛)，你可能已经知道怀孕究竟是怎样的过程了。但有没有预想过阵痛和分娩是什么样的?

这通常很难预测。就像怀孕过程各不相同一样，每位产妇的阵痛和分娩过程也有所差别。就像对待怀孕过程一样，提前了解可能会经历的细节，就能做好更好的准备。除了可爱的宝宝已经在预料之中，其他可能发生的事会和你期望的完全不同。

第一产程：阵痛

第一阶段：阵痛早期

这通常是整个分娩过程中最长的部分，幸运的是，强度也是最低的。它一般会有几小时、几天甚至几周之长，通常不伴随讨厌的宫缩，且不易被察觉——或者是持续2~6小时确定无疑的阵痛。这一阶段的特点是子宫颈扩张3厘米并消退。

这个阶段的宫缩通常每次持续30~45秒钟，也可能更短。强度从轻度到中度不等，可能有规律，也可能没有规律（间隔20分钟左右），并会逐步加快。不同产妇的宫缩模式也不尽相同。

阵痛早期，你可能有如下感觉：

● 背痛（持续背痛或每次宫缩时发生）。

● 类似于月经期的痉挛。

● 下腹部产生压力。

● 消化不良。

● 腹泻。

● 腹部发热。

● 见红（或出现淡红色黏液栓塞）。

● 羊膜破裂（羊水渗出，但更多发生在阵痛活跃期）。

情绪上，你可能会感到激动、宽慰、期待、不确定、焦虑、恐惧；一些女性比较放松，变得话多，另一些则紧张，敏感。

你能做什么。显然，你会很激动(且紧张)，但放松非常重要。这个过程要持续一段时间。

● 如果半夜开始阵痛，就努力睡觉——现在休息很重要，因为接下来分娩的时候，你可能就没法睡了。不必担心因为睡觉耽误了产程的下一阶段，那时宫缩会很急迫，你会醒过来的。如果睡不着，也别躺在床上计算宫缩的时间，那只会让你觉得产程更长。起床找点事做来转移注意力：做几个菜存进冰箱；叠一叠宝宝的衣服；洗衣服，这样从医院回来时就不会面对一大篮脏衣服了（出院后洗衣篮很快又会被填满的）；到你最喜欢的怀孕论坛，看看有没有人和你的情况一样。如果在白天开始阵痛，做平时做的事情，不要离家太远。如果在上班，你可能很想回家。如果没有什么计划，找点事情做：散步、看电视、给朋友和家人发邮件、收拾好待产包。

● 通知别人。如果丈夫不在身边，你一定很想让他知道。如果他在上班，没必要这么早来到你身边，毕竟现在来了也帮不上忙。如果你雇了一名助产士，通知她是个好主意。

● 饿了就吃些零食或饭菜（肉汤、涂果酱的面包、意大利面或米饭、果冻、布丁、香蕉，或其他医生推荐的食物），现在是通过食物补充能量的最好时机。但不要吃太多，也不要吃难以消化的食物（如汉堡、薯条）。你可能会想吃些酸的食物，例如橙汁、柠檬汁。多喝些水，保持体内足够的储水量很重要。

● 让自己舒适。洗个热水澡；热敷一下疼痛的后背；如果医生允许，吃一片对乙酰氨基酚（扑热息痛）缓解疼痛，但不能吃阿司匹林或布洛芬。

● 如果宫缩的间隔时间逐渐变短，少于 10 分钟一次，就计算一下半小时内宫缩持续的时间（从一次宫缩开始到下一次宫缩开始），即使间隔时间超过 10 分钟也应该数一下，但不要一直盯着表看。

产程

分娩分为 3 个产程：阵痛、娩出宝宝和娩出胎盘。除非阵痛过程被剖宫产打断，否则所有临产女性都会在第一产程经历 3 个阶段，包括阵痛早期、阵痛活跃期及过渡期。宫缩的持续时间和强度有助于确定你所处的阶段。此外，定时内检也可以确认产程进展。

第一产程：阵痛

第一阶段：阵痛早期——子宫颈消退并打开 3 厘米左右；一次宫缩 30～45 秒，两次宫缩间隔 20 分钟左右。

第二阶段：阵痛活跃期——子宫颈打开 7 厘米；每次宫缩持续 40～60 秒，每 3～4 分钟一次宫缩。

第三阶段：过渡期——子宫颈扩张 10 厘米（完全打开）；每次宫缩持续 60～90 秒，每 2～3 分钟一次。

第二产程：娩出宝宝。

第三产程：娩出胎盘。

去医院或分娩中心

有时，在阵痛第一阶段结束，第二阶段开始的某个时刻（宫缩间隔时间可能为5分钟或更短，如果你住得离医院很远，或者不是第一次当妈妈，要早点出发），就要拿起行李去医院了。如果能联系到丈夫，而他可以很快赶到，去医院或分娩中心就相对容易些（不能自己开车去医院或分娩中心；如果丈夫无法赶到，可以坐出租车或请朋友送你去）；要预先计划好路线，并了解停车规定（如果停车麻烦，坐出租车更明智），弄清楚哪个入口可以最快到达产科所在的楼层。在去医院或分娩中心途中，尽量在后座放松身体，松松地系上安全带。如果觉得冷，可以盖一床毯子。

一旦到达医院或分娩中心，你可能会经历下列流程：

- 登记。如果已经预先登记，入院会很简单；如果你处于阵痛活跃期，不想回答任何问题，可以让丈夫安排好一切。如果没有预先登记，你可能要完成较为繁琐的入院程序，所以做好准备回答问题和填表吧。

- 护士会带你进入病房。有时，你可能会先被带到分诊室，医生会检查宫颈的情况，并对宫缩进行一段时间监护，确定你现在是否处于阵痛活跃期。一些医院或分娩中心会要求丈夫和其他家人在外面等候。如果你的确非常需要丈夫陪伴，尽量和医院商量一下；大多数医院或分娩中心都比较灵活。（丈夫们请注意：现在是一个极好的时机，可以打几个电话；安置好住院的行李；没有带吃的就去买。如果大约20分钟后还没有被请入待产室或产房，提醒护士你正在等着。要有心理准备，进入待产室或产房时你可能要在衣服外面套一件消毒的白大褂。）

- 护士会问你一些问题，并做简短的记录，宫缩什么时候开始，每隔多久一次，羊膜是否破裂。她也可能问你上次吃饭是什么时候，都吃了些什么。

- 护士可能会要求你（或丈夫）在知情同意书上签名。

- 护士可能让你换上住院服，并要你提供尿样。她会为你检查脉搏、血压、呼吸、体温；检查是否羊膜破裂、见红或出血；用多普勒仪检查胎心，或将你连接到胎心监护仪上，并评估宝宝的情况和胎位。

- 根据医生、医院或分娩中心的政策，有可能会开始静脉输液。

- 护士、医生或助产士会对你进行内检，以判断子宫颈扩张或消退的情况。如果羊膜还没有破裂，而子宫颈已经扩张3~4厘米（有的医生会等到宫口打开5厘米），可能要人工破膜——除非你和医生都决定再等等看。人工破膜时通常无痛，你只会感到一股温暖的液体流出来。

如果你对医院或分娩中心的政策（包括你的情况、医生的计划等之前没有问过的问题）存在任何疑问，现在是时候问清楚了。

- 要经常小便，即使没有便意也要去。充盈的膀胱会抑制分娩进展。
- 使用放松技巧，先不要进行呼吸练习，否则你会在真正需要时发现自己没力气了。

写给准爸爸：你能做什么。在这个阶段，有几种方法可以帮助妻子。如果助产士也在场，她可以帮忙：

- 记录宫缩时间。从一次宫缩开始算起，到下一次开始时的持续时间。定时记录，如果少于10分钟一次宫缩，就增加记录的次数。
- 帮产妇镇静下来。在阵痛的早期阶段，你最重要的作用就是让产妇放松。要达到这个目的，最好的方法是自己彻底放松——你的紧张会通过话语或接触无意中传染给她。和她一起做放松练习，给她轻柔地按摩，这些都会有所帮助。
- 给她安慰、信心、支持。从现在开始，她需要这些。
- 保持幽默感，也帮助她保持幽默。开心时，时间过得很快。与宫缩迅速且强有力的时候相比，你们现在能笑得更开心。
- 试着转移注意力。做一些能够转移两个人注意力的活动：玩电子游戏，看一部有趣的情景喜剧或选秀节目，上网看看宝宝将来会和哪个名人同一天庆祝生日，做一些产后可以吃的东西存起来，短距离散步。
- 保持自己的体力，这样才能支持她。按时吃饭，但要保持理智。准备一份三明治带到医院或分娩中心去，注意避免那些味道很重而且会持

发生如下情况要去医院

医生很可能告诉过你，除非发生更活跃的宫缩，否则不要着急去医院；但他也说过如果白天发生阵痛或者羊膜破裂，就需要提前去医院。然而，如果你的羊膜破裂，羊水混浊或发绿，观察到鲜红色的阴道出血，或感觉不到胎动（由于宫缩使你分心，胎动不容易被感觉到，采用第288页的计数方法最合理），就要立即去医院！你一定要亲自向医生描述自己的状况，第三方的转述很容易落下很多重要细节。

续很久的食材，分娩时她绝对不想闻到你嘴里的腊肠或洋葱味。

第二阶段：阵痛活跃期

这个阶段的持续时间比第一阶段短，平均为2～3.5小时。现在，宫缩更加集中，频率更快（通常3～4分钟一次，可能不太规律），也更加有力，持续时间更长（40～60秒钟），宫缩中间有一次明显的高峰，子宫颈扩张到了7厘米。宫缩之间几乎没有休息时间。

现在，你也许已经在医院或分娩中心了。你可能会出现以下感觉（如果采取硬膜外麻醉，你可能不会感到疼痛）：

- 宫缩疼痛和不适逐渐加强。
- 逐渐加重的背痛。
- 腿部不适或感觉沉重。
- 疲惫。
- 出血逐渐增多的见红。
- 羊膜破裂（现在已经可以人工破膜了）。

情绪上，你可能会心神不宁，更难以放松；精神更加紧张，完全专注于分娩这件事；信心开始动摇（“我怎么可能完成分娩？”），耐心逐渐丧失（“到底什么时候才能结束？”），或感到一切终于开始了，于是欢欣鼓舞。不管你怎么想，都要接受现实并准备行动！

在阵痛活跃期，如果一切正常、没有危险，医院或分娩中心的员工可能会离开，在需要时检查一下胎心监护仪，并同意你在阵痛期间和丈夫或其他陪同人员一起四处走走。他们可能会对你采取如下措施：

- 量血压。
- 使用多普勒仪或胎心监护仪监护宝宝。
- 计算宫缩时间，评估宫缩强度。
- 检查阴道分泌物。
- 如果要接受硬膜外麻醉，可以开始静脉输液。
- 可能会开始讨论，如果产程进展太慢，是否需要使用催产素或人工破膜。
- 定时内检，查看分娩进展及宫口打开的情况。
- 现在可以开始采取镇痛措施。

医护人员可以回答你的问题，如果你需要额外帮助，告诉他们。

你能做什么。所有努力都是为了让你感到更舒适，所以：

- 当你需要什么时不要犹豫，让丈夫帮你吧，只要你舒服就行。不管是按摩背部来减轻疼痛，还是用湿毛巾敷脸保持凉爽，说出你的需要非常重要。记住，尽管他时时刻刻准备着提供帮助，但让他猜你的需求非常困难，第一次分娩更是如此。
- 如果打算在分娩中练习呼吸技巧，一旦宫缩强到让你说不出话来，

似乎没有进展？

可能没有任何事会像阵痛这样让你着急，希望快点发展到下一步。顺利的产程需要如下3个条件：强有力的宫缩来有效扩张子宫颈，胎位易于娩出，骨盆大小足够让宝宝通过。但有时候，分娩的进展不会完全和书上描述的一样，因为宫口打开需要一定的时间，宝宝下降并通过骨盆所需的时间也比预计的要长，或者用力推没什么效果。

有时候，在接受硬膜外麻醉后，宫缩会慢下来。但记住，对于使用了硬膜外麻醉的女性来说，分娩进程中出现例外是正常的，而且因人而异(第一产程和第二产程所需时间更长，这不值得担心)。

为了给慢下来的分娩加速，可以让医生（和你一起）采取如下措施：

● 如果处于阵痛早期，子宫颈还没有打开或消退，医生可能会建议你稍微活动一下（例如四处走动）或睡觉、休息，也可以练习放松技巧。这可以帮助你排除假临产的可能（假临产宫缩通常会在运动或休息后消失）。

● 如果子宫颈打开和消退没有想象中那么快，医生可能会催产，例如使用催产素、前列腺素E或其他催产药物。甚至可能建议你使用双手来加快产程：刺激乳头。

● 如果已经进入到阵痛活跃期，但宫颈打开得非常慢（对于首次分娩的女性来说，每小时不到1~1.2厘米；对于非首次分娩的女性来说，每小时少于1.5厘米），或者宝宝的运动很不积极（首次分娩者，宝宝每小时下降不超过1厘米；非首次分娩的女性，宝宝每小时下降不超过2厘米），医生可能会采取人工破膜，同时辅以催产素。

● 对于首次妊娠、没有采用硬膜外麻醉的女性来说，如果已经用力推超过2小时；采用硬膜外麻醉的女性用力推超过3小时，医生会重新评估宝宝的胎位，也可能采用真空吸引器（或产钳，现在已经很少用了）帮你将宝宝生下来，再决定要不要实施剖宫产。

就开始使用吧。没有提前计划练习相关技巧？问问护士和助产士对于呼吸有没有一些简单的建议，记住所有能使你放松并感觉更舒服的方法。如果呼吸练习对你效果不佳，没必要继续。

● 如果想接受镇痛措施，现在可以提出要求。硬膜外麻醉可以在你需要时提前进行。

● 如果你没有选择镇痛措施，试着在每一次宫缩间歇尽量放松。随着宫缩越来越频繁，放松会越来越困难，也越来越重要——因为只有放松才能让你积蓄更多能量。运用你在分娩培训班上学来的，以及本书第 147 页提到的放松技巧吧！

● 保持体内充足的水分。如果医生同意，可以频繁地喝清爽的饮料，保持口腔湿润。如果饿了，经过医生同意，吃些小零食。如果医生不同意进食，就吮吸冰块吧，这可以让你振作起来。

● 可能的话，四处走走，至少根据需要变换姿势（参考第 369 页学习推荐的分娩姿势。）

● 记住定时小便。因为骨盆承受着巨大压力，你可能不会注意到自己需要排尿，但充盈的膀胱会阻碍分娩进展。如果已经接受了硬膜外麻醉，没必要举步维艰地走到卫生间去，医生可能已经给你插了尿管，帮助排空膀胱。

换气过度

随着阵痛发展，很多女性会逐渐出现换气过度的现象，引起血液中的二氧化碳浓度降低。如果感到头晕或头重脚轻、视物模糊或重影、手指和脚趾麻木，立即说出来，让丈夫、护士、医生或助产士知道。他们会给你一个纸袋让你呼吸（或建议你用双手捂成杯状，扣在嘴边呼吸）。大口呼吸可以让你立刻感觉好起来。

写给准爸爸：你能做什么。如果助产士在场，以下的事情也可以由她帮你完成。提前商量好谁来做哪些事。

● 如果产妇想使用药物，让护士和医生知道。尊重她的每一个决定——不管是继续无药物分娩还是立即采用镇痛措施。

● 一直陪在她身边，不管她想要什么，都应该得到满足。记住，她的需求可能随时在变，她的心情和对你的态度也会时刻变化。如果她对你没有反应，不感激你的努力，甚至你的努力达不到她的要求而让她急躁，不要放在心上。如果她现在不想要你在身边，可以稍微离远点观察她——10 分钟后她一定会需要你的。记住，即使有时觉得自己多余，甚至碍事，你仍然很重要，分娩结束后她会非常感激你。

● 调整情绪。可能的话，关上产房的门，调暗灯光，保持房间安静，营造有利于休息的气氛。轻音乐也许会有所帮助。在宫缩间歇继续鼓励她，并陪她一起做放松练习和呼吸练习——如果她不愿意，不要强迫她。如果放松练习对她造成了压力，就更不要勉强了。如果分散注意力对她有效，陪她玩牌或电子游戏，轻松地聊天，或者看电视。

● 不断鼓励产妇。给她信心并赞扬她的努力，尽量避免任何形式的批评（哪怕是建设性的意见）。当她的啦啦队长。如果产程进展很慢，建议她专心应对每一次宫缩，并提醒她，每疼痛一次，就离见到宝宝更近一步。如果她觉得你的鼓励让她心烦，就不要说话了，可以继续在情感上支持她。

● 记录宫缩的情况。如果产妇已经连接了胎心监护仪，请医生或护士教你如何读结果。在宫缩一次次袭来时，你就可以辨认出来（监护仪可以比产妇更早发现宫缩强度的增加），也可以在每次宫缩的高峰结束时告诉她，以鼓励她（除非她觉得很烦，不想听你说），这会让你们觉得对产程有一定的控制。如果没有监护仪，就将手放在她的肚子上，仔细分辨宫缩的开始和结束。

● 按摩她的腹部或背部，让她感觉舒服些（如果她坐着，就帮她按摩背部，这样可以缩短产程），让她告诉你哪种抚摸或按摩方式更舒服。记住，有时她觉得舒服的手法会在下一秒变得让她难受，反之亦然。

● 如果没有插尿管，提醒她至少要每隔一小时小便一次。她可能感觉不到尿意，但充盈的膀胱会影响产程。

● 建议她换一种姿势。可以的话，带她到走廊走一走。

● 担任起拿冰块的职责。如果医生同意她喝水，或者吃一些简单的食物，定期为她提供一些，问问护士产房里有没有你可以储存这些食物的地方。

● 保证凉爽。用一条凉毛巾帮她擦脸和身体，要经常清洗毛巾。

● 如果她觉得脚冷，拿双袜子帮她穿上。

● 当她的传话筒和耳朵。她的工作太艰巨了，你要帮她减轻负担。尽可能担当她和医护人员之间交流的桥梁。如果医护人员有问题，你需要尽可能替她回答。在分娩过程中，尽量仔细询问并要求医护人员为你详细解释，包括手术程序、医疗仪器、使用的药物等，这样你才能告诉她。所以，现在可以问问护士有没有准备镜子，以便让产妇看到分娩过程。必要时，充当她的辩护人，但尽量悄悄地进行，比如到屋外讨论，这样就不会打扰她了。

第三阶段：过渡期

过渡期是产程中最费神的部分，幸运的是，也是最快的部分。宫缩强度突然增加，变得非常有力，每2～3分钟一次，每次持续60～90秒，非常强烈。有些产妇，尤其是生过宝宝的产妇，会感到宫缩仿佛永远不会停下，也无法在宫缩间歇完全放松。已张开3厘米的子宫颈最终会扩张到

10 厘米，这个过程需要的时间不尽相同：15～60 分钟不等，也可能持续 3 小时。

在过渡期，你可能出现的感觉有：

- 宫缩的疼痛增强。
- 背部下方或会阴压力增大。
- 直肠压力增大。（你可能会想大便，那就去吧！）
- 随着子宫颈的毛细血管破裂，见红增多。
- 感觉非常热且出汗，或冷到打颤（可能两种感觉交替出现）。
- 腿部痉挛，可能会不由自主地颤抖。
- 恶心或呕吐。
- 喉咙或胸部发紧。
- 精疲力竭。

情绪上，你可能会觉得自己很脆弱、完全被打倒了，好像已经达到了忍受的极限。除了因为不能用力推出宝宝而感到失望，还会觉得气馁、急躁、迷惑、不安、难以集中精力并放松（甚至觉得不可能完成）。你也可能觉得自己在所有这些压力下居然高度兴奋——宝宝就要出来了！

你能做什么。在第一产程快要结束时，子宫颈将完全打开，现在要开始把宝宝往外推了。不要再提前考虑怎样做，想想还剩下多少时间吧。

- 如果有用，继续使用呼吸技巧。如果觉得马上就要推出宝宝了，尽量控制自己——应该大口呼气，除非医生通知你可以用力推。如果子宫颈还没有完全打开就开始用力，容易造成子宫颈肿胀，反而减慢分娩过程。
- 如果不愿意有人碰你，或觉得丈夫曾经安抚你的手现在会使你烦躁，要毫不客气地说出来。
- 在宫缩的间歇，试着尽可能放松，通过缓慢、有节奏的深呼吸达到这一目的。
- 把注意力集中在最后的奖励上：宝宝即将被你抱在怀里，这是人生最大的快乐。

当宫颈口打开到 10 厘米，你就要进入产房了。或者，如果你已经在产床上，现在要做好分娩的准备了。

写给准爸爸：你能做什么。和前面说过的一样，如果有助产士在场，她可以和你一起完成如下工作：

- 如果产妇已经接受了硬膜外麻醉或其他镇痛措施，现在问问她需不需要增加剂量。过渡期会非常疼，如果硬膜外麻醉已经失效，她一定会非常难熬。如果需要，告诉护士或医生。如果产妇继续坚持无药物分娩，她会比任何时候都更需要你。
- 陪在她身边。如果她需要一点空间，就稍微离远一点。通常，过渡期的产妇不希望别人碰她，但你仍然应该关注她。这个时候，按摩腹部会令她非常不舒服，但按摩背部可能有镇痛效果。如果她要求你从她背后消失，就稍微离远一点。

● 不要浪费口水。现在不是讲故事的好时机，哪怕是笑话也不合适。给她提供一个安静舒适的环境，用简短的语言指导她。

● 极力鼓励她，除非她宁愿你保持安静。在这时候，眼神的接触可能比话语更有用，所谓“此时无声胜有声”。

● 如果有用，就和她一起做呼吸练习，以熬过每次宫缩。

● 帮助她在宫缩间歇休息、放松，在每次宫缩结束时轻轻抚摸她的腹部，告诉她这一次结束了。提醒她在宫缩间歇做缓慢的、有节奏的呼吸练习。

● 如果她的宫缩似乎越来越密集，而她觉得马上就要用力推了，赶快告诉医生或护士，她的宫口可能已经完全打开了。

● 频繁地为她提供冰块或水，并经常用凉毛巾帮她擦额头。如果她感觉很冷，给她盖条毯子或穿双袜子。

● 将注意力放在你们即将得到的奖励上。分娩是一个漫长且辛苦的过程，但一旦开始用力推，就不会再这么漫长了，你们朝思暮想的小宝贝就要到怀里了！

第二产程：娩出宝宝

目前为止，你在分娩中所做的积极努力微不足道。虽然你承受了痛楚，但子宫颈和子宫（及宝宝）还没有完全准备好。现在子宫颈已经完全打开，只要你努力推，就可以把宝宝生下来。这通常需要半小时到1小时的时间，有时也可能会在短短10分钟（甚至更少的时间）之内完成。有些产妇需要2～3小时，甚至更长时间。

第二产程的宫缩通常比过渡期的宫缩更有规律。宫缩持续时间仍然是60～90秒钟，有时候间隔时间更长（通常为2～5分钟），可能不像之前那么痛，但有时强度更大。现在宫缩的间歇更明确，但你可能还是很难准确分辨每次宫缩的开始。

第二产程常见的感觉有：

● 宫缩疼痛。

● 势不可当的想推出宝宝的感觉。

● 巨大的直肠压力（同上）。

● 突然爆发新的力量（获得了正常的呼吸），或感到疲惫。

● 宫缩明显可见，每次子宫都会显著地突起。

● 见红增多。

● 胎头出现时阴道有一种刺痛、拉伸、灼烧或针刺的感觉。

● 当胎头浮出时，有一种湿滑的感觉。

情感上，你会因为终于可以开始推出宝宝而感到放松和兴奋（有的产妇会觉得尴尬、拘谨、害怕）；如果推出时间超过了1小时，则可能感到

宝宝的出生过程

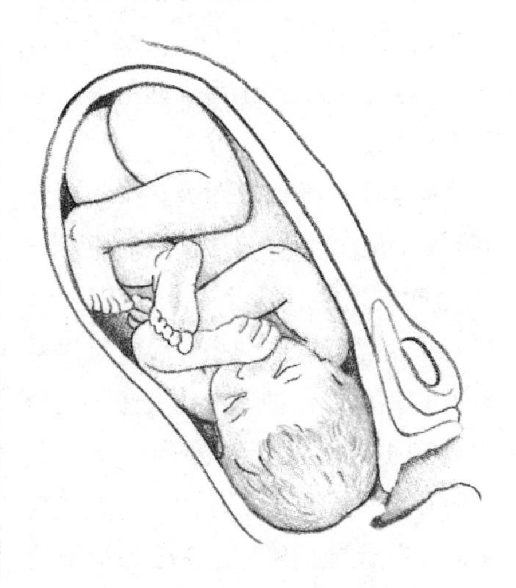

1. 子宫颈变薄（消退），但没有完全消失。

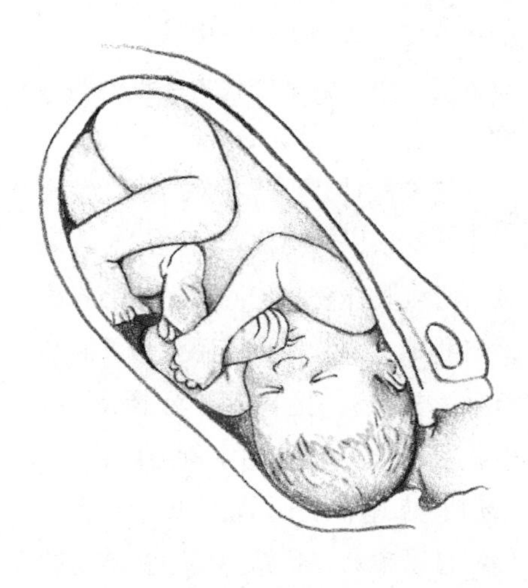

2. 宫口完全打开，胎头进入产道（阴道）。

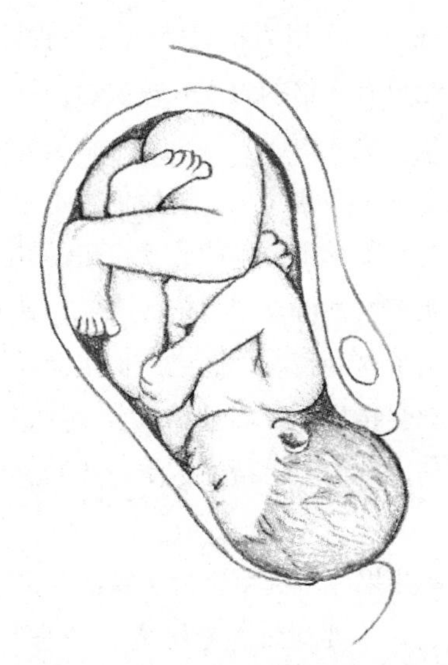

3. 为了让头通过最狭窄的宫口部分，宝宝一般会在阵痛时转向。上图所示为宝宝的头先露出来。

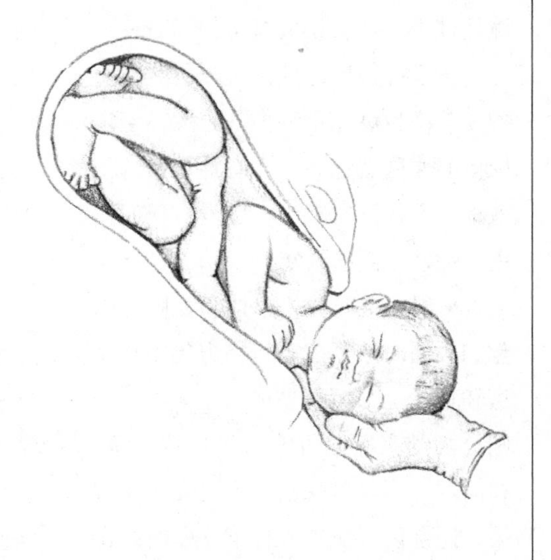

4. 宝宝最大的部位就是头，它现在已经娩出了！产程接下来会进行得更快、更顺利。

沮丧、失望。在长时间的第二产程中，你更专注的事情不是看见宝宝，而是赶快熬过这么痛苦的经历。这是自然、短暂的反应，丝毫不代表你母爱的程度。

你能做什么。现在是时候让宝宝出来了。所以，换成容易推出宝宝的姿势吧（具体姿势取决于医生的指导及自我感觉，选择自己感觉最舒服和有效的方式）。坐着或跨坐常常最有效，它们很好地借助了重力的作用，增加了推出的力量。将下巴紧靠在胸前，可以帮助你将精力集中在推出的过程上。有时，如果宝宝没有继续往下移动，换个姿势可能有效。例如，如果你之前是半躺着，现在可以四肢跪地试试，或者换成跨坐的姿势。

一旦开始用力推，一定要尽全力。推动效率越高，用的力气越大，宝宝娩出的速度就越快。没有计划好的低效推动不仅浪费精力，也没有任何作用。记住下面的要点：

● 用力推时放松身体和大腿，感觉和大便时差不多。将精力集中在阴道和直肠上，而不是你的上半身（否则分娩结束后很可能出现胸腔疼痛）和面部（不仅对娩出宝宝没有任何效果，还会留下像被人打了一样的鼻青脸肿、双眼充血）。

● 由于现在所有力量都压在会阴部，肠道也一定会产生向下推的感觉，如果想大便，说出来；这时候忍住会减慢分娩进程。不要让任何尴尬的顾虑打断分娩节奏。几乎每个产妇都会不由自主地排出一点大便（或小便），没有人会在意。护士会立即用消毒垫移走排泄物。

● 宫缩开始时深呼吸几次，达到高峰时深吸一口气屏住，然后用尽一切力量往外推，或者在推出时呼气。尽量按自己舒服的频率呼吸。每次用力推时，可以让护士或丈夫在一边为你数到10，这也是不错的办法。但如果你觉得这打乱了你的节奏或效果不大，就让他们停下。关于整个推动阶段需要多长时间，以及每次宫缩可以用力几次，没有万能的公式，最好的就是顺其自然。有可能你会用5倍的力气，每次用力推只持续几秒钟；也可能只有2倍的力气，每次用力推可以持续更久。跟着感觉走，你就能娩出宝宝了。事实上，即使你感觉不到这些冲动，宝宝也能分娩出来。并不是所有女性都有用力推的感觉，如果你属于这种情况，医生、护士及助产士都会指导你。如果你连宫缩都感觉不到，她们也会帮助你重新找回感觉。

● 如果你看到宝宝的头露出来又缩回去，不要泄气。分娩是个“进2步退1步”的过程。记住，你正朝正确的方向努力。

● 利用宫缩间歇放松。如果你已经筋疲力尽，特别是当用力推的阶段

看宝宝第一眼

那些盼望宝宝看起来像圆滚滚的小天使一样的妈妈们可能会很震惊——在羊水里泡了9个月，经过了子宫和产道长时间的挤压，宝宝的外表或多或少会受到些影响。剖宫产的宝宝在外貌上略有优势。

放心，绝大多数新生儿不太可爱的样子都是暂时的。将这个小东西带回家时，他看起来还是皱巴巴的，有点瘦，眼睛肿着，但几个月后的某一天早晨，你醒来时会发现婴儿床上躺着一个漂亮的小天使。

奇怪的头。出生时，宝宝的头是全身最大的部分，头围和胸围一样大。随着时间推移，宝宝身体的其他部位才会慢慢长大。在通过妈妈的骨盆时，头部常常会受到挤压，形成了有点奇怪的“圆锥形”。从子宫颈通过会使头部进一步变形，可能还会形成肿块。肿块会在一两天内消失，而挤压形成的奇怪头形要两周后才会改变——那时宝宝的头就会变成可爱的圆形。

新生儿的头发。宝宝出生时的头发和以后长出的头发有很大区别。有的新生儿几乎是秃头，而有的头发很浓密。但大部分宝宝都长着一层薄而柔软的胎发。胎发大都会褪去，逐渐长出颜色、质地都不相同的头发。

胎脂外衣。这一层很像乳酪的物质，是宝宝住在子宫里时穿的衣服，可以保护他的皮肤不直接接触羊水。早产的宝宝可能在出生时还有一层厚厚的胎脂；准时出生的宝宝会只剩下一点；过熟儿除了皮肤褶皱处和指甲下，基本上不会留下这件“衣服”。

生殖器肿胀。不管男宝宝还是女宝宝都会出现这个现象。他们的胸部会肿胀（偶尔会充盈并分泌出白色或粉红色的物质），这是由于妈妈体内的激素刺激。这些激素还会刺激女婴产生乳白色、甚至带着淡红色的阴道分泌物。这些都是正常现象，会在7～10天内消失。

眼睛肿胀。宝宝在羊水里泡了9个月，又挤过了狭窄的产道，所以眼睛周围肿胀很正常。这种肿胀几天后就会消失。

肤色。刚出生的宝宝皮肤可能是粉红色、白色甚至灰色。出生后几小时，色素才开始沉着。由于妈妈体内激素的作用，宝宝皮肤上可能有许多疹子，但都是暂时性的。你还会注意到宝宝的皮肤干燥开裂——这是由于宝宝第一次暴露于空气中。还是那句话，这些情况会消失的。

胎毛。足月宝宝的肩膀、后背、前额和太阳穴上可能会覆盖着柔软的绒毛，这就是胎毛。通常在第一周末尾脱落。早产宝宝的胎毛可能更多，存在的时间更长，而过了预产期的宝宝可能没有胎毛。

胎记。很多宝宝的头、眼皮、前额上都会出现红斑，这是很常见的现象。胎记——皮肤深层产生的色素沉着，可能出现在后背、臀部，有时也会出现在手臂和大腿上。通常到宝宝4岁时，这些胎记才会最终消失。血管瘤（凸出的草莓色胎记）可大可小，最终会淡化成斑驳的珍珠白色，然后完全消失。宝宝全身都会出现“牛奶咖啡”色的斑点，通常不太明显，暂时也不会淡化。

比意料中要长且费劲时，医生可能会建议你不要每次宫缩都用力，这样就可以重新积蓄起力量。

● 如果听到让你停止用力的指示（为了防止胎头太快娩出），就停下来，大口喘气或呼气。

● 如果有镜子，看看镜子里有没有胎头出现。看到宝宝的头露出来会极大地鼓舞你继续用力。

用力推的过程中，护士和医生会给你提供支援和指导；利用多普勒仪或胎心监护仪监视胎心；并铺上无菌单，准备器械，穿上手术服并戴上手套，用消毒液为你的会阴消毒。如果有必要，他们可能会帮你实施外阴切开术，或使用真空吸引器，少数情况下会使用产钳。

一旦胎头露出，医生会抽吸宝宝的鼻子和口腔，帮助他清理多余的黏液，然后帮助肩部和身体娩出。一般来说，你只需要很小的力气就能帮助他娩出了——胎头是最难娩出的部分，其他部分相对容易。通常在脐带停止搏动之后，医生会夹住它并剪断，宝宝就彻底出来了，他会被交到你的手里，或放在你的肚子上。（如果有储存脐带血的安排，现在是时候进行了。）现在是和宝宝肌肤相亲的最佳时机，将宝宝抱得更近些吧。研究已经证实，分娩后立即和妈妈获得肌肤之亲的宝宝将来的睡眠时间更长，哭闹相对较少。

接下来会发生什么？护士和医生会评估宝宝的整体情况，在出生1分钟和5分钟时对他进行阿普加评分（参考第370页小贴士）；用清爽、有些刺激性的毛巾为他擦身；有可能会为了留做纪念而留下宝宝的脚印；在你的手腕上和宝宝的脚踝上系上一根供辨识的布条；在宝宝的眼睛上涂上没有刺激性的药膏以预防感染；给宝宝称重，然后将宝宝包起来，防止热量散失。

接下来如果宝宝一切安好，你就可以再抱他了。愿意的话，现在就可以开始哺乳。如果宝宝不能这么快和你见面，也没有问题，翻到第 427 页看看关于母乳喂养的内容。

如果你是在医院分娩，过一会儿，宝宝就要交给护士了。医生需要对他进行全面、彻底的检查，并且进行一些常规的保护措施，比如采足跟血和注射乙肝疫苗等。一旦宝宝体温稳定，他就可以第一次洗澡了，当然你和宝宝的爸爸也可以参加进来。如果你们是母婴同室，宝宝在完成所有检查项目后很快可以回来，睡在你床边的摇篮里。

写给准爸爸：你能做什么。再说一遍，以下各项任务可以和助产士一起完成：

● 继续给予妻子安慰和支持，如果她似乎没意识到你的存在和努力，也不要感到受伤。她的精力已经集中到别的地方去了。

● 帮助她在宫缩间歇放松——安慰她，为她的额头、脖子和肩膀上冷敷，给她按摩背部以缓解背痛。

● 继续提供冰块或水，让她的口腔保持湿润。用力推的过程中，她很可能会觉得口干。

● 如果有必要，在她用力推的时候扶住她的背，握住她的手，帮她擦汗——做所有能帮助她的事。如果她改变了姿势后感到不适，帮助她恢复原来舒服的姿势。

● 定时告诉她已经取得的进展。胎头露出时，让她亲眼见证自己取得的成果，可以详细地将场景描述给她听。拉着她的手，让她摸一摸宝宝的头，这样她会得到很大的鼓励。

● 如果医生告诉你可以在胎头露出时去“捧住”它，或者得到允许稍后负责剪脐带，不要害怕。这两项任务都很简单，陪产护士会一步步指导你。你也应该知道，脐带不会像细绳那样一下子就能剪断，它比你想象的结实得多。

第三产程：娩出胎盘

最痛苦的阶段已经过去，最美好的结果已经到来。接下来你要做的只是一些零碎事情。在产程的最后一个阶段（通常持续 5 分钟到半小时，有时会更长），胎盘将会娩出。虽然你可能察觉不到，但轻微的宫缩仍在继续，每次持续大约 1 分钟。子宫的挤压会使胎盘从子宫壁上剥离，进入阴道，排出体外。

医生会根据具体情况帮助你娩出胎盘：有的医生会轻轻地一手拉着脐带，另一只手按压、揉捏子宫，有的医生会从子宫底向下施加压力，并在适当的时间让你使劲推。有的医生可能会通过输入催产素来促进宫缩，加快胎盘娩出，促使子宫恢复到平常大小，并减少出血。胎盘一旦娩出，医生会检查它是否完整。如果不完整，医生会检查是否有胎盘碎片，有的话会将残留的胎盘取出来。

现在阵痛和分娩的工作已经完成，你可能会感到极度的疲惫，或重新充满了活力。如果之前医生不让你进食，很可能你会很渴、很饿——如果产程很长的话更是如此。有的产妇在这个阶段会觉得冷。所有人都会经历相当于量大的月经时一样的阴道出血。

分娩完成之后，你的情绪会有什么变化？每个人的反应都有细微的差别，你的所有反应都是正常的。有可能第一反应是因为宽慰而感到开心；也有可能兴奋鼓舞，变得健谈、兴高采烈；也有可能因为不得不推出胎盘或接受外阴切口或撕裂处的缝合而感到不耐烦；当然，还可能因为抱着怀里的宝宝太兴奋（或是太累）而完全注意不到这些。有的产妇对丈夫产生强烈的亲密感，并立即对新生宝宝产生了感情，有的却觉得陌生（躺在我胸口用力吸气的小东西是谁），甚至感到愤怒、怨恨——尤其是经历了难产时。（这就是那个让我经历了这么多折磨的家伙。）不论反应怎样，你都会对宝宝产生强烈的爱意。只不过对有些人来说需要一定的时间。（关于如何建立更多亲子联系，参考第422页。）

你能做什么

- 好好抱抱你的新宝宝！一旦脐带剪断，你就有机会为他哺乳或更紧地抱着他了。一定要跟他说话！因为宝宝能分辨出你的声音，低声嘀咕、哼唱，并对他说悄悄话——宝宝最喜欢低声细语（这是个崭新的世界，你要帮助宝宝慢慢了解它）。在某些情况下，当你娩出胎盘时，宝宝需要被放在温暖的摇篮里，或由丈夫抱着——没关系，还会有很多时间让你们交流。
- 也应该花些时间和丈夫交流一下，一起享受三个人的温暖时光。
- 娩出胎盘。如果有需要，应该根据医生的指导用力推出胎盘。部分产妇毫不费力就做到了。不管需要做什么，医生都会告诉你。
- 缝合外阴切口或撕裂处的时候要有耐心。
- 为你取得的成就感到自豪！

剩下来就是医生的事了。他们会帮你缝合切口或撕裂的伤口（如果之前没有接受麻醉，现在他们会为你注射局部麻醉药），并帮你清洗。他们可能会把冰袋放在会阴处以减轻水肿——如果不喜欢这样，一定要及时告诉医生。护士可能会用海绵给你擦洗下身，并帮你换上干净的衣服和大号卫生巾（你将会出很多血）。一旦这一步也完成了，你会被送到产后病房。

写给新爸爸：你能做什么。如果助产士在场，她可以继续协助做好产后护理工作，而你可以和两个明星——妈妈和宝宝一起度过美好的时刻。

● 对新妈妈说一些赞美之辞，同时也要为圆满完成了任务而祝贺自己。

● 通过拥抱、轻声低语或哼唱开始和宝宝建立感情。要知道，当宝宝还在子宫里时已经听到过许多次你的声音，他对此非常熟悉，听见这些会让他觉得舒适，毕竟这对于他来说是个完全陌生的环境。

● 不要忘记拥抱新妈妈。

● 如果护士忘了拿来冰袋，主动去要一些，帮新妈妈冰敷一下会阴。

● 给新妈妈拿些果汁，她可能会感觉很渴。在她补充了水分之后，如果你们都有兴致，就庆祝一下吧。

● 如果已经带来了摄像或摄影器材，就给这个了不起的小家伙拍下第一张照片或录下第一段视频吧。

剖宫产

剖宫产时，你不能像阴道分娩那样积极参与。不用费力地吸气、呼气及用力推宝宝，只需要躺下来，让别人帮你完成剩下的工作就可以了。事实上，你对成功实施的剖宫产的最大贡献在于入院之前（甚至在你知道要施行剖宫产之前），那就是充分的产前准备：了解得越多，你就会觉得越舒适。这也是为什么即使没有计划剖宫产，你也需要了解相关内容的原因。

由于使用局部麻醉和医院政策逐渐宽松，大部分产妇（及她们的丈夫）都可以观看自己剖宫产的过程。因为不需要把全部精力和注意力都集中在推出宝宝和不适感上，产妇常常可以放松并欣赏宝宝的出生。以下是可能经历的典型剖宫产过程：

● 开始静脉输液。

● 实施麻醉：硬膜外麻醉或腰麻（可以使下半身麻木，但不会使你昏迷）。在非常少见的紧急情况下（比如宝宝需要立即取出），可能需要实施全身麻醉。

● 可能会用消毒剂清洗腹部皮肤。膀胱中插入尿管帮助导出尿液，不妨碍手术。

● 你裸露的腹部会被铺上无菌布。如果你在手术中保持清醒，护士会挂起一道帘子，这样你就不会看到腹部被切开了。

● 如果丈夫想参与到手术中，那么需要穿上无菌手术衣。他可以坐在你的头旁边，握着你的手，给你精神上的支持。他可以选择是否观看整个手术过程。

● 如果要实施紧急剖宫产，手术会进行得很快。你要尽量保持冷静并集中精力。不要担心，这只是医院的正常工作。

● 一旦医生确定麻药生效，就会在你的下腹部做切口（通常是水平的

“比基尼切口”)。如果你保持清醒，可能会有一种像“拉开拉链”的感觉，但没有疼痛感。

● 然后，医生会在子宫切开第二个切口，打开羊膜囊。如果羊膜未破，就会抽出羊水。你可能会听到汩汩或哗哗的水声。

● 接下来，医生会用手或产钳轻轻地取出宝宝，同时由助手压住子宫。如果你接受了硬膜外麻醉，这时可能有一种拉拽的感觉，同时还会感到压力。如果着急想看看宝宝，可以请医生稍稍放低帘子，这样就可以看见宝宝了。

● 清洁新生儿的鼻子或口腔。你会听到宝宝的第一声哭喊。脐带很快就会被夹住并切断，你可以快速地看宝宝一眼。

● 宝宝受到的照顾和那些阴道分娩的宝宝一样，接下来，医生会帮你取出胎盘。

● 医生会很快地对生殖器官做常规检查，然后缝合切口。子宫切口用可吸收线缝合，以后不用再拆线。腹部切口可用线或手术钉缝合。

● 通过静脉输液的方式，医生会为你施用一些催产素，帮助子宫收缩来控制出血。另外，也可能加入抗生素以防止感染。

根据你的身体情况、宝宝的情况，以及医院的规定，也许你在手术室里就可以抱宝宝，也可能不能这么做。如果你不能抱宝宝，丈夫也许可以。如果宝宝不得不送到新生儿重症监护室，也不要感到沮丧，这是许多医院剖宫产后的常规做法，并不一定说明宝宝有问题。和宝宝之间的情感交流早一点或晚一点都没关系，不必急于一时。

恭喜——你终于做到了！

现在，放松下来好好享受和宝宝在一起的时刻吧！

第三部分

两个宝宝，三个宝宝或更多宝宝

——当你怀了多胞胎

第16章　怀了不止一个宝宝

“妈妈船”上搭乘了两个（或更多）小乘客？即使长久以来你一直期望多怀几个宝宝，听到这个消息时，第一反应也会非常复杂——从不敢相信到开心欢喜，从激动难耐到害怕不安。在所有快乐的呐喊和欣喜的眼泪之后，你一定会浮现出无数问题：宝宝们会健康吗？我会健康吗？我还能继续去以前的医生那里做检查吗？是否应该换专科医生？我应该吃多少食物？应该增加多少体重？我们的房子以后够两个孩子住吗？我有没有能力怀着他们到预产期再生下来？我是否应该卧床休息？生双胞胎会不会比生

到处都能看到双胞胎？

你是不是觉得如今看到的多胞胎越来越多了？这的确是事实。事实上，美国目前有大约3%的宝宝是双胞胎、三胞胎或者多胞胎。更让你大吃一惊的是，近几年美国的双胞胎出生率提高了50%，而多胞胎（三胞胎或更多）出生率更是令人惊奇地攀升了400%。

究竟是什么原因导致了这种多胞胎激增的现象？大龄产妇增多有一定影响。由于激素分泌变化增大，特别是促卵泡激素变化巨大，年龄超过35岁的孕妇排卵时很容易排出多个卵子，增加了怀双胞胎或多胞胎的概率。另一个影响因素是越来越多的大龄女性倾向于接受提高生育力的治疗，增加了多胎妊娠的可能。更不可思议的是，一些专家认为，肥胖也是增加多胎妊娠的因素之一。BMI大于30的孕妇怀有几个宝宝的可能性比BMI较低的女性更高。

一个宝宝辛苦两倍？

怀一个宝宝已经带来了巨大的挑战和改变，怀不止一个宝宝的代价估计你已经计算出来了。但不要担心，你完全可以应付，至少到时候你已经有了本章中所有的知识（以及丈夫和医生的支持）。所以，靠着沙发坐下来，尽可能找个舒适的姿势，开始学习怀多胞胎的知识吧。

你可能关心的问题

发现多胎妊娠

“我刚怀孕，总觉得似乎是双胞胎，怎样才能证实？”

过去那种等到分娩时才惊喜地发现是多胞胎的日子已经一去不复返了！如今，绝大多数准父母可以早早发现是否怀了多胞胎。下面是一些检测手段：

超声检查。证据就是超声图片。如果你需要准确确定多胎妊娠，超声检查是最好的办法。即使是孕早期6~8周时的超声检查有时也能检测出多胎妊娠，不过一般在这个时候，如果发现血液中hCG水平高，或曾经接受过生育治疗，医生就会帮你做常规超声检查。要清楚地看到双胞胎的样子，可能要等到12周之后，更早的超声检查一般很难同时看到两个宝宝。

多普勒仪。这是一种很好的方法，而且越来越普及。医生一般在第9周之后就能通过它听到胎心了。虽然很难通过多普勒仪分辨出两个宝宝的心跳，但如果医生经验丰富，确信听到了两个心跳，那你很有可能怀了双胞胎（再做超声检查就可以进一步确认了）。

激素水平。孕激素hCG一般在怀孕10天后就可以从尿液中检测出来，并在孕早期激增。有时高于正常值的hCG水平也可能提示多胎妊娠。不过正常双胎妊娠的hCG值范围和正常单胎妊娠的hCG范围有可能重叠，所以hCG值升高并不意味着一定是多胎妊娠。

筛查结果。孕中期的三联（或四联）筛查（参考第64页）结果值过高，有时也意味着多胎妊娠。

测量值。毫不奇怪，怀的宝宝越多，子宫就越大。每次去医院时，医生都会帮你测量宫高以判断宝宝的发育程度。如果测量值比对应的预期值要大，就意味着你可能怀了不止一个宝宝（参考第167页）。

很多证据都能显示出多胎妊娠（包括妈妈的第六感），但只有超声检查能告诉你准确答案。

同卵双胞胎还是异卵双胞胎?

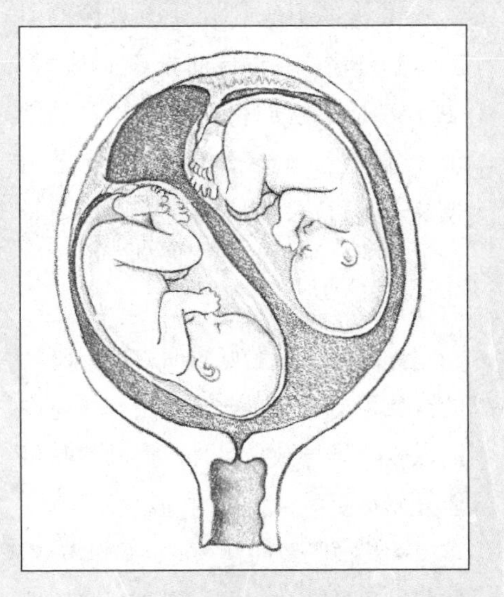

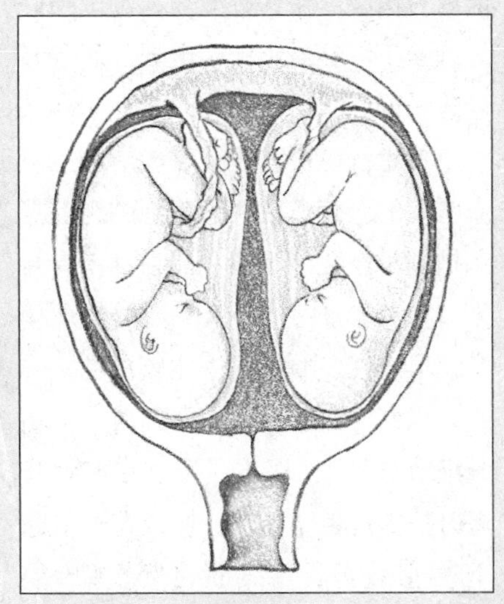

异卵双胞胎（参考左图），是由于两个卵子同时受精并分别发育，拥有两个胎盘。同卵双胞胎(参考右图),来源于一个受精卵,它分裂成两个独立的胚胎。由于卵子分裂时有所差别，同卵双胞胎有可能共享一个胎盘，也可能有各自的胎盘。

异卵双胞胎更常见，其发生率随着妈妈年龄增加及生育次数的增多而升高。如果你的母系家族中有双胞胎，那么怀上双胞胎的概率也会升高。

选择医生

“我刚发现自己怀了双胞胎，还可以继续咨询原来的普通产科医生吗？是不是需要找一位专科医生？”

如果你对现在的医生比较满意，就没理由再找一位专科医生。仅仅因为现在肚子里需要照顾的是两个宝宝，用不着这么兴师动众。但一定要确保自己对目前的医生足够满意，因为现在你怀了更多的宝宝，接触医生的机会更多，时间更长。

你觉得同时拥有常规产科医生和额外的特殊护理是个不错的选择？很多妇产科医生会安排多胎妊娠的孕妇定期到指定专家处咨询——对于想享受熟悉的医生便捷舒适的检查，又想体验专科专家特殊护理的准妈妈来说，这是一种很好的折中办法。有特殊照顾需求的多胎妊娠准妈妈（例如高龄、有流产史或患有慢性病等）可能要考虑换一个医疗专家。和医生好好谈一下，看看你的情况属不属于高风险人群。

挑选医生时，也应该考虑医生所属医院的医疗条件。最理想的医院具备护理早产儿的设备和能力（带有新生儿重症监护室），以防突然出现早产，早产在多胎妊娠中比较常见。

当然，也要和医生仔细谈一下相关细节和政策：医生是否会在37～38周时按常规帮孕妇催产？或在过了这个时间后再等等，尽量自然分娩？能不能采用阴道分娩？或者通常直接采用剖宫产？是否可以在产房里分娩，或者多胞胎都需要在手术室里分娩，以防万一？

想知道选择医生的总体原则，参考第27页。

孕期症状

“我听说，怀两个宝宝的孕妇孕期症状比怀一个宝宝的更严重，是这样吗？”

怀两个宝宝时，孕期不适可能会成倍增加，但也不是绝对的。多胎妊娠和单胎妊娠一样，都有个体差异。有时怀一个宝宝的准妈妈晨吐会比怀两个宝宝的更厉害；有时怀几个宝宝的准妈妈很可能没有任何恶心的感觉，其他症状也是如此。

虽然你不一定会经历双倍的晨吐、腿部痉挛、静脉曲张等症状，但也不要指望它们程度轻微。总的来说，怀的宝宝越多，有种痛苦必然会增加——痔疮，因为需要负荷的重量增加了。以下症状在多胎妊娠时也可能加重：

- 晨吐。多胎妊娠时，恶心呕吐的现象可能会加重，这是由妈妈体内的激素激增导致。另外，晨吐症状可能开始得更早，持续时间更长。
- 其他肠胃问题。烧心、消化不良、便秘都可能让你烦恼。因为多胞胎准妈妈通常会为了多出来的宝宝吃很多东西，导致胃部超负荷运转，使已有的孕期胃部不适症状进一步加重。
- 疲惫。对于任何人都一样，需要承受的负担越重，就越疲惫。多胎妊娠时，因为需要照顾到更多宝宝，孕妇的疲惫感会相应增加——因为身体为了两个宝宝的生长做出了双倍工作。失眠也会让你筋疲力尽——一个西瓜一样大的肚子已经让你很难睡着，两个西瓜大的肚子就更让人抓狂了。
- 其他身体上的不适。所有妊娠都会伴随着各种疼痛，双胎妊娠的疼痛可能会加倍。怀着几个宝宝可能会导致你出现更严重的背痛、骨盆酸胀、痉挛、脚踝水肿、静脉曲张……

所有你能叫得出名字的症状都会浮现出来。为3个人呼吸着实是一件很费力的事，当宝宝们大到挤压你肺部的时候更是如此。

● 胎动。虽然每位孕妇都可能在某个阶段感觉自己肚子里像怀了个章鱼宝宝，但两对小胳膊小腿的踢打可能会让你受不了。

不管多胎妊娠是否让你的不适症状成倍增加，有一件事可以确定——它还给你双倍的奖赏。对于9个月的辛苦工作来说，这个结果并不坏。

多胞胎妈妈要合理饮食

“我必须吃好一点，因为怀了三胞胎。但我不知道怎样做，是要吃三倍多的东西吗？”

抱着大肚子慢慢坐到餐桌前吧，为4个人吃饭意味着随时都是进食的好时机。虽然你不必教条地将自己的饭量提升到原来的4倍，但在接下来的几个月应该尽量注意饮食。医生们认为，多胞胎妈妈可以这样计算进食量：每天针对每个宝宝多摄入150～300卡热量。也就是说，如果你怀的是双胞胎，每天应该再多摄取300～600卡的热量；如果怀的是三胞胎，每天应该再额外摄取450～900卡的热量（前提是你怀孕时基本属于标准体重）。但在拿到额外摄取热量的许可证时，一定要清楚这张许可证是否允许你吃辛辣食物（还有油炸食品）。饮食的质量和数量一样重要。事实上，多胎妊娠期间良好的营养水平对宝宝出生体重的影响比单胎妊娠时更大。

当你怀了不止一个宝宝时，怎样才能保证良好的饮食呢？翻到第5章，并注意以下几点：

每餐少吃一点。肚子越大，每餐应该吃得越少。每餐少吃一点，可以更好地完成每日5～6餐健康饮食和零食的指标，保障消化系统不会超负荷（胃部也不会过于胀满）。这样做还能保持精力水平，将3份同样的基础营养物质输送给宝宝。

注意计算热量。选择含有足量营养的小分量食品。研究表明，高热量且高营养的饮食可以让你生下健康的足月宝宝。把胃部空间浪费在垃圾食品上，会让你没有足够的空间摄取营养丰富的食物。

额外摄取营养物质。并不奇怪，你需要成倍增加营养摄取量，在孕期日常食谱（参考第96页）里额外增加几份营养素，以满足每一个宝宝的需要。一般来说，怀多胞胎的女性应该每天额外摄入一份蛋白质、一份钙、一份全谷物食物。一定要仔细问问医生，看看他对你的情况有什么具体建议。

补铁。另一种需要补充的营养物

质是铁，它能帮助身体产生红细胞（因为肚子里的宝宝比别人的多，你需要更多的血液），预防贫血。贫血是多胎妊娠中常见的疾病。红肉、干果、南瓜子、菠菜等都是富含铁的食物（参考第103页，你会得到一个更全面的高铁食物清单）。这时，除了孕期维生素，还应该额外补充铁剂，具体请咨询医生。

足量饮水。脱水会导致早产（多胞胎孕妇具有很高的早产风险），一定要确保每天喝下至少8杯液体。

增重

“我知道怀了双胞胎可能要多增加点体重才行，但具体需要增加多少？”

做好增重准备吧。绝大多数医生建议怀双胞胎的孕妇增重16～20千克，怀三胞胎的孕妇增重约23千克（如果怀孕前体重偏重，可以少增重一些；如果怀孕前体重偏轻，可以多增重）。看上去小菜一碟，但事实是，怀了2个以上的宝宝时，增加足量的体重并没有想象得这么容易。实际上，怀孕后充满各种各样的挑战，让你的体重很难增加。

阻止增重的第一道大山就是孕早期的恶心，让你很难吃下足够的食物，甚至造成体重下降。在恶心的这几个月里，坚持随时吃一些能让你感觉舒服的食物吧。把孕早期的增重目标定为每周增加450克左右。如果发现自己很难达到，甚至根本没办法增重，也要放轻松，以后几个月可以弥补。但一定要确保自己摄入了足够的孕期维生素，并保持身体不缺水。

好好利用孕中期来补充你和宝宝们需要的营养吧。如果你在孕早期完全没有增重，或由于严重的恶心呕吐，体重甚至减轻了，医生可能会建议你在孕中期补回来。怀双胞胎的准妈妈每周应该增重680～900克；怀三胞胎的准妈妈，每周应增重900～1100克。（如果孕早期增重稳定，就相对轻松些：怀双胞胎的准妈妈，每周增重目标为680克；怀三胞胎的准妈妈，每周增重目标为900克。）这看上去似乎是要在短期内增加大量体重，但这时增重很重要。再次调整饮食计划，增加额外的蛋白质、钙、膳食纤维。烧心和消化不良开始打乱你的饮食习惯？那就把必需的营养素分配在一天六餐中享用。

一旦进入孕晚期，从第7个月开始每周增重680～900克。到32周时，每个宝宝约有1.8千克重，他们挤在一起，让你的胃没有足够的空间来放食物了。然而，即使现在你觉得肚子里已经挤得不行，宝宝也会继续长大——他们很需要你每天提供营养均衡的食物。所以，注重质量，而不要拘泥于数量，同时慢慢减少增重，在

怀上多胞胎时的增重计划

单位：千克

孕前状态	孕早期增重	孕中期增重	孕晚期增重	总增重
怀双胞胎偏瘦的妈妈	1.8～2.7	8.5～10.5	7.5～9.5	18～23
怀双胞胎体重正常（或偏胖）的妈妈	1.4～1.8	8.5～10	6～8.5	16～20.5
怀三胞胎的妈妈	1.8～2.3	13.6 以上	5～6.8	20.5 以上

第 9 个月时，每周保持增重 450 克左右。（大部分多胎妊娠不会超过 40 周，你快要解放了！）

运动

“我是田径运动员，但现在怀了双胞胎，还能继续运动吗？”

运动对于绝大多数妊娠来说都是有利的，但现在为了 3 个人的安全，你一定要格外小心。如果医生允许你在孕早期和孕中期运动，他可能会鼓励你参加一些比跑步更温和的运动。还应该避免那些对子宫颈存在向下的压力或可能显著升高体温的运动。美国妇产科医师学会建议，多胎妊娠的准妈妈尽量不要参加高耗氧运动（其中可能包含慢跑），因为这些运动会增加早产风险，对于有经验的职业田径运动员也不例外。

想选择一种对你们 3 个人更加合理的常规健身方式？游泳、孕期水中体操、伸展运动、产前瑜伽、轻松的举重训练、骑健身自行车等，这些运动都不需要对双脚施加过多压力。另外，别忘了凯格尔运动，它可以让你随时随地伸展盆底肌——由于比别人怀了更多的宝宝，你的盆底肌格外需要加强。

不管你采取何种锻炼方式，只要引起布雷希氏宫缩，或第 226 页提到的警示征兆，立即停止运动，喝点水。如果在 20 分钟后症状还没有缓解，立刻去医院。

百感交集

“人人都认为我怀了双胞胎应该激动兴奋，只有我们不那么认为。我们有些沮丧，还觉得恐慌，这种反应是不是不正常？”

完全正常。孕期的大部分白日梦里都只会有一张婴儿床、一个高脚餐椅、一辆婴儿车或一个可爱的宝宝。为了即将出生的那个宝宝，你在慢慢地准备着：心理上、身体上及经济上——突然间发现自己有了两个宝宝，感到沮丧并不奇怪。当然，害怕也可以理解——照顾一个新生命的责任已经足够令人畏缩了，更何况这种责任会加倍。

多胞胎的预产期

早早在日历上用红笔圈出了预产期那一天？或许你不用等到那么晚。一般来说，双胞胎的孕期比单胎少 3 周，在 37 周就可以庆祝宝宝到来了。但 95% 的单胎宝宝不会准时在预产期出生，多胞胎的出生日期当然更会让准妈妈、准爸爸及医生们好好猜测一番。他们可能会在妈妈肚子里待到 39 周（或更久），也可能在 37 周之前就和你们见面了。事实上，多胎妊娠的平均怀孕时间为 35 周半。

如果宝宝的确在宫内生活超过了 37 周，医生很可能会在 38 周时根据具体情况决定是否帮你催产。你需要和医生讨论一下，因为每位医生的观念差异很大。

一些准父母在得知肚子里有不止一个宝宝后会非常高兴，但另一些父母需要一点时间慢慢接受这个事实。在你最初得知这个消息时，震惊、开心都是正常的感受。以前脑子里幻想的抱着宝宝、喂宝宝、哄宝宝睡觉的场景也在刹那间消失，你可能需要很长一段时间才能想象出将来怎样安排好两个小不点的生活。矛盾的思想可能在大脑里澎湃而来——第一反应是：“为什么是我们？”接下来又为自己有这样的念头而愧疚，觉得自己不应该这样去质疑老天的双倍祝福。这种反应完全正常，因为怀孕和产后的生活都将发生意料不到的变化。

接受自己对幸福双倍来临的矛盾思想吧，不要让自己有太多愧疚。你应该做的是，在产前的几个月做好要生下双胞胎的思想准备。夫妻间应该开诚布公地谈一下自己的想法（让情绪表达出来，可以减轻负担，更快释然）。和你认识的双胞胎父母聊聊天，如果不认识的话，可以从一些论坛上找。和那些曾经和你有过类似想法的父母谈一谈，可以让你知道自己并不是唯一有这种经历的人。及时接受现实，并为这次特别的妊娠和即将抱在怀里的两个漂亮可爱的宝宝而激动兴奋。你会发现，虽然照顾双胞胎最初的确需要双倍付出，但最终会获得双倍的快乐。

无心之辞

“我实在不敢相信。我告诉朋友怀了双胞胎，其中一个朋友竟然说‘幸亏我没有’，我以为她会为我高兴，怎么会说出这样的话呢？”

这也许是你怀了多胞胎后遇到的第一句无心之辞，但可能不会是最后一句。从同事、家人、朋友到超市里友好的陌生人，你会惊讶于遇到的形形色色的人说着各种没礼貌的话，比如“你怎么这么庞大，真是个庞然大物！”“够你受的”“如果是我，一次搞定一个都够呛！”

为什么这些人这么不会说话呢？真相是，很多人并不知道对于你怀双胞胎的消息应该作出什么样的反应。诚然，一句简单的“恭喜”就足够了，但很多人心里都认为双胞胎是特别的，所以他们也应该相应作出“特别”点的评论。他们因为突然得知你怀了两个宝宝而乱了方寸，不知道什么样的反应才是正确的，所以作出了错误的反应，他们的本意并不坏。

怎样应对这些无理的言论呢？不要往心里去，也不要觉得这些说法是针对你。要意识到，即使朋友说的话再难听，她也希望你一切都好。同时要记住，你现在已经是双胞胎的妈妈了，不管走到哪里，都有很多机会听到好听的话。

“人们不断问我家族中是否有双胞胎，或是否接受过生育治疗。即使是吃了促排卵药才怀上双胞胎的，我也不会有半点耻辱感，但并不想和陌生人分享这些事。”

孕妇会招来大量好管闲事的人，怀了多胞胎的孕妇更成了每个人关心的对象。似乎在一夜之间，你怀孕的事就家喻户晓了——包括那些几乎不认识的人跑来窥探你的私生活。不过他们不请自来，只是因为好奇，而且他们接受的礼节教育中并没有包含对多胞胎的妈妈该如何反应。如果你不介意让这些细节公之于众，也可以毫无保留地说出来，比如：“是的，我们一开始尝试了克罗米芬（一种促排卵药物），但它没有起作用，我们又尝试了体外受精——那天早上，我和丈夫去了生殖医院……”你还没说到一半，这些听众可能就没兴趣了，只想快点离开。或者，下一次再遇到有人问你如何怀上双胞胎时，可以试试以下回答：

- “他们完全是个巨大的惊喜。”不管是不是因为生育治疗而怀上双胞胎，这句话都不会有错。
- “现在我的家族中有双胞胎了！”这样的回答可以很好地绕过话题。
- “我们一晚上做爱两次。”谁没有这样的浪漫时刻呢？即使上一次发生在蜜月期，这也不算是谎话，却能

多胞胎妈妈的社交联系

作为一个多胞胎妈妈，你可能已经参与了一些俱乐部，里面有很多和你一样的女性。你们都有着双倍的开心，也有着双倍的焦虑。参加这样的俱乐部会得到一些额外的好处。通过与其他多胞胎妈妈聊天，你可以同她们分享害怕、开心，还有相关症状、有趣的小故事。由于情况类似，她们一般非常理解你的感受，你也可以从她们（或是刚生了多胞胎的女性）那里获得很多有用的经验。参加一个网上讨论组，或者问问医生，在他那里接受检查的还有没有多胎妊娠的女性，你们可以组成一个小组。当然，也可以上网查找一些当地组织。

给无聊发问者的问题画上句号。

- “可能是因为爱怀上两个宝宝的吧……”无论如何这个回答都没错。
- “为什么这样问呢？”如果向你发问的人正好是打算怀孕的夫妻，这可能会开始一段新的对话，谈话很可能对他们有帮助。如果不是这样，发问者就会结束这些八卦问题了。毕竟，他们并不会对你的生活这么感兴趣。

对这些机智巧妙的反驳并不感兴趣，甚至没心情回答这些无聊的问题？让发问者意识到这不关他们的事并没有错，可以直接对他们说：“这是我的私事。”

宝宝的安全性

“我才接受已经怀孕的事实，却得知怀的是双胞胎，我和宝宝们会不会有额外的风险？”

宝宝数量增多自然意味着有额外的风险，但没有想象中那么多。事实上，并不是所有双胎妊娠的孕妇都被划分为“高危妊娠”这一类，绝大多数多胎妊娠的准妈妈最终可以获得平稳的孕期。了解一些双胎妊娠可能出现的风险和并发症知识，可以从很大程度上避免不好的事情发生，就算发生也能提前做好足够的准备。所以放轻松，继续往下看吧。

对于多胞胎宝宝来说，潜在的风险包括：

早产。多胞胎比单胎更容易早产。超过半数的双胞胎（59%），绝大多数三胞胎（93%），以及几乎所有四胞胎都是早产儿。总的来说，单胎的平均妊娠时间是 39 周，双胎妊娠是 35～36 周，三胞胎一般为 32 周，四胞胎则是30周。还要记住，双胞胎的“到期”时间是37周，而非40周。毕竟，即使子宫内再舒适安逸，随着宝宝长大，这个空间也太狭窄了。确保你已经了解早产的症状，如果出现其中任何一条（参考第298页），不要犹豫，马上去医院。

出生体重低。由于很多多胎妊娠都以早产告终，所以绝大多数多胎妊娠的宝宝出生体重都小于2.5千克，属于低体重儿。大多数宝宝在良好的护理下都能非常健康，这归功于近年来医疗水平的提高和先进护理技术的应用。但出生体重小于1.4千克的宝宝有更高的风险出现新生儿并发症，或在将来出现身体机能障碍。确保你已经获得了非常好的产前护理，孕期饮食中包含足够营养，以增加宝宝的出生体重。参考《海蒂育儿大百科（0～1岁）》了解更多早产儿护理的注意事项。

双胎输血综合征。这种出生前发生的疾病，在共用一个胎盘的同卵双胞胎中发病率为15%（异卵双胞胎几乎不会出现这种情况，因为他们不会共用一个胎盘）。当两个宝宝共用的胎盘上血管吻合时，两个宝宝就会出现一个血容量过多，另一个血容量不足的情况。这对于宝宝们来说很危险，但对妈妈没什么危害。如果在妊娠中发现了这种情况，医生可能会采取羊膜穿刺术给羊水减量，这样可以增加胎盘内的血流量，减少早产风险。采用激光手术分离吻合的血管也是一种常用的方式。

多胎妊娠也可能危害妈妈的健康：

先兆子痫。怀的宝宝越多，肚子里的胎盘越多。多出来的胎盘（同时增多的还有供两个宝宝使用的激素）有时可能会引起高血压，从而发生先兆子痫。双胎妊娠的妈妈中有1/4发生先兆子痫，之所以能早期发现是由于医生的仔细监护。想了解更多关于先兆子痫的情况和相应治疗措施，参考第538页。

妊娠期糖尿病。多胎妊娠的妈妈比单胎妊娠更容易患妊娠期糖尿病。这可能是由于激素水平较高，影响到了母体分泌胰岛素的能力。通常饮食疗法就能控制（甚至可以预防）病情，但有时也需要注射胰岛素（参考第537页了解更多）。

胎盘问题。多胎妊娠的女性在某些并发症上风险更高，比如前置胎盘或胎盘早剥。幸好，仔细的监护可以在出现明显危险时检测出相关情况。及时采取有效应对措施，防止发生其他更严重的并发症。

卧床休息

“怀了双胞胎是不是应该卧床休息？”

多胞胎的福音

好消息！现在这个年代怀多胞胎比以往任何时候都更安全，不管是怀孕还是分娩，有很多理由让你放心。下面是多胞胎的妈妈怀孕后的优势：

● 提前准备。因为在孕早期就可以发现怀的是多胞胎，所以你有更多的时间来为宝宝做好准备，也能获得最恰当的产前护理。良好的产前护理是通往健康妊娠的门票，在多胎妊娠中，加倍的良好护理更是必需的。

● 更经常拜访医生。良好的产前护理从更频繁地拜访医生开始。你需要每 2～3 周去见一次医生，而普通的单胎妊娠只需要每 4 周去一次，并一直持续到第 7 个月。7 个月之后，你需要更频繁地去医院。随着孕程发展，每次拜访医生，他都会进行更加深入的检查。除了普通单胎妊娠的准妈妈们获得的那些检查之外，你还要比她们更早接受内检，以判断是否有早产迹象。

● 照片，照片，照片。当然，这是指宝宝的照片。你将会接受更多的超声检查，以确保宝宝们发育正常，妊娠进展良好。换句话说，为了安心，你会得到更多宝宝的超声检查照片。

● 格外注意身体状况。良好的产前护理也意味着格外注意身体健康，减少发生某些并发症的风险，例如高血压、贫血、胎盘早剥、早产等，这些并发症在多胎妊娠中更常见。只要格外注意，发生任何问题都可以很快得到解决。

是否卧床休息？这是个问题。而且，很多医生都不能给予简单的答复，因为这个问题实在不容易回答。产科界对于卧床休息是否有助于预防多胎妊娠孕期并发症（例如早产、先兆子痫）尚无定论。所以，在得到更多研究证明之前，很多医生赞成卧床休息。怀的宝宝越多，越应该遵守这个规定，因为并发症的风险随着宝宝数量增多而升高。

在孕早期和医生讨论一下这个问题，看他对卧床休息有什么观点。有些医生对所有多胎妊娠的女性都会常规实行严格卧床休息的规定（一般从 24～28 周开始）；越来越多的医生觉得应该视具体情况而定，采取“看情况”的态度。

如果你被要求卧床休息，翻到第 560 页看看该如何应对。记住，即使不需要卧床休息，医生也会建议你尽量放松，减少工作量，并在孕晚期的日子里尽量让双脚好好休息。

双胎消失综合征

“我听说过双胎消失综合征，这是什么意思？”

尽早采用超声检查确定是否为多胎妊娠有很多益处，医生越早发现你怀了两个（或更多）宝宝，你能获得的医疗护理就越好。但知道得太早有时也有坏处，比起过去，现在可以更早确认双胎妊娠，也揭示了在早期超声检查发明之前，人类损失了一些新生命却并不知情。

失去双胞胎中的一个常常发生于孕早期（在很多女性还没有意识到自己怀孕之前），也有少数发生于孕期较晚的时候。在孕早期，双胞胎中的一个发生流产，流产胎儿的组织往往被母体吸收了，这种现象称为双胎消失综合征，在多胎妊娠中发生率为 20%～30%。在过去几十年里，有文字记载的双胎消失综合征显著增加了——这是因为早期超声检查的出现（唯一完全确定多胎妊娠的手段），并已经成为孕期的常规检查。研究发现，30 岁以上的产妇，发生双胎消失综合征更多，这可能是因为她们更容易出现多胎妊娠——特别是那些接受过不孕治疗的女性。

丧失一个宝宝时很少出现症状，不过有些妈妈还是会出现轻微的痉挛、出血、骨盆疼痛等类似流产的症状（虽然出现这些症状并不代表胎儿丧失）。如果通过血检发现激素水平突然下降，可能表明其中一个宝宝流产了。

好消息是，孕早期发生双胎消失综合征时，妈妈一般都能继续完成接下来的单胎妊娠，不会出现并发症，也不需要治疗。在比较少见的情况下，双胎消失综合征会发生于妊娠中晚期，这时候，剩下的宝宝有可能面临宫内发育停滞的风险，妈妈也可能会发生早产、感染、出血等。幸存的宝宝接下来一般都会得到格外的关注，你也会得到严密监护，以防出现并发症。

参考第 572 页，了解双胞胎中丧失一个的处理办法。

多胞胎分娩

你可能每天都会花很多时间考虑，怎样生下肚子里的小可爱？每个人的分娩经历都很难忘，但如果你怀的是双（多）胞胎，即将体验的故事就会和听说过的单胎分娩故事不太一样。这并不奇怪，当有两个或更多小脑袋想要挤出来时，情况有些复杂，也更有趣。

你的分娩会不会需要双倍努力呢？生下多个新生儿的最理想途径是什么？这些问题的答案取决于很多因素，包括胎位、妈妈的健康状况、宝

多胞胎间的年龄差别

多胞胎的出生时间有多大差距？通过阴道分娩的话，宝宝的出生间隔时间一般为10～30分钟。如果是剖宫产，这个时间差就缩小到几秒钟，最多达到1～2分钟。

宝们是否安全，等等。多胎分娩比单胎分娩有更多个体差异，也更令人惊奇。由于一次分娩可以带来双倍（或多倍）奖赏，多胎分娩最终获得怎样的结局都是一件好事。记住，不管宝宝是通过哪种渠道离开温暖的堡垒，来到你更加温暖的怀里，只要对你和他们来说最健康、最安全，就是最好的方式。

双胞胎或多胞胎的阵痛

你的阵痛和其他单胎妊娠的准妈妈有什么区别？

● 时间可能较短。你是否需要一直忍受双倍的疼痛换来最后双倍的开心呢？不用。事实上，在阵痛方面，你很可能获得非常好的喘息机会。多胎妊娠的第一产程往往比较短——如果采取阴道分娩，只需要很短的时间就可以开始用力推了。

● 或者时间稍长。因为多胎妊娠的妈妈子宫过度伸展，宫缩有时显得微弱。较为微弱的宫缩意味着宫颈口打开需要更长的时间。

● 整个过程将受到更严密的监护。因为你的医疗团队需要对多胎分娩的情况格外小心，相比那些常规的单胎分娩产妇，你将得到更多的监护。整个分娩过程中，你可能会连上两个（或更多）胎心监护仪，这样医生才能观察到不同的宝宝对于宫缩的反应。在分娩早期，宝宝的胎心会通过外部监护仪读取，你就可以周期性地站起来走走，到浴盆里坐着缓解一下疼痛。在后面的产程中，第一个宝宝（离出口最近的那一个）可能会通过体内监护观察相关情况，而第二个宝宝仍然接受外部监护，这样你就不能再继续散步了。确保和医生谈过监护仪的事，并问一下监护仪对你的行动有什么限制。

● 有可能需要硬膜外麻醉。如果你已经下定决心采取硬膜外麻醉——恭喜你，这种麻醉方式已经得到了专家们的大力推荐，甚至已经被认为是多胎妊娠的必需手段了，因为这可以为万一出现的紧急剖宫产做准备。如果你不想使用硬膜外麻醉，就和医生谈一下，不同的医院和医生在这方面的政策也不同。

● 你有可能会在手术室分娩。为了安全起见，大多数医院有这个要求（以防需要紧急剖宫产），提前咨询一下医生。你也可能在配有漂亮窗帘

胎位，胎位，胎位

分娩时多胞胎的胎位会引起每个人的猜想。下面是一些双胞胎们可能出现的胎位，以及分娩时的景象。

正常胎位 / 正常胎位。双胞胎分娩时，这是一种最合作的胎位形式，大约有 40% 的双胞胎是这样的情况。如果你肚子里两个宝宝都是正常胎位(均为头位)，你极有可能获得正常的分娩，可以尝试顺产。然而也要记住，即使是正常胎位的单胎妊娠，有时也会在中途转为剖宫产，双胞胎也不例外。

正常胎位 / 臀位。如果你十分希望阴道分娩，这是第二种较好的情况。在这种情况下，只要第一个正常胎位的宝宝顺利从阴道里分娩出来，医生就可以帮助第二个臀位宝宝转向，变成正常胎位。第二个宝宝转位时，要么采取外倒转术，要么从子宫内进行内倒转术。这种内倒转术比你想象中复杂得多；因为第一个宝宝已经顺利从产道里出来，使得产道扩张，所以转位的操作要相当快。如果第二个宝宝顽固地保持臀位，医生可能会实施臀位牵引术，这样的话，宝宝的脚会先出来。

臀位 / 正常胎位或臀位 / 臀位。如果第一个宝宝是臀位，或两个宝宝都是臀位，医生几乎无一例外会推荐你采取剖宫产。虽然对于单胎的臀位妊娠来说，实施外倒转术非常常见，在正常胎位 / 臀位的双胎妊娠中也比较有效，但对于你这种情况，实在是太危险了。

一个宝宝处于斜位。谁知道为什么宝宝在子宫内有这么多睡法？当一个宝宝处于斜位，他的头是朝下的，指向你的臀部某一侧，而不会乖乖对准子宫颈。在单胎的斜位妊娠中，医生很可能采取外倒转术帮你将宝宝的头转到恰当的位置——头部朝向出口，但这对于双胞胎来说风险太大。在这种情况下，有可能发生两种结局：随着宫缩进展，斜位的宝宝慢慢进入正常胎位，这时就可以尝试阴道分娩；不过医生一般会建议你实施剖宫产，这样可以避免长时间的等待。

横位 / 横位。这种情况下，两个宝宝都是水平躺在子宫里，通常，必须采用剖宫产。

和具有放松作用照片的舒适产房里临产，到了该推出宝宝的时候，再被医护人员推到手术室去。

双胞胎的分娩

下面是分娩时你可能经历的情况：

阴道分娩。如今，约有半数的双胞胎使用这种世界上最古老的分娩方式来到这个世界。也就是说，双胎分娩过程有可能和单胎分娩完全一样。一旦宫口完全打开，娩出第一个宝宝有可能非常容易（“整个过程只需要用力推 3 次”），也可能非常困难（“用了 3 个小时”）。一些研究者们发现，双胎分娩的推出阶段（第二产程）往往比单胎妊娠长一些。第二个宝宝的阴道分娩常常在第一个宝宝出生后 10～30 分钟，绝大多数妈妈都描述第二个宝宝的出生和第一个相比是“闪电式”。根据第二个宝宝的胎位不同，医生可能会给你提供援助，要么把手伸入产道帮助胎儿娩出，要么使用真空吸引器把宝宝吸出来。可能使用这些介入手段也是医生强烈建议采用硬膜外麻醉的原因之一。

联合式分娩。在极少数情况下，第一个宝宝成功地从阴道分娩后，第二个宝宝需要剖宫产。一般只有当第二个宝宝出现紧急的危险情况时才会这样做（例如胎盘早剥或脐带脱垂）。当第一个宝宝生下来之后，胎心监护仪会继续告诉医生第二个宝宝的情况。联合式分娩对于妈妈来说一点也不好玩；在剖宫产到来的那一刻，妈妈一定会非常恐慌。而且，宝宝出生后，妈妈的恢复也比较麻烦，一方面是阴道分娩的恢复，另一方面还要顾及腹部伤口的愈合，二者都非常疼。但它是宝宝的救命程序，就算恢复困难也是值得的。

多胞胎分娩后的恢复过程

除了你的两只胳膊都被宝宝占满了之外，多胎分娩后的恢复过程基本上和单胎分娩没有太大差别，参考第 17～18 章了解相关知识。当然，你也会从以下几个方面发现一些细小的差别：

- 肚子恢复到产前的形状需要更长时间，你可能会有更松弛的皮肤，因为皮肤在怀孕过程中被明显撑开了。
- 恶露（阴道出血）持续的时间更长，量更多。这是因为孕期你的子宫潴留了更多血液，现在是时候排出去了。
- 恢复身材的时间更长——这是由于你在孕晚期的 3 个月里很少活动。
- 疼痛的持续时间更长，程度更重。由怀孕期间额外的增重造成。当然，孕期增加的这部分体重减下去的时间也更长。

计划剖宫产。对于计划剖宫产，一般要提前和医生讨论，并确定手术日期。一般需要计划剖宫产的情况有：有剖宫产史（对于多胎妊娠来说，剖宫产后阴道分娩不太常见），前置胎盘或其他产科疾病，以及胎位不利于阴道分娩。对于大部分计划的剖宫产来说，丈夫、朋友或助产士都可以陪你进入手术室，你一般会采用腰麻的方式。麻醉后，你会为整个过程的快速感到震惊：第一个宝宝和第二个宝宝的出生时间只相差几秒，至多1～2分钟。

临时剖宫产。临时剖宫产也是宝宝们来到这个世界的途径之一。这种情况下，你可能还像往常一样定期走进医生办公室接受产检，心里还在想着宝宝的预产期。为了充分准备，在孕晚期最后几周你就应该收拾行李，可能的话带着行李参加产检。医生突然宣布临时采取剖宫产的原因很多，包括胎儿生长受限（子宫内没有足够的空间供宝宝发育）或血压突然升高（先兆子痫）。另一种需要临时剖宫产的情况常见于阵痛时间太长，产程没有进展时。子宫需要承受4.5千克或更多额外负担时，往往不能有效收缩，这时剖宫产是唯一的解决办法。

三胞胎分娩

三胞胎是不是命中注定只能剖宫产？绝大多数三胞胎都会采用剖宫产——不仅因为它是最安全的方式，

为两个宝宝哺乳对妈妈有利

你可能已经知道，母乳喂养是最有利于宝宝的喂养方式（参考第439页，了解为多胞胎进行母乳喂养的技巧）。但你知不知道这对于妈妈产后恢复同样有利？母乳喂养刺激激素（催产素）释放，帮助你的子宫收缩到产前状态，也可以减少恶露排出，从而少损失一点血液。如果你担心减肥的问题，把这种哺乳方式当做天然的吸脂术吧。哺育两个宝宝，会帮助你双倍燃烧脂肪并消耗双倍热量，也就是说，你有了多吃一点的通行证。喂养3个或更多的宝宝，消耗的热量也相应地成倍增长！

如果宝宝们在新生儿重症监护室里，可能一开始你不能直接进行母乳喂养，但他们也能从你提供的“食物”中获取最理想的营养素（除非他们都是早产儿）。所以放心地使用电动吸奶器吧，它能更快地把乳汁吸出来，一直吸到容器装不下、乳房觉得舒适为止。

也因为剖宫产常见于高风险分娩的情况下，当然高龄产妇一般也需要剖宫产。一些医生认为如果第一个宝宝是头位，且没有其他并发症（比如先兆子痫、胎儿窘迫），阴道分娩也是可以考虑的选项。极少数情况下，第一个，或前两个宝宝通过阴道分娩后，第三个宝宝需要剖宫产。让你们 4 个都平平安安比 3 个宝宝都必须从阴道分娩重要得多。

第四部分

生下宝宝之后

第 17 章　产后第 1 周

恭喜！等待了 40 周的这一刻终于到来了。你已经将长达数月的孕期和几小时痛苦的分娩过程抛之脑后，正式成为妈妈了。那个令人欣喜的小家伙不再待在肚子里，而是到了你的怀中。不过，由怀孕到产后的转变不但是一个宝宝的降生，还伴随着大量相关症状和问题。(为什么流汗？为什么看起来还像怀孕 6 个月的样子？乳房怎么会变成这样？）幸运的是，你可以现在就看看这一章的内容，看看别的妈妈都在担心什么问题。一旦你担负起妈妈的责任，想再找时间读书就不太容易了。

你可能会有的感觉

产后第 1 周，根据你的分娩方式和其他个人因素，可能会出现以下症状：

身体上

● 阴道出血（恶露），与月经相似。

● 腹部痉挛（产后疼痛），类似宫缩的感觉。

● 精疲力竭。

● 如果你是阴道分娩，会阴会出现不适、疼痛、麻木等症状（有缝合会疼得更厉害）。

● 如果是剖宫产，会阴处会有点不适。

● 如果是剖宫产（特别是第一次剖宫产），切口处会疼，稍后周围区域还会有麻木感。

● 如果接受了外阴切开术、阴道撕裂后缝合或剖宫产，坐下和行走时感觉不适。

● 产后一两天小便困难。

● 便秘：产后几天大便困难、感觉不适。

● 痔疮：可能孕期就有，也可能

是产后新出现的。

● 全身疼痛：主要是由于推动过程中用了很大力气。

● 眼睛充血，眼眶周围、脸颊或其他地方有青黑色痕迹，这是由于分娩时用力推引起的。

● 出汗量大，特别是晚上。

● 如果是母乳喂养，可能出现乳头疼痛、皲裂。

精神上

● 兴高采烈或情绪消沉，或二者交替出现。

● 作为新妈妈感到战战兢兢；为抚养一个小宝宝而不安，第一次做妈妈更是如此。

● 挫折感，母乳喂养的情况下比较突出。

● 感觉被身体、精神上和现实中面临的挑战打垮了。

● 将要和宝宝一起进入全新的生活，感到非常激动。

你可能关心的问题

出血

"我听说产后会出血，但第一次从床上起来看到血沿着腿流下来时，还是被吓坏了。"

抓起一片卫生巾，放松。这种分娩后从子宫流出的含有血液、黏液和身体组织的液体，叫做恶露，通常在分娩后3～10天内量最大，像月经一样（经常比月经量更多），然后逐渐变少。产后最初几天起床时恶露突然涌出是很常见的事，不用担心，它们是在你躺下和坐着时积累起来的。这几天恶露的主要成分是血，偶尔会有血块。产后5天到3周里恶露多为红色，之后逐渐变为粉色水状，然后是棕色，最后变成黄色或白色。你应该用卫生巾，不要用卫生棉条。这种分泌物有时会断断续续持续6周之久。对于一些女性来说，鲜红色恶露甚至持续了3个月。血流量因人而异。

母乳喂养或静脉注射催产素可以促进产后子宫收缩，帮助子宫尽快恢复原来大小，减少恶露。想了解更多知识，请看下一个问题。

如果你还在医院或分娩中心，而且觉得自己流血过多，通知护士。如果回家后出现了不正常的严重出血现象（参考第558页），不要犹豫，马上去医院，也可以就近去医院急诊，最好是你分娩的医院。

产后疼痛

"我的腹部一直都有痉挛似的疼痛，特别是哺乳时，这是为什么？"

以为自己的宫缩结束了？不幸的是，宫缩不会随着分娩结束而立即停止，它引起的不适感也不会立即消失。你提到的疼痛可能是所谓的产后疼痛，这是由于子宫产后收缩（从1千克缩小到100克左右）引起的。你可以轻轻把手按在肚脐部位，感受子宫的收缩。到产后第6周时，可能就感觉不到这样的收缩了。

产后疼痛虽然让人不适，但作用巨大，不仅可以让子宫重新恢复正常大小，还可以减缓产后出血。那些子宫肌肉缺乏锻炼且过度伸展（怀多胞胎）的女性更容易出现这种疼痛。和分娩后注射催产素一样，哺乳也会刺激催产素分泌，所以产后疼痛在哺乳阶段更突出。催产素是个好东西，可以让子宫更快恢复到原来的样子。

分娩后4～7天，产后疼痛会逐渐下降到正常水平。同时，对乙酰氨基酚（扑热息痛）可以起到缓解作用。如果疼痛没有逐渐缓解，或持续超过1周，就要去看医生，排除一些产后疾病的可能，包括感染。

会阴疼痛

“我既没有做会阴切开术，又没有出现阴道撕裂，为什么下半身还是这么疼？”

你不能期望一个3千克多的宝宝从会阴出来而你却没有任何感觉。即使会阴在分娩时没有撕裂，也会出现拉伸损伤，所以现在感到轻微或严重的疼痛都很正常。咳嗽或打喷嚏时会疼得更厉害，有几天，你甚至发现只是坐着也会很不舒服。你可以采用下一个问题中提到的一些措施来加以改善。

推宝宝出来也可能导致痔疮和肛裂，其程度由不适到严重疼痛不等（参考第272页如何应对痔疮）。

“我阴部切开的伤口非常疼，是缝合处感染了吗？”

所有阴道分娩（及在剖宫产之前经历了长时间阵痛）的孕妇都会出现阴部疼痛。如果会阴撕裂或接受切开手术的话，疼痛感会更严重。就像所有新缝合的伤口一样，阴部切口或撕裂的伤口也需要时间愈合，一般是7～10天。在伤口愈合的这段时间里，出现疼痛不一定说明发生了感染，除非疼痛特别厉害。

更重要的是，虽然感染并非不可能发生，但只要做好阴部护理，感染的可能性非常小。在医院或分娩中心时，护士会每天至少检查一次，看阴道是否有炎症或其他感染迹象。还会教你在产后如何保持阴道卫生，这不仅对预防伤口感染很重要，对预防产道（微生物也可能到达那里）感染也

产后什么时候去医院

分娩后很少有妈妈会对自己的身体和精神状态感到满意，这是分娩带来的副作用之一。尤其在产后最初的6周，种种疼痛和不适症状都很正常，这并不意味着有问题。不过新妈妈还是应该注意一些可能引起产后并发症的征兆，以防万一。如果出现以下症状，请立即去医院：

● 出血，1小时内使用的卫生巾超过一片，并持续几小时。如果联系不到医生，就立即给附近的急诊室打电话，值班护士会接听，她会判断是否应该立即让人将你送往急诊室。在去往急诊室的路上或在候诊大厅时，如果有必要，可以躺下用塑料袋装一些冰块和几张纸（用来吸收融化的冰水），放在下腹部上（如果你能准确定位，也可以直接放在子宫上）。

● 产后1周任何时间出现大量鲜红色流血。不要担心产后6周（少数女性可能会持续到12周）像月经那样的轻微出血，以及活动或哺乳时血流量增加的现象。

● 恶露气味难闻——正常情况下应该是类似月经时的气味。

● 恶露中出现大量或大块血块（柠檬片大小或更大）。最初几天偶尔出现小血块很正常。

● 产后几天完全没有恶露。

● 产后几天小腹疼痛或不适，可能伴有小腹肿胀。

● 产后几天之内会阴持续疼痛。

● 产后24小时出现高烧（体温37.8℃以上），持续一天以上。

● 严重眩晕。

● 恶心和呕吐。

● 乳房肿胀消除后出现局部疼痛、红肿、发烫和刺痛，这可能是乳腺炎或乳房感染的征兆。

● 剖宫产伤口处肿胀或炽热、发烫，并有液体渗出。

● 分娩24小时后小便困难；小便时疼痛或灼热；尿频但量少；无尿或尿液发暗。就诊前尽量多喝水。

● 胸部剧痛（不要与胸部疼痛混淆，后者一般由推宝宝出来时过于用力引起）；呼吸或心率加快；指甲或嘴唇青紫。

● 小腿或大腿局部疼痛、敏感和发烫，伸屈腿时伴有发红、肿胀和疼痛。就医前先抬高双腿休息。

● 出现难以克服的沮丧感，可能持续几天。对宝宝感到愤怒，出现这些感情时有暴力倾向。参考第450页了解更多关于产后抑郁症的知识。

很重要，因此这些知识对没有阴道撕裂和没有接受外阴切开术的女性来说也适用。下面提供一个产后会阴处的护理计划：

● 至少每 4～6 小时换一次卫生巾。

● 小便后可以在阴部喷洒温水（或医生和护士向你推荐的消毒液），大便后也应该采用这一方法来保持清洁。清洗后用纱布或医院提供的卫生纸巾从前至后轻轻拍干。

● 痊愈之前不要用手触碰这个部位。

如果你接受过伤口缝合，不适感会更严重（除了疼痛外还会伴有瘙痒）。下面的建议可以帮助缓解阴部不适：

冰敷。为了减轻肿胀和不适，分娩后 24 小时内用冰敷包、装满碎冰的外科手套或加了冰袋的护垫置于会阴处，每次持续几小时。

热敷。每天坐浴（仅将臀部放入浴盆清洗）或温水浸浴 20 分钟可以减轻不适。

麻木疗法。采用医生建议的方式，使用带有麻醉剂的喷雾、乳膏或纱布块进行局部麻醉，也可以使用对乙酰氨基酚等药性温和的镇痛药。

免碰触。减少此部位的拉伸，尽量选择侧躺姿势，避免长时间站或坐。坐在枕头或充气垫（特别是那种中空的）上面也有帮助。

穿着宽松。紧身衣（特别是紧身内裤）会摩擦、刺激伤口，让你更加疼痛，并减缓恢复的速度。尽可能让会阴处畅快呼吸（从现在开始，放弃弹力打底裤，尽量穿松垮的裤子吧）。

锻炼。分娩后经常做凯格尔运动，这可以刺激会阴部位的血液循环，加速愈合，增加肌肉弹性。在做凯格尔运动时没有感觉也不要紧张，因为产后会阴部位会有麻木感，几周后会自然恢复。

如果会阴部非常红肿、疼痛，或有异味的物质流出，可能是发生了感染，应立即给医生打电话。

产后外貌

“我看起来像是从拳击场上回来，而不是从产房出来，这是怎么回事？”

感觉自己看起来像被打了一顿？这很正常。毕竟，娩出宝宝的过程中你比大部分拳击手还要努力——虽然你的对手只有 3～3.6 千克。由于分娩时强烈的宫缩和艰苦的推动阶段（如果你用力时不是只用下半身的力量，而是连面部和胸腔也一起用力），身上可能会留下很多不招人喜欢的纪念章。有可能包括青黑色的双眼（在双眼恢复正常之前，出现在公共场合时可以考虑戴墨镜；每天冷敷几次，每次 10 分钟，有助于你更快恢复）、青肿瘀伤，从面颊上的出血点到脸部或胸口的瘀青不等。出院回家时，你可能胸痛严重，不能深呼吸，这是由于胸部肌肉过度紧张造成的，可以洗热水澡或用热敷来缓解；另外，尾骨还可能疼痛，热敷和按摩会有一定帮助；如果周身疼痛，热敷同样有效。

排尿困难

“我分娩结束已经有好几小时了，但仍然不能小便。”

产后 24 小时内，大部分产妇都会感到小便困难。有些新妈妈根本没有小便的欲望，有些人想小便但是做不到，还有些尽管可以小便，但会出现疼痛和灼烧感。这是因为：

● 腹部空间突然增大，膀胱的容纳能力增加了，所以小便不像以前那么频繁。

● 分娩过程中宝宝产生的压力可能使膀胱受到损伤，所以会暂时丧失功能。即使膀胱已满，也可能无法传递需要排泄的信号。

● 硬膜外麻醉可能会降低膀胱的敏感度，以及你对排便信号的敏感性。

● 会阴疼痛可能引起尿道反射性痉挛，致使小便困难。阴部水肿也可能会妨碍小便。

● 会阴切口或撕裂处伤口缝合部位敏感，小便时感到灼热或疼痛。小便时不要紧靠便盆，这样能使尿液直接流下，不溅到疼痛的部位，从而减缓灼烧感。小便时在会阴处喷洒温水也可以缓解不适（可以使用喷壶）。

● 脱水，特别是经过长时间阵痛而没有喝水，也没有接受静脉输液的情况下。

● 心理因素的影响：害怕排泄时疼痛；缺乏私人空间；为使用便盆或上厕所时需要帮助而感到窘迫或不适。

尽管分娩后会出现小便困难，但分娩后 6～8 小时内及时排空膀胱很重要，这样可以避免尿路感染，防止膀胱肌肉因过度扩张而失去弹性，减少出血（过满的膀胱可能会妨碍子宫下降到正常位置）。如果你产后一直没有小便，护士会经常询问。她会要求你把第一次小便排在便盆或特殊容器里，检查你的排泄物，还会从外部对膀胱进行触诊，以保证它没有过于膨胀。尝试下面的技巧，小便时会更容易：

● 保证摄入大量水分：摄入水分越多，排泄量就越多。分娩过程中你丧失了大量水分，应及时补充。

● 四处走走。产后，只要医生允许，就下床慢慢走，这样可以帮助膀胱（和肠道）运动。

● 如果小便时旁边有“观众”让你不舒服，可以请护士在厕所外等你。方便后再请她进来教你如何做好阴部护理。

● 如果产后太虚弱无法去厕所，必须在床上使用便盆，可以向护士要一些热水喷洒阴部（这会刺激小便的欲望）。不要躺在便盆上，坐在便盆上比较有帮助。

● 可以让阴部享受温暖的浸浴，也可以用冰袋降温，这样可以引起小便欲望。

● 努力小便的同时打开水龙头，流水声有助于打开你体内的"水龙头"。

如果你在产后8小时还没有小便，医生会给你的膀胱插入导尿管来帮助排泄。如果上述措施无效，这是个好办法。

产后24小时后，小便太少的现象会逐渐演变成小便太多。产妇会开始大量排尿——这是过多体液在排出体外。如果产后几天一直小便困难或小便量很少，说明你的尿道可能发生了感染（参考第491页尿路感染的症状表现）。

"我好像无法控制自己的小便。它会自动流出来。"

分娩时的身体压力会让很多器官暂时失控，包括膀胱——它要么不会小便，要么就像你说的那样——小便变得太容易而无法控制。这种渗漏（学名为尿失禁）是会阴肌肉失去弹性导致的。产后可以经常做凯格尔运动，它能帮助肌肉恢复弹力，重新控制小便。参考第445页学习更多应对尿失禁的办法；如果症状持续，请咨询医生。

第一次大便

"我两天前分娩，到现在还没有大便。虽然我有便意，但害怕大便时用力会使缝合的伤口裂开。"

第一次大便是分娩后的里程碑。每位当了妈妈的女性都急于越过这个转折点。等得越久就越着急，也会越不舒服。

一些生理因素可能会妨碍产后胃肠功能恢复正常。首先，分娩时负责推宝宝的腹肌过度拉伸，现在变得松弛，可能会暂时丧失功能；其次，肠道在分娩过程中可能受到损伤，导致蠕动缓慢。当然，分娩前或分娩时肠道被清空（产前腹泻或分娩时大便），分娩时又没有大量摄入固体食物，也是胃肠功能出现异常的原因。

对产后胃肠功能影响最大的可能是心理因素：害怕缝合处裂开；担心痔疮更严重；在医院里缺乏隐私而感到窘迫；压力越大，大便越困难。

虽然产后便秘很常见，但你也没必要一直无助地忍下去。下面这些办法可以帮你解决这个问题：

不要担心。担心是妨碍你正常大便的主要原因。不要担心缝合处会裂开，也不要担心你多久没大便，这都是正常现象。

多吃粗粮。如果你还在住院，从医院提供的菜单上尽量选择全谷类食品（特别是麦麸）、新鲜水果和蔬菜，另外还应该补充能刺激肠胃蠕动的食物。苹果、梨、葡萄干和其他果干、坚果及燕麦松饼都不错。如果你在家，注意规律饮食并保证食品质量——必须摄入足量膳食纤维。尽可能远离难以消化的食品（比如来访者送的那些巧克力，它们只会引起便秘）。

保证水分摄入。你不仅需要补充阵痛和分娩时流失的水分，还必须摄入多余的水分帮助大便软化。一般来说，水是最有用的。

苹果或西梅汁特别有效，热柠檬水也有一定作用。

咀嚼、咀嚼、再咀嚼。对一些人来说，嚼口香糖可以刺激消化反射，让消化系统恢复正常，所以，口袋里放一条口香糖吧。

做运动。身体不活跃，肠胃也不会活跃。虽说分娩后你不可能去跑马拉松，但也应该在走廊里走一走。分娩后可以立刻在床上练习凯格尔运动，它不仅可以增加阴部弹性，还可以增加直肠弹性。也可以在家里抱着宝宝走动走动（参考第 456 页，了解更多产后运动的好点子）。

不要使劲。使劲排便不会使缝合处裂开，但可能导致痔疮。如果你有痔疮，可以通过坐浴、局部麻醉、栓剂或热敷等方式来缓解不适。

使用通便剂。分娩后回家时医院可能会让你带上大便软化剂和通便剂。如果上述措施都无效，它们可以帮上忙。

分娩后最初几次大便会让你很不舒服，不过随着大便逐渐软化，你的感觉会越来越正常，不适感会减轻并消失。

流汗过多

“我半夜醒来时全身都湿透了，这正常吗？”

大量流汗会让你不舒服，不过很正常。新妈妈经常会全身是汗。一方面，这是因为产后激素调节的原因——由于你不再怀孕，身体自然出现了一些反应。另一方面，流汗是产后 1 周身体排泄孕期积攒的体液的一种方式。一些女性会像下雨似的流汗，并持续几周，甚至更长时间。如果你和其他新妈妈一样持续几周夜里汗如雨下，可以在枕头上铺上毛巾，这样能睡得更好。

不要因为出汗而为难——这是正常现象。但一定要确保自己摄入了足够的液体，补充汗液流失。无论你是否母乳喂养，足量饮水都非常重要！

高烧

“我刚从医院回来，现在烧到38.3℃了，该不该马上去医院？”

生宝宝之后出现任何不适都应该让医生知道，这永远都是明智的。产后发热中有3/4意味着可能发生了产后感染，但也可能是其他疾病引起。产后早期，发热有时甚至由情绪激动和体力耗尽的共同作用导致。低于37.8℃的发热往往和乳房充盈有关，不用担心。但为了谨慎起见，如果在产后前3周出现37.8℃左右的发热，持续超过一天，或37.8℃以上的高热持续几小时，不管是否伴有明显的流感症状或呕吐，都应该告诉医生。他会帮你进行系统检查，必要的话还会尽快开始治疗。

住院时间

想知道什么时候可以带着宝宝回家？你和宝宝的住院时间取决于分娩方式，以及你们的健康状况。如果你和宝宝健康状况良好，且急于回家，可以与医生联系，做好提前出院的安排。出院后要有护士随访，以确保无意外问题发生。医生将检查宝宝的体重和身体情况（包括黄疸情况），还有哺乳情况，就诊时带上哺乳日记很有帮助。

如果你能在医院待满96小时，尽可能好好利用这段时间休息，这对回家后很有帮助。

乳房肿胀

“我有奶了——乳房现在有原来的3倍那么大，想穿上胸罩都很困难，因为实在太疼了。宝宝断奶之前我都是这样吗？”

觉得乳房大得不能再大了？乳房第一次生产乳汁时，会变得肿胀、疼痛，摸起来非常硬。更糟糕的一点是，这种变化会让你非常不舒服，并带来诸多不便——这种乳房胀痛（甚至一直延伸到腋下）可能会让你在喂奶时疼得厉害。而且，如果乳头因肿胀而变平，宝宝吃奶也会变得困难。如果由于宝宝或你的原因使第一次哺乳时间推后，胀痛情况会更严重。

不过这种涨奶现象及由此带来的痛苦在建立起良好的哺乳关系后就会逐渐消失，最多持续几天。乳头疼痛一般在哺乳20天左右达到高峰，如果哺乳方法得当，在乳头坚挺起来之后，疼痛也会逐渐消失。有的新妈妈还会发现乳头皲裂出血，只要护理得当（参考第436页），这些不适只是暂时的问题。

在哺乳变成乳房的第二天性之

前，你可以采取措施减少不适，促进亲密的哺乳关系（参考第427页）。

一开始就顺利哺乳的女性可能不会经历任何胀痛。不管有没有发生胀痛，只要宝宝能吃到奶，就是正常的。

非母乳喂养时的涨奶

“我没有哺乳，听说奶水消失的过程会很痛。”

不管你有没有母乳喂养，乳房都会在产后第3～4天变得肿胀（充盈），这会让你很不舒服，甚至很疼——但只是暂时现象。

乳汁一般只在需要时产生。如果没有得到利用，就会停止生产。乳汁断断续续地渗出可能会持续几天或几周，但严重的肿胀不会持续超过12～24小时。在此期间，可以试试冰敷、温和的镇痛剂和有支撑性的胸罩，也许可以让你舒服一点。尽量避免挤奶和刺激乳头，可以让这个疼痛的阶段早点过去。

乳汁不足

“我已经分娩两天了，但一点奶都没有挤出来，甚至连初乳都没有，宝宝会挨饿吗？”

宝宝不会挨饿，他甚至可能还没有饥饿感。宝宝不会一生下来就马上产生食欲或营养需求。到了他觉得饿的时候（产后第3～4天），你就可以给他提供母乳了。

现在没有乳汁不代表乳房是空的——里面有初乳，不过量很小。初乳可以给新生儿提供足够的营养和他自身无法产生的重要抗体，帮助清理宝宝消化道中积存的黏液和胎便。这时候，宝宝需要的食物量大约只有1茶匙左右。到了第3天或第4天，乳房会开始膨胀，变得饱满（说明有乳汁了），这时你就能用手挤出奶水来。刚出生一天的宝宝可能急于吸吮乳头，他的小嘴能更有效地吸出初乳，比你的手效率高。

亲密关系的形成

“我急切希望和女儿建立起亲密的感情，但现在几乎什么感觉都没有，这是我的问题吗？”

从分娩那一刻起，你盼望已久的开心与激动都涌现出来。宝宝比你想象的更漂亮、完美。她抬头看着你，感受到了你兴奋的目光，渐渐培养起了亲密的母女关系。当你抱着这个可爱的小东西，呼吸着她甜甜的香味，轻轻吻一下她娇嫩的小脸蛋，就会感到自己拥有一种前所未有的情感体验，一切杂念都烟消云散。你现在是一个充满爱的妈妈。

你极有可能很早就梦到宝宝了——至少孕期做过这样的白日梦。但产房里的景象可能完全不同于梦想中的样子，现实情况可能是：在历时漫长、过程艰辛的分娩之后，你能量耗尽，交到怀里的却是一个满身褶皱、有几分肿胀、小脸红彤彤的陌生宝宝。首先引起你注意的是，宝宝并不像你想象的那样又白又胖，虎头虎脑。接下来你会发现，她的哭闹似乎停不下来，你束手无策。你想尽方法给她喂奶，但她一点也不合作；你想和她交流，但她只是一味哭闹——很可能你也想哭。你会在半夜醒来之后抑制不住问自己："我是不是错过了和宝宝建立亲密关系的好时机？"

事实上，根本不需要有这些顾虑。关于建立亲子关系，每一对母子的情况都不同，没有现成的万能模板。虽然部分家长完成这项工作时速度更快，但原因很多：或许是他们以前曾经有过宝宝，可能是他们更现实，可能是分娩过程更轻松，也可能是他们的宝宝更配合——但没有人发现这个过程可以很快完成。这种持续一生的感情维系不可能在一夜之间建立，需要循序渐进地完成——在宝宝出生前就开始了。

所以，给自己一点时间，让自己慢慢习惯做妈妈，并逐渐了解自己的孩子。面对现实，她毕竟是一个新的家庭成员。满足你和宝宝的基本需求，你会发现你们之间的爱正在随着每一次抱起她而一天天加深。说到拥抱，尽量多抱抱她吧，这会让你觉得自己更像一个妈妈。虽然刚开始有些不习惯，但你在抱宝宝、哄宝宝、抚摸她、哺乳、按摩、唱歌、和她说话等活动上花的时间越多，就会觉得越自然，你们的关系也会越亲密。不管相信与否，你会在自己毫无意识的情况下成为一个妈妈，和宝宝产生梦寐以求的依恋之情。

"我儿子是早产，需要在新生儿重症监护室里待至少两周，等到他出院后我们再建立亲密关系会不会太晚了？"

不会的。能和孩子肌肤相亲、交流眼神确实很棒，这是建立亲子关系的第一步。但这一步不必非得在宝宝出生时开始。在医院的病床上、恒温箱的玻璃窗前，甚至几周后回家时都为时未晚。

幸运的是，即使你的儿子被送入新生儿重症监护室，你也有机会摸摸他、抱抱他，和他说话。大部分医院在某些情况下不仅允许家长看望重症监护室里的宝宝，甚至还鼓励这种行为。和负责的护士谈一谈，看自己应该以怎样的方式接触宝宝。关于更多照顾早产儿的注意事项，可以在《海蒂育儿大百科(0~1岁)》一书里找到。

记住，哪怕有机会在产房里就立即和宝宝建立亲子联系，也没必要急于求成。一辈子的爱需要长时间的维系——很快你和宝宝就可以开始这个进程了。

母婴同室

“怀孕时，我感觉母婴同室非常不错。但分娩后，我觉得这简直是一种痛苦。我无法让宝宝停止啼哭，如果让护士照顾她，我会是多么糟糕的妈妈啊！”

你会是一位很合格，很有人情味的妈妈。你已经完成了人生中巨大的挑战——分娩，接下来将要接受更大的挑战——抚养宝宝。需要一些休息时间是正常的，也很容易理解。

在以家庭为中心的产妇护理中，母婴同室是一个非常好的选择，但绝对不是必需的选项，而且不一定适合每个人。当然，有些女性应对起来相对容易——可能由于她们的分娩过程更轻松，或之前生过宝宝。对她们来说，凌晨3点听到宝宝哭闹而无法让他平静下来虽然不会觉得快乐，但也不至于可怕。而对于那些睡眠时间屈指可数，分娩后虚弱无力，之前对宝宝的接触仅限于纸尿裤广告的人来说，这样的黎明前较量会让她觉得自己完全被打败了。

如果你对母婴同室感到高兴，那太好了。如果你觉得自己需要更多睡眠，也不要把母婴同室当成不得不接受的负担。选择部分时间母婴同室(白天而不是晚上）对你来说是不错的选择。如果你想在分娩后的第一天晚上好好睡一觉，就从第二天开始母婴同室。如果你是母乳喂养，一定要确保每次喂奶时把宝宝抱过来亲自喂，不要用奶瓶。

灵活变通。要注重在医院里亲子时光的质量而不是数量，也不要因为考虑到自己的需求而愧疚，毕竟很快你们就要回家，和宝宝全天待在一起了。现在让自己获得足够的休息吧，这样你才能更好地让自己做好各方面准备。

剖宫产后恢复

“剖宫产后的恢复过程是怎样的？”

剖宫产同腹部外科手术的恢复过程差不多，不过有一个令人高兴的不同点：你得到了一个新生的宝宝，而不是失去了一个老化的胆囊或阑尾。

当然，除此之外还有点不太令人愉快的区别：除了要从手术中恢复，你还需要从分娩中恢复。除了阴道没有受损，剖宫产几周后你同样也要经历与阴道分娩一样的各种产后不适：产后疼痛、恶露、会阴不适（如果在剖宫产前你还经历了长时间阵痛的话）、乳房肿胀、疲倦、激素变化、过度流汗等一系列问题。

手术后，你可能会经历如下过程：

切口周围的疼痛。一旦麻醉药失效，剖宫产伤口就像其他伤口一样疼起来，疼痛程度受许多因素影响，比如你的疼痛承受力和剖宫产次数（第一次剖宫产时最不舒服）。如果需要，可以采用术后镇痛泵以减轻疼痛，镇痛药可能会使你虚弱无力或失去知觉，也会带来一些必要的睡眠。如果你是母乳喂养也不必担心，这些药物不会进入初乳，等到奶水开始正式分泌时，可能就不需要效力这么强的镇痛药了。如果疼痛持续几周，你可以安全地服用非处方镇痛药，问问医生有什么建议和服药的剂量标准。为了促进伤口愈合，手术后几周内你要避免提拿重物。

可能出现恶心，或伴有呕吐。一般在外科手术后不会出现这样的副作用，可以吃一些防止呕吐的药物。

疲惫。手术后你会感觉很虚弱，这种情况由失血和麻醉引起。如果手术前还经历了几小时的阵痛，会更加疲惫。你可能觉得心力交瘁，这在临时剖宫产中更常见。

定期检查身体情况。护士会定期为你检查生命体征（体温、血压、脉搏、呼吸）、尿液、阴道分泌物、伤口处的包扎，还有子宫的硬度及宫高（子宫会收缩，回到盆腔），还会检查静脉输液装置和导尿管是否正常。

一旦你回到病房，可能会经历：

更多检查。护士会进一步监护你的基本情况。

拔除导尿管。导尿管可能会在手术后不久拔除。之后，你可能会出现小便困难，可以参考第418页的一些小技巧。如果仍然不能小便，医生会再次给你插入尿管，直到可以自己排尿时再拔掉。

慢慢活动。在能下床之前，医生会鼓励你活动脚趾，屈伸双腿来拉伸小腿肌肉，把双脚尽力伸向床尾，左右翻身。可以试试本书第457~458页推荐的运动，这些运动可以改善循环，特别是腿部循环，预防静脉血栓形成。（但要做好准备，有些练习非常不舒服，至少在手术后24小时内会这样。）

手术后8~24小时内起床。可以在护士的帮助下坐起来，靠着床头。接着用双手支撑身体，把脚悬在床边晃一晃。然后慢慢在护士帮助下把脚放在地板上，双手暂时还要撑在床上。如果感到眩晕（这很正常）就要立刻坐下，让自己稳定几秒钟后再试试。可以慢走几步（刚开始的几步会异常疼痛）。站立时尽量站直，尽管你可能非常想弯腰以减轻疼痛。虽然刚开始几次起床时你需要帮助，但这种困难是暂时的。实际上，你很快会发现，与邻床阴道分娩的产妇比起来，自己可以更自由地活动，坐着时也比她们更舒服。

慢慢恢复正常饮食。过去，剖宫产手术后24小时内，医生会常规地给产妇静脉输液，并限制液体摄入。但研究显示，尽快恢复摄入固体食物更好，较早（手术后4~8小时）恢复摄入固体食物的产妇比只靠静脉输液的产妇排泄第一次大便更早，还能提前24小时准备出院。不过各医院、医生的安排不同，而且产妇手术后身体状况不同，这决定了你什么时候可以拔掉输液针头。记住，恢复摄入固体食物需要按阶段进行。刚开始吃流质食物，接着是稍软点的食物，然后在此基础上慢慢恢复正常。不过在今后几天内，你都必须吃清淡、容易消化的食物。一旦恢复正常饮食，也不要忘记多吃流质食物，特别是母乳喂养的情况下。

牵涉性肩痛。手术后，腹部残留的少量血块会引发膈肌疼痛，从而引起肩部异常疼痛长达几小时。镇痛药会有一定的作用。

发生便秘。麻醉和手术都会使肠胃运动减慢，所以可能手术几天后你才想大便，这是正常的。由于便秘，你可能还会出现一些疼痛的胀气现象。可以使用大便软化剂或药性温和的通便剂来缓解症状。

腹部不适。手术后，消化道开始恢复活动（手术时暂时停止工作），这时体内积存的气体会引起严重疼痛，特别是气体对伤口造成压迫时。在你笑、咳嗽或打喷嚏时，不适感会加重。询问护士或医生，看有什么可行的治疗方法。栓剂或许能帮助你排气，在走廊走走也不错。在床上平躺或左侧卧，双膝弯曲，保护好伤口，同时深呼吸，对缓解症状也有一定作用。

花时间和宝宝待在一起。你现在应该多抱宝宝，给他喂奶（喂奶时在伤口上放一个枕头，再把宝宝放在枕头上，或让他躺在你身边）。如果你的身体情况和医院相关规定允许，可以全天母婴同室；让丈夫也和你们在一起，这可以给你很大帮助。不要强迫自己一定要接受医院的母婴同室安排——如果这样感觉不好，或需要更多休息，给自己一点空间。

拆线。如果你用的缝合线不是可吸收型的，就应该在手术后4~5天拆除。拆线时有些不适，但不会很疼。可以和医生或护士一起检查伤口，问这个地方多久会痊愈，哪些变化是正常的，哪些变化需要治疗。

大部分情况下，产后2~4天可以出院。但回家后也要小心，宝宝和你都需要格外细致的护理。在出院后的前几周，尽量找人一直陪着你。

带着宝宝回家

“在医院里，有护士帮宝宝换尿布，给他洗澡，并告诉我什么时候该给他喂奶了。现在我把他带回家，突然发现自己什么都没准备好。”

宝宝生下来时没有附上说明书，在他们胖嘟嘟的小屁股上没有写着该如何换尿布。幸运的是，在医院时，已经有人教会你如何给他喂奶、洗澡、换尿布。还没有学会？换尿布时宝宝已经拉便便了？不要担心，这些都是你作为新父母的宝贵财富——从书本和网络上都学不会。另外，可能你们已经安排好了第一次带着宝宝去见儿科医生——医生的无数建议和提醒让你们摸不着头脑，更不要说你们的脑子里那无数个疑问了。

想要从新手父母顺利蜕变为育儿专家，还需要更长时间。这个过程需要耐心、坚持，以及不断的练习。如果你把宝宝的纸尿裤穿反了，或洗澡时忘记给他洗耳朵后面，他也不会责怪你。当然，对于及时给你的重要反馈，他也不会不好意思：当他饿了、累了，或洗澡水太凉了的时候，就会用哭闹向你抗议。由于宝宝没有别的妈妈和你对比，所以在他的概念里，你就是最好的妈妈。

还是没信心？除了时间和积累经验之外，还有一点可能会有所帮助——知道自己不是一个人在战斗。每个妈妈在产后最初几周都和你有同样的感受，特别是无比虚弱的时候——产后恢复和严重缺乏睡眠结伴而来，几乎对她们的身体和灵魂都判了死刑。所以，让自己松口气吧，给自己留出足够时间来调整。很快，挑战就不再天天出现。事实上，这种转变来得非常自然，你甚至可能在睡眠中就完成了。你很快就能娴熟地给宝宝换尿布、喂奶、拍嗝，并协调所有工作——哪怕只用一只手（另一只手可以同时熨衣服、看书、往嘴里喂一勺麦片，等等）。你将成为一名真正的妈妈——万能的超人妈妈。

开始哺乳

没有任何事比喂奶更容易、更自然了？其实不完全是这样，想正确地哺乳并不是那么容易。宝宝生来就会吃奶，却不是天生就知道吃奶的技巧。同理，妈妈们在哺乳时也一样。乳房则比较标准，它们会自动产奶，也知道如何才能更高效地满足宝宝的吮吸需求。

事实上，即使哺乳是一种本能的程序，也不会自然到让妈妈和宝宝们很快学会。有时候，一些身体因素影响了最初的尝试；还有时候，是妈妈和宝宝双方都缺少经验。但不管原因如何，只要不放弃努力，你和宝宝就会很快协调一致。经过几天甚至几周的摸索，加上笨手笨脚的努力和泪水，彼此都满意的哺乳关系就会形成。

不过，提前了解这个过程（包括如何应对不可避免的失败等）可以加快母子的磨合过程。认真看完下面的内容或参加产前哺乳学习班可能有所帮助：

● 分娩后尽早开始哺乳。可行的话，最好在产房就开始（关于哺乳的基础知识，参考第430页）。让医生知道，你打算分娩后尽早哺乳。如果因为你或宝宝的原因不能立即哺乳，也不要失望，这并不说明你们以后就不能成功建立哺乳关系。记住，即使是开始得最早的哺乳，也不一定会完全顺利，你们需要大量学习。

● 凝聚团队的力量。如果觉得可以，安排时间母婴同室，这样宝宝准备好的时候你也准备好了。如果你更愿意在两次哺乳之间抓紧时间休息（你有权这样做），就制作一份按需哺乳日程表（当宝宝饿的时候，可以让别人带到你面前来）。

● 把你需要的帮助写下来。理想的话，请一名哺乳专家陪在你身边（至少在最初几次哺乳时陪伴你，提供有用的指导和相关信息。如果你无法享受这项服务，看看精通母乳喂养的哺乳咨询师或护士能否为你指导一下，观察哺乳时有什么问题。如果在获得这种帮助之前你们已经离开医院或分娩中心，就去找一个在母乳喂养方面有丰富经验的人——宝宝的医生、护士、院外的哺乳咨询师。致电当地母乳会，你可以获得相应的帮助、建议及指导。

● 不要把病房变成公共场所。限制访客，创造更多哺乳机会。在刚开始哺乳的学习阶段，即使迫切想让大家看看你可爱的新生儿，也需要为自己保持放松的空间，并做到完全专心。

● 如果宝宝状态不佳，你要有耐心。宝宝这时候可能和你一样无精打采，甚至有过之而无不及。新生儿很嗜睡——如果在分娩时实施了麻醉，或阵痛时间很长，分娩过程很困难，宝宝无精打采的情况会更明显。这个问题不大，因为宝宝在出生最初几天里对营养的需求很少，他需要的是妈妈的爱。把宝宝搂在怀里和让他吮吸乳房一样重要。

● 让宝宝远离奶瓶。保证宝宝的食欲和吮吸本能不会在喂奶间歇遭到破坏——不要以为用奶瓶给宝宝喂配方奶或糖水是给他加餐。首先，宝宝娇弱的食欲需求很容易被满足。随后，宝宝吸过奶瓶后再来吃奶有可能太饱，无法刺激乳房产生乳汁，结果造成恶性循环，阻止了良好供需机制的形成。其次，吮吸橡胶奶嘴不费力，会让宝宝的吮吸能力下降，再次吮吸妈妈的乳头时要面临更大的挑战，他可能放弃。

新生儿重症监护室里的宝宝如何母乳喂养

如果你的宝宝因为某些原因进入新生儿重症监护室，不能跟你一起回家，也不要放弃母乳喂养。早产儿和其他有问题的宝宝通过母乳能发育得更好——虽然他们现在还没有准备好自己吸吮。和新生儿专科医生及护士谈一谈，看看在这种情况下你怎样喂养宝宝更好。如果不能直接喂宝宝，或许你可以将乳汁挤到奶瓶里给他。如果这都不可能，问问能不能先坚持吸奶，直到宝宝出院后再开始母乳喂养。

● 按需哺乳。一天至少要哺乳 8~12 次，这样不仅可以让宝宝高兴，还可以增加你的产奶量，满足宝宝不断增长的需求。相反，安排 4 小时哺乳一次会使涨奶更为严重，还可能导致宝宝营养不良。

● 不限制哺乳时间。过去认为，限定哺乳时间（每侧乳房 5 分钟）可以使乳头变得坚挺，从而防止乳头疼痛发炎，但实际上乳头疼痛发炎由哺乳姿势不正确导致，与哺乳时间长短没关系。绝大多数新生儿需要 10~45 分钟才能完成哺乳（吃奶没有看起来这么容易），只要哺乳姿势正确，没必要限制哺乳时间。

● 保持乳房清空。理想的情况下，至少一次“吸空”一侧乳房，这比从两侧乳房中吃奶更重要。乳房没有被完全吸空，宝宝就没有吃到后乳，这部分乳汁在接近哺乳结束时才出现，所含热量比前乳高，更能满足宝宝的增重需要（前乳给宝宝解渴，后乳给宝宝提供营养）。后乳的营养更丰富，让宝宝更耐饿。所以不要因为宝宝已经吃了 15 分钟就要终止喂奶，一定要等到他想停止时再结束，然后换到另一侧乳房，绝不要强迫他。记住，下次喂奶时从上次没有被吸空的那侧乳房开始。

● 不要让宝宝一直睡觉。有些宝宝（特别是刚出生几天的宝宝）可能不会经常主动醒来吃奶。如果离上次吃奶的时间已经有 3 小时，而宝宝还在睡觉，就应该把他叫醒。可以试试这种方法：首先，如果宝宝正裹在襁褓中或穿着很多衣服，可以先打开襁褓或衣服，冷空气会帮助叫醒宝宝；接着试着让宝宝坐起来，用你的一只手支撑他的后背，另一只手托住他的下巴，同时轻轻按摩他的后背（按摩宝宝的胳膊和腿，或在他额头上轻轻涂抹一点凉水，都会有所帮助）；只要他一醒过来，就赶紧喂奶。或者把正在睡觉的宝宝放在乳房前，宝宝的嗅觉特别灵敏，乳汁的味道可能会弄醒他。

● 不要花很大力气给尖叫的宝宝

哺乳的基础知识

1. 选择一个安静的场所。在你和宝宝还没有完全掌握哺乳技巧之前，应该选择干扰少、噪音小的地方。

2. 手头放一杯饮品，这样宝宝吃奶时你也可以喝点东西。不要喝太热的东西（以免不小心洒出来烫伤你和宝宝）。如果不想喝冷水，可以选择温水。如果哺乳时离你上一顿饭已经有段时间了，那么哺乳时要吃些健康的点心。

3. 哺乳变得越来越舒服后，你可以准备一本书或杂志读一读（但不要忘记与吃奶的宝宝互动）。不过，看电视太分散注意力，特别是在最初的几周内。打电话也一样，最好把电话铃声调低，转到语音留言状态，或请别人帮忙接听。

4. 找一个舒服的姿势。如果坐着，在大腿上放一个枕头，可以帮你把宝宝抬到恰当的高度。保证手臂得到枕头或椅子扶手的支撑，不然抱起2.7～3.6千克重的宝宝会很辛苦。可以的话，同时垫高双腿。

5. 让宝宝侧躺在你面前，面对乳头。确保宝宝与你面对面，肚子贴肚子，耳朵、肩和屁股在一条直线上，不要让宝宝的头转向一侧。正确的哺乳姿势能有效防止乳头疼痛和哺乳困难。

哺乳专家推荐了两种早期哺乳的姿势。一种叫做交叉抱法：用另一边的手抱住宝宝的头（比如，如果用右侧乳房喂奶，就用左手抱住宝宝）。手腕放在宝宝的肩胛骨之间，拇指放在他的一只耳朵后面，其他手指放在另一只耳朵后面。右手握成杯状托起

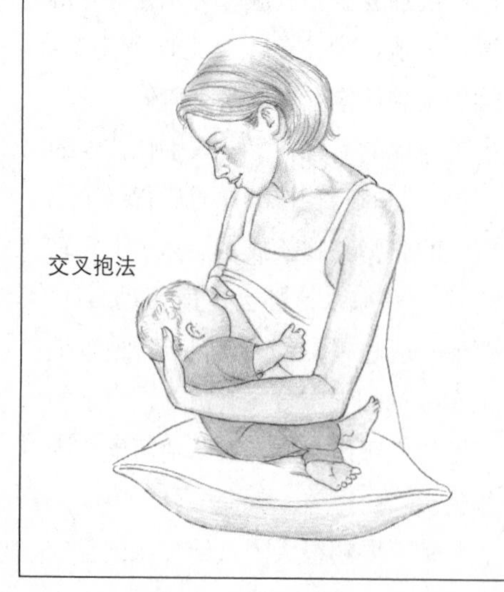
交叉抱法

足球式抱法

乳房，把拇指放在乳晕上，食指放在宝宝的下巴附近。轻轻挤压乳房，让乳头靠近宝宝的鼻子处。接下来就是宝宝自己的事了（参考第6条）。第二种姿势是足球式抱法：把宝宝放在身体的一边，以一种半躺的姿势面向你，宝宝的腿在你的胳膊下面（如果用右侧乳房喂奶就是右胳膊）。用右手支撑宝宝的头，像交叉抱法时那样把另一只手握成杯状托起乳房。

一旦你适应了哺乳模式，就可以再增加一种摇篮抱法，让宝宝的头枕在你的臂弯里；或者采用侧躺式抱法，宝宝躺在你的一侧，肚子对肚子。侧躺式抱法是夜里喂奶的最好选择。

6. 用乳头拨弄宝宝的嘴唇，直到他的嘴张得非常大，就像打哈欠一样。一些哺乳专家建议可以直接把乳头放在宝宝鼻子上，然后再放到上嘴唇上，这可以让宝宝把嘴张大，防止宝宝的下唇在喂奶过程中被压住。如果宝宝把头扭开，就轻拍他靠近你的那一侧面颊，这种反射会让宝宝转过来，靠近乳房。

7. 一旦宝宝的嘴张开，就把他抱紧。不要用乳房凑近宝宝。很多衔乳问题都是因为妈妈想弯着腰把乳头塞进宝宝嘴里引起的。你应该保持后背挺直，让宝宝靠近你的乳房。

8. 如果宝宝不愿意，不要把乳头硬塞到他口中，要让他有主动权。宝宝可能需要多次尝试才能把嘴张大，正确地吮吸乳头。

9. 保证宝宝能够吮吸到乳晕。只吮吸乳头不仅无法吸出乳汁，还会引起乳头疼痛、皲裂。

10. 如果乳房堵住了宝宝的鼻子，用食指轻轻地按下乳房。托高宝宝也可以给他提供呼吸空间，但要保证他始终含住乳晕。

11. 检查宝宝的吞咽情况。如果宝宝面颊处可以清楚地看到有力、稳

摇篮抱法

侧躺式抱法

定而有节奏的吸吮动作，就说明乳汁在自然流淌。

12. 如果宝宝结束了吮吸，但仍然咬着乳头，千万不要直接拉出，这会伤害乳头。可以先把乳房向下压，或把手指塞进宝宝的嘴角让他张开嘴，这样就可以结束这次哺乳了。

喂奶。在宝宝一表现出饥饿感或吮吸兴趣时（吮吸手指或找乳头，也可能得特别清醒）就给他喂奶是最理想的情况。哭闹不是喂奶的信号，所以不要等到宝宝开始大哭再喂奶，这往往已经迟了。如果宝宝已经开始啼哭，应该先哄哄他，等他平静下来再喂奶。或者先给宝宝吮吸你的手指，到他冷静下来之后再说。毕竟，对于平静时不熟练的吮吸者来说，要精确找到乳头已经很难了；当宝宝情绪失控时，更不可能找到目标了。

● 保持平静。喂奶时尽量放松，不管发生多么尴尬的事，都要一直保持平静。在喂奶前 15 分钟让客人们离开，然后利用这段时间清除大脑里的一切焦虑。在开始喂奶前做一些放松练习。如果轻柔的音乐能让你平静，那就听一会儿音乐。紧张不仅会阻止奶水分泌，还会让宝宝焦虑不安，因为他对你的情绪异常敏感。焦虑的宝宝不可能有效进食。

● 做好跟踪记录。在良好的哺乳关系正式建立之前，要对宝宝每次吃奶的情况（开始和结束的时间），以及每天尿布的情况做好书面记录，这样你就可以对哺乳进展情况有充分的了解，给儿科医生提供宝宝生长情况时也有据可依。保持 24 小时内至少 8～12 次的喂奶频率，但不要强迫宝宝吃奶。不同的宝宝吃奶时间有很大区别，一旦涨奶和乳头疼痛的情况消失，宝宝每次吃奶的平均时间是半个小时，并在两侧乳房上吃奶（有时宝宝还没有来得及吃光两侧乳房的奶就睡着了）。宝宝的体重增加值和尿布记录可以给你提供更清楚的说明。24 小时内宝宝至少要尿湿 6 片尿布（尿液应该是清澈的，而不是暗黄色），至少大便 3 次。不管宝宝吃奶的时间多长，只要排便和体重增加在正常范围内，就可以肯定母乳摄入量是正常的。

做记录

注意，每一侧乳房都需要获得均等的刺激机会，在你的哺乳日记上做一些标记，每次在哺乳过的那一侧胸罩带子上系一条皮筋或细绳来提醒自己。下一次哺乳时，就应该选择另一侧乳房了。

下一站：坦途

哺乳失败了一两次？继续坚持哺乳，你会很快走上正轨（随着时间推移，一旦掌握了要点，你会发现没有比喂养宝宝更容易的事情了）。同时，如果遇到了任何问题，及时求助也很重要——从本书的内容或哺乳专家那里获得帮助。当然，也不要因为给第一个宝宝哺乳遇到了挫折，就不敢再给第二个宝宝哺乳。鉴于妈妈第一次的喂养经验，给第二个宝宝哺乳时就不会像第一次那么困难，充血、乳头疼痛等其他问题发生的可能性也会降低。

涨奶

等你和宝宝掌握了哺乳技巧，乳汁就会正式开始分泌。到目前为止，宝宝已经获取了少量的初乳，你的乳房也非常舒服，接着一个常见的问题出现了：乳房开始肿胀、变硬、疼痛。这些症状在几小时内几乎全部出现，使哺乳变得非常困难，对你而言则成了折磨人的事。

不过涨奶的时间通常很短，一般持续24～48小时，偶尔会长达一周。在涨奶的这段时间，你可以用许多方法缓解这个问题带来的不适：

- 热敷。短暂的热敷可以软化乳晕，促进乳汁分泌。可以用在温水（注意不是热水）中浸泡过的毛巾放在乳晕上，或把乳晕浸入装有温水的碗中。

- 按摩。当宝宝吮吸时，你可以轻轻按摩他正在吮吸的乳房，促进乳汁分泌。

- 冷敷。哺乳后用冰袋冷敷，可缓解肿胀。虽然看起来有些奇怪，但冰镇的卷心菜叶确实会有些帮助（取两片大的卷心菜叶，将中间挖一个洞，分别套在两侧乳头上；注意冷敷前要将叶子擦洗干净）。

- 注意穿着。白天和晚上都要戴着舒适合体的哺乳胸罩（肩带要宽，不要有塑料内衬）。压力会使原本已经疼痛肿胀的乳房更加疼痛，所以确保胸罩不能太紧。身上的衣服要宽松，以免摩擦到敏感的胸部，让你更不舒服。

- 坚持喂奶。不要因为疼痛就放弃母乳喂养。宝宝吮吸的机会越少，乳房充盈的情况就越严重，你也会越疼。

- 用自己的双手解决问题。喂奶前用手挤出一点乳汁，可以减轻肿胀，让乳汁流动得更顺畅，乳房变软能让宝宝更好地含住乳头。

- 交替哺乳。从一侧乳房换到另一侧乳房，改变哺乳姿势（一侧乳房用足球式抱法，换到另一侧时用摇篮抱法；参考第430页）。这样可以保证乳腺导管清空，从而减少肿胀带来的疼痛。

哺乳期饮食

健身教练总是希望你能够连续跑上 8000 米，借此消耗热量。现在，这个每天消耗大量热量的梦想成真了。生产乳汁每天都需要燃烧 500 卡的热量，也就是说，你每天需要多吃 500 卡的食物才能满足现在的需要。

可以吃薯条了？不是这个意思。饮食的质量和数量同样重要。在如何改善饮食质量方面，你已经是半个专家了，毕竟在前 9 个月里已经积累了大量经验。更好的是，哺乳期补充营养的方法和孕期大同小异，而且限制更少。另外，既然要计算增加摄入的热量，你就需要努力达标。下面这些技巧可以帮助你改善哺乳期的饮食营养状况：

吃什么。还是那句老话，营养良好的食谱恰当地均衡了各种食物的益处。在哺乳期，每天的食谱里应该包含下列食物：

- 蛋白质：3 份。
- 钙：5 份（孕期需要 4 份，现在多了 1 份）。
- 高铁食物：1 份以上。
- 维生素 C：2 份。
- 黄绿色蔬菜、水果：3~4 份。
- 全麦和其他碳水化合物食品：3 份以上。
- 高质量脂肪食品：适量——现在的需要量没有怀孕时多。
- 至少 8 杯液体：水、果汁或其他不含咖啡因和酒精的饮料。
- 富含 DHA 的食物有利于宝宝大脑发育（野生鲑鱼、沙丁鱼、核桃、亚麻籽油及含富 DHA 的鸡蛋等食物中都能找到这种伟大的脂肪）。
- 每天继续服用孕期维生素。

宝宝慢慢长大，胃口也会越来越大，你可能需要继续增加热量摄入。如果采用混合喂养方式，或者考虑到自身储存的脂肪已经足够了，可以适当减少热量摄入。

不能吃什么。哺乳阶段，可供你选择的食物已经比孕期多了很多。现在开一瓶红酒（或黑啤酒）也没有问题，但也要考虑限度（一周几杯，最好是喂奶后再喝，不要在之前喝，这样可以保证下次哺乳时酒精已经代谢出去了）。可以重拾咖啡壶了吗？这取决于咖啡量有多大。一两杯咖啡可以让你得到小小的满足，并一直保持精力充沛。另外，现在你可以恢复吃寿司的习惯了，但也要避免汞含量高（和其他含有少量重金属）的鱼类，比如鲨鱼、方头鱼、鲭鱼等。

应当注意什么。如果你的家族中有过敏史，问问医生是否应该避免吃花生食品(其他过敏原也如此)。另外，当心中草药，即使是那些看起来完全无毒无害的花草茶也要警惕。选择可靠的品牌及对哺乳期安全的品种，包括橙香、薄荷、覆盆子、甘菊、玫瑰等。购买之前要认真阅读产品配料表，确保不含有其他成分，每次少量饮用。如果用代糖，阿巴斯甜比糖精要好一些。

宝宝该注意什么。一些妈妈们注意到，她们的饮食会影响宝宝的肠胃和体温。你吃的东西的确会改变乳汁的味道，这是一件很好的事，因为宝宝可以尝到多种不同的味道。但一些宝宝可能会对某些食物很敏感。如果你发现吃了某些食品之后影响了宝宝的胃口，接下来的几天就不要再吃这些食物，验证一下宝宝的反应。一些常见的罪魁祸首有：牛奶、鸡蛋、鱼、柑橘类水果、坚果、小麦。

● 使用镇痛药。对于涨奶特别严重的情况，可以考虑请医生给你开对乙酰氨基酚或其他药性温和的镇痛药。

溢乳

刚开始哺乳的几周情况最糟糕。乳汁随时有可能渗漏、滴下甚至从乳房里喷出来，不分地点，不分场合，没有任何预兆。突然间，你会感到一丝刺痛，感觉有液体流出——还没来得及抓起纸巾或防溢乳垫，就会发现自己的衣服上湿了一片。

除了这些在公共场合不合时宜的瞬间，你还可能在睡觉或洗澡时、听到宝宝哭、觉得应该和宝宝“聊聊天”的时候出现无意识的溢乳。有时候，用一侧乳房给宝宝喂奶时，另一侧就会滴奶。如果给宝宝喂奶的时间比较规律，有时候奶水甚至会在宝宝含住乳头前自动流下来。

虽然这种哺乳期的反应让人很不舒服，还会带来无尽的尴尬，但完全正常、非常常见——特别是在最初的几周。（如果几乎不溢乳，也是正常的；很多生过宝宝的人发现自己溢乳的情况比第一次哺乳时有所缓解。）大多数情况下，一旦良好的哺乳关系建立起来，哺乳系统就顺利地开始工作了，溢乳情况也会好转。如果你正考虑如何改变现状，下面的这些办法可能会有帮助：

● 储备足够的防溢乳垫。如果溢乳现象严重，你会发现在产后头几周，换防溢乳垫的次数可能比喂奶的次数还多。记住，和护垫一样，防溢乳垫也应该一弄湿就换。确保使用的衬垫里不含塑料或防水材料，这些材料会刺激乳头。有些女性喜欢一次性防溢

药物与哺乳

很多药物在哺乳期使用是安全的，有些则不安全，还有些科学家正在研究中。但和孕期一样，在服药之前和医生核实一下情况，让开药的医生知道你正在哺乳。通常在喂奶之后服药最好，这样下次哺乳时奶水中药物的含量最低。

乳垫，还有些则喜欢可反复利用的棉布材质。

● 保护好你的床。如果你发现自己夜间溢乳很多，多垫些防溢乳垫。或者睡觉时在身下铺一层厚厚的卫生纸。现在这个阶段，你一定不会愿意天天换床单，或买一个新床垫。

● 不要为了预防溢乳而吸奶。过分吸奶不会控制溢乳，反而会刺激乳房频繁产奶，溢乳现象会越发严重。

● 阻止乳汁流出。一旦哺乳关系建立，乳汁生产也提高了一个水平。当你感觉溢乳时，可以尝试压住乳头或用双臂压迫乳房以阻止乳汁流出。但在产后最初几周不要这样做，这会阻止乳汁流下，可能引起乳腺导管堵塞。

乳头疼痛

乳头疼痛使哺乳变成了一件可怕而尴尬的事。幸运的是，这种疼痛持续的时间不会太长，大部分新妈妈的乳头很快会变得强韧，哺乳时也不再疼了。但有些产妇，特别是有个“鲨鱼宝宝”（吮吸能力特别强）或哺乳姿势不正确的新妈妈，会持续出现乳头疼痛和皲裂问题，使得她们害怕喂奶。不过有些方法可以缓解这种不适：

● 保持哺乳姿势正确。保证宝宝吃奶姿势正确，吃奶时面对你的乳房（参考第 430 页小贴士）。改变哺乳姿势，每次哺乳时让宝宝吮吸乳晕的不同部位。

● 让乳头呼吸空气。每次喂奶后都要把疼痛皲裂的乳头在空气中暴露一会儿，不要让衣服或其他东西刺激它们。可以用乳头保护罩为乳头周围制造出空气保护层。

● 保持干爽。如果渗出的乳汁把防溢乳垫弄湿了，要经常更换。同时，保证你的乳垫没有塑料材质，因为塑料材质会存留湿气。如果你住的地方气候潮湿，可以每次哺乳后用电吹风的暖风对着乳房（距离 15～20 厘米）吹 2～3 分钟（不能更多），这样会让你非常舒服。

● 用乳汁治疗。有时候，乳汁在治疗乳头疼痛方面效果非常好。你可以每次喂奶后让剩余的乳汁留在乳头上，不要主动擦干它。或在喂奶结束时挤出几滴乳汁涂在乳头上轻轻按摩，待乳汁风干后再穿上胸罩。

● 涂一点保护剂。乳头天生有汗腺和皮肤油脂，起到保护和润滑的作用。研究表明，羊毛脂也可以预防和治疗乳头皲裂。喂奶后涂上纯羊毛脂，但不要涂以石油为原料的产品、矿物油（比如凡士林）及其他含油产品。不管你的乳头是否疼痛，只用清水清洗，不要用肥皂、酒精、湿巾，没有这个必要。宝宝已经对你身上的细菌有抵抗力，乳汁本身也是干净的。

● 用茶叶试试看。用凉水泡湿茶叶包，把茶叶包放在疼痛的乳头上。茶叶的成分可以帮助缓解疼痛。

● 喂奶时不要因为一侧乳房不疼或乳头没有皲裂而特别青睐它，使乳头强韧的唯一方法就是多多哺乳。如果希望两侧乳房都产奶良好，给予的刺激也要相同。

如果一侧乳房比另一侧疼得多，就从疼痛较轻的一侧开始喂奶，因为宝宝非常饿时会更用力地吮吸。但一定要在必要时再用这个方法，最多只能用几天，因为这会让疼痛一侧的乳房获得吮吸的机会更少。幸而，这种讨厌的疼痛不会持续太长时间（如果你发现疼痛时间太长，联系哺乳专家；这种情况可能由不正确的哺乳姿势造成）。

● 喂奶前休息一下。放松可以促进乳汁分泌（这样宝宝就不需要太用力吮吸），紧张的情绪会起反作用。

● 尝试镇痛药。如果需要药物帮助，在哺乳前服用对乙酰氨基酚可以减轻疼痛。

● 注意观察。如果乳头已经皲裂，要特别警惕乳房感染（参考下文）。当有细菌通过乳头皲裂处进入乳腺导管时，就会引发乳房感染。

哺乳不顺利

良好的哺乳关系一旦形成，通常就会正常持续到宝宝断奶，但偶尔也会发生并发症，其中包括：

乳腺导管堵塞。乳腺导管堵塞会导致奶水流通不畅。由于这种状况（特征是乳房上出现疼痛的红色柔软肿块）会引发感染，一定要立即治疗。最好的治疗方法就是每次哺乳时先用患侧乳房喂奶，并尽量让宝宝将乳汁吸空。如果宝宝没有完成这个工作，你可以自己用手或吸奶器将剩余的奶水挤出。胸罩不能太紧（甚至可以不穿）。喂奶时可以经常变换姿势，让压力分散到不同的身体部位。在喂奶之前热敷或温敷，并轻轻按摩乳房，也可以起到一定的缓解作用（如果姿

配方奶喂养的宝宝

选择了配方奶喂养？开始配方奶喂养比母乳喂养容易得多。但也有很多学问，你可以阅读《海蒂育儿大百科（0～1岁）》一书。

势正确，宝宝的下巴就可以给患侧乳房提供最好的按摩）。不要在这时候给宝宝断奶，停止哺乳只会加重导管堵塞的情况。

乳房感染。母乳喂养时更严重的并发症是乳房感染，也就是乳腺炎。乳房感染多发生在产后第10～28天，一侧或两侧乳房都可能发生，在第一次做妈妈的女性中更常见。引起乳腺炎的原因有：每次喂奶时乳房没有被吸空，细菌通过乳头的裂口或溃烂处进入乳腺导管（一般通过宝宝的嘴巴进入），压力和疲惫等导致妈妈抵抗力下降。

乳腺炎最常见的症状就是乳房剧烈疼痛、坚硬、红肿、炽热和肿胀，还有一些类似感冒的症状——全身发冷和高烧（体温38.3～38.8℃）。如果你出现这些症状，要马上联系医生。医生会为你治疗：卧床休息，服用抗生素、镇痛药，增加水分摄入及温敷治疗。使用抗生素36～48小时之后，你就会发现情况明显改善。如果效果不显著，告诉医生，他可能会换一种抗生素。

在治疗期间应该继续哺乳——既然来自宝宝的细菌能引起感染，感染后这些细菌也就不会再带来危害。另外，吸空乳房还可以帮助预防乳腺导管堵塞。喂奶时先用感染的一侧乳房，如果宝宝没有将乳汁吮吸干净，再用吸奶器将剩余的乳汁吸出。如果实在疼痛难忍无法喂奶，可以试着躺在盛着温水的浴盆中，让乳房被水的

给自己一点时间

现在你已经做了一个星期的妈妈，可能还是会疑惑：我什么时候才能看起来正常一点？哪一天夜里开始才能不挣扎20分钟就能把床头灯打开？什么时候宝宝才能不在半夜哭闹？什么时候我才不会害怕把宝宝弄疼？什么时候才能分辨出宝宝每次啼哭的原因，知道如何应对？宝宝什么时候才能服服帖帖地配合我穿上套头衫？洗发水什么时候才能不流进宝宝娇嫩的眼睛里？大自然赋予我的这项工作，什么时候才能完成得从容一点？

事实是，生宝宝让你成为了妈妈，但没有教会你怎样做一个妈妈。只有花时间失败，花时间克服困难，你才能完成好这项神奇的工作。一天天的育儿体验不容易，但会随着时间推移变得轻松一点。

妈妈们，不要让自己松懈下来，拍拍自己的肩膀，给自己一些时间。你快要成为合格的妈妈了。

浮力托起，再用吸奶器将乳汁吸出（不要在浴盆里使用电动吸奶器）。

如果乳腺炎延误治疗或治疗开始后不久中止，会导致乳房脓肿，其症状为乳房疼痛难忍，出现局部肿胀、刺痛和炽热，发烧（体温 37.8～38.4℃）。治疗方法为服用抗生素和麻醉后局部手术引流。手术后引流管会继续留在乳房里。大多数情况下，患侧乳房不能继续哺乳，但可以先用另一侧乳房哺育宝宝。

剖宫产后哺乳

手术分娩之后多久可以开始给宝宝哺乳，取决于你的感觉及宝宝的状况。如果你们母子平安，一切良好，等手术结束后，你在产房里或稍晚一点就可以给宝宝哺乳。如果因为全身麻醉而感到眩晕，或者宝宝出生后需要留在育婴室观察，你就必须等待。如果 12 小时之后你还不能和宝宝在一起，应该用吸奶器吸出乳汁（这时应该是初乳），以促进哺乳开始。

刚开始，你可能会发现剖宫产后哺乳很不舒服。采取下列措施可以帮助你在喂奶过程中避免挤压伤口：喂奶时，在大腿上放一个枕头以支撑宝宝；或采用足球式抱法（参考第 430 页），也用枕头支撑宝宝的身体。哺乳时出现的产后疼痛和伤口周围疼痛很正常，过几天就会缓解。

为多胞胎哺乳

给多胞胎宝宝哺乳意味着几倍的挑战。不过，一旦哺乳的习惯养成，你就会发现，完成这一挑战不仅可能，更会带来多重益处。为了成功地给双胞胎哺乳，妈妈应该：

改善饮食。满足哺乳期妈妈的每日营养需求（参考第 434 页），每天再多补充 400～500 卡热量（随着宝宝不断成长，胃口越来越大，你需要增加热量摄入。如果加入配方奶粉和固体食物，你的奶量就会下降。如果身体已经积累了足够的脂肪，可以减少热量摄入）；增加蛋白质（4 份）及钙（6 份）的摄入。

吸出所有乳汁。如果你的宝宝在新生儿重症监护室里，太小了而不能吃奶，产后初期需要采用别的方法刺激乳头。考虑使用吸奶器，将吸出来的乳汁交给护士，让她帮忙喂养宝宝。如果吸奶不顺利，不要灰心——任何吸奶器都没有宝宝的嘴巴吸得干净。但吸奶器对乳头的规律刺激最终将帮助你增加乳汁产量。

同时喂两个宝宝。你有两侧乳房，也有两张（或更多）小嘴需要喂养。准备好同时给两个宝宝喂奶了吗？你可能已经有准备了（比如两个大号的双胞胎哺乳枕）。同时为两个宝宝哺乳（手足哺喂）有一个很明显的好处：你不用再没日没夜地轮流为宝宝哺乳

手足哺喂

有些多胞胎的妈妈习惯每次只给一个宝宝哺乳，她们觉得这样更容易，也更舒适。还有的妈妈不想花太多时间在哺乳上，倾向于同时为两个宝宝哺乳。下面是一些手足哺喂的技巧：(1) 两个宝宝都采用足球式抱法。用枕头来支撑宝宝的头。(2) 分别以摇篮抱法和足球式抱法，用枕头来支撑宝宝的身体，你可以不断调整枕头的位置，直到自己和宝宝感觉舒服为止。

了。给两个宝宝哺乳时，把他们放在枕头上,然后让他们含住你的乳头(在习惯这种变戏法般的操作之前，最好有人帮忙把宝宝递过来)。

如果手足哺喂不适合你，你也可以在给一个宝宝喂奶时，对另一个宝宝采用奶瓶喂养（可以喂吸出来的母乳），然后在下一次哺乳时互换。一些宝宝效率比较高，10～15 分钟就吃饱了。如果你的宝宝属于这一类，感谢你的运气吧，这样花的时间并不比手足哺喂更多。

需要喂养 3 个宝宝甚至更多宝宝？可以第一次同时喂 2 个宝宝，接下来再单独喂第 3 个宝宝，记住，宝宝们需要轮流扮演“第 3 个宝宝”的角色。

获得双倍的帮助。对于打扫房间、做饭、照顾宝宝等工作，应该尽量向他人寻求帮助，这样才能储备足够的精力加速产奶。

每顿晚餐变换花样。即使是同卵双胞胎也有不同的性格、能力及吃奶的方式,所以对待他们不能完全一样。要格外注意保证每个宝宝在每次吃奶过程中都很满足。

让两侧乳房得到刺激。每个宝宝在哺乳时都应该交替吮吸两侧乳房,这样乳房才能得到相同的刺激。

第18章　产后最初的6周

初为人母的你可能已经投入了新生活，也可能正在考虑如何既满足自己的需求又照顾好新生儿。可以肯定，不管白天和晚上，你的大部分精力都集中在这个新来的小家伙身上。毕竟，宝宝不能照顾自己，但这不意味着你要忽视自己的需要。

虽然现在你心中大部分疑问和顾虑都和宝宝相关，但一定也有一些关于做妈妈的疑问——情绪状态(“看到广告里的宝宝我会不会一直哭个不停？”)、考虑自己的性生活（“我会不会再也不能做爱了？”)、腰围（我还能穿上以前的牛仔裤吗？”)。答案是肯定的——给自己一些时间。

你可能会有的感觉

产后最初的6周仍然被看做“恢复期”。即使你的分娩过程十分顺利，宝宝也已经最大程度地拉伸并挤压了阴道，阴道需要重新修复。就像所有孕妇一样，所有新妈妈都有个体差异——也造成了康复速度的差异，并伴随不同的产后症状。根据分娩方式不同，在家里能够获得的帮助，以及其他的个人因素，你可能经历以下几种或所有症状：

身体上

- 阴道会继续流出恶露，由暗红色、粉红色，慢慢变成棕色，最后变成淡黄色或白色。
- 疲劳。
- 如果你是阴道分娩（尤其经历了外阴缝合），或剖宫产之前经历了长时间的阵痛，会阴处会出现持续的疼痛不适和麻木。
- 如果是剖宫产（特别是第一次剖宫产），伤口的疼痛感会逐渐消失，而麻木感一直持续。

● 便秘和痔疮的情况逐渐改善。

● 子宫退回骨盆内，腹部逐渐变小（但只有运动才能使你恢复到怀孕前的身材）。

● 体重慢慢减轻。

● 水肿情况逐渐缓解。

● 开始哺乳前，乳房感觉不适，乳头开始疼痛。

● 背痛（腹部肌肉无力及怀孕导致的后果）。

● 关节疼痛（因为孕期身体关节松弛）。

● 胳膊及脖颈疼痛（因为抱宝宝）。

● 脱发。

精神上

● 欣喜、沮丧。

● 感觉失落，或越来越自信。

● 对性生活失去兴趣。少数新妈妈性欲反而会增强。

产后检查的内容

医生可能安排你在产后4～6周时做一次检查（如果你是剖宫产，医生可能要求你在产后第3周去检查）。产后检查可能会包括下列项目，实际的检查内容还是取决于你的具体需求和医生的行医风格。不要忘了将自己的问题记录下来，检查时带过去。

● 测量血压。

● 测量体重，可能已经减少了7.5～9千克。

● 检查子宫是否恢复孕前的形状，以及子宫的大小和位置。

● 检查子宫颈。子宫颈应该已经恢复了孕前状态，但还会有点充血。

● 检查阴道。阴道应该已经收缩，很大程度上恢复了弹性。

● 检查外阴伤口的恢复情况。如果是剖宫产，检查腹部的伤口。

● 检查乳房。

● 检查痔疮或静脉曲张的情况。

● 你想讨论的问题和疑问——事先准备好清单。

在这次检查中，医生会和你讨论该采用什么节育方法。如果你打算用子宫帽，而且子宫颈已经恢复正常，医生会给你一个新的（旧的子宫帽不合适了）。如果子宫颈还没有完全恢复，要使用避孕套。要是你不打算母乳喂养，还打算吃避孕药，现在就可以让医生你给开药方。有些避孕药在哺乳期也可以安全使用，请医生给你开安全的避孕药。想了解更多节育措施，参考《海蒂育儿大百科（0～1岁）》一书。

你可能关心的问题

精疲力竭

“我知道生完宝宝后会很疲惫，但我

已经 4 周没有睡好觉了，现在感到精疲力竭。”

面对这种情况，没有谁能笑得出来。你要无数次的喂奶，哄宝宝，给宝宝换衣服，抱着他走来走去。你每天都要洗小山一样高的衣物，任务似乎一天比一天艰巨，但宝宝却不会对你说一句“谢谢”。你需要不断出门购物，幸运的话，做完所有事情后，可能平均还有 3 小时的睡眠时间——身体还处于产后恢复过程中。换句话说，你有充分的理由给自己颁发“劳模”奖状。

有没有什么好办法能改善疲惫的症状？在身体获得充足的夜间睡眠之前并不容易，但有很多方法可以让你积极面对现实：

获得帮助。如果经济允许，雇一两名能够提供帮助的人。如果经济条件不允许，尽量寻找愿意伸出援手的人。现在是让妈妈、婆婆，或好朋友帮助你的最好时机。建议她们在你午后打盹儿时把宝宝放在婴儿车里推出去晒晒太阳，或请她们帮你购买日常用品、洗衣服、给宝宝换尿布。

分享负担。家长的责任应该由两个人分担。即使你的伴侣每天朝九晚五地工作，当他回到家也应该帮你分担照顾宝宝的工作。擦地、洗衣服、炒菜、购物……等等。两个人一起做，将每个人的任务写下来，包括谁负责哪部分工作，什么时候完成等。（如果你是单亲妈妈，可以从好朋友那里获得帮助。）

不要把汗水浪费在小事上。现在唯一重要的就是宝宝。在你觉得更有精力之前，所有的小事都应该排在后面。即使是那些完成后能得到大量赞美的工作也不应该在这个时候做。可以给很多人群发电子邮件，附上宝宝的照片，让他们意识到你现在很辛苦。

寻找解脱方法。现在已经生完宝宝了，找些能帮你解脱出来的餐厅和商店吧。即使是日用百货也可以上门送货，所有宝宝需要的东西也是如此。提前囤货，这样就不会出现临时出门纸尿裤不够的情况了（但也要注意，不要买太多，因为宝宝长得很快）。

在宝宝睡着时睡觉。你以前听说过这个建议，还可能对它嗤之以鼻。毕竟，宝宝睡觉时，你可以完成很多件事。但好好躺下打几个呼噜吧，哪怕只能睡 15 分钟，这样宝宝再哭时你能有更好的精力。

喂饱宝宝，喂饱自己。虽然你时刻都在张罗着喂宝宝，也不要忘了自己。多吃一些富含蛋白质和碳水化合物的零食可以对抗疲劳：乳酪条、薄脆饼干、什锦干果、水果奶昔、酸奶、香蕉、燕麦棒等。保证你的冰箱、汽车储物箱甚至装纸尿裤的包里都有零食，这样就不会饿着了。体力不支时，糖和咖啡因似乎很有效，但要记住：

虽然它们能在短期内满足你的需求，也会很快耗尽能量，让你筋疲力尽。另外，光吃是不够的，还要喝足量的水——你在分娩过程中丧失了大量水分，脱水会导致力竭。这些经验对于所有新妈妈们都适用，哺乳期的新妈妈更是如此，毕竟你现在仍然是一个人吃两个人的饭。

如果你的情况很糟糕，去看医生，排除一些可能引起疲乏的原因(例如产后甲状腺炎,参考第452页)。如果你感到沮丧或抑郁（参考第448页），采取行动控制病情发展，因为产后抑郁症总会因为疲惫（和甲状腺炎）而加重。如果你没有相关疾病，就好好放松吧,痛苦的日子快过去了，你很快就能好好睡一觉了。

脱发

“我突然开始掉头发，是不是要变成秃头了？”

你不会变成秃头的——只是在恢复正常。人平时每天会掉约100根头发，也在不断地长出新头发。妊娠期间,激素的变化会使头发暂停脱落。但美好的东西总是短暂的,包括头发，很多产妇在产后6周的时间里开始成绺脱发。有些哺乳期的女性在给宝宝断奶或开始给宝宝喝配方奶、吃固体食物之后才开始掉头发。知道脱发的结束时间会让你释然很多：到宝宝一周岁生日之后，这种情况就会有所好转。

注意饮食营养，继续服用维生素补充剂，这对头发也有好处。只在必要时才使用洗发水洗头，平时用清水洗头，并使用护发素以减少头发打结的情况。梳理弄乱的头发时要用宽齿梳子，避免头发受热（尽量不要使用电吹风或烫发棒)。

如果头发掉得太多，或还有其他甲状腺疾病的症状，要咨询医生。

产后小便失禁

“我以为宝宝出生后自己对膀胱的控制会更好，但宝宝已经2个月大，我还是只要咳嗽或笑，就会尿出来。会永远这样吗？”

看起来，新妈妈的膀胱已经让你受不了了？开始的几个月，笑、打喷嚏、咳嗽或者做一些费力的事情时偶尔出现小便失禁完全正常。这是因为怀孕、阵痛和分娩过程使得膀胱周围和骨盆肌肉松弛,从而很难控制小便。另外，产后几周子宫虽然会缩小，但仍然压在膀胱上面，使膀胱更难储存尿液。当然，激素的变化也给膀胱的工作带来了难度。

这种情况可能会持续3～6个月，甚至更长时间，之后膀胱才能恢复到最初的状态。在这之前，尽量穿有衬里的裤子或垫上护垫，以吸收渗漏的尿液（但不要用卫生棉条），同时采取下列措施，能帮助你更快恢复控制力：

继续做凯格尔运动。以为生了宝宝就可以不用再做凯格尔运动了？还不行。继续做这些加强盆底肌的运动，可以帮助你尽快恢复对膀胱的控制力，预防今后出现类似情况。

适当减肥。开始合理地减去孕期增长的体重吧，这部分体重可能会压迫到膀胱。

训练膀胱功能。每 30 分钟小便一次，不要等到尿急时才去。接下来，慢慢拉长两次小便的间隔时间。

保持大便规律。尽量防止便秘，这样充盈的大肠就不会再给膀胱增加额外的压力了。

足量饮水。保证每天喝至少 8 杯水。觉得似乎应该减少液体摄入才能减少漏尿？实际上，脱水会让你更容易患尿路感染，感染的膀胱更容易漏尿，形成恶性循环。

如何控制失禁？

尝试了各种偏方想阻止尴尬的产后大小便失禁？已经做凯格尔运动到脸色发青，还是无法消除失禁现象？不要因为尴尬而不愿意告诉医生。他可能会向你推荐生物反馈疗法（一种由心理控制生理的技巧，在控制大小便失禁上效果极佳）或其他治疗手段。在一些特殊的病例里，甚至还可能采用外科手术治疗。幸运的是，大部分情况都可以不通过医疗干预而自愈。

大便失禁

“最近总是不自觉地放屁，有时甚至会漏出一点大便，这让我尴尬不已，怎样才能解决这个问题？”

作为新妈妈，你当然希望自己可以为宝宝解决好个人卫生问题——但现在你连自己都搞不定。在令人不悦的长长的产后症状名单中，又增加了一条：不自觉的大便失禁或放屁。这是由于在阵痛和分娩阶段，骨盆区域的肌肉和神经被拉伸，有时造成了损伤，导致你无法控制大便。这些问题会在肌肉和神经恢复正常后消失，通常只需要几周时间。

在那之前，尽量避免进食难消化的食物（油炸食品、豆制品、卷心菜），避免暴饮暴食及边走边吃（吞下的空气越多，越容易放屁）。继续做凯格尔运动也能帮助这些松弛的肌肉（以及控制小便的肌肉——这个阶段还会发生小便失禁）再次收紧。

产后背痛

“我以为生了宝宝之后所有背痛的症状都会消失，但事实上并非如此，这是为什么？”

欢迎回来，背痛。近半数的新妈妈都会遇到这个情况，孕期的老朋友再次大驾光临——无论你多么不欢迎它。一些疼痛发生的原因还和之前一样——韧带松弛。而韧带恢复的过程需要一定的时间，导致持续几周的疼痛。同时，松弛的腹部肌肉改变了孕期的身体姿势，对背部造成了压力。而且，现在你已经生下了一个可爱的宝宝，又多了一些背痛的诱因：所有抱宝宝、弯腰、摇晃宝宝、给他喂奶的动作都是罪魁祸首——当你的小可爱越来越大，越来越重时，背部需要承受的压力也越来越大。

但时间可以解决大部分问题，包括各种产后疼痛，下面是一些帮助缓解背痛的好办法：

● 锻炼背部肌肉。做一些难度不高的运动（比如骨盆倾斜运动），这可以帮助加强支撑背部的肌肉。

● 改变弯腰和提拿东西的姿势。宝宝的尿布不小心掉在地上了？将弯腰的动作改成屈膝，可以让背部休息一下。

● 不要懒洋洋地躺在沙发上。给宝宝喂奶时不要躺下。如果给予背部足够的支撑（使用枕头、扶手或其他支撑物），它会非常感激你。

● 放松双脚。不用说，你一直都在四处走（抱着宝宝来回摇晃），不过有机会就应该坐下来。不得不站着时，将一条腿放在小凳子上，可以减轻背部下方的疼痛。

● 观察自己的姿势。挺直背部，哪怕需要来回晃动宝宝也应该记住这个原则。驼背会让背痛更严重。随着宝宝长大，你抱着他时不要将重心放在一侧臀部，这不仅会加重背痛，还可能引起臀部疼痛。

● 抬高双脚。谁更有权利让双脚高高在上？那一定是你了。坐下或给宝宝喂奶时将双脚抬高，也可以减轻背部压力。

● 放下宝宝。不要一直抱着他，尽量将他放在婴儿车或摇篮里。这不仅能让宝宝很舒服，也能缓解你的背痛和胳膊痛。

● 双臂交替工作。很多妈妈习惯用某只手臂抱宝宝。其实，正确的方法是轮流使用双臂，使两条胳膊获得同样的锻炼，这样身体两侧就不会出现程度不同的疼痛了。

● 按摩。如果有时间，享受几次专业人士的按摩。如果时间比较紧张，也可以让丈夫帮你按摩。

● 热敷。热敷可以减轻背部肌肉疼痛。平时应该经常采用，在马拉松式的哺乳期开始后，更应该频繁进行。

随着身体慢慢调整到喂养宝宝的状态，你可能会注意到自己背痛（胳膊痛、臀部痛、脖子痛）的现象有所缓解，甚至会发现身上新出现了一些肌肉。同时，还有些小办法可以尽量帮你减轻负担，例如带宝宝出门时只带必需的东西，不带多余的尿布。

产后抑郁

“我曾经坚信，宝宝出生后，我会非常激动。但现在却高兴不起来，这是怎么了？”

生下宝宝以后的日子是生命中最幸福的时光之一，但有60%～80%的新妈妈会觉得抑郁。这种所谓的产后抑郁一般发生在产后3～5天，常常让你沮丧、烦躁、想哭、心乱如麻甚至焦虑。出现这些症状可能在意料之外，因为之前你觉得生孩子是一件幸福的事，不会带来痛苦。

如果客观地从头梳理一下你的经历：生活、身体及心理状态，会发现一切都很好理解。激素水平快速变化（孕期高水平的激素在生完宝宝后急剧下降）；耗尽体力的分娩过程；回到家还有大量家务要做；随时都不能分神地照顾宝宝；睡眠不足；有可能感觉很失望（本以为当妈妈是一件顺理成章的事，事实上却并非如此；本以为会生下一个白白胖胖的宝宝，结果却发现他浑身皱巴巴）；哺乳遇到了困难（疼痛的乳头，乳房胀痛）；不敢看自己的样子（肿起来的眼泡，肚子上的游泳圈，腿上的橘皮组织比宝宝还多）；和丈夫的关系出现压力；每天都有非常多的衣服要洗……毫无疑问，你的压力很大。

随着你慢慢调整适应了新生活，并获得更多休息，产后抑郁的症状也会慢慢消失。尝试下面的措施可以帮助你更快摆脱产后抑郁的影响：

降低要求。感到自己完全被打败了，觉得自己没有足够的能力胜任新妈妈的角色？记住，这种混乱的局面不会持续太久。几周之后，你就会适应自己的新角色，降低对自己和宝宝的期望。期望越大，失望越大——从而引起你心情低落。相反，尽力就可以，这样已经足够了。

不要一个人待着。一个人带宝宝，面对着一堆要洗的衣服，一堆要刷的盘子，又一个不能早早上床的晚上，没有比这更糟糕的生活了。向别人寻求帮助吧——丈夫、妈妈、姐妹、朋友，甚至干洗店。

穿漂亮衣服。看起来很奇怪，但花点时间把自己打扮漂亮能让你感觉更好。在丈夫出门之前洗个澡，让他帮你吹干头发，脱下肥大的T恤衫换上干净漂亮的衣服，可以考虑化点淡妆。

出门活动。变换眼前的风景能对

心情造成很大影响。至少每天离开屋子一次，抱着宝宝到公园里散步，拜访几个朋友(如果朋友也刚做了妈妈，你们可以聚在一起交流自己的“苦难经历”——这些困难最终都将被你们一笑而过)，逛街，任何能让你不再独自郁闷的活动都值得尝试。

对自己好一点。和丈夫享用一次浪漫晚餐、看场电影、花 30 分钟美甲，或多花点时间洗一次澡。有时，应该把自己放在第一位——你值得这样做。

动起来。运动可以帮助释放内啡肽，让你以最自然的方式开心起来。加入产后健身班吧，或者看着 DVD 练习，出门做一些“婴儿车运动”(婴儿车是不可或缺的运动器材)，或只是出门散步也可以。

开心地吃零食。很多时候，新妈妈忙于考虑填饱宝宝的肚子而忘了自己。这是错误的——低血糖不仅会降低精力水平，还会引起情绪低落。为了让你的体力和情绪都维持在良好水平上，随时吃一些方便的小零食很重要。忍不住想吃巧克力？那就吃吧(如果巧克力能让你感觉更舒服的话)，只要注意不要吃得太频繁就可以，因为糖类会引起血糖值快速升高。

笑出来，也哭出来。如果非常想大哭一场，就哭吧。但哭完一定要坐下来看一部喜剧，让自己笑一笑。对于你遇到的所有不顺心的小事，也应该笑着面对——比如宝宝的尿布破了漏尿，在超市里溢乳，没带手绢出门宝宝却吐奶了。你应该听说过：笑声是最好的解药。另外，幽默感也是新手父母最好的朋友。

不管怎样做都感到抑郁？不断提醒自己，产后抑郁会在 1~2 周内消失。接下来你就可以好好享受最好的时光了。

如果抑郁症状持续超过两周或变得更严重，开始影响到你的生活，立即给医生打电话并参考第 451 页的小贴士。

“我现在感觉非常好，3 周前生下宝宝后一直这样，这种良好的感觉会发展成可怕的抑郁情绪吗？”

产后抑郁很常见，但并不是所有人都会出现，不能因为你一直很愉快就断定将会遭遇情绪低谷。大多数产后抑郁症状发生在产后第一周，很可能你已经逃过了一劫。

虽然你没有患上产后抑郁症，但并不说明家人也完全避免了这种病症。研究显示，如果新妈妈患上产后抑郁症，新爸爸就不太可能产生抑郁情绪；如果新妈妈感觉良好，新爸爸情绪低落的可能性就会大大增加。所以，你要确定配偶没有患上产后抑郁。有些新爸爸会努力掩饰自己的感觉，不想给妻子添麻烦。

产后抑郁症

“宝宝出生有1个月了，可我还是觉得抑郁，什么时候能好起来？”

如果产后抑郁一直持续，那很可能是产后抑郁症。虽然“产后抑郁”和“产后抑郁症”这两种情况常被混淆，但实际上二者是不同的。真正的产后抑郁症很少见（患病率为10%～20%），持续时间更长（几周到一年，甚至更久）。产后抑郁症可能在分娩时开始，但更多地发生在生下宝宝1～2个月之后。有时产后抑郁症发作得较晚，直到新妈妈分娩后第一次月经来潮或宝宝断奶（激素水平再次发生变化）时才会发作。有如下情况的女性更容易患产后抑郁症：有产后抑郁症病史；有抑郁症病史或家族史，或严重的经前期综合征病史；孕期或分娩时出现了并发症；生下的宝宝不太健康。

产后抑郁症的症状和“产后抑郁”很相似，但更明显，包括哭泣、易怒、睡眠问题（不能入睡或嗜睡）、饮食问题（没有食欲或食欲过盛），持续的伤心、无助感，以及感觉自己没有能力（或不想）照顾好自己和宝宝，甚至失忆。

如果你还没有想办法消除产后抑郁的症状（参考第448页），现在一定要开始采取措施。如果你的症状在两周后没有明显好转，甚至越来越严重，很可能要经过专业治疗。不要想再等等看，告诉医生你的感觉。他会先对你进行甲状腺功能检测，因为甲状腺素水平不正常也会引起情绪波动，在诊断产后抑郁症时，这是重要的第一步（参考下文）。如果检查显示你的甲状腺水平非常正常，就要立刻找一位有治疗产后抑郁症临床经验的专家进行治疗。抗抑郁药（即使在哺乳期，也有很多种安全的选择）加上专业咨询可以让你很快好起来。对于有抑郁症病史的女性，很多医生会在孕晚期的3个月开一些低剂量的抗抑郁药物；另一些医生建议高危产妇在产后立即服用抗抑郁药物。亮光疗法在治疗产后抑郁症上也有一定效果（采取亮光疗法时，你需要睁开眼坐在一个箱子前，箱子里会释放出一种模拟日光的光线，帮助大脑形成积极的生物化学反应，从而让你振作起来）。不管采用哪种治疗方法，快速及时的干预是关键所在。如果没有及时采取措施，会影响到你和宝宝的感情，也会影响你照顾宝宝，享受和宝宝在一起的时光；还会影响到生活中的其他关系（和丈夫、其他孩子的关系等），并会影响到你的健康。

有的女性没有感到产后抑郁，而觉得极度焦虑、害怕，有时感到恐慌，还出现心跳加快、呼吸急促、浑身颤抖的情况。这需要由专家立即给予治

寻求帮助，治疗产后抑郁症

没有任何新妈妈应该遭受产后抑郁症的折磨。遗憾的是，有太多人患上这种疾病。有的是觉得产后出现这些情况正常且不可避免，从而讳疾忌医；有的是对就医感到耻辱。

关于产后抑郁症的大规模普及教育活动已经展开了，这是为了帮助那些需要帮助的女性，让她们可以更快开始享受和宝宝在一起的时光。有的医院也给新产妇的家中派发产后抑郁症的相关宣传材料，让她们（及丈夫们）能够更快识别出产后抑郁症的症状，并尽早就医。医生们的经验也相应增多——掌握了很多预测产后抑郁症的危险因素，并能更迅速、安全、成功地治疗产后抑郁症。很多标准化筛查在筛查产后抑郁症方面非常有效。

在所有类型的抑郁症里，产后抑郁症是最容易治愈的一种。如果你出现了这种情况，不要再忍了，说出来，寻求需要的帮助。

疗，可能包括药物治疗。

大约30%患有产后抑郁症的女性还罹患了产后强迫症，出现各种强迫行为：每15分钟就会起身检查一下宝宝是否在呼吸，疯狂地打扫房间，突然出现伤害宝宝的冲动（比如将宝宝扔出窗外或摔下楼梯）。虽然她们不会真的做出暴力行为，但这种暴力冲动常常会吓到新妈妈自己（只有患产后精神病的女性才会出现暴力行为，参考下文）。而且，她们很害怕自己会失控从而伤害了宝宝。和产后抑郁症一样，产后强迫症的治疗也需要抗抑郁药物并结合其他疗法。如果你出现了强迫思维或行为，一定要告诉医生，他会给你提供帮助。

比产后抑郁症更少见、更严重的是产后精神病，症状包括失落、幻觉或妄想。如果有自杀、暴力和攻击性倾向，出现幻听、幻觉及其他精神病症状，立即通知医生并寻求帮助。不要掩饰你的感觉，不要安慰自己这只是产后的正常反应——事实并非如此。等待帮助的时间里一定不要将危险的想法付诸实践，让邻居、家人或朋友和你待在一起，并将宝宝放在安全的地方（例如婴儿床上）。

产后减肥

“我明白不可能在产后立即恢复到穿比基尼的身材，但已经过了2周，我还是像怀孕6个月的样子。”

让你情绪低落的甲状腺炎

几乎所有新妈妈都会觉得身体虚弱、疲惫，大多数都遭遇减肥困难，许多还忍受着产后抑郁症的折磨，还有掉头发的困扰。这不是美好的一幕，但对于大多数妈妈来说，这些现象完全正常。耐心等待，情况会逐渐好转。不过，对于患产后甲状腺炎的 5%～9% 的女性来说，情况不会随着时间推移而改变。产后甲状腺炎的症状和所有新妈妈经受的症状相同，所以很可能没有诊断出来，得不到有效治疗。

对于大多数女性来说，产后甲状腺炎可能在分娩后 1～3 个月内出现。开始一般是暂时的甲状腺功能亢进症的相关症状（甲状腺素分泌过多）。这个阶段，过多的甲状腺素进入血液循环系统，并持续几周时间——新妈妈很可能会感到疲惫、急躁、紧张、发热，而且出汗、失眠的情况越来越严重——这些都是产后初期的常见症状，使原本很简单的诊断变得扑朔迷离，但这时通常不需要治疗。

接下来你可能会出现甲状腺功能减退症（甲状腺素分泌不足）。甲状腺功能减退症同样会让人觉得疲惫，同时伴有抑郁症状（比典型的产后抑郁或产后抑郁症持续时间更长，通常也更严重）、肌肉疼痛、脱发、皮肤干燥、怕冷、记忆力差及减肥难等。

如果产后的症状比你想象中更加显著、持久，影响了吃饭、睡觉、照顾宝宝，就和医生聊一聊。做检查可以判断是否患了产后甲状腺炎（有些内分泌专家认为产后甲状腺炎是产后抑郁症一个非常普遍的原因，所以患产后抑郁症的所有女性都应该做甲状腺功能检查）。一定要对医生说明家族病史，这种病的遗传性很强。

绝大多数新妈妈产后 1 年内就可以从产后甲状腺炎中恢复过来。同时，采取补充甲状腺素的治疗方式可以使她们感觉更好，恢复更快。大约 25% 的女性患上的产后甲状腺炎无法治愈，需要终身治疗（很简单，只要每天吃药，每年做一次血液检查）。即使是那些自愈的女性，在以后的孕期或产后还可能再次患上甲状腺炎。有的人在日后会发展成甲状腺功能亢进症或甲状腺功能减退症。因此，患产后甲状腺炎的女性最好每年检查一次甲状腺。如果想再次怀孕，最好在怀孕前和孕期做一下甲状腺检查（没有经过正确治疗的甲状腺炎可能会影响怀孕，甚至引起一些孕期问题）。

虽然分娩比其他任何畅销的减肥食品更有效（一夜之间能减去 5 千克），但大多数女性还是嫌速度不够快——当她们从镜子里看见产后的身材时很不满意，因为自己看上去还是像怀孕的样子。

事实上，从产房出来的女性看起来确实没比进去时瘦多少。产后的肚子依然很大，一部分原因是子宫还没有收缩回原来的样子。到了产后第6周，子宫会恢复到孕前大小，腹部也会随之变小。腹部鼓胀的另一个原因是体内有大量剩余的体液，这些体液会在接下来的几天内排出去。另外，腹部肌肉和皮肤已经伸展开，必须经过锻炼才能恢复原样，否则此后会一直松弛下去（参考第456页）。

产后最初6周不应该考虑身材问题，尤其对哺乳的妈妈而言。这个时候是恢复期，最重要的是摄入足够的营养，保持精力并抵抗疾病。坚持健康的产后食谱可以帮助你缓慢、稳定地减去多余的体重。如果6周后你的体重并未降低，可以适当减少热量摄入。如果你正在哺乳，不要减得太多，每天摄入热量过少会减少母乳产量。脂肪消耗太快会释放毒素进入血液，使你停止分泌乳汁。如果你不是母乳喂养，分娩6周后可以开始理智、均衡地减肥。

一些女性发现，多余的体重随着哺乳慢慢不见了；另一些却发现自己的“型号”一点都没有改变。如果你属于后者，不要绝望，等宝宝断奶后，你就可以轻松地减掉多余的重量。

多快能恢复到孕前的身材也取决于孕期增加的体重。如果你增重不超过11.5～13.5千克，很可能几个月之后就可以穿上怀孕前的裤子，不需要太注意饮食。如果增重超过16千克或更多，可能就需要花些时间和心思才能穿上怀孕前性感的牛仔裤了，所需时间从10个月到2年不等，

不管是哪种情况，休息一下，多给自己一点时间。记住，孕期增重花了9个月，要减去这些体重也不能少于这段时间。

剖宫产后长期的恢复过程

“剖宫产已经过去了1周，我现在会有什么感觉？”

已经过去很长时间了，但你还需要几周的时间才能复原。记住，休息得越多，恢复所用的时间就越短。在恢复过程中，你会经历如下阶段：

疼痛基本消失。现在疼痛感已经基本消失。如果你还是很痛，可以用一些温和的镇痛药。如果要给宝宝喂奶，除了对乙酰氨基酚之外不应该再服用其他药物。

快速好转。在几周内，伤口虽然疼痛，但还是会好起来。穿宽松、柔软的衣服可以避免伤口受刺激，也能让你更舒服。伤口偶尔裂开或疼痛是恢复过程中的正常现象，疼痛最终会消失。接着你会感到发痒，可以请医

生推荐一种适合你的止痒软膏。伤口处的麻木感将会持续更长时间。几个月后，疤痕上凹凸不平的现象可能会减少（除非你是疤痕体质），然后伤疤会变成粉红色或紫色，并最终变得不明显。

如果伤口一直疼痛，周围红肿，或渗出棕色、灰色或黄绿色的物质，一定要告诉医生，这可能是伤口发炎了。（少量渗液是正常的，但最好通知医生。）

需要再等4周才能开始性生活。对于你来说，所有指导原则都和阴道生产的女性一样。但总体来说，影响等待时间的最大因素还是伤口的愈合情况。继续阅读下一个问题可以了解更多。

慢慢开始运动。一旦你不再疼痛，就可以慢慢运动了。即使分娩没有对会阴造成任何影响，也要坚持做凯格尔运动，因为怀孕时盆底肌承受了较大压力。另外，尽量多做一些锻炼腹部肌肉的运动（参考第456页学习产后恢复身材）。将“缓慢、稳定”当成座右铭，每天坚持循序渐进地运动。记住，你恢复到原来的样子需要几个月的时间。

重新开始性生活

“我们什么时候可以重新开始性生活？”

部分取决于你在产后4周的感受，只要感觉可以，大多数情况下性生活是安全的。一些医生早在产后2周就允许女性恢复性生活，另一些医生则遵循过去“坚持等6周”的原则。有些情况下（例如恢复过程缓慢或发生感染），医生会建议你多等些日子。以前，不管情况如何，医生都要求女性产后6周才能开始性生活。如果医生持这种观点，你却觉得可以早些开始，可以询问一下医生。如果医生没有给出特殊的原因，可以问问他你是否可以早点开始，或继续等待。记住，一旦开始照顾宝宝，时间会飞快过去。你和丈夫可以尽量亲热，但不要太早让他进入你的身体。

“助产士已经同意我们重新开始性生活了，但我担心会受伤。说实话，我现在也不是太有情绪。”

产后的女性最想做的事情里，性爱绝对不会排在前列，甚至连前20名都排不上。不要惊讶，大多数女性产后因为各种原因不想做爱。首先，产后早期做爱会非常疼，很少有快感——如果你是阴道分娩更是如此，经历阵痛的剖宫产也是这样。毕竟，阴道已经伸展到了极限，甚至还被撕裂或切开后缝合——让你连坐下来都疼痛不已，更别提做爱了。天然的润滑剂会有些帮助，可以让你在性爱中感觉不太干涩——尤其如果你在哺乳，原本湿润的地方通常都很干燥。另一个可能造成做爱时疼痛的因素是：雌激素水平低导致阴道组织仍然比较薄。

除了身体方面的问题，还面临其他一些问题：之前做爱时绝对不会考虑到有人需要你们的照顾，而现在性欲必须和不眠不休的夜晚、疲惫的白天、脏尿布、宝宝无休止的需要作斗争，更不用提数不胜数的“性趣杀手”了(宝宝吐到你衬衫上的刺激性气味，一堆脏的婴儿服堆满了床脚，床头柜上原来放着的按摩精油已经被婴儿油取代了，你记不清自己上一次洗澡是哪天)。所以，性爱没有被提上日程并不奇怪。

那么，你将来还会想做爱吗？当然！你的生活现在被完全颠覆了，也是全新的。性爱和其他新生活里的事物一样，需要一定的时间和耐心（特别是丈夫的耐心，他肯定早就做好准备了）。所以，等到自己觉得没问题的时候吧，或采取下面的办法让自己更快做好准备：

使用润滑剂。自己还不能用分泌物让私处湿润之前，可以使用润滑剂，这可以减少疼痛，还可以增加快感。

放松。喝一小杯红酒也能让你放松——并预防在性爱过程中再次紧张起来出现疼痛（一定要在给宝宝喂奶之后再喝酒）。另一种放松的好办法是按摩，做爱之前可以要求丈夫给你按摩。

热身。当然，丈夫可能还是和以前一样急于进入正题。虽然他不太需要前戏，你却非常需要，所以一定要向他提出要求。在热身阶段他付出的努力越多，做爱时你们双方的感觉就越好。

说出你的感受。你知道什么时候疼，什么时候感觉比较好。但如果你不说出来，丈夫就不会知道。你可以像指路一样地向他说明。（“往左一点……不，右边……不，往下……往上一点点……对了，就这里！”）如果想要事情进行得更顺利一点，一定要大声说出自己的感受。

选择正确的姿势。多试几次，找到一个好的姿势：不能对脆弱的区域施加压力，进入程度也必须能让你控制(现在这个阶段，并不是越深越好)。女上位或者侧躺都是非常好的选择。不管是谁主动，保证用一种缓慢而舒服的频率进行。

运动。为了将体内的血液多输送一些到阴道，你需要经常做运动——是不是耳朵都起老茧了？是的，就是

想要更多？

想了解更多关于产后做爱、避孕的知识，请阅读《海蒂育儿大百科(0~1岁)》一书。

凯格尔运动。白天晚上都可以做凯格尔运动，也别忘了在性爱过程中做，肌肉的挤压会让你们很舒服。

寻找其他的满足方式。如果你现在不能享受直接做爱的快感，可以选择爱抚对方或口交来获得性快感。或者，如果你们都太累而不愿意这样，仅仅两个人亲密地待在一起也很快乐。静静地躺在一起、拥抱、亲吻、聊聊宝宝的事。

记住，即使第一次（以及第二、第三次）做爱可能比较疼，也不要因为疼痛气馁——或放弃，这种情况不会持续太久。

再次怀孕

“我原本以为哺乳可以避孕，现在听说哺乳期内月经开始前也会怀孕。”

除非不介意再次怀孕，否则不要指望靠哺乳来避孕。

平均来说，母乳喂养的女性恢复月经确实比其他女性晚。不采取母乳喂养的妈妈通常在产后约 6～12 周的时间里恢复月经，而母乳喂养的妈妈恢复月经的平均时间为 4～6 个月。但目前已知，采取母乳喂养的妈妈有可能在产后 6 周就恢复月经，也有的会晚至 18 个月后才恢复。问题在于，没有确切的办法预测产后第一次月经的时间——尽管目前一些影响因素是已知的：哺乳频率（每天哺乳超过 3 次似乎能比较有效地抑制排卵），哺乳持续时间（哺乳时间越长，越能有效延迟排卵），以及是否加入其他喂养方式（添加配方奶、固体食物等都能降低哺乳对排卵的推迟作用）。

为什么产后第一次月经前也要避孕？因为产后第一次排卵的时间和月经时间一样难以预料。有的女性月经恢复后的第一个月还没有恢复生育能力；也就是说，她们第一个月经周期不排卵。还有的女性第一次月经之前就会开始排卵，所以即使没有来月经也可能再次怀孕。因为不知道月经和排卵谁先恢复，所以强烈建议你小心避孕。

当然，有时也会发生意外。即使你已经采取了避孕措施，仍然有可能怀孕。如果你怀疑自己怀孕了，最好测试一下，参考本书第 45 页“接踵而来的妊娠”。

恢复身材

在怀孕 6 个月的时候肚子大没关系，但如果产后肚子还这么大，就另当别论了。虽然大部分女性走出产房时会比走进去时苗条了一点，但也不会立刻能穿上怀孕前的牛仔裤，一般还要继续穿宽松的 T 恤衫和舒适的外套。

做妈妈后多久才能看起来不再

基本姿势

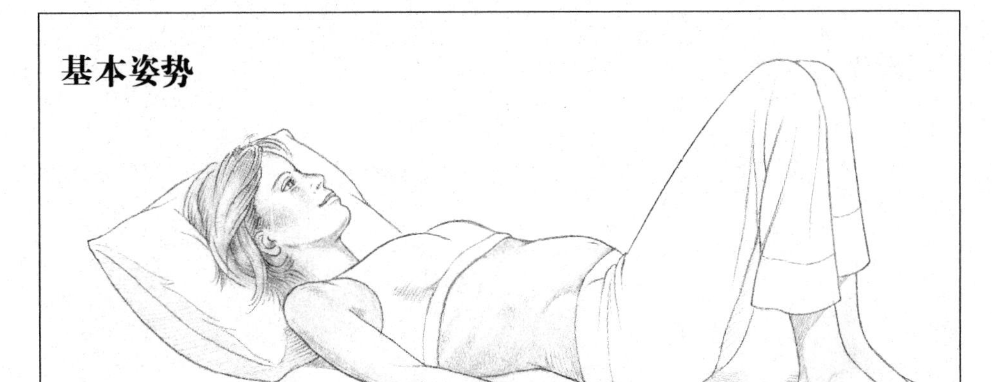

平躺，屈膝，脚平放在地板上。用靠垫支撑头和肩膀，将双臂平放在身体两侧，放松。

骨盆翘起运动

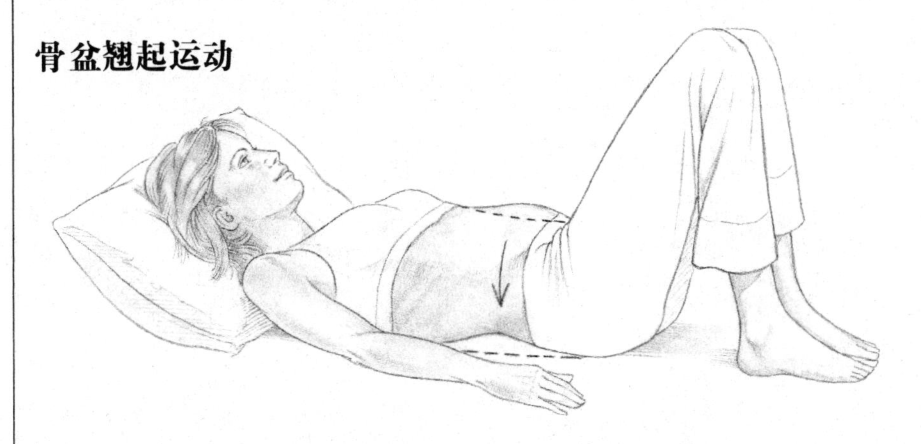

先以基本姿势躺下。深吸一口气，呼气的同时将后背紧贴地板，保持 10 秒钟，然后放松。刚开始时重复做 3～4 次，逐渐增加到 12 次，再到 24 次。

像孕妇？大概取决于 4 个因素：孕期增重情况，热量摄入情况，有无运动，以及新陈代谢和遗传情况。

“谁需要锻炼？”你可能会说，“从医院回来后，我就一直忙得停不下来。这不算锻炼吗？”遗憾的是，这的确不算锻炼——虽然也很累人，但这些活动无法收缩会阴和腹部肌肉（怀孕和分娩使得这些地方的肌肉受到拉伸，从而变得松弛），只有锻炼才有这个魔力。正确的产后锻炼不只可以促进身体健康，还有助于防止照

腿部滑行运动

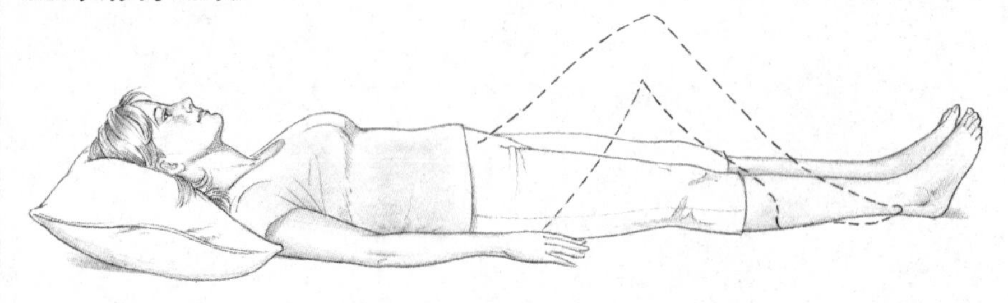

采取基本姿势。缓缓伸开双腿，平放在地板上。右腿屈膝，慢慢滑向臀部，右脚平放在地板上，吸气。在此期间，腰部紧贴地板。然后将右脚滑回去并将腿放下,呼气。左脚重复以上动作。开始时每条腿各做3~4次,逐渐增加,直到你能舒适地做十几次甚至更多。3周后，如果觉得舒适，就可以进一步做抬腿运动（每次轻轻抬起腿，使之离开地板，然后缓缓放下来）。

头肩抬升运动

采取基本姿势。深吸一口气放松，然后轻轻抬起头，伸直手臂，同时呼气，再缓缓将头放下并吸气。每天将头稍微抬高一些，逐渐做到可以将肩部稍抬离地板。产后最初6周不要尝试完整的仰卧起坐。如果你的腹部肌肉一直很有力，6周后可以尝试仰卧起坐。锻炼前，先检查一下自己的腹直肌是否分离（参考第461页）。

产后最初 6 周运动的基本原则

●穿有支撑力的胸罩，选择舒适的衣服。

●将锻炼分为 2~3 个时间段（这样可以更好地锻炼肌肉，更适合你恢复中的身体，也更容易适应），不要一次运动很长时间。

●每次锻炼先从最轻松的活动开始。

●慢慢做运动，重复动作时不要太急。中间稍作休息（肌肉在休息时得到加强，而不是在活动的时候）。

●和孕期一样，产后最初 6 周必须避免急拉、弹跳、不稳定的运动。这个时期也要避免抱膝运动、完整的仰卧起坐运动和双腿抬高运动。

●运动时要注意补充流失的水分。整个运动期间，都应该在手边准备一瓶水，不时喝一点。如果运动的时间较长，考虑多喝 1~2 杯水，弥补流失的水分。如果是剧烈运动，就多喝几杯。

●缓慢而理智地锻炼。“没有付出就没有收获”这句格言并没有将新妈妈考虑在内。即使觉得自己能行，也不要超过医生建议的运动范围，在感觉到累之前就停下来。如果锻炼过度（可能要到第二天才发现），你就会感觉太累、太疼，不能再继续锻炼了。

●不要因为照顾宝宝就不照顾自己。在你实施日常运动计划时，宝宝可以和你一直在一起。

顾宝宝时出现背痛，促进产后恢复，强化孕期松弛的关节，加快血液循环，减少各种产后症状（从静脉曲张到腿部痉挛）。凯格尔运动可以锻炼会阴肌肉，避免压力性尿失禁及产后做爱出现问题。最后，锻炼还能产生很多心理方面的益处。运动时体内会释放内啡肽进入血液循环，改善情绪、提高应对压力的能力，让你觉得自己更有能力面对做新妈妈的挑战。研究证明，产后 6 周内开始规律运动的女性感觉会更好。

你可以比自己想象的更快开始锻炼。如果你是阴道分娩，没有出现并发症，也没有其他重大的健康问题，分娩 24 小时后就可以开始锻炼（如果你是剖宫产，或分娩中有创伤，先和医生商量一下）。

不要突然开始剧烈运动，你的身体还在恢复中，需要缓慢、谨慎地做运动。按照下面 3 个阶段的指导做运动，也可以阅读相关书籍或观看 DVD，参加新妈妈健身班（同道中人的友谊会成为运动的一大动力，许

运动与哺乳的关系

对于正在哺乳又想运动的新妈妈来说，有一个好消息。运动（即使是高强度运动）也不会像你听说过的那样，使“乳汁变酸”。当然，由于运动出汗，乳头可能会有点咸，但宝宝可能会喜欢这种味道。所以，只要医生允许，尽可能满足身体的运动需要吧。运动前哺乳（或吸奶）更舒适（因为乳房不胀了），但也不是必需的。不要忘了穿一件支撑力好的胸罩——你比任何时候都更需要它。

多有趣的锻炼方式可以和宝宝一起完成），天天推着婴儿车出去活动。

第一阶段：分娩24小时后

等不及要运动了？那就开始吧：

凯格尔运动。分娩后你可以立即开始做这项运动（参考第293页），但最初你可能并不想做，因为会阴处有麻木感。可以采取任何你觉得舒适的姿势做凯格尔运动，舒适是产后最重要的要求。任何时候做凯格尔运动都可以，养成在给宝宝喂奶时做运动的习惯，有助于在接下来的几个月里一直坚持下去。每天练习4~6次，每次重复25下，坚持做凯格尔运动有利于骨盆健康（也能提高性爱的乐趣）。

膈肌深呼吸。采取本书第457页提到的基本姿势，双手放在腹部，用鼻子缓缓吸气的时候感觉腹部鼓起来，从口中缓缓吐气，同时收缩腹部肌肉。每次只做2~3次，以免发生换气过度（征兆是觉得头晕眼花或视物模糊）。

第二阶段：分娩3天后

急着想恢复怀孕前的身材？那你听到这个消息之后会非常兴奋，因为在锻炼方面，你将更上一层楼了。但是，采取这一步行动之前，一定要先确认自己腹壁的两块垂直肌肉有没有在怀孕期间分离。如果分离了，你需要先通过锻炼矫正，再进一步加速锻炼。一旦分离的肌肉回位（你也可能没有肌肉分离现象），那就继续做头肩抬升运动、腿部滑行运动、骨盆翘起运动（参考第457~458页）。

所有这些运动都应该在基本姿势的基础上进行。可以在床上，也可以在铺好垫子的地板上做。（买一个健身垫是不错的主意，不但你自己锻炼时更容易、更舒适，以后的一年里宝宝还可以在上面练习打滚、爬行。）

第三阶段：产后检查之后

现在，如果医生允许，你可以重新开始更剧烈的运动：散步、跑步、骑自行车、游泳、水中运动、有氧运动、瑜伽、普拉提、举重训练或类似的运动，也可以参加产后健身班，但不要太急于求成。过犹不及，让身体来做你的教练。

闭合空隙

你的肚子中间现在可能会有个小洞。在产科学界，有一种孕期常见的情况被称为腹直肌分离，它是指随着腹部扩张，腹部肌肉的间隙逐渐变大。这个间隙的闭合大约需要1～2个月。在其闭合之前，不能进行任何剧烈活动及腹部运动，否则可能受伤。想确定自己有没有出现腹直肌分离，可以用下面的方法自检：采取基础姿势躺下，头部稍稍抬高，手臂前伸，然后摸摸肚脐下有没有柔软的肿块（如果有就说明腹直肌分离了）。

你可以采用如下锻炼方法来矫正：采取基本姿势，吸气。双手放在腹部，缓缓抬高头部并呼气，用手指将两侧的腹部肌肉聚拢，并将肚脐向内按压，同时慢慢抬起头来，再缓缓低下头并吸气。每天做两次，每次重复3～4组。

第五部分

写给爸爸们

第19章　爸爸们也怀孕

这的确是事实——不管是未来的医学突破还是好莱坞电影桥段——以后不只女人能怀孕，男人们也能怀孕了。作为爸爸，你不仅在妻子孕期的合作团队中扮演关键角色，在妻子哺育宝宝的阶段也同样不可或缺。接下来的几个月，你将进入到自孕期以来的一个神奇阶段——充满着激动、责任感，当然还有些担心。有时候，你的焦虑甚至比新妈妈更严重；有些疑虑还会自己一个人承受。同你的另一半一样，生活会让你们再次恢复信心——无论是孕期、分娩阶段，还是产后。

所以，我们专门为在育儿中一样付出了努力，而往往遭到忽视的爸爸们撰写了这一章。但要记住，这章内容不只是准爸爸看的，准妈妈通过阅读本章内容也可以更好地了解准爸爸的感受、担忧和希望。当然，爸爸们可以更好地理解爱人在怀孕、分娩及产后经历的所有身体和心理上的挑战——看完本章后，你能更快地进入角色。

各就各位，预备——跑！

给孩子提供人生最好的开端始于精子和卵子相遇之前。如果妻子还没有怀孕，你们俩都有时间塑造有利于生育的最佳身体条件。阅读本书第一章，按照孕前建议安排自己的生活。如果你们已经有宝宝了，从现在开始好好照顾彼此吧。

你可能关心的问题

应对妻子的症状

“书中描写的一切症状都发生在我妻子身上了：恶心、贪食，以及不停小便。我不知道能帮什么忙，觉得自己很没用。”

看起来你的妻子受到了一堆症状的袭击。更确切一点说，她是遭受了大量孕激素的袭击。这些激素对于宝宝的生长发育非常重要，但也引发了大量不适症状（有时令人费解），让她很难应对，也让你只能无助地袖手旁观。

幸运的是，你不必站在一边，也可以做些事。阅读下面的内容，并尝试一些应对症状的技巧。为妻子提供更多帮助，你的无助感就会慢慢减少：

晨吐。晨吐是一种孕期常见症状，但发生时间其实并不局限于它的名称——它常常会一周 7 天，一天 24 小时地折磨着你的另一半，让她在早、中、晚无数次奔往卫生间——拥抱马桶的次数比拥抱你还要多。所以，采取措施让她感觉好一点吧，至少不要让症状加重。如果她突然受不了你的须后水味道，就把它扔掉。在她能闻到的范围内不要再有你心爱的洋葱圈味道（她的嗅觉异常灵敏）。帮她的汽车加油，这样她就不用一边闻着香水一边去加油站了。拿走引起她反胃的食物，不要让这些东西刺激她又一次冲向卫生间——可以鼓励她喝一点姜汁汽水，吃点水果奶昔、薄脆饼干（一定要预先问问她的感受，有些孕妇喜欢的食物常会引起另一些孕妇恶心）。在她呕吐时，站在身边支持她——帮她挽起头发，为她拿些冰水，按摩她的后背。鼓励她少吃多餐，不要拘泥于过去的 3 顿大餐（避免给胃部造成压力，并保持胃里一直有少量食物缓解恶心）。记住，不要和她开玩笑。如果你每周需要呕吐 10 次，一定不会觉得好玩。

贪食和厌食。你有没有注意到她一直不停地往嘴里塞食物，或者狂热地爱上了过去从来不吃的食物？不要因为她的贪食或厌食而取笑她——你应该理解，她无力控制自己。相反，你应该稍微放纵一下她，把她不喜欢的食物放得远一点，不让她闻到。用泡菜三明治给她惊喜，她会突然发现自己爱上了这种味道，再也离不开。半夜找一个通宵营业的超市（哪怕一两千米远），买来她突然想吃的布朗尼，这样你们都会感觉舒服点。

疲惫。如果你觉得自己在一天结束时几乎累倒，想一想：你的另一半即使躺在沙发上，也需要耗费大量体力才能满足宝宝的发育需求，她耗费的体力比你在健身房运动时还多。她现在需要的体力比你了解的情况要多

一起抚养宝宝的搭档

对于非传统家庭结构的家长们来说，本章的内容同样适用。选择一些适合你们的问题和相应的解答来阅读吧。

得多，也比你想象中累得多。所以，让她懈怠一下吧。让臭袜子和脏球鞋待在走廊里，不要让她用吸尘器，也不要让她扫地、洗衣服或打扫卫生间（洗涤剂的香味会让她更难受）。鼓励她躺在舒服的沙发上指导你做家务。

睡眠问题。怀了宝宝很可能入睡困难。所以，当妻子再次失眠时，不要自顾自睡下并很快鼾声如雷，应该陪着她，直到睡神召唤她再让自己进入梦乡。给她买一个舒服的孕妇枕，再用几个枕头为她打造舒适的睡眠环境。按摩她的后背，帮她洗澡，为她准备一杯热牛奶和松饼，让她放松下来和你说些枕边话，需要时拥抱她一下。做出这些努力之后，你们都会睡得更好。（不要期望激烈的性爱，有太多因素导致她现在没有心情做爱。）

尿频。在孕早期，尿频会一直伴随着你的妻子，这种情况还会在孕晚期再次出现。所以，不要占着卫生间，尽量让她先用。每次上完厕所，记住把马桶垫圈放下来（尤其是晚上），保证走廊里没有任何障碍物（你的公文包、运动鞋、杂志等），睡觉前在通往卫生间的走廊里留一盏夜灯。此外，她可能会在一场电影中需要去3次卫生间，或在去你爸妈家的路上要求你停车6次——这都可以理解。

同情症状

"明明是妻子怀孕，为什么我会出现晨吐症状？"

你可能会觉得很奇怪。女性会垄断妊娠，却没有垄断妊娠症状。大约有一半以上的准爸爸会在妻子的孕期出现一定程度的拟娩综合征，也称做"同情妊娠"。导致部分准爸爸出现了孕期症状：恶心、呕吐、腹部疼痛、食欲改变、体重增加、贪食、便秘、腿部痉挛、眩晕、疲劳和情绪波动。

这段日子里，很多影响你情绪的因素都可以引起这些症状，包括同情（你希望能体会妻子的痛苦，就真的体会到了）、焦虑（因为担心妻子、担心自己将成为爸爸而产生心理压力）、嫉妒（妻子成为家庭的关注焦点，你也想分享一些关注）。但同情症状不仅源自同情心理，很多生理变化也会引起这种同情症状。不管你相信与否，这些日子里雌激素水平上升的不只是妻子一个人。研究发现，怀孕和产后阶段，爸爸们的激素也发生了变化。虽然你体内上升的雌激素还不至于让胸部发育，却也足够让你长出小肚腩，看到喜欢的汉堡就走不动，半夜也想起床偷吃一些泡菜。这种激素的变化并不会随机出现，也不是阴差阳错导致的母性错乱，而是天性赋予的本能，让你可以接触到抚养孩子的另一面——也能培养你慢慢进入家长的角色。这种变化不仅能让你提前学会如何换尿布，也能帮助你更好地处理目前你们面对的所有问题。上升的激素水平有时会督促你把不适的感觉转变为抚养后代的动力。你会主动做晚饭，打扫卫生间，或通过和妻子及其他当爸爸的朋友深入聊聊，从而减轻焦虑情绪。在妻子怀孕的阶段，为宝宝多做些准备工作也能让你心中的被忽略感有所缓解。

放心并放松些！所有孕期出现的症状都会在妻子分娩后消失——不过你也可能在那之后出现一些新问题。另外，如果你没有出现上述症状也不要担心！没有晨吐或长胖，并不意味着你不关注妻子，也不意味着没有抚养宝宝的本事——你只不过将自己的感情以其他方式表达出来了。和准妈妈一样，所有准爸爸都是不同的。

感觉被冷落

“我觉得，除了怀孕有我的作用之外，似乎和整个过程没半点关系。”

很多准爸爸都感觉自己像局外人，这并不奇怪。毕竟，妈妈们获得了别人的所有关注（朋友、家人、医生）。她是唯一和宝宝取得生理联系的人。你虽然知道自己马上要当爸爸了，可身上却没有什么值得炫耀的标志。

不要担心。怀孕没发生在你的身体上，并不意味着你不能分享它。不要以为要等到一份邀请函后才能闪亮登场，妻子要考虑的事太多了，她可能一时顾不上你。如果感觉自己被冷落，告诉她你的感受。她可能从来没想过要把你排除在外，可能她以为你对她的孕期毫无兴趣。

但是记住，克服被忽略感的最佳办法是逐渐主动参与到其中：

- 规律参加产前检查。如果可能，陪妻子参加每一次产前检查。她会非常感激你在精神上的鼓励，你也乐意听到医生的建议（这样可以帮助她做得更好——尤其当孕期健忘症严重时，你能帮她记住所有要点）。另外，你也有机会问一些想问的问题。常规拜访医生可以让你更深入地了解妻子身上出现的神奇变化。最棒的是，你可以和她一起分享所有里程碑式的进步（听到宝宝的心跳，通过超声检查看到宝宝的小胳膊）。
- 像自己怀孕了一样生活。虽说不必穿上印着“欢迎宝宝”的T恤，但你应该扮演好孕期伴侣的角色：陪妻子一起运动，一起戒酒，尽量改善饮食；如果你是烟民，停止吸烟（永远戒掉，二手烟对所有人都不好——特别是对你们的宝宝）。
- 接受教育。即使是高学历的准爸爸，在涉及妊娠和分娩时也有很多东西要学习。尽量多阅读与此相关的书和文章；和妻子一起参加分娩培训班（如果有专门为爸爸们开设的培训班，更要去参加）；与最近当上爸爸的朋友、同事聊一聊，也可以在网上与其他准爸爸交流。

● 与宝宝交流。在与未出生的宝宝建立亲密关系方面，准妈妈占有先天的优势——因为宝宝舒适地躺在她的子宫里。但这不意味着你不能早点接触这个新的家庭成员。你可以经常跟肚子里的宝宝说话，给他读书、唱歌——宝宝从第 6 个月月底就可以听到声音，现在经常听到你的声音可以帮助他出生后认出你。每天晚上把手或脸颊放在妻子裸露的肚子上，与妻子一起感受宝宝的踢腿和扭动，这也是和妻子保持亲密的一个好办法。

● 和妻子一起去购买各种婴儿用品、摇篮和婴儿车，一起装饰宝宝的房间。看看给宝宝起名字的书。陪妻子拜访宝宝未来的医生。总之，要积极参与为迎接宝宝到来所做的各项准备工作。

● 考虑请假在家。开始研究公司关于产假的规定。这样，宝宝出生后的欢乐时光里，大家一定不会忽略你的存在。

性生活

“妻子怀孕后，性欲变得非常强烈。这正常吗？现在经常做爱会不会不安全？”

有些女性怀孕后，性欲会非常难以满足。这是有原因的。怀孕后，她的生殖器在激素和血液的作用下变得肿胀，导致皮下神经变得有些兴奋。别的身体部位也会肿胀：乳房、臀部，让她比以前更有女人味——也更性感。她的所有反应都是正常的，只要医生允许，性爱也是安全的。

所以，时刻准备着，一旦她有情绪，就可以大胆做爱，你应该感到幸运。但也一定要注意遵循她给你的暗示——在这个阶段尤其重要。如果她很有兴趣，可以慢慢诱导她，但如果医生不允许做爱，就不要冒险。

虽然有些女性在 9 个月的孕期里都有性欲，但并非人人如此。有的女性需要到孕中期才开始出现性欲，另一些可能会到孕晚期才有感觉。所以准备好，注意观察妻子的情绪变化：她有时会在 60 秒内突然性欲高涨，却很快没了感觉。记住，在孕中期和孕晚期，随着她的身体越来越像个球，性爱也将更具挑战。

“我觉得妻子现在非常性感，但怀孕以来她对性生活完全没有兴趣。”

即使是性生活一直非常和谐的夫妇，怀孕后也会发现两个人突然变得步调不一致。这是因为孕期的很多因素（包括身体因素和心理因素）会影响性欲、性快感及性表现。就像你提到的那样，很多男人会觉得准妈妈浑圆、丰满的体型格外性感，你增强的欲望也可能源于对妻子爱恋的增加。你们正在共同孕育新生命的事实更加深了你对妻子的感情，从而让你激情澎湃。

你对性生活增加的兴趣正常而可以理解，同样，妻子性欲降低也是正常而可以理解的。怀孕带来的各种症状可能摧毁了她的性欲——特别是在最难受的孕早期和孕晚期。或许她一直忙于考虑宝宝的事情，很少有时间来协调妈妈和妻子这两种身份的平衡。

当她不在状态时，不要介意，下一次再尝试。在等她恢复状态之前，所有的尝试都是很好的运动。接受她的每一个理由："现在不行"、"不要碰我"，并要给予她理解的微笑和拥抱，让她知道你爱她——即使不能顺从你的需求。记住，现在她的脑子很混乱（身体也是），对她来说，性爱绝对不是最重要的，也不是生活的重心。

很可能你的耐心会慢慢耗尽，特别是在孕中期，很多女性都格外性感。即使性生活不能开始，或者开始后又在孕晚期（疲乏感或背痛增加，肚子越来越大）或产后（夫妇二人的性趣都会减少）中止，在这段过渡时期好好培养夫妻关系的精神层面也能为将来重燃爱火打下良好基础。

同时，不要急于实施你的做爱计划，多创造一些浪漫、交流机会和拥抱。这不仅能让你们更亲密，对女性而言更是一种催情剂，可以带来你想要的性生活。当事情进展到你想要的那一步，注意格外小心（参考第471页小贴士）。

不要忘了经常对妻子说你觉得怀孕的她多么性感迷人。女人永远都喜欢有人欣赏。

"妻子怀孕了，我对性生活似乎不太感兴趣，这正常吗？"

准爸爸和准妈妈一样，在怀孕期间涉及性生活时会有很多不同的反应，所有的反应都是正常的。现在导致你性欲下降的原因有很多：或许你和妻子同样为怀孕一事煞费苦心，使性生活变成了艰巨的工作；或许你太关注宝宝，太关注自己将要成为父亲的事实，使性生活退居其次；或许妻子身体上的变化让你有些难以适应；或许你害怕性生活会伤害到妻子或宝宝，把性欲隐藏了起来；或许你觉得这是一个难以接受的问题——因为从来没有和一个"妈妈"做爱的经历；或者也可能只是一些奇怪的因素打败了你：害怕接触到宝宝。准爸爸的激素变化同样可能影响到他们的性欲。

上述矛盾情绪更会让你得到错误的信号：你觉得其实是她不感兴趣，所以在潜意识里收起了自己的欲望。而她又认为是你不感兴趣，所以她更愿意用洗冷水澡的方式浇灭自己的欲望。

注意不要过于关注性生活的次数，而应该关注质量。虽然次数少，也能让人满足。你会发现其他方式增加的亲密感可以使性生活更美好，比如握住对方的手，出其不意的拥抱，互相吐露心事——这些都可以让你们更有情绪做爱。当你们的心理和生理状态都调整好了，你的性本能可能会突然爆发。

可能性欲的降低会持续9个月甚至更长时间。但即便是那些在妊娠期不能享受足够性生活的夫妻也会在生完宝宝之后开始和谐快乐地做爱。所有变化都是正常的，也是暂时的。要确保哺育宝宝没有影响到你们的关系。坚持定期享受浪漫（好好做一桌晚餐，享受烛光晚餐）。给她买鲜花或性感的睡衣，给她个惊喜。建议一

有关孕期性生活的说明

是的，你很擅长做爱，但你们有没有尝试过孕期风格？虽然游戏的基本规则同样适用，但你会发现孕期的性爱需要一些调整、技巧，以及较高的灵活性。为了尽快步入正轨，可以参考以下建议：

● 等待她的绿灯。过去，面对你的挑逗她总是热情似火；如今，你的百般努力她都无动于衷？孕期女性情绪波动，性欲也不稳定。你需要学会跟随她的节奏。

● 在你发动引擎之前，先帮她热身。这似乎不用再提，但你一定要注意满足她的期待。如果她需要，就尽可能放慢速度，确保前戏充足，这样她才能慢慢上路。

● 停下来重新寻找方向。过去(甚至是上周）她觉得舒服的地方可能已经改变，所以不要拘泥于过去的经验，注意时刻问问她的感受。当乳房胀大时，你的动作要格外轻柔。虽然它们的肿胀可能会让你心花怒放，但是轻轻触碰也会造成严重的疼痛。

● 让她主导一切。选择她舒适的体位。一般孕期女性最喜欢的体位是女上位，因为这种体位能让她自己控制进入的程度。另一种备受青睐的体位是侧躺。另外，当她的肚子逐渐变大，挡在你们中间时，可以巧妙地换个姿势：试试让她跪下，你从后方进入；或者你躺下，她坐在你的大腿上。

● 换一种方式。选择一些彼此都喜欢的亲密方式吧——互相爱抚、口交，或互相按摩。

次星光下的漫步或递给她一杯热巧克力，然后抱住她。和她分享你的想法和恐惧，并鼓励她说出自己的想法。经常拥抱和亲吻。在等待双方激情燃烧之前一直保持温暖的氛围。

确保妻子清楚，现在的性冷淡表现是正常的，并不是心理或者生理方面的问题。孕妈妈可能会对自己变形的身材丧失信心——尤其随着增重幅度的增加。让她知道，她比以前任何时候都迷人，你对她并没有失去性趣。

想知道更多高效享受性生活的窍门，参考第 262 页。

“哪怕医生说孕期做爱很安全，我也很难接受，因为害怕会伤害到妻子和宝宝。”

有太多准爸爸在孕期性生活这件事上顾虑重重，这并不奇怪。将孕妇和宝宝放在首位，并给他们最大程度的保护是最自然的想法。

但不要害怕，听取医生的意见。如果他允许你们在孕期做爱，这样做一定很安全。宝宝所处的地方你根本达不到，子宫内的很多组织将他保护得很好，不可能对他造成伤害，而且他什么也看不见，不会意识到周围发生了什么。你的妻子可能会在高潮后感觉到轻微的宫缩，这也不用担心，在正常妊娠中这一般不是诱发早产的征兆。实际上，研究证实，孕期经常做爱的低危妊娠女性更不容易早产。而且，性生活还能为她带来身体和心理上的慰藉和亲近感，让她知道自己在任何时候都惹人怜爱。虽然整个过程中你都需要动作轻柔而小心（注意她的暗示，首先满足她的需要），但也可以享受一段愉快时光。

仍然有顾虑？让她了解你的想法。记住，无论什么问题（包括性），开诚布公的沟通是最有效的解决措施。

孕期的梦境

“最近我总是做一些奇怪的梦，不知道这是怎么回事。”

最近这段日子，梦里的生活比真实生活更有意思？对准父母来说，孕期的感情极度紧张，一会儿欣喜若狂，一会儿惊恐万分，一会儿又焦虑不安，情绪跌宕好像坐过山车。所以，有些情感会转移到梦中，这不足为奇。在梦中，潜意识会发泄这些情感，从而安全地解决问题。例如，性梦说明你可能在担心怀孕和生宝宝会影响到性生活。这些担心不仅是正常的，也是有益的，提前让你知道有了宝宝之后夫妻关系会发生变化，这是确保你们亲密依旧的第一步。

限制级的性梦在孕早期最常见，随后会逐渐消失，接下来会是一些与

激素是元凶

以为激素变化是女人的专利——自己是男子汉，对它早已免疫？研究显示，准爸爸和新爸爸们会出现睾酮水平降低、雌二醇升高的现象。据推测，和动物界一样，男性的雌激素水平升高，就会变得脆弱。同时，激素变化还造成了很多不可思议的类孕期症状：贪食、恶心、体重增加及情绪波动。更重要的是，它可能会让爸爸们的性欲降低。一般来说，激素水平会在宝宝出生后3~6个月恢复正常，这时候，类孕期症状就会告一段落，爸爸们也会恢复正常了。

家庭有关的梦境。你可能会梦到你的父母或（外）祖父母，这是潜意识在将过去一代人与将来一代人联系起来。你可能会梦到自己变成了小孩，这表明为将要承担的责任担忧，渴望以前无拘无束的时光。你甚至可能梦到自己怀孕，这表明你同情妻子的重担，或嫉妒她得到的关注，想与未出生的宝宝进行交流。梦到把宝宝掉到地上或把他遗忘在汽车上，表明你对自己即将成为爸爸这件事还不够放心。典型的男子汉气概梦境——在跳伞比赛中获得高分或在赛车中遥遥领先，有可能意味着潜意识里害怕宝宝到来会削弱你的男性气质。潜意识的另一面可能同时出现，比如梦到照顾宝宝，这可以帮你做好准备当负责任的爸爸。梦到孤身一个人非常常见，这表明你和其他准爸爸们一样，有一种被遗弃的感觉。

并不是所有梦境都代表焦虑。有些梦（比如梦见拥抱或寻找宝宝，参加宝宝的洗礼或一家人在公园散步）表明你对宝宝即将降生感到兴奋不已。（参考第289页了解更多梦境。）

有一点可以肯定：做梦的不是只有你。准妈妈（因为激素作用）比准爸爸更容易做一些稀奇古怪、栩栩如生的梦。不必过分严肃对待这些梦境，早晨醒来彼此讲一下梦境，可以增加亲近感，给予彼此一些启发，还可以起到治疗作用。毕竟，它们只是梦。

成功应对情绪变化

“我听说过孕期情绪波动，但还没有准备好。她前一天还情绪高涨，第二天就情绪低落，我似乎做什么都不对。”

欢迎来到这个很精彩，有时却有些古怪的世界：孕期激素变化的世界。

之所以说它很精彩，是由于它造福了肚子里的宝宝。说它古怪是因为，这些激素除了会控制妻子的身体之外，还会控制她的思想——让她变得爱哭、异常激动、不分场合地发脾气、极度开心、紧张……甚至在午餐前短短的时间内所有情绪都出现一遍。

这并不奇怪，在孕早期激素变化的影响下，她们的情绪波动常会被放大。即使在孕中期和孕晚期，激素水平基本稳定了，你也需要准备好继续面对妻子像过山车一般的情绪变化。通常来说，分娩后这种情况会有所缓解。

那么，准爸爸该做些什么？

耐心。孕期不会一直继续下去，它总会过去，如果你耐心对待，就可以更愉快地享受这段时光。保持客观判断——以各种方法提升自己的内涵、修养。

当她发脾气时。不要以为是针对你，也不要对她有意见。毕竟，所有情绪她都无力控制。记住，所有表象都是激素作怪——一般都没有明显诱因。另外，避免直接向她指出情绪变化这个问题。她可能已经注意到了自己的变化，和你一样为此烦恼，孕期毕竟不是愉快的野餐活动。

帮助她缓解情绪变化。低血糖有可能会造成情绪波动，在她开始有些疲惫时递上零食（薄脆饼干、乳酪、水果酸奶奶昔）。运动能让她体内释放内啡肽，从而感觉舒服一些，可以鼓励她在晚餐前或晚餐后出门散步。

多做些努力。你应该多分担一些洗衣服的工作，从公司回家的路上帮她买一些喜欢的食物，周六主动去超市买点吃的，坚持每天包下洗碗刷盘子的工作……她会因为你的努力而高兴，你也会因为她的好情绪而高兴。

你在孕期的情绪变化

“从妊娠测试得到阳性结果以来，我就情绪低落，但又觉得作为准爸爸现在不应该不开心。”

准爸爸和准妈妈一起分享了怀孕的快乐。但在宝宝生下来之前，准爸爸还会分享准妈妈的孕期症状，包括情绪波动。虽然你不能像妻子那样很快将一切归咎于波动的激素水平，但正常而矛盾的心理（包括焦虑、害怕、犹豫等）会导致生活出现重大变化。

下面的一些办法可以改善你的孕期情绪，甚至还能预防产后抑郁(有10%的新爸爸会出现产后抑郁)：

● 说出来。把情绪恰当地发泄出来可以防止心情陷入低谷。和妻子聊一聊（不要忘了让她说出自己的想法），把沟通当成你们每日例行的程序。也可以和某个新近当爸爸的朋友，甚至你自己的爸爸聊一聊。或尝试从网上找到出口——去一个为新爸爸开设的论坛看看。

● 运动。没有什么比加快脉搏跳动更能改善心情了。运动不仅可以改善情绪，也可以让你的体内分泌内啡肽，并持续一段时间。

● 尽量忙碌起来，为宝宝的到来做好准备。每天投入大量精力到迎接宝宝的准备工作中，你会发现进入照顾宝宝的状态会让自己精神振作。

● 戒掉不良习惯。饮酒会加剧情绪波动，让心情更低落。虽然酒精以使情绪高涨而闻名，但实际上饮酒过后心情只会变得更糟糕——这就解释了为什么酒后第二天早晨永远不会像头天晚上那样高兴。俗话说“借酒消愁愁更愁”，这永远只是逃避现实的一种应付办法，其他成瘾性药物也是如此。

如果这些建议不能帮助你改善心情，抑郁现象持续加重或已经影响到夫妻间的关系，不要等待，向专业人士寻求帮助。积极、愉快地面对即将到来的美好生活吧。

对阵痛和分娩的担心

“宝宝快要出生了，我非常激动，但也感到压力很大，不知道如何处理。如果我做不好怎么办？”

几乎没有哪个父亲可以毫不担心地走进产房。即使最有经验、帮助上千人生下宝宝的产科医生，在自己的宝宝快要生下来时，也会突然失去信心。

但是，当看到妻子分娩时，这些父亲几乎不会害怕到崩溃、晕倒或恶心的程度。事实上，大多数爸爸们最终都能轻松、冷静而沉着地面对宝宝的出生。不过，尽管为宝宝出生做好充分准备（例如参加分娩培训班）会让你更清楚地了解这个过程，大部分未做准备的父亲也能很好地渡过这一关，表现得远比想象中要好。

但就像对待任何不熟悉的新事物一样，只要你了解分娩过程，就不会再担心害怕了，要尽力在这方面成为专家。阅读本书第372页的“分娩”一节，尽量在网上多查些资料。参加分娩培训班，认真观看相关DVD。事先去医院熟悉产房中使用的技术手段。和刚当上爸爸的朋友交流一下，你会发现他们事先也有同样的焦虑，但都安然度过了分娩阶段。

要记住，妻子分娩时才是你的期末考试，不要有任何压力。护士和医生不会去评价你的一举一动，或把你和隔壁产房的那位丈夫作比较，妻子也不会这样做。站在她身边，握着她的手，鼓励她，给她最熟悉的微笑和抚摸，这对她来说最重要。

依然焦虑？在分娩现场找一位产妇护导员帮忙，可以帮助你们减轻分娩过程的压力，也会让你感觉更舒适（参考第296页）。

“我一见到血就晕，所以很担心分娩现场会发生什么。”

大部分准爸爸和准妈妈都会担心分娩时看到血，但事实上到了那个时刻很少有人会注意到鲜血，所以不要担心。首先，分娩过程确实不会出很多血；其次，父母都会专注于宝宝的出生（以及分娩时的努力），满脑子都是宝宝出生时的兴奋，也就注意不到血了。

如果第一次看到血确实让你不安，就在帮助妻子最后用力推几次时看着她的脸，那时你就不会注意到血了。

“爱人选择了剖宫产，我需要提前了解些什么？”

现在开始，你对剖宫产了解得越多，你们俩到时候就能表现得越好。在剖宫产中，虽然你不会像在阴道分娩中一样扮演重要角色，但参与的意义也远比你想象中重要。丈夫在手术中的反应对妻子的恐惧和担忧程度起着巨大的影响——压力较小的丈夫通常能让妻子的压力也变小。没有比了解手术过程更有效的减压方式了，参加含有剖宫产课程的分娩培训班，阅读关于手术分娩和产后康复的相关章节（参考第389页和424页），尽可能充分准备。

记住，任何形式的手术看起来都很恐怖，但剖宫产对于妈妈和宝宝来说格外安全。大多数医院现在已经尽可能将环境改善得更人性化，你可以观看整个过程，坐在爱人身边，拉住她的手。宝宝一出生，你就能抱着他——和阴道分娩没什么区别。

担心生活改变

“自从在超声图片上看到宝宝后，我一直盼望着他出生，但也非常担心我们的生活会发生变化。”

毫无疑问，小宝宝的确会给生活带来巨大变化。准妈妈们对于即将到来的变化充满压力，但孕程中的生理变化已经给了她们适应的机会。对于爸爸们，生活的变化并非循序渐进，而会带来很大的震动。压力也是一种好东西，让你有机会更现实地为做父亲而准备。最常见的担忧包括：

我会是好父亲吗？在所有准爸爸（或准妈妈）的担忧清单上，这一条都名列前茅。想更好地克服自己的疑虑，参考第478页。

我们的关系会有变化吗？每一对刚做父母的夫妻都会发现他们的关系在宝宝出生后发生了变化。在孕期

在一起

刚开始当父亲，最好是和爱人、宝宝在一起。如果可能且经济上允许，可以考虑在妻子分娩后休息一段时间，或者尽量安排几周时间兼职工作，又或是在家办公。

如果以上方案都无法实现，那就充分利用好时间。保证待在家里的时间，学会拒绝参加长时间或太早、太晚的会议，推迟出差。产后的新妈妈还处在恢复期，所以你无论何时在家都要尽最大努力分担家务，照顾宝宝。不管工作让你在身体和精神上多么紧张，此时没有比照顾新生儿更重要的事了。

在你必须优先考虑同宝宝建立亲密关系的同时，别忘记拿出时间抚慰爱人。在家时关心照顾她，工作时让她知道你正在思念她。打电话鼓励她，对她多多关怀；买鲜花给她惊喜，或带她到喜欢的餐厅用餐。

提早考虑这个问题，就为产后更好地应对这个问题迈出了第一步。宝宝出生后，夫妻两人单独在一起不再像挂上窗帘和拿起电话这么简单了，不自觉的亲密和两人的独处时光都将成为一种奢侈，也会难以实现。两个人的亲昵举动不再只能靠一时的情感需求，而必须事先计划好（例如安排在爷爷带宝宝去公园的那一个小时里），被打扰也是家常便饭。但只要你们两人都能尽力为对方空出时间来（这可能意味着错过自己喜欢看的电视节目，以便可以在宝宝睡觉后共进晚餐；或放弃周六和朋友们打高尔夫的机会，在宝宝早晨睡觉时做爱），你们的关系就能经受住这些变化的考验。实际上，很多夫妇发现，成为三口之家让他们的关系更深切、更牢固了。

如何分工照顾宝宝？养育宝宝是两个人的工作，但对于如何分工你们可能还没有清楚的构想。不要等到给宝宝第一次换尿布或洗澡时再考虑这个问题，现在就开始分配任务。开始养育宝宝后，现在的计划会有些变动（比如本来计划妻子给宝宝洗澡，后来却发现你更擅长这个工作）。做好准备能让你在照顾宝宝的工作中更有信心，也能促进你们俩更坦诚地沟通——有些任务需要两个人配合才能做好。

我的工作会受影响吗？这取决于你的工作安排。如果你的工作时间很长，很少有休息时间，可能需要一些重大变动，把做一个好爸爸作为生活的首要目标。不要等到成为父亲之后再改变，现在就拿出时间来陪爱人做产前检查，帮助已经疲惫不堪的她为宝宝的到来做准备。结束每天12小时的工作习惯，也不要把办公室的工作带回家。在预产期前后两个月内不要出差，也不要承担工作量大的工作。可能的话，考虑宝宝出生后几周内请假在家。

需要放弃原来的生活方式吗？ 你们不需要在宝宝出生后抛弃原来的社交生活，但应该有所减少。宝宝一定会成为生活的中心，所以要把以前的生活习惯暂时放在一边。喂奶的间隙可能无法插入舞会、看电影和演出，以前你们俩在喜爱的酒吧惬意进餐的场景可能会变为在允许宝宝大哭的餐厅里手忙脚乱的画面。朋友圈也会有所变化，你会突然发现自己走路时会把目光转移到那些推婴儿车的男人身上，与他们产生共鸣。不用说，有宝宝的生活将是一个崭新的世界——既有空间留给你以前生活中最爱的消遣，也有很多未知的新快乐出现；只需要将这些事按重要程度排序，并积极作出必要的改变。

我能负担起一个更大的家庭吗？ 当养育子女的费用涨到超乎想象的地步时，很多准爸爸会因为这个问题睡不着。一旦孩子出生，他们会发现只要改变生活的优先次序就会使他们有钱满足宝宝的需要。选择母乳喂养而不是奶粉喂养（不用花钱买奶瓶和配方奶粉），接受别人的二手婴儿服装（新衣服洗几次之后也像旧衣服了），与其让家人和朋友们买大量中看不中用的礼品，还不如明确地让他们知道你们的需求。这样做都可以减少照顾新生儿的费用。如果你或妻子打算暂停工作一段时间，而你又有些担心经济收入，那么记住：相对于培养孩子来说，换工作及收入减少都是微不足道的事。

最重要的是，不要考虑将来会失去什么，开始考虑自己将会拥有的：一个无比特别的小生命，他将和你一起分享未来。你的生活从此变得不同了吗？当然，它会变得越来越好。

做父亲的恐惧

“我想成为一名好父亲，但这太可怕了，我以前从来都没有看见或抱过新生儿，更不用说照顾了。”

没有任何男人生下来就会做爸爸，就像没有任何女人天生会做妈妈一样。父母之爱可以自然发生，但是做父母的技巧必须要学习。和每一位新爸爸和新妈妈一样，你会随着每一次挑战而成长：每一次洗澡，每一次整夜不睡哄他睡觉，每一种抱宝宝的方法。只要坚持、努力，并带着爱意——只要你注视着他可爱的小脸蛋，渐渐地就会发现自己进入角色了。虽然随着经验积累你将自然适应这一角色，但接受一些正式的培训会好得多。

幸运的是，现在为准爸爸和新爸爸开设的教授宝宝护理知识的培训班（从如何换尿布到洗澡，从如何喂宝宝到怎么跟他玩）越来越多。很多医院和社区中心都有“新爸爸训练营”和其他培训班。下次在陪妻子做产前检查时咨询一下相关内容，如果医院或分娩中心有相关学习班就报名参加，或在网上查询一下。另外，把心肺复苏术列为必修课，也可以阅读《海蒂育儿大百科（0~1岁）》。如果你有朋友最近刚生了宝宝，让他们给予指导，问问你能不能抱一下他们的宝宝，或试试帮他换尿布，和他玩耍。

记住，就像你已经知道的那样——妈妈有不同的照顾宝宝的技巧，其实爸爸也有。所以放轻松，相信你的本能，寻找适合你和宝宝的育儿方法。不知不觉，你就发现可以熟练地照顾宝宝了。

母乳喂养

“妻子打算母乳喂养，但我总觉得有点奇怪。”

直到现在，你仍然只把妻子的乳房当做性器官，这是正常的，但有些事也同样自然而正常。乳房天生就担负了另一个重要任务：哺育后代。对于新生儿来说，没有比母乳更好的食物，也没有比乳房更好的食物供应系统。哺乳为宝宝（防止过敏、肥胖、患病并促进大脑发育）和妈妈（加速产后恢复，降低以后患乳腺炎的风险）带来不计其数的好处。关于母乳喂养的更多优势，参考第324页。

毫无疑问，妻子选择母乳喂养而不是奶瓶喂养的决定会给宝宝和她的生活带来变化，不过尽量放下你那些想法，支持她，给她信心，这将带来难以想象的益处。即使你不了解母乳喂养的全部细节，也要知道，只要妻子坚持母乳喂养，她和宝宝的健康状况将获益更多。事实上，研究已经发现，当得到父亲的支持时，妈妈母乳喂养会更成功。所以，请认真看待自己的影响力。仔细阅读关于哺乳的资料，观看DVD，和其他母乳喂养宝宝的爸爸们谈一谈，问问医院或分娩中心有没有哺乳咨询师，指导你们第一次母乳喂养。如果妻子觉得寻求帮助有些尴尬，或者在分娩后过于疲惫，尽量鼓励她，向她宣传母乳喂养的好处，保证她得到足够信心。

当然，看着妻子给宝宝喂奶开始时的确有些奇怪，就像她刚开始哺乳时自己也会觉得奇怪一样。但不久以后，哺乳就会变得自然而正常。

“妻子正在给儿子喂奶，他们之间有一种无法分享的亲密感，我感觉自己有些受冷落。”

在育儿方面，有很多生物性问题都会将父亲排除在外：他不能怀孕，不能分娩，不能母乳喂养。但不要因为男人的生理限制就把自己降到旁观者的位置，你可以作为积极的参与者分享妻子怀孕、阵痛和分娩过程中所有的喜悦、期望、苦恼和艰难，还可以参与哺乳过程。虽然你不能亲自给宝宝喂奶，但可以做到：

成为喂养宝宝的后援。除了母乳喂养，还有其他方法可以喂养宝宝。你可以通过奶瓶给宝宝补充其他营养，还可以成为妻子的替补，代替她给宝宝喂奶瓶，让她休息一会儿，并好好把握这些机会和宝宝亲近。学会利用时机——不要仅把奶嘴塞到宝宝嘴里，生硬地保持一个姿势，尽量将奶瓶放置的位置和方向模拟成乳房喂养的样子，让宝宝更舒适地靠近你。解开衬衫，和宝宝享受肌肤之亲，这样可以加强你们的感情沟通。

不要整个晚上沉睡，除非宝宝也是这样。和妻子分享哺乳的喜悦也意味着要和她分担那些无眠的夜晚。即使你没有用奶瓶给宝宝喂奶，也可以负责夜间喂奶的一部分工作。你可以起床把宝宝从小床里抱出来，给他换尿布，然后把他交给妻子让她喂奶，等宝宝睡着后再把他送回小床上。

参与其他日常活动。母乳喂养是唯一由妈妈们完成的育儿工作。如果有机会，爸爸们也可以给宝宝洗澡、换尿布和摇摇篮。

产后抑郁

当爸爸了，你的快乐有些超载，但为什么除了快乐之外，还有复杂的情感？所有计划都已完成，所有预想的剧本都已经演出完毕，宝宝生下来了，可你却心力交瘁。当你突然意识到自己出现“产后抑郁”情绪时，欢迎加入产后抑郁俱乐部的大家庭。并不是所有家长都会经历这种情绪，但新父母们可能经历巨大的情绪变化。做好准备，坚强起来。你需要的是智者的耐心、运动员的耐力、百折不挠的韧劲，以及足够的幽默感——慢慢走出这个人生的调整阶段。化解产后抑郁的技巧和女性一样，请翻到第448页。如果帮助不大，症状恶化成为抑郁症，找医生帮你解决问题，让你可以慢慢享受和新生儿在一起的新生活。

与宝宝建立亲密关系

“有了宝宝我非常激动，担心自己过于关注她了。”

生活中确实有些事会让你做得

过火，但对家人的爱和照顾永远不会。宝宝的成长需要你的关心和照顾，这也是你和宝宝建立亲密关系的好机会。如果你能照顾宝宝，还可以帮助妻子同宝宝建立良好的关系。

为自己对女儿的热情而惊讶？这很正常。研究发现，不管是动物还是人类，雄性在后代到来时，雌激素都会猛增。过去一直认为哺育孩子的天性是女性独有，其实对于男性来说也是自然的反应。

但当你忙于照顾新生儿的时候，不要忘记还有人需要呵护：你的妻子。要保证让她知道你是多么爱她，也要确保她得到了同等的关注。

“我听说过父子之间需要建立情感联系，在儿子刚生下来时我们就立即把他抱到怀里了。现在已经过去4天了，我很爱他，只是感觉不到我们之间很亲密。”

情感联系从第一次抱起宝宝时就开始了，但那只是亲密关系的开端。你们之间感情的加深不仅在于接下来的几周，还需要再花很多年时间努力培养。

换句话说，不要期待立竿见影的效果，也不要着急。尽量寻找可以和宝宝建立亲密联系的机会。每一次换尿布，每一次给他洗澡，每一个吻，每一次爱抚，每次凝视他可爱的小脸蛋，都是一次进步。眼神的沟通和肌肤的接触（哄他入睡，敞开衬衫把他抱在胸口）会使你们更亲近，从而增近你们之间的亲密关系（据研究，这种接触也能促进宝宝大脑发育，所以这对父子双方都很有利）。刚开始时，这种关系看起来有点一厢情愿（在宝宝学会回应你之前，你要自顾自地对他微笑、哼着歌哄他），但你的每一个动作都可以增加他的注意力，让他慢慢从无意识开始懂得你的爱。当他第一次以微笑回应你时，所有的努力都得到了证明——你们之间的关系也就慢慢建立起来了。

如果你发现妻子垄断了对宝宝的照顾，应该让她知道你想获得属于自己的时间。在任何情况下（当妻子去健身，和朋友一起外出喝咖啡，或泡在浴缸里看一本好书时），主动要求和宝宝在一起，这样可以保证你和宝宝之间彼此了解。不要认为必须在家待着照看宝宝，新生儿完全可以带出门，你可以带上装尿布的包，把宝宝放在婴儿车、汽车安全座椅或提篮里一起外出散步或办事。

看着妻子分娩后不想做爱

“分娩过程实在太恐怖了，看着她分娩，似乎浇灭了我的所有性趣。”

与动物相比，人类的性反应最复

关注她的情绪

产后抑郁是一回事，产后抑郁症是另一回事，它是一种需要立即获得专业治疗的严重疾病。如果你的爱人在生下宝宝后的几周里一直处于抑郁状态，常常没有原因地哭闹、易怒、睡眠紊乱、不吃饭，或表现得异常正常——正常到承担了所有的新责任却没有任何不适的反应——鼓励她和医生聊聊。不要因为她说“不”就不当回事，她有可能没意识到这是抑郁的症状。确保她及时获得所需的治疗，参考第450页产后抑郁症的相关知识。

杂，不仅需要身体反应，也需要情绪反应。有时候，情绪可能会扮演更重要的角色。

你没有性欲可能并不是由于看到了宝宝的分娩过程。大多数新爸爸发现，在分娩之后，心灵和肉体都不太愿意做爱，原因有很多：疲惫；担心正在亲吻时宝宝哭着醒来；害怕妻子的身体没有完全康复，过早做爱会伤害到她；最重要的是你的身体和心理都完全被照顾宝宝占据，注意力很难集中到性生活上。当然，这个阶段体内的雌激素水平升高，睾酮降低，可能影响到你的感觉。这是大自然为人类设定好的程序——帮助你远离性爱，强化抚养宝宝的意识。

换句话说，你现在没有性欲非常正常，特别是当你的妻子在身体和心理上都没有准备好时。至于你们需要多久能准备好，这个时间难以预测。就像所有与性相关的问题一样，正常范围非常宽泛。有些夫妻在医生还没有允许之前就已经迫不及待了——根据环境不同，有可能需要等待2~6周不等。而另一些夫妻，产后甚至需要6个月或更久才能恢复性欲。一些女性发现自己要到宝宝断奶后才能恢复性本能，但这一切都不意味着你们不能再亲密做爱了。

一些父亲的确有可能在分娩中某个阶段突然产生不想做爱的念头。但几周过去了，这种冲动也会消失。毕竟，你已经知道了阴道有两个功能：分娩和作为性器官。不要强迫自己排除大脑中纷乱的想法，它们都是正常的。阴道在一定时期内的确只能用来分娩，但一生中大部分时间它会让你们获得快感。

在等待自己的性本能恢复时，确保妻子在你这里获得了足够关注。大部分女性产后不会有性欲，但哪怕她不想做爱，也非常想听到你说爱她。另外，就算有宝宝在屋里，浪漫一下也不会造成任何伤害。宝宝睡着后，点上香薰蜡烛，掩盖尿布的味道；帮她做精油按摩；经常拥抱她，让她的精神不至于崩溃。谁知道呢——或许你的性欲会很快恢复，远比想象中要快。

“妻子要母乳喂养，我觉得她的乳房丧失了性感。”

和阴道一样，乳房也天生就服务于现实生活和性爱两个目标。虽然从长远来看这两个目标没有互相排斥，但在哺乳期确实会出现暂时的冲突。

有些夫妻发现母乳喂养可以引起性欲，特别是在乳房第一次变得如此丰满的情况下。另一些夫妻因为某些原因（比如有乳汁渗出），或因为他们觉得用宝宝的营养源来取得性满足很不舒服，所以觉得母乳喂养非常扫兴。但他们可能会发现，这种影响会随着母乳喂养变得越来越自然而逐渐消失。

不管是什么引起（或抑制）你的性欲，都是正常的。如果觉得妻子的乳房不再性感，在你能做到自然地与宝宝一起分享它们之前，前戏时可以专注于其他部位。不过，一定要保证对妻子坦率、诚实，不要突然不加解释地不碰她的乳房，这会让她觉得自己失去了吸引力。同时也要谨慎，不要因为宝宝占用了原本属于你的乳房而对他产生怨恨，你可以把喂奶看成是“借债”，好好享受带来的“利息”——一个健康、胖胖的宝贝。

产后性生活？

结婚以来第一次这么长时间没有性生活？觉得自己几乎成了博物馆里的精子展品？耐心一点：好日子不远了。你的爱人现在还在恢复期，她的身体刚经历了一次巨大的变化——不仅是分娩，还有9个月的妊娠过程，她已经被榨干了。医生或助产士可能已经告诉你，理论上现在开始性生活是安全的，但最终的决定权还在另一半手里。一旦她决定试一试，你一定要慢慢地、极其温柔地进行。问问她怎样做感觉舒服，哪里会疼，哪种方式更好。另外，足够的前戏很重要(她需要大量按摩；由于激素变化，她的下体会变得很干，这时候润滑剂能有所帮助)。如果刚开始采取行动，她的乳房就喷出了乳汁，不要感到奇怪，笑着迎接，并进入正题。

第六部分

孕期保持健康

What to Expect
When You're Expecting

第20章　如果你病了

或许你曾想过，在孕期的9个月里至少会出现几种不太舒服的妊娠症状，例如晨吐、腿部痉挛、消化不良和疲劳。但你可能没想到，自己会遇上讨厌的感冒和感染。事实是，孕期女性很可能患上这些疾病，甚至比普通人患病概率更高，因为她们正常的免疫系统受到抑制，很容易受到各种致病微生物的影响。更重要的是，“两个人一起生病”，会比原来一个人时至少难受两倍——尤其是很多曾经有效的治疗药物不适合现在用了。

幸运的是，这些疾病虽然会给你带来不适，但大都不会影响妊娠。当然，预防是避免生病，保持并促进孕期身体健康的最佳方法。如果预防工作失效，在医生的监督下迅速接受治疗，你也会很快好起来。

你可能关心的问题

普通感冒

“我鼻塞、咳嗽，头痛得厉害，感冒会不会影响到宝宝？”

怀孕之后，感冒再普通不过了——因为你正常的免疫系统受到了抑制。好消息是，你是这些讨厌症状的唯一受害者，它们不会伤害到宝宝。不好的消息是，很多你曾经非常依赖的常规药物(或用来预防感冒的药物)现在都禁止使用，包括阿司匹林、布洛芬、大剂量维生素和大部分中草药(参考第501页了解孕期可以安全服用的药物)。所以，在打开药箱之前，先给医生打个电话，问问哪些药物可以在孕期安全服用，以及哪些药物最适合你现在的情况（如果已经服用少量不适合在孕期服用的药物，不要担心。但要把情况告诉医生，听听他的说法）。

即使常备感冒药都禁止服用，你也不需要继续忍受流鼻涕和严重咳嗽的折磨。有些有效的感冒治疗方法并不需要药瓶，而且对你和宝宝最安全。这些方法可以在感冒发展成严重的鼻窦炎或其他继发性感染之前将其扼杀在萌芽阶段，使你更快好起来。刚开始打喷嚏或嗓子刚有点发痒时就要这样做：

● 尽量多休息。感冒时上床休息不一定能缩短疾病持续的时间，但渴望休息时一定要顺从身体的需要。另一方面，如果能吃得消（不发烧、不咳嗽），适量运动可以让你更快好转。

● 感冒发烧也不能让自己和宝宝挨饿。不管你多么不情愿，多么没有食欲，也要吃得营养丰富一些，选择对你有吸引力的食物，至少不是倒胃口的食物。一定要天天食用柑橘类水果或果汁（橙子、橘子、柚子），以及大量富含维生素 C 的水果和蔬菜，但没有医嘱不要额外补充维生素 C（除了孕期维生素补充剂之外）。锌补充剂也是如此。

● 多喝水。发烧、打喷嚏、流鼻涕会使身体缺少对你和宝宝无比珍贵的水。热饮特别有效，将一个装满热饮的暖壶放到床边，至少每小时喝一杯。如果你非常想喝的话，凉水和凉果汁也比较有效。

● 躺着或睡觉时，用两个枕头将头部抬高，这样能从一定程度上缓解鼻塞症状，帮助你呼吸。鼻贴（能温和地扩张鼻道，使呼吸更通畅）也有

感冒还是流感？

下面教你判断自己患了感冒还是流感：

感冒。即使很严重的感冒也比流感的程度轻微。通常先出现嗓子痛、发痒（只持续一两天），随后逐渐出现各种症状，包括流鼻涕、鼻塞，不停打喷嚏；身体可能有点疼痛和轻微的疲劳；有点发烧（通常在 37.7℃以下），或不发烧；可能咳嗽，在其他感冒症状消失之后，咳嗽还会持续 1 周以上。

流感。流感的症状常比感冒更严重，来得更突然。症状包括发烧（通常在 38.8℃~40℃），头痛、嗓子痛（通常在第 2~3 天加重），常伴有剧烈的肌肉疼痛，全身虚弱、疲惫（可能持续几周以上），偶尔打喷嚏，经常咳嗽，而且越发严重。有的人还会出现恶心或呕吐——但不要跟“胃肠型感冒”（参考第 493 页）搞混了。通过注射流感疫苗可以轻松预防流感。

用，药店里可以买到，而且不含药物成分。

● 用加湿器使鼻腔保持湿润，或使用盐水鼻滴剂（不含药物，完全安全）。

● 如果嗓子痛、发痒、咳嗽，可以用盐水漱口（1/4 茶匙盐溶入 1 杯水中）。

● 如果发烧，要尽快降低体温。

● 不能因为觉得在孕期服药有害就拖着不看病，或拒绝服用医生开出的任何药物。不过，一定要让开药的医生清楚你已经怀孕了。

如果感冒严重，甚至影响到吃饭和睡觉，咳嗽，伴有黄绿色的痰，呼吸困难、鼻窦疼痛（参考下一个问题），或症状持续时间超过 1 周，就要请医生开药保护你和宝宝的健康。

鼻窦炎

“我感冒一周了，现在额头和脸很疼，这与感冒有关吗？该怎么办？”

看起来你的感冒似乎发展成了鼻窦炎。鼻窦炎的症状包括：额头或脸颊一侧或两侧疼痛，也可能牙周疼痛（弯腰或摇头时加重），鼻涕黏稠、颜色浑浊（黄绿色）。

感冒发展成鼻窦炎很常见，在孕妇中更普遍，因为激素往往会使鼻黏膜肿胀，引起堵塞，给鼻窦里细菌的生长繁殖创造了条件。因为杀灭此类细菌的免疫细胞难以到达那么深的地方，所以细菌往往能在鼻窦里存活很长时间。未得到及时治疗的鼻窦炎会持续数周，甚至可能转变为慢性鼻窦炎。抗生素治疗可以快速缓解症状，可请医生帮你开一些适合孕期服用的药物。

流感季节

“秋天来了，我不知道是否要注射流感疫苗。在孕期注射安全吗？”

流感疫苗是准妈妈在感冒多发季节抵御流感的最好方法。孕期注射流感疫苗不仅安全，还非常有利。事实上，美国疾病预防控制中心建议，任何即将在流感季节（一般从 10 月到次年 3 月）怀孕的女性都需要注射流感疫苗。和医生或助产士谈一谈关于流感疫苗的问题。你也可以看看当地的药店和社区卫生服务中心有没有注射点。

流感疫苗必须在流感多发季节之前注射（至少在季节早期），这样才能起到有效的保护作用。因为流感疫苗杀灭的只是当年引起病例最多的流感病毒，所以不能保证 100% 预防流感，但它能大大增加你躲过流感的概率。即使没能阻止患病，流感疫苗通常也可以减轻流感的症状，且副作

两个人的流感疫苗

怀孕后注射流感疫苗很有利，但你是否知道它对肚子里的宝宝也非常好？研究者发现，孕妇在孕晚期注射流感疫苗可以有效保护肚子里的宝宝，让他在出生 6 个月内不受流感病毒攻击。也就是说，现在注射流感疫苗，能让宝宝一直“免疫”到他可以接受注射的那一天。

用极少，就算有也很轻微。

接受流感疫苗注射之前，先问问有没有不含（或减量）硫柳汞的疫苗。选择针管注射，不要选择鼻喷雾。鼻喷雾由活的流感病毒制成，不适合孕妇。

如果怀疑自己得了流感（参考第 488 页小贴士），立即给医生打电话，以便及时治疗，防止流感发展成肺炎。典型的治疗方法主要是对症下药——目的在于减轻发热、疼痛及鼻塞症状。对于孕期患流感的女性来说，最重要的是休息和大量喝水，预防脱水非常必要。

发烧

“我有点发烧，该怎么办？”

孕期低烧（低于 38℃）没必要担心，但也不是可以置之不理，你应该及时想办法把体温降下来。注意观察体温，不让它再升高。

孕期任何超过 38℃的发热都需要立即告诉医生。这是因为引起这种发热的病因常会引起其他妊娠期并发症，例如需要通过抗生素治疗的感染。先吃两片对乙酰氨基酚降体温。洗个温水澡，喝些凉饮料，将衣服解开扣子或换成宽松轻便的睡衣，这些都能起到降温的作用。阿司匹林和布洛芬都不适用于孕期女性。

如果怀孕后你发过烧却没有告诉医生，现在应该告诉他。

脓毒性咽喉炎

“3 岁的大儿子感染了脓毒性咽喉炎，如果我被传染了，会不会危害到肚子里的宝宝？”

所有孩子都喜欢分享的东西，莫过于他们身上的细菌了。而且，家里的孩子越多，你患感冒和其他感染性疾病的概率就越大。

所以，现在开始采取预防措施（不要和别人共用水杯，不要受诱惑帮别人吃完剩下的涂满花生酱和细菌的三明治，并经常洗手），通过改善饮食和获得足够休息，尽量提高免疫系统功能。

如果怀疑自己受到了感染，立即

请医生帮你做咽拭子检查。只要及时给予正确的抗生素治疗，这种感染不会危害到肚子里的宝宝。医生会为你开出最有效，且能在孕期安全服用的抗生素。不要吃给其他家人开的药。

尿路感染

“我担心自己患了尿路感染。”

你那可怜的膀胱不断经历着各种打击——前几个月，它受到不断长大的子宫压迫，现在又迎来了不受欢迎的访客：细菌。这些微生物在储存尿液的地方飞速繁衍，泌尿系统将布满细菌。使你每夜不得不起床小便数次。另外，由于激素作用使肌肉放松，原本安静生活在体表和排泄物中的肠道细菌很容易进入尿道，从而引发灾难。事实上，尿路感染在孕期非常普遍，超过5%的孕妇至少感染过一次，有尿路感染病史的孕妇复发率更高达1/3。有些孕妇的尿路感染是隐性的（不出现症状），只有在做常规尿培养时才能发现。其他孕妇的症状或轻或重（尿急、尿频，排尿时灼痛，尿液淋漓不尽，下腹部有压迫感或剧痛），尿液可能出现臭味，颜色浑浊。

尿路感染的诊断非常简单，取一张试纸插入尿液中就能判断。这种试纸对尿液中的白细胞和红细胞都能作出反应。红细胞暗示着泌尿系统中有出血，白细胞暗示着存在感染。尿路感染的治疗方法也很简单，只需要坚持服用医生开的抗生素即可。（不要犹豫着不敢吃药，医生会考虑到你怀孕的情况，给你开出安全的药物。）

当然，最明智的做法是提前预防尿路感染。下面的很多措施能帮助你降低孕期感染的概率：

- 大量摄入液体，尤其是水，水能带走一切细菌。蔓越莓汁也很有用，其中所含的鞣酸能使细菌无法附着在尿道壁上。不要喝咖啡、茶（即使是无咖啡因的也不能喝）、酒，这些都会增加感染风险。

- 仔细清洗阴道，做爱前后要小便以排空膀胱。

- 每次小便时，要将膀胱完全排空。身体前倾坐在马桶上有利于排空膀胱。有时候“二次排尿”也很有用，即小便后等5分钟，再回去小便一次。想小便时不要憋着，经常憋尿会增加感染的概率。

- 给阴部留出呼吸空间，穿纯棉内裤和纯棉连裤袜，不要穿紧身内裤，也不要穿其他材质的连裤袜。如果能适应，睡觉时可以不穿内裤或睡裤。

- 细心保持阴道和会阴清洁，避免发炎。大便后要从前往后擦，避免将粪便中的细菌带入阴道或尿道（女性的尿道非常短）。每天洗澡（最好淋浴），不要洗泡泡浴，不要用有香味的产品：香皂、肥皂、喷雾剂、洗衣粉，以及香味卫生纸。同样，远离那些没有经过氯消毒的游泳池。

● 一些医生建议，服用抗生素时，尽量多喝含有活性益生菌的酸奶，或吃一些含有有益微生物的食物，这样才能保证肠道正常菌群的平衡。问问医生，有些种类的益生菌效果更好。

● 注意饮食营养，获得足够休息和运动，不要让自己压力太大——这样你的免疫系统才会更高效地工作。

尿路感染如果不加以科学治疗，很容易发展成肾脏感染。未经治疗的肾脏感染非常危险，可能导致早产、宝宝出生体重轻等问题。肾脏感染的症状和尿路感染类似，同时伴有高热(通常高达 39.5℃以上)、寒战、尿血、背痛、恶心、呕吐。如果你出现了这些症状，立即通知医生并获得及时治疗。

酵母菌感染

“我好像患了酵母菌感染，应该吃点以前的常用药还是去看医生？”

孕期绝对不能自我诊断和治疗，就算是简单的酵母菌感染也不行。即使曾经患过上百次酵母菌感染，即使非常了解所有症状（黄绿色、黏稠并带有特殊臭味的分泌物，阴部有灼烧感、瘙痒、红肿、疼痛），即使过去你用的非处方药疗效非常好——现在情况改变了，还是去医院吧。

接受何种治疗取决于你是哪种

细菌性阴道炎

细菌性阴道炎是孕期女性最常见的阴道疾病之一，影响了大约 16% 的孕妇。当某些阴道里的正常菌群突然间大量增殖，就会引起这种疾病，出现异常的灰白色鱼腥味阴道分泌物，伴随疼痛、瘙痒或灼烧感（部分患者没有任何症状）。医生也不太清楚确切病因，不知道是什么因素引起了阴道菌群失衡。不过有一些公认的危险因素，包括多个性伴侣、灌洗阴道，以及节育环的使用。细菌性阴道炎并不会通过性交传播，但和性活动密切相关。

孕期患上这种疾病引起某些并发症的概率会稍稍增加，例如胎膜早破或羊水感染，也可能与流产、宝宝出生体重低有联系。一些医生会对早产高风险的孕妇进行相关筛查，但没有证据显示这种谨慎的做法能有效降低早产的发生率。通过抗生素治疗可以有效缓解你的症状。一些研究已经证实，治疗可以降低由此引起的并发症概率，以及新生儿住进重症监护室的概率。

感染——很多时候，医生要通过实验室检测才能得出准确结论。如果检测结果表明不是孕期常见的酵母菌感染，医生可能会给你开一些阴道栓剂、凝胶、软膏或乳霜，也可能开口服抗真菌药物氟康唑，但这种药只能小剂量使用，而且最多不能超过2天。

不幸的是，通过药物抑制酵母菌感染只能缓解一时的症状；分娩后感染常会卷土重来，并需要反复治疗。

通过保持生殖器区域清爽可以加速康复，预防再次感染。注意个人卫生，尤其是如厕之后（要从前往后擦拭）；洗澡时如果用肥皂清洗阴道区域，一定要彻底地冲干净；避免用刺激性强的肥皂或香皂，也不要洗泡泡浴；避免紧身的内裤和连裤袜（特别注意避免非纯棉产品）。总体来说，注意随时让私处保持"畅快呼吸"（可能的话尽量裸睡）。

喝一些含有益生菌的酸奶可以预防酵母菌入侵，也可以要求医生开一些益生菌补充剂。一些患有慢性酵母菌感染的女性们发现，尽量少吃甜食和精制面粉制成的烘焙食品也有所帮助。千万不要灌洗阴道，这会打破阴道正常的菌群平衡。

胃肠疾病

"我肠胃不舒服，吃不下任何东西，这会伤害到宝宝吗？"

刚开始庆幸频繁晨吐的日子结束了，现在又因为胃肠不适继续和卫生间做伴。如果你是在孕早期出现这样的问题，就难以区分究竟是孕期症状还是胃肠疾病。

幸运的是，胃肠病毒虽然会伤害到你，却不会影响到宝宝。不过，这不是说可以不采取治疗措施。不管造成胃肠不适的罪魁祸首是激素还是放了太久的鸡蛋沙拉，治疗措施都一样：顺从身体的愿望，获得足够休息，注意补充液体——特别是一直呕吐或腹泻的情况下。这时，液体比固体食物重要得多。

如果小便次数较少，或尿液颜色较暗，就意味着你已经脱水。现在最需要摄入液体：频繁而小口地喝水或稀释的果汁（这时候的胃最喜欢白葡萄汁）、清汤、脱咖啡因的茶、热柠檬水。如果你不适应小口啜吸，就含一块冰块或冰棒。增加摄入固体食物时，注意顺应胃部的需求——从清淡、简单、不含脂肪的饮食（白米饭或烤白面包、膳食纤维含量低的麦片、苹果酱、香蕉）开始添加。姜有益于难受的胃，可以将其泡入茶中饮用，也可以选择姜汁汽水或其他形式的姜饮料，甚至可以含着姜片。在补充剂方面，记住随时保证满足身体的维生素需求——服用维生素补充剂非常明智，因为你的体内没有足够的营养储备。然而，如果你在生病的几天内无法做到这一点，也不要担心，来日方长。

如果你有点力不从心，向医生求助。对于每一个出现肠胃问题的人来说，脱水都是大问题，更何况你现在需要应对两个人的需求。医生可能会建议你摄入盐水（例如补液盐）。

在寻找解决办法之前，先问问医生的意见。抗酸药一般可以在孕期安全服用。一些医生可能允许你服用一些排气药物，但要先问清楚。医生还可能允许你服用某些止泻药，但要求在安全度过孕期前 3 个月之后（参考第 503 页）。还是那句话，为了安全起见，不管吃什么药，都要先问问医生。

患病的身体早晚会振作起来，大部分胃肠疾病都能在 1~2 天内自愈。

李斯特菌病

“一个怀孕的朋友说一定要远离某些乳制品，因为在孕期食用会生病，这是真的吗？”

对于在饮食上喜欢冒险的朋友来说，还有更坏的消息。未经高温消毒的牛奶和用这种牛奶制作的乳酪（包括某些莫扎里拉乳酪、蓝纹乳酪、墨西哥乳酪、布里乳酪、卡门贝尔乳酪和菲达乳酪）任何时候都能致病，孕期尤其要注意。这些食物和未经消毒的果汁、生肉、鱼和贝类、家禽、鸡蛋、没洗的生蔬菜、热狗和熟肉食品，都可能含有李斯特菌。这种细菌会导致严重的疾病（李斯特菌病），尤其是对于有潜在危险的个体，包括儿童、老人、免疫力低下的人，还有孕妇。虽然接触到李斯特菌的概率不大，但它带来的孕期问题十分严重。和其他病菌不同，李斯特菌能直接进入血液，通过胎盘很快进入胎儿体内（其他由食物感染的病菌只能待在消化道内，只有进入羊水的细菌才会对宝宝不利）。

患了李斯特菌病很难发现，部分是因为相关症状会在吃了不洁食物后 12 小时到 30 天内的任何时间出现，部分是因为其症状（头痛、发烧、疲劳、肌肉疼痛及偶尔腹泻）与流感相似，甚至可能被误认为是孕期不适症状。李斯特菌病需要借助抗生素治疗。如果不及时治疗，会为孕妇和宝宝带来严重并发症。

远离可能含有李斯特菌的危险食物，加强预防措施非常重要——尤其是现在这个阶段。即使这意味着你的沙拉里不能再出现新鲜乳酪（参考第 120 页了解更多关于食品安全和预防食物传播疾病的知识）。另外，日常饮食接触到这种病菌的可能性很低，如果你已经吃过了乳酪或熏鸡肉，现在也不要有任何压力。

弓形虫病

"虽然我已经把所有照看猫的杂事都交给了丈夫，但还是担心会患弓形虫病。怎样才能知道自己是否患病？"

你可能根本没意识到自己患病，大多数感染弓形虫病的人都不会出现任何症状。但是有的人在感染后两三周内出现身体不适、低烧、腺体肿大等症状，一两天后还会出现皮疹。

如果你养猫的历史很长，很可能早就对弓形虫病产生抗体了，所以不用担心。

如果你对弓形虫病没有免疫，又的确出现了相关症状，就需要去医院检查一下。如果不幸确实感染了，要立即接受治疗，防止病原体传播到宝宝体内。

对于孕妇来说，弓形虫病几乎没什么危害，通过妈妈感染导致宝宝感染的概率较小，大约为15%。孕妇感染的时间越早，越容易传播给宝宝，造成的结果越严重。在孕期后几个月，传播给宝宝的可能性大大降低，造成严重后果的潜在可能也非常小。幸运的是，患上弓形虫病的女性非常少，而且只有0.01%的宝宝出生时患有严重的先天性弓形虫病。

最近的科研进展进一步提高了检测出宝宝患病的概率：通过检查胎儿血液或羊水，或借助超声检查胎儿肺部（这些检查一般需要到怀孕20～22周之后才能进行），就可以判断出宝宝有没有感染。如果没有发现感染征兆，宝宝可能很安全。

弓形虫病的最佳治疗方法其实还是预防（参考第82页如何采取措施避免感染）。

巨细胞病毒

"我儿子从幼儿园回来时带了一张通知，说学校里爆发了巨细胞病毒感染，我担心这会影响妊娠。"

从你儿子那里感染到巨细胞病毒并传染给肚子里宝宝的概率很低。如果儿时就感染过巨细胞病毒，现在就没有感染风险了。即使你真的在孕期感染了巨细胞病毒，它对宝宝造成危害的风险也很低。约有半数感染病毒的妈妈将病毒传染给了新生儿，但很少有宝宝会显示出相关症状。对于那些孕期再次感染的妈妈们生下的宝宝来说，感染风险也相对较低。

然而，除非你清楚地知道自己感染过巨细胞病毒，并且产生了免疫，否则最好还是做好防御工作。例如，给儿子换尿布或帮他擦屁股之后注意洗手；让他暂时不要上幼儿园了。（如果你在幼儿园或学前班里工作，注意保持良好的卫生习惯。）

虽然巨细胞病毒总是来无影去

无踪，没有任何明显症状，但偶尔也会出现发烧、疲惫、腺体肿大、咽喉疼痛等表现。如果你有这些症状，咨询一下医生。这些症状究竟是巨细胞病毒感染还是其他疾病（比如流感、脓毒性咽喉炎），需要借助一系列实验室检查才能判断。

第五病

“医生说，我患了第五病，我从没听过这种病，听说它可能会引发各种孕期问题。”

第五病是引起儿童发烧和皮疹的6种常见疾病中的第五种。但和其他5种疾病（例如麻疹和水痘）不同，第五病并不被人们熟知，它的症状通常很轻或根本没有症状，只有15%～30%的病例会发烧。在皮疹发作的前几天，病人看起来双颊像被打了一巴掌似的，随后皮疹会呈花边状扩散到躯干、臀部及大腿，在1～3周的时间里不时发作（通常在日晒和洗热水澡之后）。人们常将它与风疹及其他儿童疾病，甚至晒伤弄混。

照顾患第五病的孩子或在第五病流行的学校里教书都可能接触病菌，增加患病危险。但有一半育龄女性在童年时患过第五病，已经产生了免疫，所以患此病的孕妇不多。如果不幸感染了第五病病毒，并传染给了胎儿，它会影响胎儿身体产生红细胞的能力，引起贫血或其他并发症。如果你的确患了第五病，医生会每周做超声检查，以确定宝宝是否有贫血征兆。如果在怀孕前几个月（5个月前）感染了第五病病毒，流产的风险会增加。

还是那句话，孕期你和宝宝感染第五病的概率很小。但为了尽可能避免感染，还是要做出恰当的保护措施（参考下页小贴士）。

麻疹

“我忘了有没有注射过麻疹疫苗，现在应该注射吗？”

麻疹疫苗不能在孕期注射，因为理论上它会伤害到宝宝。不过，目前也没有证据显示那些因为疏忽注射了麻疹疫苗的孕妇生下的宝宝有问题。另外，你很可能已经对麻疹产生了免疫，因为大多数育龄女性要么得过麻疹，要么在孩童时期注射过疫苗。如果你的病历中没有相关信息，父母也想不起你有没有接种，医生可以通过测试来确定是否对麻疹免疫。

在极少数情况下，没有免疫的你直接接触到麻疹病毒，医生会建议在潜伏期（接触病毒之后，出现症状之前）注射丙种球蛋白（抗体），以减少患病风险。麻疹和风疹不同，不会直接引起胎儿出生缺陷，但会增加流产和早产的风险。如果你在接近预产期时患了麻疹，很可能会传染给宝宝。同样，使用丙种球蛋白可以帮助降低感染程度。如今，麻疹已经非常少见，上述所有关于危险性的推测都属于理论层面。

腮腺炎

“一个同事患了严重的腮腺炎，我是否应该注射疫苗？”

如今，患腮腺炎的可能性非常小了——基本不太可能。因为在儿童中普及了麻风腮三联疫苗。你很可能在小时候接种过疫苗，或由于曾经患病而获得了免疫，现在患病的可能性非常小。如果你不确定自己是否免疫，可以问问父母或儿时的医生。

如果你的确没有免疫，现在也不能注射疫苗，因为它有伤害宝宝的风险。不过，你患病的概率很低，因为腮腺炎通过偶然接触传染的概率不高。但它可能会诱发宫缩，与孕早期流产和孕晚期早产有关，所以应该警惕腮腺炎的早期症状（可能是面颊隐隐作痛、发烧、唾液腺肿大、丧失食欲，然后在咀嚼或吃酸味食物时出现耳朵痛）。出现这样的症状立即通知医生，

保持身体健康

孕期中，保证两个人的健康需要努力做好预防措施。不管有没有怀孕，下面这些建议都能帮助你尽可能不生病：

增强免疫力。尽量健康饮食，获得充足的睡眠和运动，注意个人卫生。减轻生活中的压力可以让免疫系统保持高水平运转。

避免接触病人。尽量远离那些患了感冒、流感、肠炎及其他疾病症状明显的病人。如果公交车上有人咳嗽，办公室里有人抱怨嗓子痛，有朋友出现鼻塞，远离他们，也不要和他们握手（病菌有可能通过握手来传播）。平时注意尽量不去拥挤嘈杂的房间。

勤洗手。很多疾病都容易通过双手传染，所以一定要经常用温水和肥皂彻底洗手（每次大约 20 秒）。在接触过病人、去公共场所及搭乘公共交通工具之后更应该认真洗手。如你所知，饭前洗手的意义非常重大。在办公桌抽屉里和随身的包里放一些洗手液等清洁剂，这样你一看到它们就会想起来要洗手了。

不要和家人“分享”细菌。在家时尽量避免家人（其他孩子和丈夫）之间传播细菌。不要帮别人吃掉剩下的三明治或交叉使用杯子。每一个生

病的宝宝都很渴望得到妈妈的亲吻和拥抱，一定要在接近他们之后洗手洗脸。如果双手接触过带有细菌的床单、毛巾、卫生纸，在用手碰自己的眼睛、鼻子、嘴巴之前记住洗手。如果孩子生病了，要盯着他常洗手，并叮嘱他洗到胳膊肘，而不是只洗手（这对成年人来说也是个好办法）。在电话、电脑键盘、遥控器等会接触人体的物品表面喷洒消毒剂。如果你的孩子，或你经常接触的其他孩子突然出疹子，不要靠近，给医生打电话，让他来解决——除非你确定自己已经对水痘、第五病、巨细胞病毒等免疫。

理智地养宠物。如果家里有宠物，要保证它们的健康，及时带它们去打疫苗。如果家里有猫，要格外注意预防弓形虫病（参考第 81 页）。

当心莱姆病。注意不要去莱姆病高发地区，如果要去，再三确认自己做好了充分的保护措施（参考第 499 页）。

洗漱用品仅限个人使用。牙刷等私人洗漱用品不要共用，而且不要对放。如果漱口杯放在卫生间，就应该使用一次性的。

安全饮食。为了防止食物引发的疾病，注意遵守准备和储存食物的安全事项（参考第 120 页）。

及时治疗可以防止病情恶化。谨慎起见，在决定怀孕之前可以考虑注射麻风腮疫苗。

风疹

“出国旅行时我接触到了风疹病毒，这值得担心吗？”

很多孕妇已经对风疹免疫了，或许因为她们以前得过风疹（通常是在童年），或注射过疫苗。如果你不确定自己是否已经免疫，可以通过简单的检查得到确认。做风疹抗体滴度检查就可以测出血液中对风疹病毒的抗体水平，在你第一次产前检查时，医生会把这项检查作为常规检查。如果还没有做这种检查，现在就应该做。

如果检查结果是你没有抗体（或血液中的抗体水平很低），不必做进一步的检查。因为一旦感染病毒，你就已经确定患病了。症状会在接触病毒后 2~3 周出现，一般比较轻微（身体不适、低烧、腺体肿大，一两天后还会出现轻度皮疹），有时症状不明显。如果你的确在孕期被传染了风疹，会不会伤害到宝宝取决于患病的时间。怀孕第 1 个月受到感染，造成严重出生缺陷的可能性比较大。到了第 3 个月，风险就明显降低。在那之后，风险会越来越小。

对于没有抗体的女性来说，没有

绝对有效的预防措施防止感染风疹。如果你没有免疫，现在也没有患病，就要注意在接下来的孕期里做好防范措施，最好在产后接种疫苗。为了保险起见，注射疫苗1个月内不建议再次怀孕。如果在此期间意外怀孕，或在你不知道自己怀孕的情况下接种了疫苗，不要担心——孕早期不小心接种疫苗没什么风险。

水痘

“大女儿的幼儿园里有小朋友得了水痘，如果她感染了，会威胁到我肚子里的宝宝吗？”

可能性很小。肚子里的宝宝和外面的世界隔离开，而且被保护得很好。除非是自己的妈妈患了水痘，否则他一般不会从别的个体那里感染。也就是说，除非你先患病，否则对肚子里的宝宝没有影响。如果你的女儿曾经注射过疫苗，对水痘产生了免疫，就不太可能从别的小朋友那里传染到水痘并带回家。其次，很可能你在儿童时代已经感染过水痘并建立了免疫。问问父母或检查自己的病历记录，看看有没有患过水痘。如果不确定，问问医生能不能帮你做检查以确认是否建立免疫。

即使没有免疫，感染的概率也很小，你应该在接触水痘患者后96小时内注射水痘带状疱疹免疫球蛋白。虽然这样做能否帮助你有效预防疾病还不确定，但至少可以降低并发症的风险——对于孩子来说症状轻微的水痘，发生在成年人身上就会变得很危险。如果你害怕变成重症患者，可以服用一些抗病毒药物，降低并发症的风险。

如果你在妊娠前半段感染，宝宝有一定风险患上先天性水痘综合征，但风险很小，只有2%。如果你在妊娠后半段感染，宝宝几乎没有感染风险了。不过，分娩前一周及产后几天例外。在非常少见的情况下，新生儿很可能感染，在出生后1周内出现典型的皮疹。为了预防新生儿感染，宝宝出生后（或当你产后感染的症状变得明显之后）需要立即注射水痘疫苗。

偶然情况下，一些成年人体内潜伏的水痘病毒会被激活，引起带状疱疹。这也不会伤害到发育中的宝宝——可能是因为妈妈产生的抗体通过胎盘到达了胎儿体内。

如果你没有免疫，而且这一次逃过了感染，问问医生需不需要在分娩后接受疫苗注射，以保护今后的妊娠。注射疫苗后至少一个月不能再次怀孕。

莱姆病

“我住的地方是莱姆病高发区。莱姆

病对于孕妇来说危险吗？”

那些经常出入森林的人们很容易通过鹿、老鼠及其他携带蜱的动物传播莱姆病；对于不接触森林的城市人来说，购买来自农村的绿色植物等也可能被传染。

保护你和宝宝的最好措施是积极预防。如果你经常出入于森林、草地多的区域，或需要进行绿化种植工作，注意穿好长裤，将其扎入长靴或长袜中，戴上长手套；用针对蜱的杀虫剂喷洒衣物。回到家之后仔细看看自己的皮肤表面有没有蜱，如果发现了，立即用镊子夹走它，然后把它装到小瓶子里带给医生检查（24 小时之内去掉蜱可能不会发生感染）。

如果你被蜱咬了，马上去看医生；验血就能知道是否感染了莱姆病。(早期症状包括被叮咬处出现牛眼样皮疹和红斑、高热和寒战、周身疼痛、被叮咬处附近腺体肿大；晚期症状包括类似关节炎的疼痛及失忆。)

幸好，研究表明，及时使用抗生素治疗可以保护肚子里的宝宝，并让妈妈的病情不再恶化。

甲型肝炎

“我是一名幼儿园老师，班上有一个小朋友被诊断出甲肝。如果我被传染了，会不会影响到妊娠？”

甲型肝炎是一种很常见、基本上症状很轻微的疾病（通常没有明显症状），一般不会传染给胎儿或新生儿。即使你真的感染了，也不会影响到妊娠。但不管怎样，最好还是不要患病。注意采取预防措施，确保每次换尿布或帮这些小朋友擦屁股之后都记住洗手（甲型肝炎通过粪－口途径传播），每次吃东西之前都要把手彻底洗干净。你也可以问问医生有没有甲肝疫苗。

乙型肝炎

“我是乙肝病毒携带者，最近意外发现自己怀孕了，携带病毒会伤害到我的宝宝吗？”

知道自己是乙肝病毒携带者就是你为不伤害宝宝迈出的重要一步，因为这种肝脏的感染性疾病有可能在分娩时通过妈妈传染给宝宝。现在就开始采取预防措施可以防止最糟糕的情况发生。新生儿会在 12 小时内注射乙肝免疫球蛋白和乙肝疫苗（新生儿需要常规注射），这种免疫几乎可以成功地预防所有感染。宝宝还可能在出生后第 1 个月或第 2 个月，及第 6 个月再次接种疫苗（这也是乙肝疫苗的常规注射方法），然后在 12～15 个月接受检查以确定免疫措施生效。

丙型肝炎

“孕期需要担心丙型肝炎吗？”

丙型肝炎可能会在分娩时通过妈妈的产道传染给宝宝，传染率为7%～8%。但由于丙型肝炎一般通过血液传播（例如，通过输血或非法药物注射），所以除非你之前有过输血史或属于高风险人群，否则不太可能感染。这种感染性疾病一旦确诊基本都可以治愈，但通常不会在孕期治疗。

面神经麻痹

“今天早上醒来时，我觉得耳朵后面很疼，舌头麻木，然后照了照镜子，发现半边脸都下垂了，这是怎么回事？”

看起来你似乎患了面神经麻痹，一种由于面神经受损而出现的一过性疾病，表现为半边脸麻痹。孕妇患面神经麻痹的可能性比普通女性高3倍（总的来说，这种疾病发病率很低），而且通常发生于孕晚期及产后早期阶段，发病突然，大部分女性和你描述的情况一样——发病之前没有任何征兆，只在晚上睡觉醒来后发现。

这种一过性疾病的病因不明，很多专家推测可能和某些病毒和细菌感染有关，造成面神经肿胀或发炎，引起了这种疾病。面神经麻痹的症状有时还包括耳后及头后方疼痛、眩晕、流涎（由于肌肉无力导致）、口干、不能眨眼、舌头麻木及味觉丧失，某些病例中甚至出现语言障碍。

幸运的是，面神经麻痹不会超出面部之外的范围或进一步恶化。更幸运的是，大多数病例都在3周～3个月内自愈，不需要任何治疗（偶尔有少数拖到6个月才能完全康复）。最幸运的是，这种疾病对妊娠和宝宝没有威胁。不过，你还是要向医生汇报，一般来说，治疗不是必要的。

孕期用药

打开任何一盒处方药或非处方药，拿出晦涩难懂的说明书，仔细阅读。事实上，所有药物的说明书中都注明，没有经过医生允许不得随便服用。而且，在整个怀孕阶段，你一定服用过至少一种处方药或非处方药。如何才能知道它们中哪些安全，哪些不安全呢？

没有任何一种药物（无论是处方药还是非处方药）对所有人、任何时候都100%安全。怀孕时，每次吃药都需要考虑两个人的健康状况，而且其中一个还很小、很脆弱。幸运的是，目前已知的会对成长中胎儿不利的药物非常少，大部分药物可以在孕期安全服用。事实上，有些情况下，孕期用药非常必要。

在使用任何药物前，充分权衡其利弊永远是明智的，更何况现在你处于妊娠期。考虑服用某种药物时，一定要让医生参与决策，他的建议是行动前的基本准则。所以，孕期服用任何药物都要先问问医生，即使是过去经常服用的非处方药也不能例外。

记住一条基本原则：在询问医生或助产士意见之前，不要擅自服用任何药物，不管是处方药、非处方药，还是中草药。

常用药物

很多药物非常安全，适合孕妇服用。如果你出现鼻塞、头痛等症状，可以用它们。另一些药物在大多数情况下不推荐孕妇服用，但在某些特殊情况下可以试试，例如怀孕前3个月后或患某些特殊疾病时。另一些药物完全禁止在孕期服用。下面是一些孕期常用药物的说明：

对乙酰氨基酚。怀孕期间，少量服用对乙酰氨基酚是允许的。但在第一次服用之前，一定要问问医生安全剂量是多少。

阿司匹林。医生很可能告诉你不能服用阿司匹林，特别是在孕晚期，因为它对新生儿存在很多潜在威胁，可能导致一些分娩并发症，例如大出血。许多实验证明，很小剂量的阿司匹林在某些情况下能够预防先兆子痫，但只有医生知道你的情况是否可以使用这种药物。另一些实验发现，对于某些特殊的习惯性流产患者（抗磷脂综合征），小剂量阿司匹林与稀释血液浓度的肝素联用，可以降低流产的概率。同样，这些药物对你是否安全，只有医生能回答。

解热镇痛药。孕期服用布洛芬要当心，特别是在孕早期和孕晚期——副作用同阿司匹林一样。除非清楚你怀孕情况的医生推荐，否则不要服用。

非甾体类抗炎药。萘普生——一种非甾体类抗炎药，不能在孕期服用。

鼻腔喷雾。短时间内用于缓解鼻塞症状的话，大部分鼻腔喷雾可以安全使用。问问你的医生，请他推荐信得过的品牌及建议的剂量。生理盐水鼻腔喷雾可以缓解鼻塞，永远都是安全的。

抗酸药。抗酸药可以改善持续不退的烧心症状，不过，要注意剂量适合，否则会影响你对钙的吸收。关于服用的具体剂量，需要医生告诉你。

排气药物。很多医生同意孕妇服用排气药物，偶尔使用这些药物可以缓解孕期胀气的情况。服用前先咨询医生。

抗组胺药物。并不是所有抗组胺药物对于孕妇都是安全的，但医生可能会同意你服用其中一些。孕期能服用的抗组胺药中，最常见的就是苯海拉明。氯雷他定也被认为比较安全，但要问问医生，因为并非所有医生的意见都相同——特别是对于孕期前3个月。很多医生同意服用扑尔敏、曲普利啶，但也有规定的剂量。

安眠药。Unisom、泰诺（氨酚拉明片）、盐酸苯海拉明、安必恩(Ambien)、舒乐定安等在孕期服用都是安全的。很多医生都同意孕妇偶尔服用药物，但在服用前要征求医生的意见。

解充血药物。如果非要在孕期服用的话，盐酸伪麻黄碱比较安全——只要在限制的剂量内。确保在服用前咨询过医生，服用的剂量合适。

止泻药。适量高岭土果胶制剂在孕期服用是安全的，但第一次服用之前要咨询医生（大部分医生会建议你安全度过孕早期后再尝试）。碱式水杨酸铋（和其他水杨酸盐）不能在孕期使用。

抗生素。如果妊娠期内医生开出了抗生素的处方，那一定是你的细菌感染情况比抗生素的副作用严重得多。一般选用的抗生素都是青霉素或红霉素。某些抗生素不建议使用（例如四环素），所以一定要确保开药的医生知道你怀孕了。

抗抑郁药。妈妈的抑郁症不接受治疗的话会影响到宝宝。虽然关于抗抑郁药物对于妊娠和胎儿影响的研究一直没有定论，但显然一些药物是安全的，另一些必须远离，剩下的则因人而异，充分权衡抑郁症的利弊后使用（参考第510页了解更多抗抑郁药）。

止吐药。安眠药Unisom（其中含有抗组胺药物抗敏安）和维生素B_6联用可以减少晨吐，但必须经医生同意后再服用。这种治疗的副作用是困倦嗜睡。

局部抗生素。局部少量使用抗生素（例如杆菌肽或新孢霉素等）在孕期是安全的。

局部激素。孕期局部使用少量氢化可的松等激素是安全的。

注意信息更新

对于哪些药物绝对安全，哪些可能安全，哪些可能不安全，哪些绝对不安全——你应该有一份清单，而且要及时更新——尤其是有新药时。还要清楚哪些是处方药，哪些是非处方药，哪些还处于临床实验阶段。

如果孕期需要药物治疗

如果医生推荐你在怀孕时服药，注意采取下列步骤增强药效、降低风险：

- 和医生讨论一下，如何在最短的时间内，通过服用最小的剂量来达到治疗效果。

- 在对你最有益的时候服药，例如，晚上服用感冒药有助睡眠。
- 认真遵守药品说明。有些药物必须空腹服用，有的应该和饭或者牛奶一起吃下去。如果医生没有指导你怎么服用，向药剂师咨询细节。如果看到说明书上提到不适合孕期服用(大部分药物都有这项说明)，不要惊慌，只要开药的医生了解你怀孕的情况，就没问题。
- 探索非药物疗法，作为药物的补充。例如，尽量消除家中的过敏原，这样医生开的抗组胺药物就会减少。记住：除非医生批准，中草药之类的替代疗法绝对不能随便尝试。
- 吞下胶囊或药片时喝一口水，这样容易咽下去，随后再喝一大杯水，快速地把药冲到吸收它的器官里。不要躺着或斜靠着吃药，坐着或站着有助于药物迅速进入胃部。
- 为了更加安全，尽量在同一家药店配药。如果有潜在的药物交叉反应，药剂师会提醒你。确定拿到的是

中草药治疗

也许你听说过中草药治疗可以带来很多好处，特别是怀孕后，很多药物都已经不能再服用了，你的药箱也基本退居二线的情况下。吃几粒银杏片真的可以帮助你回忆起这个月有没有付过电费？褪黑素真的可以保证你睡得像宝宝一般舒服？紫锥菊真的可以在你打两次喷嚏之后帮你挡住细菌的侵袭？

事实上，这些药物可能是有害的——尤其是你现在需要和肚子里的宝宝分享这些药物。“纯天然”并不意味着“绝对安全”，当然，健康食品店也没有保障。即使是那些你听说的在孕期可以安全服用的中草药，也可能随着妊娠9个月的时间变化而在某个时候变得有害。例如，如果在没到预产期时使用一些推动阵痛和宫缩的中草药，就会诱发早产。而另一些药物在孕期任何时间服用都有害（例如罗勒油、丁香油、黑升麻、紫草科植物、杜松、槲寄生、薄荷油、黄樟、野山药等）。

想要自己采用中草药治疗时，小心行事最明智；现在你一个人吃两个人的药，更应该加倍小心。为了安全起见（即使对那些没有怀孕的人也一样）除非是由医生开出的处方，否则不能随便服用任何药物。

如果你想在孕期当一个“纯天然”妈妈，可以寻找不含药物的其他天然治疗手段（例如辅助疗法中的针灸、按摩、冥想等）。

正确的处方药（或者非处方药、中草药），核对瓶子上的名称和剂量，确定这是医生指定的药（许多药的名称相似）。为了更加放心，询问药剂师这种药物是治疗哪种病症的。

- 询问可能存在的副作用，以及哪种副作用应该报告医生。

一旦确定某种处方药可以在妊娠期安全服用，不要因为害怕它可能会以某种方式伤害到宝宝就犹豫不决——很多情况下，药物不会伤害宝宝，延误治疗却会造成伤害。

第21章　如果你患了慢性病

任何一个患有慢性病的人都会觉得生活很麻烦：特殊的饮食、药物以及医护人员随访、监护身体情况。如果再加上怀孕，就更复杂了。幸好，只要格外小心并加倍努力，大部分慢性病完全不会妨碍妊娠进程。

至于慢性病和妊娠究竟如何相互影响，取决于多种因素，其中很多都因人而异。本章就患有慢性病的准妈妈应该注意的问题做了大体介绍，你可以参考下列建议，但一定要以医嘱为准，因为医生可能针对你个人的特殊需求做了具体指导。

你可能关心的问题

哮喘

"我从小就患有哮喘，现在担心哮喘发作和吃的哮喘药可能伤害肚子里的宝宝。"

发现自己怀孕时，大部分女性会激动得快要停止呼吸——如果你有哮喘，除了有这种表现，还会格外忧虑。虽然严重的哮喘确实会使妊娠处于高危状态，但研究显示，这种危险可以完全消除。事实上，只要在孕期得到专业人士的密切监督指导，哮喘患者正常怀孕和产下健康宝宝的可能性与非哮喘患者一样。

虽说哮喘只要控制良好就可以将对妊娠的影响降至最小，但影响程度因人而异。对1/3的哮喘准妈妈来说，这种影响是积极的，可以改善病情；另有1/3的人病情与怀孕前没有差别；其余1/3的人（通常是患病最严重的患者）病情会恶化。如果以前怀过孕，你可能会发现哮喘在这次妊娠中的表现和前几次怀孕时一样。

在怀孕前或至少在怀孕初期控制病情，将使你和孩子从中获益，下面一些措施会有一定的帮助：

● 确定引起哮喘的环境因素。过敏常常是引发哮喘的主要原因，也许你已经知道了自己的过敏原有哪些。采取措施避免接触，就会发现自己在孕期的呼吸相对容易一些（参考第208页学习避免过敏原的技巧）。常见的过敏原有花粉、动物皮屑、灰尘和霉菌。香烟的烟雾、家用清洁产品和香水等也可能引起哮喘反应，最好杜绝接触。如果你已经在怀孕前进行过脱敏治疗，怀孕后应该继续。

● 小心运动。如果你的哮喘由运动诱发，在锻炼或其他形式的劳动之前服用一些处方药来预防。和医生谈一下，看看有没有其他注意事项。

● 保持健康。注意避免感冒、流感及其他呼吸系统感染性疾病，这些都很容易诱发哮喘（参考第497页小贴士）。医生可能会给你开一些在感冒初期预防哮喘的药物，如果出现了轻微的呼吸系统感染，医生可能会用抗生素治疗。对于每一个孕妇来说都很重要的流感疫苗，可能在你这里更有意义——因为它对预防肺炎很重要。问问医生你是否属于肺炎的高发人群。如果患了慢性鼻窦炎或胃食管反流症（二者都是孕妇易得的疾病），一定要向医生寻求治疗，因为这些疾病会影响到哮喘的治疗。

● 按照医生的指导，用呼吸流量检测仪监测自己的呼吸，这样才能确保你和宝宝得到需要的氧气。

● 重新审视服用的药物。怀孕后，所有用药原则都有变化，一定要保证只服用医生在你怀孕期间开出的药物。如果你的哮喘症状很轻，可能不需要药物治疗。如果属于中到重度，可能要服用对胎儿安全的几种药物。总的来说，吸入的药物要比口服药物更安全。记住，需要服药时不能踌躇，现在你在为两个人呼吸。

如果的确发生了哮喘，马上用医生开的药物进行治疗非常重要，可以避免胎儿缺氧。如果药物没起作用，应立即给医生打电话或直接前往医院急诊。哮喘发作会引发早期子宫收缩，不过发作结束后宫缩也会停止——这就是及时获得治疗的意义所在。

你曾有呼吸困难的情况，大部分孕妇在孕晚期出现的呼吸困难对你而言会非常可怕，不过没什么危险。在孕期最后3个月，不断增大的子宫对肺部的压力增加，呼吸会越来越困难，你也许会突发严重哮喘，发作时要立即治疗，这一点尤为重要。

哮喘如何影响阵痛和分娩呢？如果你不打算用药也没关系，哮喘不会影响使用拉玛泽等呼吸技巧。如果已经决定采用硬膜外麻醉，也没有太大问题（但由于可能诱发哮喘，杜冷丁等镇痛药和麻醉药禁止使用）。分娩中突发哮喘的可能性很小，但医生也许会建议你在阵痛阶段继续原来的常规治疗。如果你的哮喘非常厉害，需

孕期患癌症

癌症在孕期并不常见，如果的确发生，和发生于未患病时症状无异。妊娠本身不会引起癌症或增加患癌症的概率，它们是不相干的两件事，一个充满幸福快乐，另一个是严峻的挑战和考验，但偶尔会同时出现。

孕期治疗癌症比较麻烦，因为要充分平衡如何给妈妈提供最好的治疗，以及如何降低对宝宝的影响。你可能得到的治疗取决于很多因素：妊娠进展程度、所患的癌症类型、癌症分期，当然还有医院的治疗方案。有时候，关于治疗方式和宝宝，你可能会面临情感上的挣扎，不过在做出决定时会获得足够的支持。

因为一些癌症的治疗会伤害宝宝——特别是孕早期，医生会尽可能延迟治疗时间，推迟到孕中期或孕晚期。如果在孕中期或孕晚期诊断出癌症，医生可能建议到宝宝生下来之后再开始治疗或提前催产后治疗。你可以放心的是，孕期诊断出癌症和其他时候诊断出的癌症一样，没有其他影响。

要口服类固醇或可的松治疗，在阵痛和分娩时也需要静脉注射类固醇以帮助缓解阵痛和分娩时产生的压力。入院之后需要检查你的氧合指数，如果检查结果显示氧合指数很低，应采取相应的预防措施。虽然患有哮喘的妈妈生下的宝宝出生后会出现呼吸很快的症状，但那只是暂时的。

至于产后，你很可能发现，在分娩3个月后会再次出现和怀孕前相同的症状。

囊性纤维化

“我患有囊性纤维化，我知道这会使妊娠情况变得复杂，有多复杂？”

患了囊性纤维化的女性已经面临了很大挑战——需要克服多种症状。虽然孕期面对这些挑战从某种程度上来说更困难，但你和医生仍然可以在最大程度上努力让整个孕期保持安全。

第一个挑战即是增加足够的体重，要听从医生的指导，保证完成最重要的增重任务。密切关注自己的体重和胎儿发育情况，以及妊娠中各个方面的情况——你需要的产前检查比别的准妈妈更多、更频繁（反过来，这也让你有更多机会听到宝宝的心跳，有更多咨询医生的机会）。你的活动可能会受到限制，而且由于在早产方面有较高风险，需要格外小心才能确保宝宝安全。必要的话，可能需要短期住院观察。

遗传咨询可以判断你的宝宝有没有患囊性纤维化的风险（不患病的可能性比较大）。如果丈夫不是囊性纤维化基因携带者，宝宝患病的可能性就非常小。如果丈夫是携带者，宝宝有一半的概率患病，产前检查可以给你确定的答案。

你现在需要为两个人呼吸，医生会格外注意护理肺部——特别是随着子宫增大，肺部扩张空间缩小时。医生也会注意你的肺部感染情况。一些患有严重肺病的女性可能会发现自己怀孕后病情恶化，但这种情况是暂时的。总的来说，怀孕对囊性纤维化不会有长远的负面影响。

不管怎么说，怀孕已经很辛苦了，患有囊性纤维化的女性将会面对更多挑战。但所有挑战都非常值得——你的努力将换来可爱的小宝宝。

抑郁症

“几年前我被诊断患了慢性抑郁症，从那之后一直在小剂量服用抗抑郁药。现在我怀孕了，是否应该停止服药？”

育龄女性患抑郁症的概率已经大于10%，你并不孤单。对于你和其他患病的妈妈们来说有一个好消息：通过恰当的治疗，患抑郁症的女性也可以获得非常健康的孕期。考虑到孕期抑郁症的治疗很复杂，必须注意小心平衡——尤其是用药方面。怀孕期间应该和你的心理医生、产科医生一起，充分权衡服药（或不服药）的利益和风险。

也许这看起来很容易做出决定——自己的情绪健康怎么会比宝宝的身体健康重要呢？但事实上，决定比想象中复杂得多。对于刚怀孕的女性来说，孕激素会对情绪造成很大影响。即使是没有过情绪紊乱、抑郁或其他任何情绪问题的女性都可能在怀孕期间出现情绪波动，更不用说有抑郁史的人了，孕期抑郁症复发的风险更大，并可能发展为产后抑郁症。毋庸置疑，计划在孕期停服抗抑郁药的女性就更危险了。

更重要的是，抑郁症如果得不到治疗，不仅会伤害到你（及身边亲近的人），还会影响到宝宝的健康。抑郁的妈妈不仅不能和其他孕妇一样获得良好的饮食、睡眠，不能注意到自己的产前检查和护理情况，还有可能沾染吸烟和饮酒的恶习。任何这些因素及过多焦虑和压力的影响，都会增加早产、低体重儿、低阿普加评分宝宝的概率。有效治疗抑郁症——并在孕期控制病情——可以让准妈妈更好地照顾肚子里的宝宝。

这对你意味着什么？这意味着，在你决定扔掉抗抑郁药之前一定要三思（当然还要咨询医生的意见）。你和医生也需要考虑究竟哪些药物最能满足你和宝宝的需求，如果打算怀孕，哪些药物应该禁止使用，它们有没有替代品。一些药物比其他更安全，另一些药物则完全不能使用——因为药物的更新速度很快，医生会向你提供最新的信息。目前已知孕期一个不错的选择是安非他酮。百忧解、帕罗西汀、盐酸舍曲林等5-羟色胺再摄取抑制剂（SSRIS）对宝宝没有太大伤害，也被认为是安全的。不过也有研究表明，服用百忧解和早产有某种程度上的关联性；百忧解和其他SSRIS可能会引起部分新生儿出现短暂的戒断症状（持续时间不会超过48小时），包括出生后哭泣过多、颤抖、出现睡眠问题及胃肠不适。即使这样，研究者们也告诫孕妇，如果抑郁症状不能通过其他方法得到更好的治疗，不能因为这些小风险而放弃百忧解（或其他SSRIS）治疗，因为抑郁本身极有可能造成长期伤害。

产前检查医生及心理医生会为你掌舵，选择孕期最合适的药物，所以一定要和他们详细讨论。

也请记住，有时候非药物疗法也能治疗抑郁症。单独采用心理治疗或将其与药物联用很有效。其他一些疗法联合药物治疗也值得一试，包括亮光疗法及CAM治疗。运动（可以释放让你感觉良好的内啡肽）、药物（帮你应对压力）、饮食（通过规律饮食和零食摄取足量omega-3不饱和脂肪酸，保持血糖水平稳定和好心情）也对治疗有益。和医生、心理医生谈一谈，看看你的情况能不能采用上述办法。

糖尿病

“我是糖尿病患者，会对宝宝产生怎样的影响？”

对于糖尿病患者来说，现在有太多的好消息。借助专业的医疗护理和细心的自我照顾，成功、顺利完成妊娠的概率并不比非糖尿病患者低，而且完全有可能和其他孕妇一样生下健康的宝宝。

研究发现，准妈妈成功应对糖尿病（不管是Ⅰ型糖尿病还是Ⅱ型糖尿病）的关键就是在怀孕前将血糖降到正常水平，并在随后的9个月中始终保持正常。所谓Ⅰ型糖尿病，即儿童期糖尿病，患者自身不会产生胰岛素；Ⅱ型糖尿病是成年型糖尿病，胰岛素分泌或作用缺陷。

不管你是患上糖尿病后怀孕，还是怀孕时患上了妊娠期糖尿病，以下建议都有助你正常妊娠，并得到一个健康的宝宝：

正确的医生。指导你的医生必须

有成功照顾糖尿病孕妇的大量经验，他应该和一直负责治疗糖尿病的医生通力合作。你可能需要比其他孕妇多进行几次产前检查，医生对你的要求和限制也会相应增多。

良好的饮食计划。请医生、营养专家和有糖尿病护理经验的护士为你打造符合个人需要的饮食计划。这种饮食方案应包括较多的复合碳水化合物、适量蛋白质、较少的胆固醇、脂肪和非常少的（或没有）糖。大量摄入膳食纤维也很重要，有研究发现，膳食纤维可以减少糖尿病妊娠中对胰岛素的需求。

对碳水化合物的控制不需要像过去一样严格，因为即使你一两顿饭超标，反应及时的胰岛素也会很快作出调整。摄入的碳水化合物数量要根据身体对特定食物的反应而制订。大部分糖尿病女性可以很好地从蔬菜、谷类（特别是全麦）及豆浆等中获得碳水化合物——效果比水果好。为了保持血糖水平，你还必须特别注意在早餐中获取足够的碳水化合物。零食也很重要，最理想的零食是包括一份碳水化合物食物（比如全谷物面包）和一份蛋白质食物（比如豆类、乳酪或鸡肉）。空腹会造成血糖水平较低，这很危险，所以即使晨吐或其他妊娠症状让你没有食欲，也应该按时吃东西。采取一日六餐，两餐之间间隔相同的时间。要好好计划，需要的话再补充一些零食。

合理的增重计划。最好在怀孕之前就达到理想的体重。如果你怀孕前就已经超重，也不要试图利用孕期让自己苗条下来。获取足够的热量对于宝宝的健康成长至关重要，你应该根据医生的建议增加体重。宝宝的发育要严格接受超声监控，因为糖尿病妈妈（即使是体重正常者）生下的宝宝通常会很大。

运动。适度的运动计划可以为处于孕期的糖尿病女性患者（特别是Ⅱ型糖尿病）提供更多的能量，帮助她们调节血糖，保持身体健康。但这必须以你的治疗计划和饮食计划为基础。如果你没有其他并发症，身体很健康，建议做一些适度的活动，比如快走、游泳和慢骑健身自行车（或慢跑）。即使怀孕之前病情一直无法得到控制，还有其他关于妊娠或宝宝发育的问题，医生也会允许你轻微运动（例如放松地散步）。

锻炼之前，要记住一些需要注意的安全事项：运动前吃一点零食；不要锻炼到疲惫的程度；永远不要在温度较高的环境（27℃以上）中运动。如果要注射胰岛素，医生可能会建议你不要在锻炼的部位注射（比如走路锻炼时，就不要在腿部注射），运动前也不要减少胰岛素的注射量。

休息。足够的休息非常重要，特别是在孕晚期。避免过度耗费精力，白天尽量抽出时间来把腿抬高或小睡一会儿。如果还在上班，医生可能会建议你提前休产假。

调整药物。如果饮食和运动都不能控制血糖水平，可能需要注射胰岛素。如果你怀孕前一直服用药物治疗糖尿病，现在需要暂时住院，以保证血糖水平能够在严密的医学监护下保持平稳。由于抵抗胰岛素的孕激素会随着妊娠发展不断增加，胰岛素的剂量也要不断调整。如果你生病或精神紧张，随着体重的增加，用药剂量也必须重新计算。

除了确保糖尿病治疗药物的准确之外,还应格外谨慎服用其他药物。很多非处方药会影响体内胰岛素的浓度，还有一些在孕期服用不安全，所以在和你的糖尿病主治医生和产前检查医生确认之前,不要服用任何药物。

控制血糖。每天必须至少自测血糖4次，用简单的手指取血法，饭前或饭后检测，以保证血糖处于安全水平。如果你是I型糖尿病，也可以检测血液中的糖化血红蛋白（HBA1c），研究表明血液中这种物质浓度高说明血糖浓度控制较差。为了保持正常的血糖浓度,你必须规律饮食(不要不吃饭),并按需要调整自己的食谱和运动，必要时服用药物。如果你在怀孕前必须注射胰岛素，现在会比孕前更容易出现低血糖，特别是在孕早期，必须仔细监护，千万不要不带零食离开家。

尿液检测。在密切监控糖尿病病情的这段时期，你的身体会产生酮体——身体消耗脂肪时代谢出来的酸性物质，应该经常检查尿液中这种物质的变化。

仔细监控。如果医生要求你做许多检查，甚至是在妊娠最后几周住院——不要担心，这不说明出了问题，他只不过想保证一切正常。这些基础检查通常用来检测你和宝宝的情况,目的是为你决定分娩的最佳时间,以及确认是否需要其他手术和药物治疗。

你可能需要定期做眼部检查以确定视网膜的情况，每24小时做一次血检和尿检以检查肾脏的情况（怀孕期间，视网膜和肾脏问题会加重，不过产后通常会恢复到怀孕前的状态)。你肚子里的宝宝和胎盘的情况可以通过应激和无应激实验（参考第343页)、生物物理指标、羊膜穿刺和超声检查（测量胎儿大小，估计生长发育情况，让胎儿在过大之前顺利生下来）等方法来检测。由于糖尿病妈妈生下的宝宝出现心脏问题的可能性比较高，在怀孕16周时需要对宝宝的身体情况做一次详尽的检查，22周时进行一次特殊的超声监护（胎儿心电图)，以确保宝宝发育良好。

怀孕28周以后，医生可能会要求你自己检查胎动，每天3次（参考第288页描述的方法或遵医嘱)。

糖尿病孕妇出现先兆子痫的可能性很高，要注意相关症状。出现任何一种症状都应立即告诉医生。

选择提早分娩。患了妊娠期糖尿病或怀孕前就患有糖尿病的女性也可以安全怀着宝宝到预产期。但如果妊娠过程中孕妇的血糖水平没有得到很好的控制，就会出现胎盘早剥，或在孕晚期出现其他问题——宝宝需要提前1~2周分娩。多种检查可以帮助医生决定什么时候帮你催产或剖宫产——要晚一点，直到宝宝的肺发育成熟，可以独立在子宫外“工作”；但也不能太晚，以免宝宝的安全受到威胁。

如果宝宝出生后被立即送往新生儿重症监护室，你也不要担心，因为在大部分医院里，这是糖尿病孕妇分娩后的常规程序。医院将对新生儿观察一段时间，看他是否出现呼吸问题和血糖过低（糖尿病孕妇产下的宝宝中这种情况较为常见，但可以很快治愈）。如果计划母乳喂养，你可以很快抱回自己的宝宝。

癫痫

“我患有癫痫，但十分渴望要一个宝宝，我可以获得安全的孕期吗？”

通过正确的预防控制措施，你当然可以生下一个健康的宝宝。你的第一步应该在怀孕前迈出：通过与神经科医生和产科医生配合，将病情控制在最理想的状态下。如果已经怀孕，在孕期及时获得帮助也很关键。为了得到最好的妊娠结果，请医生密切监视你的病情，并在需要时立即调整用药。

大部分女性觉得怀孕并不会使癫痫加重，有的女性觉得病情和怀孕前无异，还有小部分女性觉得自己在怀孕后发病不太频繁了，发作时症状更轻。然而，也有个别女性怀孕后觉得发病更频繁、症状更严重。

谈到癫痫对妊娠的影响，患癫痫的孕妇有可能在孕期恶心呕吐(剧吐)的情况增加，但在严重并发症方面与其他女性没有差异。不过目前看来，癫痫女性生下的宝宝患某些出生缺陷的风险有所升高，但这可能和她们使用了某些抗痉挛药物有关，和癫痫本身关联不大。

提前和医生讨论一下能否在怀孕前停止服药。如果你已经很长时间没有发作过，他们允许你停药的可能性比较大。如果你最近有过癫痫发作，将疾病控制好很重要。你可能需要继续服药，但医生会帮你换一种风险较小的药物。服用一种药物和多种药物联合治疗相比，引起的问题更少，可行性较高。不要因为怀疑自己服用的药物会伤害到宝宝就擅自停药，也不要因为觉得自己发作次数多就更频繁地服药，这样做很危险。

对于服药治疗癫痫的女性来说，需要更为严密的超声监控，并且在孕早期多做一些筛查实验。如果你在服用丙戊酸（德巴金），医生会格外注意宝宝的神经管发育情况，防止脊柱裂等神经管缺陷发生。

对于患癫痫的孕妇来说，获得足够睡眠、最佳营养及足够的水分很重要。另外，也建议这些女性多补充维生素D，因为治疗癫痫的药物常常会影响维生素代谢。孕期最后4周，医生会开一些维生素K补充剂，以减轻产后大出血的风险——产后大出血也是服药控制癫痫发作的女性常见的并发症。

阵痛和分娩并不会因为你患癫痫而变得复杂，但在阵痛过程中继续服用抗痉挛药物可以降低分娩时癫痫发作的可能性。你也可以采用硬膜外麻醉应对阵痛和分娩时的疼痛。

给宝宝哺乳也没问题。大部分治疗癫痫的药物在进入孕妇乳汁时剂量非常小，不会影响到母乳喂养。

让药物发挥最大作用

如果你一直依靠口服药治疗慢性病，怀孕后可能需要做一些调整。例如，如果妊娠初期晨吐让你崩溃，就在晚上上床前或傍晚服药，在晨吐发生之前药物能很好地进入体内，药效也不会随呕吐流失(先要问问医生，因为一些药物必须在一天内的某些时段服用)。

另外需要记住一点（你的医疗团队也要注意）：一些药物的代谢在孕期会出现变化，所以过去服用的剂量对于孕期来说不再合适。如果你不确定自己服用的药物剂量是否适合现在怀孕的身体，或觉得自己的药量不足或太多，和医生确认一下。

纤维肌痛

“我在几年前被诊断出纤维肌痛。这会对妊娠造成什么影响？”

提前意识到自己的病情，就已经比别的人先走了一大步。该病的典型表现为疼痛和灼烧感，以及周身肌肉和软组织刺痛。一般来说，孕期女性发病很难被识别出来，因为她们本来的疲乏、虚弱及心理压力大等孕期症状容易与纤维肌痛混淆。

你可能对自己的病情感到很沮丧，也已经知道针对该病的治疗没有太多有效的方法。做好进一步受挫的准备吧——不幸的是，目前对于纤维肌痛和妊娠之间的相互影响并不清楚。不过，也有一些已知的好消息：患有纤维肌痛的准妈妈生下的宝宝并不会受到这种疾病的影响。除此之外，最新的研究发现，患有纤维肌痛的女性孕期会比较辛苦。你感受到的疲惫、身体僵硬及周身疼痛会比正常女性严重一些（也有一些幸运的女性在孕期病情得到缓解）。为了保证将病情的影响降至最低，尽可能减少生活中的压力，均衡饮食、适量运动（千万不要过量）、继续做一些安全的伸展和协调运动（例如瑜伽、水中运动等）。典型的纤维肌痛患者常会在患病后第一年体重增加 11～16 千克，所以在孕期再次增重过多就可能出现问题。由于这种疾病的治疗通常需要一些抗抑郁药物和镇痛药，服用前一定要咨询医生的意见。

慢性疲劳综合征（CFS）

幸运的是，患上慢性疲劳综合征并不会影响你拥有正常的孕期并生下一个健康的宝宝。不幸的是，现在科学家们对 CFS 对于妊娠的影响尚不明确——还没有开展足够的实验，故没有实验数据证实 CFS 和妊娠究竟怎样相互影响。一些准妈妈发现怀孕之后自己的症状有所缓解，另一些人则发现病情恶化。因为孕期女性都会出现疲乏症状，所以究竟是 CFS 还是孕期症状很难分辨。

如果你患有 CFS 且怀孕了，很重要的一点是：找到了解你病情及妊娠情况的医生，和他商量一下之前采取的治疗方案，针对你的病情制订出新计划，并照顾好你的宝宝。

高血压

“我患高血压很多年了，它会给妊娠带来什么影响？”

慢性高血压会随着年龄增大越发常见，而越来越多年龄较大的女性选择怀孕，就有越来越多的妊娠女性出现这种病症，和你情况类似的人很多。

通常医生会认为你属于高危妊娠，也就是说，你需要花更多时间去看医生，更努力遵守医生的要求。但一切努力都是值得的，只要控制好血压，做好细致的自我监护和医疗护理工作，就可以极大地提高妊娠成功、宝宝健康的概率。

下面是一些帮助你顺利度过孕期的措施：

出色的医疗团队。将要在整个孕期为你提供监护服务的医生必须有照顾慢性高血压孕妇的丰富经验，并与为你治疗高血压的医生一起组成医护团队，协力合作。

密切的医疗监护。医生可能会安排更为频繁的就诊计划，让你做更多检查——还是那句老话，这些时间值得花。慢性高血压增加了先兆子痫和其他妊娠期并发症的风险，为了你的健康着想，医生会在长达40周的妊娠过程里格外注意你的情况。

放松。放松练习可以舒缓孕妇的心理压力，特别是高血压孕妇。研究发现，放松可以帮助降低血压。翻到第147页，学习放松技巧，并反复练习。考虑购买冥想CD或参加一个冥想培训班。

其他非传统辅助方式。尝试一些医生推荐的CAM疗法，例如生物反馈疗法、针灸、按摩等。

充足的休息。身体和心理压力会引起血压升高，所以做任何事都不要过度疲劳。如果你工作压力很大，休息就有非常重要的意义，可以考虑停止工作或减少工作时间和工作职责，等宝宝出生后再说。如果你每天忙于家务和照顾其他孩子，要尽可能充分利用身边的资源，请别人帮忙，这样可以帮助自己卸下部分负担。

监测血压。医生可能会要求你每天用家用血压仪自测血压，可以在最放松或是休息的时候测量。

良好的饮食。孕期食谱是一个很好的起点，但需要在医生的指导下作部分修改以迎合你的需要。摄取足够的水果和蔬菜、低脂或脱脂乳制品，以及全谷物，它们对控制血压非常有效。

充足的水分。记住每天都要喝8杯水，帮助缓解足部和踝部的轻微水肿。大部分情况下，医生会建议高血压孕妇服用利尿剂（有时可以用于高血压的治疗）。

处方药。医生是否会改变你之前用的降压药取决于相关药物的种类。一些药物对于孕妇来说是安全的，另一些恰恰相反。

肠易激综合征（IBS）

“我患有肠易激综合征，很担心妊娠会对病情有影响。”

不同孕妇的妊娠对于肠易激综合征会有不同的影响，所以很难预测你的病情会有什么变化。一些女性觉得在怀孕后肠易激综合征的症状完全消失了，另一些觉得病情在怀孕的9个月里恶化了。

难以预测妊娠对肠易激综合征影响的原因之一是几乎所有妊娠都会对肠道产生影响。孕妇更容易便秘（IBS的症状之一），但也有部分孕妇觉得自己的大便比之前更软（也是IBS的症状之一）。同理，放屁和胀气也一样——不管有没有患上肠易激综合征——孕期都有可能加重。另外，由于可恶的孕期激素影响到了身体的方方面面，IBS的症状也可能加重，例如一位通常以腹泻为主要症状的女性有可能在怀孕后突然开始便秘，而一位常常便秘的女性可能发现大便容易（或太容易）了。

要想良好地控制病情，继续坚持平时对抗肠易激综合征的小技巧：少吃多餐（对于任何孕妇都是良好的建议）；保证充分饮水；多吃高膳食纤维食品改善消化功能；避免辛辣食品；避免压力过大；拒绝所有可能使你病情恶化的食物。你也可以尝试在饮食中加一些活性微生物（益生菌，可以通过酸奶、胶囊等形式获得），它们在调节胃肠功能方面非常有效，在孕期服用也是安全的，具体可以咨询医生。

患有肠易激综合征的确会增加早产风险（所以一定要确保自己学会观察早产征兆，参考第298页）。当然，根据具体情况不同，偶尔也需要通过剖宫产结束妊娠。

系统性红斑狼疮

"我的红斑狼疮已经很久都没发作了，但现在怀孕了，这会让狼疮复发吗？"

对于系统性红斑狼疮，目前还有太多不明确的地方，尤其是其与妊娠的关系。研究表明，怀孕并不会对这种自身免疫性疾病造成长期影响。部分女性在孕期发现自己的病情有所好转，另一些女性发现病情恶化。更让人疑惑的是，第一次怀孕的情况并不能用来预测后续妊娠的情况，而产后阶段的确有加重病情的风险。

系统性红斑狼疮会如何影响妊娠现在还不明确，像你这样在病情稳定后怀孕是最好的。总体来说，系统性红斑狼疮患者流产风险略高，但生下健康宝宝的概率也很高。由于患红斑狼疮而产生严重肾损害的女性情况最糟糕。（理想状态下，最好在肾功能稳定6个月之后再怀孕。）如果你体内有狼疮抗凝物或抗磷脂抗体，医生可能会每天给你开一些阿司匹林和肝素。

你可能需要更多孕期护理措施，拜访医生的频率更高，检查和药物（例如皮质类固醇）都相应增加，生活中的禁忌也会增多。但是，如果你同产科医生、母婴护理专家、治疗狼疮的医生一起努力，妊娠极可能得到一个圆满的结果，所以再多努力都是值得的。

多发性硬化

"几年前我被诊断患有多发性硬化，发作过2次，症状都比较轻微。多发性硬化会影响怀孕吗？怀孕会影响我的病情吗？"

对于你和宝宝来说有个好消息：多发性硬化即使对妊娠有影响，影响也非常小。但你仍然要提早开始产前护理，经常去看神经科医生，有助于获得最好的结果。阵痛和分娩一般不会受到多发性硬化的影响，采用的镇痛措施也不会有影响。对于患有多发性硬化的孕妇来说，硬膜外麻醉和其他类型的麻醉药完全安全。

谈到妊娠对多发性硬化的影响，部分孕妇的确在怀孕和产后病情加重，但大部分女性都可以在宝宝出生3~6个月之后恢复到怀孕前的状态。一些行动困难的女性发现，随着孕期体重增加，行走困难的问题确实加重了，避免体重过量增加可以将这个问题的影响降至最低。不管你的情况有没有加重或复发，怀孕对病情的影响都只是暂时的，不会持续一辈子或造成行动不便。

怀孕期间尽可能保持健康，尽量减轻压力并获得足够休息。同时，别忘了控制体温，避免体温过高（远离热盆浴和热水淋浴；不要过度锻炼或在天气炎热的时候进行户外活动）。尽可能抵抗一切形式的感染，特别是尿路感染——一种孕期常见的感染(参考第491页的预防措施)。

怀孕也会对多发性硬化的治疗造成一定影响。为了保证孕期安全，使用的强的松需要降低到中低剂量，另一些药物的剂量不需要有太多改变。为了宝宝和你的健康，需要和医生谈一谈，制订出一套适合自己的治疗方案。

分娩后，你很可能可以母乳喂养。如果你正在服用的药物或是压力太大而无法哺乳，不要担心。一方面，宝宝可以通过配方奶获得足够的营养；另一方面，只要妈妈感觉好，宝宝也会发育得更好。

由于产后太早回归工作岗位会增加身体的疲劳度和压力——二者皆会加重病情——经济允许的话，最好暂缓复工计划。如果在宝宝还小时，多发性硬化已经影响到了你的身体，请参考下文关于行动不便者照顾宝宝的技巧。

还有一点需要注意：一些患有多发性硬化的女性可能会将此病遗传给宝宝。这种病有一定的遗传因素，但儿童与成人相比受影响的可能性小得多。95%~98%患多发性硬化的妈妈生下的宝宝都没有患病。

苯丙酮尿症（PKU）

“我天生患有苯丙酮尿症，青春期时医生让我采取低苯丙氨酸饮食，身体一直没有出现问题。现在我怀孕了，产科医生要求再次采用这种饮食方案，这必要吗？”

低苯丙氨酸饮食意味着你服用的所有药物中都不含苯丙氨酸，摄入的水果、蔬菜、面包、意大利面等（去掉所有高蛋白食材，包括肉、家禽、鱼、乳制品、鸡蛋、豆类及坚果）也需要严格控制——这样一来吃不到什么可口的东西，所以低苯丙氨酸饮食很难坚持下去。但对于患苯丙酮尿症的孕妇来说，这种饮食很重要。如果怀孕期间不严格遵守这些饮食要求，会让宝宝面临很多问题，包括严重的智力障碍。理想情况下，最好在孕前的3个月开始坚持低苯丙氨酸饮食，在整个分娩过程中都要严格监控血液中的苯丙氨酸含量。（对于PKU孕妇，即使只在孕早期开始采取低苯丙氨酸饮食，也能大大降低胎儿智力发育迟缓的概率。）当然，所有用阿斯巴甜调味的食物也必须严格禁止。

毫无疑问，放纵饮食很多年后再次回到低苯丙氨酸饮食会非常痛苦——但很明显，考虑到宝宝，你的所有牺牲都很值得。如果在这种心理暗示和激励下，你仍然不能坚持限制饮食，求助于了解情况的专业治疗师。其他患苯丙酮尿症的妈妈们组成的支持团队也很有效；你们会因为同样被剥夺了畅快大吃的权利而惺惺相惜，也会因为宝宝们的福祉而相互鼓励，共同努力。

身体残疾

“我由于脊柱受伤而截瘫，必须坐轮椅。我和丈夫一直想要个孩子，现在终于怀孕了——该怎么办？”

和所有准妈妈一样，你要做的第一件事就是选择一名医生。和所有高危妊娠的准妈妈一样，最好选择曾处理过和你情况相同的病人且经验丰富的产科医生及母婴护理专家。找这样的医生比想象的容易得多，因为现在越来越多的医院开展此项特殊业务，为身体有残疾的女性提供更好的妊娠和分娩护理。

至于需要采取哪些特殊措施保证你完成妊娠，取决于身体状况。不管你属于哪种情况，都要将增重限制在建议的范围内，减少给身体造成的压力。尽可能保持良好饮食，提高身体的整体健康水平，减少出现妊娠期并发症的可能性。继续物理治疗可以帮助你在宝宝出生时保有最多的力气和能量，尤其是水疗，既安全又特别有帮助。

与其他孕妇相比，你的妊娠会面对更多困难，但这不会给宝宝带来更多不利影响，也没有证据表明妈妈是脊柱受伤的残疾人（或其他非遗传性或全身性身体残疾），胎儿畸形的可能性会增加。但脊柱受伤的孕妇更容易出现一些妊娠问题，比如肾脏感染、膀胱问题、心悸、流汗、贫血和肌肉痉挛等。虽然你可以选择阴道分娩，但分娩时也会遇到一些特殊的问题。因为你在宫缩时感觉不到疼痛，所以必须注意其他临产征兆，比如羊膜破裂，医生也会要求你定期触摸子宫以检查宫缩是否出现。

在预产期到来之前，你应该做一个万全的分娩计划，其中应该考虑到阵痛开始时独自一人在家的情况（你可以计划在临产时早点去医院，以免因耽误时间导致的问题），也应该确保医护人员已经为你的特殊需要做好了准备。

抚养孩子不管对谁都是一个挑战，尤其在产后最初几周。事先做好计划可以帮助你们更成功地迎接这个挑战。做一些适当的调整可以保证照顾宝宝时更容易，请求他人的帮助（有偿或无偿）让你可以顺利开始育儿旅程。通常，母乳喂养是可以的，还能让生活变得更简单（不用冲到厨房准备奶瓶；不用去商场买配方奶粉），提前准备好尿布和其他宝宝需要的东西也能省时省力。婴儿床可以完全按照你的特殊需要订做，方便随时将宝宝抱进抱出。如果你需要自己为宝宝洗澡，婴儿浴盆可以安置在你能触及的地方（可以隔天洗澡，不洗澡的时候将宝宝放在尿布台或你的大腿上用海绵擦洗即可）。将宝宝放在背带或背巾里是最便捷的方式，这样可以让你空出双手。参加一些残疾人家长互助组织（或在网上寻找相关的团体）可以找到更多共鸣和信心，获得更多好的建议和意见。

风湿性关节炎

“我有风湿性关节炎，会影响到怀孕吗？”

你的病情不太会影响妊娠，但妊娠可能会影响关节炎的情况，而且是好的影响。大多数患有风湿性关节炎的女性注意到，孕期关节肿痛的情况会大大减轻。不过，产后这种情况可能会突然再次爆发。

怀孕期间，你经历的最大变化是病情控制方面。一些以前用来治疗风湿性关节炎的药物现在服用变得不安全（例如布洛芬），所以医生会让你接受其他药物治疗（比如类固醇）。

在阵痛和分娩时要选择不会给发炎的关节带来过多压力的姿势。你可以与治疗关节炎的医生和产科医生谈论一下，看哪种姿势最合适。

脊柱侧弯

“我少年时曾被诊断为患有轻微的脊柱侧弯，脊柱弯曲会影响到怀孕吗？”

幸亏影响不大。患有脊柱侧弯的女性通常可以平稳地完成妊娠和分娩，生下健康的宝宝。事实上，研究表明脊柱侧弯不会给孕期带来任何明显问题。

严重脊柱侧弯的女性，也就是

那些臀部、盆骨、肩部都受到影响的人，自然会面对更多不适，包括呼吸问题等。如果你发现自己随着孕期发展背痛加重，尽可能让双脚多休息，平时多洗热水澡，请丈夫帮你按摩背部，并尝试第239页提到的缓解背痛的技巧。你也可以从医生那里了解产科理疗师的联系方式，后者会指导你学习更多缓解脊柱侧弯疼痛的办法。另外，别忘了试试CAM治疗（参考第86页），可能会有所帮助。

如果你想在阵痛和分娩中采用硬膜外麻醉，请医生帮你推荐一名麻醉师——在麻醉脊柱侧弯的准妈妈方面经验丰富的人。虽然这种疾病并不会影响到硬膜外麻醉，但操作起来比较麻烦。经验丰富的麻醉师在定位进针上不会有任何问题。

镰状细胞性贫血

“我患有镰状细胞性贫血，最近刚发现自己怀孕了，宝宝会有问题吗？”

前几年，得到的答案可能会让你有点担心。如今，好消息越来越多了，这归功于医疗技术的重大突破。患有镰状细胞性贫血的女性（即使出现了心脏或肾脏并发症）也极有可能安全妊娠并生下健康的宝宝。

然而，一般患镰状细胞性贫血的女性都会被归于高危妊娠一类。怀孕带来的身体压力会增加患病的概率，而镰状细胞性贫血又会增加某些并发症的可能：流产、早产及胎儿宫内发育迟缓。对于患镰状细胞性贫血的女性来说，先兆子痫很常见。

如果能得到优良的医疗护理，你和宝宝的预后结果都将是最好的。你应该比其他孕妇更经常去医院，第32周之前每2～3周去一次，之后每周去一次。你的医疗团队必须具备多重学科背景：产科医生应该熟悉镰状细胞性贫血的相关知识，并和知识渊博的血液学专家通力合作。可能的话，你在孕期应至少输一次血（通常在孕早期或分娩前）。

至于分娩，你和其他妈妈一样可以尝试阴道分娩。产后，医生需要给你注射抗体防止感染。

如果夫妻双方都带有镰状细胞性贫血基因，宝宝遗传到这种疾病的概率会大大增加。因此，在妊娠早期，丈夫也应该接受检查以判断是否为镰状细胞性贫血基因携带者。如果检查结果显示他是携带者，你们需要拜访遗传病专家，他可能为你进行羊膜穿刺，确定胎儿是否患病。

甲状腺疾病

“我少年时被诊断患有甲状腺功能减退症，现在仍在服用甲状腺素，这对妊娠来说安全吗？”

继续服药不仅安全，而且对你和宝宝至关重要。一个原因是患有甲状腺功能减退症的女性更容易流产，另一个原因是甲状腺素是宝宝大脑发育必不可少的成分。在子宫里没有吸收足够甲状腺素的宝宝出生后可能会出现迟钝、大脑受损等问题，还有可能耳聋。（孕早期结束后，宝宝就能生产甲状腺素了，那时即使妈妈的甲状腺素水平低也没关系。）甲状腺素水平低与妈妈孕期及产后抑郁有一定联系，所以一定要坚持治疗。

不过，你的服药剂量应该做必要的调整，因为怀孕会影响甲状腺功能。和内分泌医生及产科医生商量一下，确保目前的药物剂量合适。但也要注意，孕期和产后阶段，你的服药剂量需要得到密切监控，这样才能及时调整。另外，一定要小心，一旦出现甲状腺素水平过低或过高的情况，立即向医生汇报（不过甲状腺功能减退症的症状可能会和妊娠症状混淆：疲惫、便秘、皮肤干燥——不管你的情况如何，都要告诉医生，由他来判断）。

碘缺乏会妨碍甲状腺素的生产，你应该确保摄入足够的碘。碘在碘盐和海鲜食品中最常见。

“我患有突眼性甲状腺肿，这对怀孕有什么影响吗？”

突眼性甲状腺肿是最常见的一种甲状腺功能亢进症，这种情况下，甲状腺会生产并释放出过量的甲状腺素。由于怀孕导致身体对甲状腺素的需求有所增长，病情较轻的患者孕期症状常会有所缓解。但对于中重度患者情况则完全不同，如果不经过恰当治疗，会给母亲和胎儿带来严重伤害，包括流产、早产等并发症。幸运的是，只要经过合理的治疗，你和宝宝就能获得较好的结果。

在孕期可供选择的治疗方法包括最低效剂量的抗甲状腺素药物丙硫氧嘧啶（PTU）。如果对 PTU 过敏，可以使用甲硫咪唑（他巴唑）。如果两种药物都不适合，需要手术切除甲状腺。为了避免孕早期和孕晚期流产，手术需要在孕中期进行。放射性碘治疗不适合在孕期采用，你的治疗方案里不会见到这一项。

如果在怀孕前曾经接受过外科手术或放射性碘治疗，怀孕后需要继续进行甲状腺激素替代治疗（这很安全，对于宝宝的发育至关重要）。

获取足够帮助

没错，孕妇需要非常多的帮助，而患有慢性病的女性需要更多。即使你已经患病多年，清楚地了解所有注意事项，应对病情游刃有余，也可能发现怀孕带来了很多变化。

积极寻求额外的帮助吧，孕妇

不应该单独行动，患有慢性病的孕妇更不应该——你需要更多的帮助和陪伴。下面是一些可以让你从中获益的帮助措施：

医疗支持。和每位孕妇一样，怀孕前你需要寻找一名产科医生，他将会在整个孕期细心地照顾你，并在分娩这个特殊的紧要关头提供最大的帮助。和大部分孕妇不同的是，你的产科医疗团队中不止需要一名这样的医生，还需要邀请平时了解你慢性病情况的专家加入。他们一同努力才能给予你们最好的照顾，让你们真正受益。团队合作中最重要的部分就是沟通，保证你的所有医生在检查、用药及其他护理环节中都充分知情。

医生们不止有你一个病人，所以最好由你来完成充分、及时的沟通工作。如果负责治疗慢性病的医生给你开了一种新药，立即问问产科医生是否可以服用，反之亦然。

情感支持。每个人都需要别人的支持，但你需要的支持更多。当你对特殊的饮食方案充满怨恨时，有人可以听你发泄；也可以找人抱怨一下每天吃下的大量恼人的药物（或每3天就要做6次检查）。当你觉得格外焦虑时，大声喊出来。信赖他人、和他人分享感情，才能为自己解压，得到最需要的情感支持。

当然，丈夫是给予你这种支持和鼓励的一个完美对象，特别是当他眼睁睁看着你忍受了各种痛苦而自己却爱莫能助时。另外，当你需要时，朋友、亲人也会给你一双倾听的耳朵——哪怕你觉得自己的孕期无比“正常”，也可以放心倾诉。但你可能会发现，任何两位孕妇的处境都不同，所以没有任何人可以提供绝对的舒适、共鸣及满足感。

根据慢性病情况和所处地域不同，你也许能找到一些由有着相同情况的准妈妈或新妈妈组成的互助团体。或者，也可以通过你的医疗团队自发组成这样的组织（即使刚开始只有两个人——你和另一位情况类似的妈妈，你们可以打电话聊天）。互联网——怀孕论坛是不错的选择。一方面，可以从这些渠道找到和你一样的人，分享彼此的情感。另一方面，你们也能互相提供一些更实际的支持——过来人的建议、治疗方法、饮食方案，以及其他一些能帮助你解决问题的有用资源。记住，你有着双重任务：控制好自己的慢性病，照顾好肚子里的宝宝。

身体上的支持。任何孕妇在孕期的某个时候都会有一些实际需要：在累得不想动时需要一个人帮她采购；在闻到卫生间的气味不能畅快呼吸时，需要一个人帮她打扫卫生间；当她看到生的冷冻鸡肉想呕吐时，需要一个人把它变成可口的佳肴。但是，如果一位孕妇在面对各种孕期体力挑战的同时，还需要和慢性病作斗争，一定会渴求更多帮助。把你需要购买的杂物写成清单交给丈夫，也不要忘了能提供帮助的朋友、亲戚。如果经济上可以承受，可以请家政服务人员帮忙。

第七部分

复杂的妊娠过程

What to Expect
When You're Expecting

第 22 章　应对复杂的妊娠

如果你患有妊娠期并发症，或怀疑自己有并发症，可以在本章找到相关的建议和治疗方式。如果迄今为止没发现问题，就不需要看这一章了。大部分女性都会平安度过孕期和分娩阶段，不会出现问题。跳过这一章，可以避免一些不必要的压力。

妊娠期并发症

下面提到的这些妊娠期并发症发病率的确比其他并发症略高，但总体来说，概率都不大。所以，尽量在自己被诊断患有这些并发症（或已经出现了大量相关症状）的前提下再阅读本章。如果已经确诊，本章的内容可以让你对病症有大致的了解——这样会心里有数——做好心理准备，医生可能会给你一些特殊建议（有可能和本书提到的不同）。

早期流产

什么是早期流产？流产（亦称自发性流产）是指胚胎或胎儿在尚不能离开母体生存的时候从子宫中自发排出的情况。发生于孕早期的流产即是早期流产。80% 的流产发生于孕早期。（发生于孕早期结束时到怀孕 20 周之前的流产被称为晚期流产，参考第 532 页。）

早期流产通常与胚胎的染色体或其他基因异常有关，多数情况下病因很难确定。

早期流产常见吗？流产是早期妊娠中最常见的并发症之一。尽管很难得出确切的数据，但研究者估计大约有 40% 的妊娠会以流产告终，一半左右发生在很早的时候，没有被意识到——也就是说，这些流产“不为人知”地发生了，表现为正常或量稍多的月经。

任何女性都有可能发生流产。不过，某些因素会增加流产的风险。其一就是年龄，年龄越大的女性，卵子的年龄也越大——性细胞中携带的遗传缺陷基因也越多（40岁女性的流产概率为33%，20岁女性的流产概率只有15%）。其他的危险因素包括维生素不足（特别是叶酸）；体重过重或过轻；吸烟；激素分泌不足或分泌紊乱；甲状腺疾病没有获得正确的及时治疗；某些性传播疾病，以及某些慢性病。

早期流产的症状和体征是什么？ 流产的症状可能有：

- 下腹部出现痉挛或阵痛（有时候很严重）。
- 严重的阴道出血（可能有血块或细胞组织），很像月经时的表现。
- 持续3天以上的轻度出血。
- 早期妊娠症状（例如乳房触痛、

流产类型

如果已经遭遇了一次早期流产，不管原因或其医学名词是什么，你都一样悲伤。如果能了解各类型流产的区别，你会更熟悉医生使用的检查手段。

化学性怀孕。在化学性怀孕中，卵子已经受精，但未能成功地在子宫内膜着床。发生化学性怀孕的女性可能停经，并感觉到自己怀孕，甚至在妊娠测试中得到阳性结果——因为身体已经产生了足以检测出来的少量hCG。不过，化学性怀孕中，通过超声看不到孕囊或胎盘。

萎缩卵。萎缩卵又称为无胚胎妊娠，是指受精卵附着在子宫内膜，胎盘开始发育（此过程会产生hCG），但在形成胚胎的过程中死亡，留下一个空孕囊（通过超声可以看见）。

稽留流产。稽留流产非常少见，一般是胚胎或胎儿死亡，但继续留在子宫里。通常，稽留流产的唯一征兆是怀孕症状消失；其次比较常见的是出现棕色阴道分泌物。当超声检查确认找不到胎心后就能确诊流产。

不全流产。不全流产是指胎盘的部分组织留在子宫内，其余组织通过出血的形式排出。不全流产的女性会出现持续的下腹部痉挛和出血（有时候很严重），宫颈口持续打开，妊娠测试结果依然是阳性（或者hCG一直可在血液中检测出来，并不像预期的那样降低），通过超声检查还可能看到部分怀孕特征。

先兆流产。当出现阴道流血但宫颈口保持闭合、胎心依然可测时，视为先兆流产。大约一半出现先兆流产的妊娠能以健康的结果告终。

你想知道的……

在正常的怀孕过程中，运动、性爱、辛苦的工作、提举重物、突然受到惊吓、情绪压力、摔跤、腹部受到撞击等并不会引起流产。恶心和呕吐等晨吐症状，即使再重也不会引起流产。事实上，晨吐反而预示着流产的低风险。幸运的是，绝大多数曾经发生过流产的女性之后获得了正常的妊娠。

恶心等）明显减少甚至消失。

你和医生能做什么？并不是所有阴道出血都意味着流产。事实上，很多不是流产的情况也会有出血（参考第142页）。

如果你的确发现自己有出血现象，给医生打电话。他可能会通过超声检查评估你的症状。如果怀孕特征依然可见（依然可以看到胎心），医生可能会要求你卧床休息；如果是在孕早期，你的激素水平将受到严密监测（hCG水平升高是个好现象），出血慢慢地会自动停止。

如果医生发现宫口已经打开，或通过超声检查看不到胎心（而且怀孕日期计算没有错误），估计流产不可避免。不幸的是，如果发生了这种情况，也没有什么好办法。

如果由于下腹部痉挛引起了剧烈疼痛，医生可能会给你开一些止痛药。如果你需要止痛药，不要犹豫，主动请医生给你开处方。

流产可以预防吗？大多数流产都因为胚胎或胎儿的某些缺陷引起，不能预防。但你可以采取一些办法来减少流产风险：

- 在怀孕前控制好慢性病的情况。
- 确保每天服用足量的营养补充剂，包括叶酸和其他B族维生素。研究表明，一些女性因为缺乏维生素B_{12}而导致怀孕或保胎困难。一旦开始补充维生素B_{12}，她们就能成功怀孕并如期分娩。
- 尽量在怀孕前将体重控制在理想状态，超重或体重过低会增加妊娠风险。
- 避免增加流产风险的生活方式，例如饮酒、吸烟等。
- 谨慎服药。只能服用知道你怀

你想知道的……

有时候，即使是正常妊娠，也会因为时间太早而无法看到胎心和孕囊。一方面可能是由于怀孕日期计算有误，另一方面也因为超声设备还达不到技术要求。如果你只有轻微出血且宫口保持闭合，但超声检查看不清子宫内的情况，约一周后医生会为你复查。当然，hCG水平也会得到全程监测。

如果有流产史

对于父母来说，流产难以接受。但早期流产的发生通常是因为胚胎或胎儿不能正常生长，是一个自然选择的过程。有缺陷的（基因异常、受到辐射或药物等环境因素影响、受精卵植入不良、孕妇感染、天灾人祸及其他未知的原因）胚胎或胎儿夭折，是因为他们没有存活的能力，或本身有致命的畸形。

不管怎么说，这么早失去宝宝，非常令人悲伤,也会给父母留下创伤。但不要让内疚加重你的痛苦，流产不是你的错。一定要允许自己悲伤，这是恢复的必然过程。你应该料想到自己会伤心,甚至会有一段时间的消沉，和配偶、医生、亲戚或朋友一起分担悲伤有所帮助。同样，加入或组织一个为流产者提供支持的团体，或从网上寻找类似的支援。本书第 23 章对如何应对胎儿早夭提供了更多建议。

对于有些女性来说，最好的治疗方法是在安全的前提下尽快再次怀孕。但是，再次怀孕之前要先和医生探讨一下引起流产的原因。大多数情况下，流产仅是一次偶发事故，因为染色体异常、感染疾病、接触化学物质或其他导致胚胎畸形的物质引发，不太可能复发。

不管流产的原因是什么，许多医生还是建议 2~3 个月之后才能再次怀孕。不过性生活在 6 周之后就可以重新开始。另一些医生提倡顺其自然；他们会告诉孕妇，她们自己的身体知道什么时候可以再次怀孕。一些研究表明，孕期前 3 个月流产后，女性在之后 3 个月的月经周期中怀孕的概率实际上高于平常时间。但如果医生建议你等一段时间，就采用安全套等可靠的避孕措施，利用这段时间来改进饮食习惯和保健习惯，同时使身体进入孕育宝宝的最佳状态（参考第 1 章）。

值得高兴的是，下一次你将会经历正常的妊娠，生下健康的宝宝。大多数有过一次流产经历的女性不会有第二次流产。事实上，流产证明你能够怀孕，并且绝大多数经历过流产的女性会圆满地度过下一次孕期。

孕的医生认可的药物，已知对孕妇有危险的药物不能服用。

- 采取措施避免一切感染，例如性传播疾病等。

如果你已经流产两次以上，最好接受检查找出原因，以免以后的怀孕再出现问题（参考第 532 页小贴士）。

如何应对流产

大多数流产是完全流产，也就是说，子宫内的所有内容物都通过阴道排出体外了（这就是出血多的原因）。但有时候——特别是孕早期快结束的时候——流产常是不完全的，妊娠组织的一部分还留在子宫里（即是“不全流产”）。或者通过超声已经检测不到胎心，也就是说胚胎或胎儿已经死亡，却没有出血（成为“稽留流产”）。在上述两种情况下，必须进行清宫，这样你的正常生理周期才能再次开始。下面是一些常见的清宫办法：

期待疗法。你可能会安静地等候这一过程自然进展，妊娠组织自动排出。根据具体情况不同，稽留流产或不全流产中妊娠组织完全排出需要一两天到 4 周不等的时间。

药物。药物（通常口服米索前列醇或使用阴道栓剂）可以帮助身体尽快排出残留的细胞组织或胎盘，具体需要多长时间因人而异。但总体来说，只要出血就没有问题，唯一的区别在于之前等待的时间长短。这种药物的副作用包括恶心、呕吐、小腹痉挛及眩晕。

外科手术。另一种可供选择的方式是一种小手术——扩张宫颈与刮宫术。医生会用工具扩张你的宫颈，将子宫内的妊娠组织和胎盘轻柔地移除（采用吸引术或刮宫术，或二者配合进行）。手术后会继续出血，一般持续不超过一周。虽然手术几乎没有副作用，但手术后还是存在一定的感染风险。

那么，应该选择哪种方法呢？你和医生需要考虑的因素有：

● 流产到达何种程度？如果出血和腹部绞痛很严重，流产很可能已经开始了。在这种情况下，让其自然发展可能比清宫要好。相反，如果通过超声检查确定胎儿已经死亡，但只有轻微出血或并未出血，清宫可能是最好的选择。

● 怀孕多久了？怀孕时间越长，胎儿组织就越多，需要彻底清理子宫的可能性越大。

● 你的情绪和身体状态。等待胎儿死亡后自然流产的过程会让准妈妈和准爸爸心力交瘁。如果妊娠组织还留在体内，对你的身体也有不利影响。尽快排出死亡的细胞组织，可以让你更快建立起生理周期，等到时机成熟就可以再次怀孕。

● 风险和好处。清宫是介入式疗法，有感染疾病的风险。对于大多数女性来说，更快地彻底结束流产过程，其好处超过这种很小的风险。

● 对流产情况的分析。如果采用

了清宫术，通过检查胎儿组织来推断流产的原因会相对容易。

不管采取什么方法，不管痛苦的经历是长是短，承受这种损失对你来说都是艰难的。参考第23章学习相关的应对技巧。

晚期流产

什么是晚期流产？从孕期前3个月结束到怀孕第20周之间，任何自发排出胎儿组织的现象被称为晚期流产。20周以后，宫内死亡的胎儿被称为死胎。

引起晚期流产的原因通常包括妈妈的健康状态、宫颈和子宫的状态、之前的用药史和其他毒性物质接触史、胎盘出现问题等。

晚期流产常见吗？晚期流产的发生率约为0.1%。

晚期流产的症状和体征是什么？孕早期结束之后，持续数天的粉红色阴道分泌物或持续数周的褐色分泌物，都是晚期流产的征兆。严重的出血，特别是伴有下腹部绞痛的出血，常常表明流产不可避免，子宫颈已经扩张的情况下更是如此。引起严重出血的原因还有很多，例如前置胎盘（参考第542页）、胎盘早剥（参考第543页）、子宫内膜撕裂、早产（参考第546页）等。

你和医生能做什么？如果出现粉色或棕色的血迹，给医生打电话。他将评估出血情况，可能会通过超声检查宫颈，要求你卧床休息。如果血迹消失，医生通常会认为出血与流产无关（有时由于做爱或内检造成），通常医生会允许孕妇重新开始正常活动。如果子宫颈开始扩张，可能被诊

习惯性流产

一次流产并不意味着容易再次发生流产，但有些女性的确经历了反复流产的痛苦（2~3次连续流产）。如果你已经发生过几次流产，可能会质疑自己是否能拥有健康的妊娠。首先要意识到，自己还有很大的成功概率生下可爱的宝宝，不过需要在今后的妊娠中采取一些措施。有时候引起习惯性流产的原因未知，但也有些研究流产原因的试验给准妈妈带来了曙光——即使它们常常指向不同的诱因。

发生了一次流产就四处猜测原因很不必要，但如果连续发生了2~3次流产，建议还是接受医学检查的专业评估为好。一些危险因素和习惯性

流产息息相关，包括甲状腺疾病、自身免疫性疾病（妈妈的免疫系统攻击了胚胎）、维生素缺乏或子宫畸形等。这些危险因素都已经得到了实验证明，而且在一些情况下非常容易预防。夫妻双方应该接受抽血化验，确认是否存在可能遗传给胎儿的遗传性疾病。你还应该接受凝血因子缺乏症的筛查（一些女性自身会产生抗体，攻击身体组织，导致母亲血管中出现血栓，影响了胎盘供血）。医生会对你的子宫进行超声检查、核磁共振成像（MRI）或计算机断层扫描（CT）检查。通过子宫颈可以查看子宫内的情况。流产的胎儿组织本身可以鉴定出是否存在染色体异常。

一旦了解病因，就可以和医生聊一聊治疗措施，以及在接下来的妊娠中如何采取护理措施。如果子宫或宫颈有问题，手术治疗有一定作用；甲状腺药物可以治疗甲状腺疾病；维生素补充剂可以很好地解决维生素缺乏的问题；为了防止血栓形成，医生可能会采用激素疗法、抗体治疗等（小剂量的阿司匹林或肝素）。由于某些原因，有过流产史的女性孕激素常常过少，这时口服激素会有一定帮助，但这种治疗手段备受争议。或者，如果病因是催乳素分泌过多，那么妈妈可能需要服用药物降低血液中催乳素的水平。

即使发生了习惯性流产，再次成功怀孕的概率还是很高的，但对于你来说可能很难接受现实。寻找一些方法消除恐惧，树立再次怀孕的信心非常重要。瑜伽、冥想、练习深呼吸都能帮助缓解焦虑，如果其他有类似流产史的女性可以提供情感支持将会非常有帮助。将你的想法开诚布公地和丈夫讨论一下也很有用。记住，你们永远会一起面对问题。

断为子宫颈机能不全，并实施宫颈环扎术（将子宫颈缝合，参考第 51 页），防止流产。

一旦出现严重的出血和下腹部绞痛，就意味着流产开始，这时应该采取措施保护孕妇的身体，可能要住院以防大出血。如果流产后还存在腹部绞痛和出血情况，可能需要清宫。

晚期流产可以预防吗？一旦晚期流产开始，就不可避免了。但如果导致晚期流产的原因能够查明，就可以防止悲剧重演。如果事先没有发现子宫颈松弛而导致了流产，以后就在怀孕早期子宫颈没有扩张之前实施宫颈环扎术，从而预防流产。如果是激素分泌不足导致流产，补充激素也许可以使将来的妊娠持续到分娩。如果是慢性病，例如糖尿病、高血压、甲状腺疾病等原因，在以后任何一次怀孕之前都要先控制病情，也要预防和治疗急性感染。有些情况下，子宫畸形或子宫因为子宫肌瘤或其他良性肿瘤的生长而变形，可以通过外科手术矫正。如果存在诱发胎盘感染和血栓的抗体，在以后的妊娠中需要小剂量服用阿司匹林或注射肝素。

异位妊娠

什么是异位妊娠？异位妊娠（又称宫外孕）是指受精卵植入子宫外的妊娠，最常见的是植入输卵管。出现异位妊娠的原因是受精卵的排出过程放缓或受到阻碍（例如输卵管患病后留下的疤痕）。异位妊娠也可能发生于宫颈、卵巢，甚至腹部。不幸的是，这些植入到异常位置的受精卵不可能继续正常发育。

超声检查可以早在怀孕第 5 周就发现异位妊娠。但如果没有得到早期诊断和治疗，受精卵会继续在输卵管中生长，最终使输卵管破裂，今后怀孕时将受精卵传送到子宫的能力也就丧失了。破裂的输卵管如果不加治疗也会造成大出血，危及孕妇的生命。幸好，及时的治疗（通常为外科手术或药物）可以避免输卵管破裂，消除所有风险，尽可能保住孕妇将来的生育力。

异位妊娠常见吗？大约 2% 的妊娠为异位妊娠。可能出现异位妊娠的女性一般也有子宫内膜异位症、盆腔感染、异位妊娠病史、输卵管手术史（输卵管结扎后怀孕，异任妊娠的概率达 60%），也包括那些服用黄体酮避孕或戴着节育环怀孕的高危人群。不过如今的新式节育环，特别是能释放孕激素的类型，已经大大降低了异位妊娠的风险。另外，吸烟的女性及患有性传播疾病的女性也属于高危人群。

异位妊娠的症状和体征是什么？异位妊娠的早期症状可能包括：

- 下腹部强烈的绞痛、压痛（往往最初的征兆是隐隐疼痛，逐渐发展为绞痛和痉挛）；肠道有压迫感，咳嗽、运动会加重疼痛。
- 异常出血（褐色血迹或伴有疼痛加剧的轻微出血）。

如果异位妊娠发展时没有被发现，并引起了输卵管破裂，你可能会经历：

- 恶心、呕吐。
- 虚弱。
- 眩晕或晕厥。
- 严重的腹部刺痛。

你想知道的……

半数以上异位妊娠的女性能在接受治疗 1 年后成功怀孕，获得完全健康的妊娠。

异位妊娠

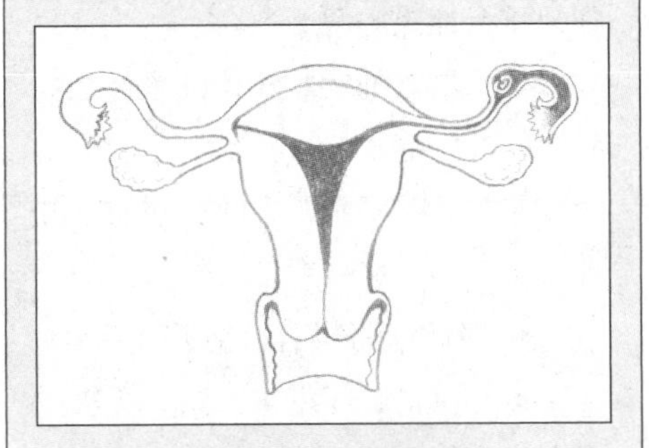

异位妊娠中，受精卵在子宫外的其他地方着床。上图中，受精卵着床于输卵管。

- 直肠感到压力。
- 肩部疼痛（由于膈肌下血液积聚造成）。
- 阴道出血加重。

你和医生能做什么？孕早期偶尔出现小腹痉挛和轻微出血不必惊讶，但有任何程度的疼痛和出血都应该告诉医生。如果下腹部出现强烈绞痛、抽痛、出血严重或有上述输卵管破裂的症状，立即给医生打电话。如果确诊为异位妊娠（一般通过超声和验血可以确诊），很不幸，这次妊娠不可能继续了。你很可能需要接受手术（腹腔镜手术）切除输卵管或服药（甲氨蝶呤），结束这次不正常的妊娠。一些情况下，异位妊娠的胚胎会自己死亡，一段时间后自动排出，不需要手术。但由于残留在输卵管中的组织有害，需要继续监测 hCG 值以保证整个输卵管中的妊娠组织都被排出或吸收了。

异位妊娠可以预防吗？治疗并预防性传播疾病及戒烟都可以帮助降低异位妊娠的风险。

绒毛膜下出血

什么是绒毛膜下出血？绒毛膜下出血（也称绒毛膜下血肿）是子宫内膜和绒毛膜（最外层的胎膜，紧贴着子宫）之间或胎盘下的瘀血，通常引起或轻或重的出血。

大多数情况下，出现绒毛膜下出血的女性会拥有健康的妊娠。但在某些少数病例中，出血或血栓发生于胎盘下，如果出血程度严重或血栓较大，需要严格监测。

绒毛膜下出血常见吗？大约 1% 的孕妇出现过绒毛膜下出血。孕早期有少量出血的女性中，有 20% 由绒毛膜下出血造成。

绒毛膜下出血的症状和体征是

你想知道的……

怀孕最开始几天内出现的下腹部抽痛不一定是异位妊娠的征兆，有可能是着床、子宫正常的血流量增加，或随着子宫增大韧带拉伸等变化造成的结果。

你想知道的……

绒毛膜下出血并不会对胎儿造成影响。你要经常接受超声检查，每次检查看到宝宝的心跳能让你安心。

什么？出血可能是征兆之一，常常发生于孕早期。但很多绒毛膜下出血都通过常规超声检查发现，没有任何明显症状和征兆。

你和医生能做什么？如果你有出血现象，给医生打电话；他会为你做超声检查，确认是否为绒毛膜下出血、血肿面积大小及位置。

妊娠剧吐

什么是妊娠剧吐？妊娠剧吐是一种严重的孕期恶心和呕吐症状，持续时间很长，使孕妇变得异常虚弱（不要和严重的晨吐症状混淆）。妊娠剧吐一般发生于12～16周，少数病例会持续整个孕期。

妊娠剧吐不及时治疗有可能引起体重下降、营养不良及脱水。静脉注射止吐药可能会影响孕妇和胎儿的健康，所以妊娠剧吐一般要求入院治疗。

妊娠剧吐常见吗？妊娠剧吐的发生率约为1/200，在初产妇、年轻孕妇、肥胖女性及之前妊娠中出现过类似情况的女性中比较常见。严重的情绪压力、内分泌失调及B族维生素缺乏会加重病情。

妊娠剧吐的症状和体征是什么？妊娠剧吐的症状包括：

- 非常频繁而严重的恶心和呕吐现象。
- 不能咽下任何食物甚至液体。
- 出现脱水征兆，比如小便次数减少，小便呈暗黄色。
- 体重减少5%或更多。
- 呕吐物带血。

你和医生能做什么？如果你的症状比较轻微，可以采用一些天然药物对抗呕吐，包括生姜、针灸和腕带（参考第134页）。如果这些措施都无效，请医生给你开些药（常见疗法为联合使用维生素B_6和安眠药Unisom）。如果呕吐仍然继续，体重下降明显，医生可能会考虑是否为你静脉输液或住院治疗，还可能给你开些止吐药。一旦你能够咽下食物，可以从食物中去掉脂肪和辛辣的食材，它们比较容易引起恶心。当然，也应该去掉那些能引起你恶心的有特殊气味的食物。尽量多吃小份的高碳水化合物食物和高蛋白食物，确保摄入足量液体（注意观察自己的排尿情况；尿液颜色暗就是水分摄入不足的征兆）。

妊娠期糖尿病

什么是妊娠期糖尿病？妊娠期糖尿病是一种只出现在孕期的暂时性糖尿病，由于孕妇不能生产足够的胰岛素（将人体内的血糖转变成能量的激素）来处理孕期升高的血糖所致。妊娠期糖尿病一般发生于怀孕第24～28周，所以孕28周前后孕妇需要接受妊娠期糖尿病的常规筛查。妊娠期糖尿病一般在孕期结束后自动消失，但产后依然需要监测血糖水平，保证完全康复。

不管是在孕期还是怀孕前开始的糖尿病，如果病情得到控制，通常都不会危害宝宝或准妈妈。但孕妇血糖水平过高，且通过胎盘进入宝宝的血液循环，对妈妈和宝宝有严重的潜在危险。妊娠期糖尿病如果不加控制，孕妇有可能生出巨大儿，使分娩情况变得复杂，还有引起先兆子痫的危险。未经控制的糖尿病可能导致宝宝出生后出现问题，比如黄疸、呼吸困难、低血糖等，以后患Ⅱ型糖尿病的风险也比较高。

你想知道的……

像妊娠剧吐那样的灾难性经历会让你很难受，但不太可能影响到你的宝宝。大部分研究表明，患有妊娠剧吐的妈妈和没患病的妈妈生下的宝宝无论是健康还是发育方面都没有差异。

妊娠期糖尿病常见吗？妊娠期糖尿病非常常见，会影响4%～7%的孕妇，在肥胖女性中发病率更高。大龄孕妇及家族中有妊娠期糖尿病病史的人更容易患病。

妊娠期糖尿病的症状和体征是什么？大多数患妊娠期糖尿病的女性没有任何症状，其中一些可能会经历：

- 异常口渴。
- 频繁而大量地小便（和怀孕早期同样频繁但通常量少的小便不同）。
- 疲劳（可能难以和孕期的疲劳症状区分开）。
- 尿糖（常规的产前检查就能发现）。

你和医生能做什么？在孕期28周前后，需要接受常规的血糖筛查，可能的话，还需要进行一次3小时的糖耐量试验——后者是一种更加精确的确诊手段。如果这些检查证明你患了妊娠期糖尿病，医生可能会要求你采取特殊饮食方案，并积极运动，以打败妊娠期糖尿病。你需要在家用血糖仪或血糖试纸自测血糖。如果运动和饮食都不足以控制血糖，还需要补充胰岛素，通常采取注射形式。另外，一种叫优降糖的口服药物也越来越普遍了。幸运的是，与孕期相关的糖尿病可以通过仔细控制血糖而完全自愈。想了解更多关于如何控制血糖

你想知道的……

如果你的妊娠期糖尿病病情已经控制得很好，就没有任何理由担心。怀孕会继续正常进展，宝宝不会受到影响。

的知识，参考第 510 页。

妊娠期糖尿病可以预防吗？控制体重（怀孕前和怀孕后）可以帮助预防妊娠期糖尿病。同理，良好的饮食习惯（多吃水果蔬菜、全谷物食品，限制精制糖摄入，摄取足量叶酸），规律的运动（研究表明，如果肥胖的女性坚持体育锻炼，可以将患病风险降低一半）也有所帮助。宝宝出生后继续注意采取这些预防措施，能够降低将来出现糖尿病的风险。

记住，患妊娠期糖尿病导致产后患Ⅱ型糖尿病的风险更高。保持健康的饮食习惯、控制体重，更重要的是生完宝宝后继续坚持运动，可以减少患病风险。

先兆子痫

什么是先兆子痫？先兆子痫（也被称做妊娠高血压或妊娠毒血症）是孕期（通常在 20 周以后的孕晚期）出现的疾病，以高血压、水肿、蛋白尿为特征。

如果先兆子痫没有得到及时治疗，可能发展为子痫——一种更严重的疾病，甚至出现抽搐（参考第 552 页）。先兆子痫处理不好的话，会引起很多妊娠期并发症，例如早产、胎儿宫内发育迟缓等。

先兆子痫常见吗？大约 8% 的孕妇被诊断为患有先兆子痫。多胎妊娠、40 岁后怀孕、患有高血压或糖尿病的孕妇更容易患先兆子痫。如果你之前的某次怀孕中出现了先兆子痫，将来妊娠中患先兆子痫的概率约为 1/3。首次怀孕或任何一次孕早期患先兆子痫，都会增加后续妊娠的患病风险。

先兆子痫的症状和体征是什么？先兆子痫的症状和体征包括：

- 双手和面部严重水肿。
- 踝关节水肿，经过 12 小时休息后没有缓解。
- 体重突然增加，和饮食无关。
- 非处方镇痛药不能缓解的头痛。
- 上腹部疼痛。
- 视物模糊或出现复视。
- 血压升高（从未患过高血压的女性血压升高到 140/90 以上）。
- 尿中出现蛋白质。
- 心率加快。
- 尿少。
- 肾功能异常。
- 过度反射。

你和医生能做什么？规律的产

前检查是尽早发现先兆子痫的最好办法（医生可能会通过常规检查发现你有蛋白尿、血压升高或其他前面提到的症状）。自己注意警惕这些症状也很重要，一旦发现立即报告医生，在怀孕前有高血压史的人更要注意。

如果你被诊断为先兆子痫，可能的治疗方式包括在家卧床休息、严格控制血压及胎儿监护（严重的病例需要住院观察）。对于重症先兆子痫，治疗方式更为严格，有时甚至需要在确诊后 3 天内提前分娩。为了防止进一步发展为痉挛，需要立即采用静脉输液。

虽然短期内控制先兆子痫的治疗方式很有效，但长远来看除了生下宝宝之外没有更彻底的解决办法。所以，建议一旦宝宝发育成熟到可以独立在外界生存，或给予药物加快其肺部发育后，立即分娩。好消息是，97% 患先兆子痫的孕妇在分娩后可以完全康复，血压会在短期内恢复正常。

科学家正致力于研究出一种更为简单的血检和尿检方法，用来预测哪些孕妇可能会出现这种并发症。目前已经发现，当孕妇血液和尿液中一种叫做 FH-1 的可溶物质水平较高时，最终可能会导致先兆子痫。另一种标记物内皮素也能预测疾病发生。理想

先兆子痫背后的原因

没有人知道究竟是什么引起了先兆子痫，目前有如下猜测：

● 遗传因素。研究者提出了先兆子痫的易感性和遗传有关的假说。也就是说，如果你妈妈或丈夫的妈妈在怀你们时患过先兆子痫，你在孕期也比较容易患先兆子痫。

● 血管缺陷。目前有证据显示，一些女性的先天血管缺陷导致其孕期血管紧张（没有像大部分女性那样松弛），造成肾脏、肝脏等重要器官供血量不足，引发了先兆子痫。另外，孕期发生过先兆子痫的女性，以后容易患某些心血管疾病（高血压等）。

● 牙龈疾病。患有严重牙龈疾病的孕妇发生先兆子痫的概率是非患病者的两倍。研究者猜想，引起牙龈疾病的微生物可能进入胎盘或产生引起先兆子痫的化学物质。但还不能确定牙龈疾病是否与先兆子痫有联系。

● 对于外来入侵者（宝宝）的自身免疫反应。该理论认为，胎儿和胎盘会被妈妈的身体识别为“抗原”。这种免疫反应可能会损伤你的血液和血管。准爸爸和准妈妈的遗传标记越相似，这种免疫反应越容易发生。

的情况下，研究者会很快找到更早预测先兆子痫的方法。

先兆子痫可以预防吗？研究人员认为，对于先兆子痫高风险的孕妇来说，服用阿司匹林或其他抗凝药可以降低发病风险，但这种疗法需要充分考虑其利弊，衡量其理论上带来的所有风险。一些研究者认为良好的营养（包含足够的抗氧化剂、镁、维生素、矿物质）和正确的口腔护理措施可以降低先兆子痫的风险。

> **你想知道的……**
>
> 幸运的是，对于规律接受产前检查的女性来说，先兆子痫能很早被发现并获得良好控制。通过合理、及时的治疗，在接近预产期时发生先兆子痫的女性也能和没患病的女性一样获得乐观的妊娠结果。

HELLP 综合征

什么是 HELLP 综合征？HELLP 综合征是一种可能单独发作也可能伴随先兆子痫发作的疾病，常于孕晚期出现。HELLP 中的字母 H 代表溶血，指红细胞过早被损坏，引起红细胞数量减少；EL 代表肝酶升高，提示肝功能受损，不能有效处理身体内的毒素；LP 代表血小板低，身体的凝血功能下降。

HELLP 综合征会同时威胁妈妈和宝宝的健康。没有得到及时诊断和治疗的孕妇有 1/4 会发展成更危险的并发症，造成严重的肝脏损伤或中风。

HELLP 综合征常见吗？HELLP 综合征在患先兆子痫或子痫的孕妇中发病率低于 10%，在所有孕妇中的发病率低于 1/500。

患有先兆子痫或子痫的女性，以及之前怀孕时患有 HELLP 综合征的女性，患 HELLP 综合征的风险更大。

HELLP 综合征的症状和体征是什么？HELLP 综合征的症状很不明显，患者可能会在孕晚期的 3 个月中出现以下症状：

- 恶心。
- 呕吐。
- 头痛。
- 周身不适。
- 右上腹疼痛或压痛。
- 有病毒性疾病的症状。

另外，血常规检查会显示血小板低，肝酶升高，溶血（红细胞计数降低）。患上 HELLP 综合征的孕妇肝功能会很快受损，所以治疗至关重要。

你和医生能做什么？治疗 HELLP 综合征的唯一有效办法是尽快生下宝宝。所以，你能做到的最重要一点就是注意观察自己的情况（特别是患有先兆子痫的人），一旦发现病情可疑，立即去医院。如果的确患上 HELLP 综合征，医生会用类固醇激素和硫酸镁进行治疗，前者用于缓解症状并促进宝宝肺部成熟，后者用于预防痉挛发生。

HELLP 综合征可以预防吗？之前怀孕时患过 HELLP 综合征的孕妇在后续妊娠中很容易复发，严密监测病情非常重要。不幸的是，除此之外没有更好的预防措施。

宫内发育迟缓

什么是宫内发育迟缓？宫内发育迟缓是胎儿体重低于同胎龄的平均体重。如果宝宝的实际体重低于胎龄的正常体重 10%，则可确诊。当胎盘出现问题，其血液供应不良，或母体的营养、健康、生活方式等限制了胎儿发育，就会出现宫内发育迟缓。

宫内发育迟缓常见吗？宫内发育迟缓发生率约为 10%。在初产妇、年龄小于 17 岁及大于 35 岁的孕妇、曾生下低体重儿的孕妇，以及有胎盘问题或子宫畸形的孕妇中更为常见。多胎妊娠也是高危因素之一，但这可能是由于胎儿在子宫内比较拥挤所致（子宫对一个 3.2 千克重的孩子来说已经够小了），与胎盘问题关系不大。如果你或准爸爸在出生时属于低体重儿，生下低体重儿的概率也比较大。

宫内发育迟缓的症状和体征是什么？肚子小通常不能表明宫内发育迟缓。事实上，很少有明显的症状警告孕妇宝宝发育不良。宫内发育迟缓一般在常规产检中发现，因为宫高常规测量（测量你的耻骨到子宫底的距离）和触诊可以显示子宫或胎儿小于正常水平。超声检查也可以帮助诊断或排除宫内发育迟缓。

你和医生能做什么？预测宝宝健康水平的因素之一就是出生体重，所以宫内发育迟缓可能会给新生儿带来一些健康问题，包括体温维持困难或抗感染能力低下等。早期确诊宫内发育迟缓并尽可能改善胎儿出生时的健康状态非常重要。根据可能的病因，可以有各种解决方法，包括准妈妈卧床休息、必要时静脉输入营养液，用药物改善胎盘血液循环或矫正已确诊的可能导致宫内发育迟缓的问题等。如果子宫环境太差且无法得到改善，同时确定胎儿肺部已经成熟，就可以立即分娩。

宫内发育迟缓可以预防吗？合理的营养、消除可能的危险因素可以

你想知道的……

一个已经产下了低体重儿的妈妈，在后续妊娠中继续生下低体重儿的可能性比较大——但好的方面是，每一次产下的宝宝都会比上一次略重一些。如果第一次怀孕时宝宝出现了宫内发育迟缓，在后续妊娠中就要注意采取各种措施降低风险。

你想知道的……

90%足月出生时体重偏轻的宝宝在出生后第一年就会赶上其他宝宝的发育速度。

大大提高胎儿正常发育并获得正常出生体重的可能。控制孕妇本身的某些危险因素（例如慢性高血压、吸烟、喝酒、服用毒品）也能帮助预防宫内发育迟缓。良好的产前护理和饮食摄入，适量增重，尽量降低生理和心理方面的压力（包括长期睡眠不足）等都能将风险最小化。幸运的是，即使预防和治疗措施都不成功，宝宝的出生体重还是小于正常水平，只要采取良好的新生儿护理措施，宝宝在日后发育过程中赶上其他孩子的可能性非常大。

前置胎盘

什么是前置胎盘？前置胎盘是指胎盘部分或完全覆盖了宫颈口。在早期妊娠中，低位胎盘很常见，但随着孕程进展、子宫增大，胎盘会慢慢向上移动，最终远离宫颈。如果胎盘没有上移或覆盖了子宫颈，就被称做前置胎盘。不管是部分性前置胎盘还是完全前置胎盘，只要产道被阻塞，就不可能进行阴道分娩，还会引起孕晚期和分娩时的出血现象。胎盘位置离子宫颈越近，出血的可能性越大。

前置胎盘常见吗？每200个产妇中就有1个为前置胎盘。30岁以上的女性比20岁以下的人更容易发生这种情况；另外，对于曾经生育过或经历其他子宫手术（之前有剖宫产、流产后清宫术等）的女性来说，发病率更高。增加患病风险的因素还包括吸烟和多胎妊娠等。

前置胎盘的症状和体征是什么？前置胎盘往往不是通过相关症状发现，而常在孕中期的常规超声检查中发现（有的病例只是前置胎盘状态，

前置胎盘

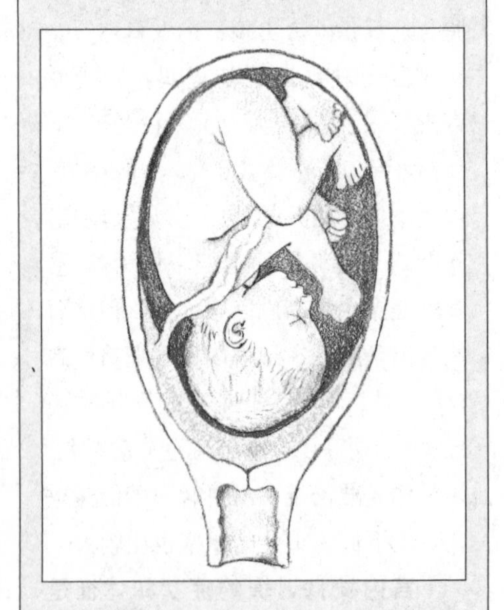

如图所示，胎盘完全盖住了宫颈口，使正常的阴道分娩不可能进行。

你想知道的……

前置胎盘是妊娠中后期引起出血的最常见原因。大多数前置胎盘病例都能早发现、早控制，宝宝可以通过剖宫产生下来（大约有 75% 的宝宝在阵痛前通过剖宫产生下来）。

到了孕晚期胎盘会回到正常位置）。有时候，孕晚期情况会加重，有鲜红色血液流出。在典型的病例中，出血是唯一的症状，通常没有任何疼痛。

你和医生能做什么？到孕晚期之前，什么都不用做（你也不需要为自己的低位胎盘烦恼），到孕期最后 3 个月，很多前置胎盘会自己矫正。即使在更晚的时候，如果诊断出你是前置胎盘，只要没伴随任何出血，治疗就不太必要。但如果出现了出血、早产等迹象，就要提高警惕了。如果出血和前置胎盘有关，医生可能会要求你卧床，让骨盆充分休息（禁止性生活），并密切监测身体情况。如果早产的可能性很大，你需要注射类固醇以促进胎儿肺部更快成熟。只要病情对怀孕没造成威胁（没有出血，妊娠继续），就可以通过剖宫产生下宝宝。

胎盘早剥

什么是胎盘早剥？正常妊娠中，胎盘会在胎儿娩出后从子宫内膜脱落；而胎盘早剥是指怀孕中胎盘过早从子宫内膜剥离。如果这种剥离程度轻微，只要及时给予恰当的治疗就不会给妈妈或宝宝带来危险。如果剥离程度严重，宝宝面临的风险就高多了。因为胎盘从子宫上脱离意味着宝宝不能再继续从胎盘中获得足够的氧气和养料了。

胎盘早剥常见吗？胎盘早剥的发生率低于 1%，一般发生于妊娠后半段，在孕晚期最常见。任何女性都可能发生胎盘早剥，但多胎妊娠、有胎盘早剥史、吸烟或吸食可卡因、患有妊娠期糖尿病、易凝血体质、孕期有过先兆子痫或高血压等疾病的女性更容易患病。引起胎盘早剥的常见病因有脐带短或意外造成身体受伤等。

胎盘早剥的症状和体征是什么？胎盘剥离的严重程度不同，胎盘早剥的症状也不同：

- 出血（轻重程度不同，或伴有血栓）。
- 腹部痉挛或疼痛。
- 子宫压痛。
- 背痛或腹部疼痛。

你和医生能做什么？如果你在孕期后半段出现腹部疼痛伴有出血，要马上让医生知道。通过询问病史、体检、观察宫缩和胎儿的反应可以确诊。超声检查也有一定帮助，但只有大约 25% 的胎盘早剥可以通过超声看到。

如果确定你的胎盘已经轻微地从子宫内膜剥离，还没有完全分离，宝宝的情况还比较乐观，你可能需要卧床休息。如果出血仍然继续，需要静脉输液。医生可能会使用类固醇激素，加速胎儿肺部成熟，以防提前分娩。如果胎盘剥离程度明显，或病情进展迅速，唯一的办法就是立即生下宝宝，通常是剖宫产。

绒毛膜羊膜炎

什么是绒毛膜羊膜炎？绒毛膜羊膜炎是一种羊水和羊膜的细菌性感染，由常见的细菌引起，例如大肠杆菌、B 型链球菌等（你将在妊娠 36 周左右接受检查）。医学界认为这种感染是导致早产及胎膜早破的主要原因。

绒毛膜羊膜炎常见吗？绒毛膜羊膜炎发生率为 1%~2%。经历过胎膜早破的女性更容易患绒毛膜羊膜炎，原因在于阴道里的细菌会在羊膜囊破裂后乘机入侵。第一次怀孕时发生感染的女性在后续妊娠中更容易感染。

绒毛膜羊膜炎的症状和体征是什么？没有什么简单的检查可以直接确认感染，所以绒毛膜羊膜炎的诊断比较复杂。症状可能包括：

- 发热。
- 子宫疼痛、压痛。

> **你想知道的……**
>
> 快速诊断并治疗绒毛膜羊膜炎能大大降低给宝宝和妈妈带来的风险。

- 妈妈和宝宝的心率加快。
- 漏出气味难闻的羊水（如果羊膜破裂的话）。
- 白细胞数值升高（身体对抗感染的表现）。

你和医生能做什么？如果你发现羊水渗漏，或发现自己出现了气味难闻的分泌物及上文提到的任何症状，立即通知医生。如果你被诊断为绒毛膜羊膜炎，医生会开一些抗生素消灭细菌，然后帮你把宝宝生下来。产后你和宝宝都需要继续进行抗生素治疗，确保感染不会恶化。

羊水过少

什么是羊水过少？羊水过少即子宫内羊水太少。虽然这种现象的出现通常是个缓慢的过程，但总体来说羊水过少出现在孕晚期。大多数诊断为羊水过少的孕妇会正常地完成妊娠，但如果羊水太少，供宝宝漂浮的液体不足，脐带受压的可能性就会增加。这种疾病一般由羊水泄漏或羊膜囊破裂造成。少数情况下，羊水过少暗示宝宝可能出现了问题，例如发育不良或肾脏和尿道有问题。

羊水过少常见吗？ 4%～8% 的孕妇在孕期被诊断为羊水过少，但对于“过期”孕妇（超过预产期 2 周）来说，发病率升高到 12%。过期妊娠的女性和胎膜早破的女性更容易出现羊水过少。

羊水过少的症状和体征是什么？ 妈妈一般没有什么症状，但如果通过超声检查出宝宝小于正常大小，预示着可能有某种疾病。羊水过少的同时，还会出现胎动减少、胎儿心率突然降低等。

你和医生能做什么？ 如果被诊断为羊水过少，你需要充分休息，并大量饮水。羊水量将会得到严密监控。无论任何时候，只要羊水过少威胁到了宝宝的健康，医生可能会建议实施羊膜腔灌注（向羊膜腔注入生理盐水）或提前分娩。

羊水过多

什么是羊水过多？ 羊水过多是指宫内羊水太多。大多数病例都是轻微和短暂的羊水过多，因为正常的羊水分泌平衡暂时被打乱造成，不需任何治疗，多余的液体会被很快吸收。

但如果羊水过多程度严重（比较少见），可能预示着宝宝出现了某些问题，例如中枢神经系统或胃肠缺陷，或吞咽缺陷（宝宝一般会吞咽羊水）。羊水过多还可能让妊娠面临胎膜早破、早产、胎盘早剥、臀位分娩、脐带脱垂的高风险。

羊水过多常见吗？ 羊水过多的发生率为 3%～4%。多胎妊娠、未治愈的糖尿病可能会增加患病风险。

羊水过多的症状和体征是什么？ 总的来说，羊水过多几乎没什么症状。不过一些女性可能会注意到：

- 难以感觉到胎动（液体太多，阻力太大）。
- 子宫增大速度异常加快。
- 腹部不适。
- 消化不良。
- 腿部水肿。
- 呼吸困难。
- 有可能出现宫缩。

羊水过多一般都通过产前检查发现——宫高大于正常值，或通过超声检查测出羊膜囊中液体增多。

你和医生能做什么？ 除非羊水过多的情况进一步发展，否则医生几乎不会采取什么措施，只会继续观察你的情况。如果羊水过多的情况加重，医生可能会建议你采取羊膜穿刺术去除部分羊水——将羊水从羊膜囊中抽出来。羊水过多会让你面临脐带脱垂的危险，如果在阵痛前出现大量羊水渗漏，立即通知医生。

早产胎膜早破（PPROM）

什么是早产胎膜早破？早产胎膜早破是指子宫内包裹胎儿的羊膜在37周之前（宝宝还没有发育成熟，这时候生下的宝宝属于早产儿）发生破裂。早产胎膜早破的主要危险在于早产，其他危险包括羊水感染（宝宝也可能感染）、脐带脱垂或被挤压。（胎膜早破，即PROM，并不伴随早产——通常发生于怀孕37周以后，但在阵痛开始之前出现。参考第356页。）

早产胎膜早破常见吗？早产胎膜早破发生率低于3%。孕期吸烟、患有某些性传播疾病、患有慢性阴道出血或胎盘早剥、之前怀孕时有过早产胎膜早破、患有细菌性阴道炎的女性，以及多胎妊娠的女性都属于高发人群。

早产胎膜早破的症状和体征是什么？早产胎膜早破的症状之一就是阴道有液体漏出或涌出。简单判断漏出的是羊水还是尿液的小技巧如下：如果闻起来有氨水味，可能是尿液；如果闻起来有点甜，就可能是羊水（如果羊水感染，会有恶臭的味道）。如果你对漏出的液体有疑问，为了安全起见，一定要联系医生。

你和医生能做什么？如果胎膜在怀孕34周后破裂，可能需要催产。如果由于时间太早不能催产，你需要卧床休息，注射抗生素治疗感染，同时注射类固醇促进胎儿肺部发育，尽可能让宝宝早点"成熟"以便提前分娩。如果宫缩已经开始，而胎儿成熟度不够，可以用药暂停宫缩。

很少见的情况下，胎膜破裂处会自愈，羊水泄漏自发停止。这种情况下，你可以出院观察，并保持常规检查，尤其注意警惕漏液情况再次发生。

早产胎膜早破可以预防吗？阴道感染，特别是细菌性阴道炎，可能会引起早产胎膜早破，注意预防并治疗这些感染是预防早产胎膜早破的最好办法。

早产

什么是早产？在孕20周以后，37周以前分娩属于早产。

早产常见吗？早产非常常见，大约有12%的宝宝都是早产儿。

引起早产的危险因素包括吸烟、喝酒、滥用毒品、孕期体重增加过少或过多、孕期营养不良、牙龈感染、其他感染（例如性传播疾病、细菌性阴道炎、尿路感染、羊水感染）、子宫颈机能不全、子宫激惹、妈妈有慢性病、胎盘早剥及前置胎盘。孕妇年龄小于17岁或大于35岁、怀有多胞胎，以前妊娠中有早产史等都会增加早产风险。另外，还有大量早产由于医生对孕妇病情（例如先兆子痫、早产胎膜早破等）处理不当造成。

你想知道的……

及时、恰当地诊断并处理好早产胎膜早破，妈妈和宝宝都将获益良多——如果宝宝早产，他还要在新生儿重症监护室里待较长时间。

目前来说，究竟什么引起阵痛提前开始还值得研究，至少有一小部分的早产原因未知。

早产的症状和体征是什么？早产的症状、体征可能包括：

- 类似月经的小腹痉挛。
- 规律且逐渐加强的宫缩，体位改变也不能缓解。
- 后背感到压力。
- 骨盆感到异常的压力。
- 阴道出现血性分泌物。
- 胎膜破裂。
- 超声检查出宫颈变化（变薄、打开、变短）。

你和医生能做什么？宝宝在子宫内多待一天，健康存活的机会就多一点。所以，尽可能延长宝宝在妈妈体内的时间是最基本的目标。如果宫缩提前开始，根据居住地的远近不同，医生可能会要求你在家卧床休息或住院治疗，并开始静脉输液（充分的液体摄入可以降低宫缩提前发生的概率——如果你在家卧床，也要保证液体摄入）。某些情况下可能需要加入抗生素治疗，特别是诱发早产的病因可能是感染时。临时给予硫酸镁、特布他林等保胎药也能暂时控制宫缩。为了帮助宝宝的肺部尽快成熟，提前出生后能够自主呼吸，医生会使用类固醇，这是必不可少的。一旦医生觉得继续怀孕的风险大于提前分娩的风险，就没必要延迟分娩了。

早产可以预防吗？不是所有的早产都可以避免，因为并非所有的早产都由可以预防的因素引起。以下方法可以减少早产的危险（同时保证增加健康妊娠的可能）：怀孕前规律服用叶酸；尽早开始良好的产前护理；注意保持良好的饮食和足量饮水；良好的口腔护理；避免吸烟、吸食可卡因、酗酒及服用医生处方外的药物；及时检查各种感染，必要时治疗，例如细菌性阴道炎、尿路感染等；遵照医生的建议，限制剧烈运动，包括做爱、连续数小时的站立或步行，以

你想知道的……

早产的宝宝通常需要在新生儿重症监护室里度过最初的几天、几周，甚至几个月。虽然早产和生长迟缓、发育延迟有一定联系，但大多数早产的宝宝很快就会赶上别的宝宝，也不会出现新问题。多亏如今医疗技术的进步，即使你早产了，也可以带一个健康、正常的宝宝回家。

早产的预测

很多早产风险高的女性都能如期分娩。预测早产的方法之一是检查宫颈和阴道分泌物中的胎儿纤维连接蛋白（fFN）。研究表明，如果fFN检测结果为阳性，就很可能在接下来的1～2周中早产。然而，这种检查是用来估测哪些人会早产（没有检查出fFN），而不是用来精确地估算哪些女性有早产风险。如果检查出fFN，就要采取一系列措施避免早产。如今这种检测手段被广泛使用，但只检查高风险女性。如果你早产的风险不高，没必要检测fFN。

另一种筛查方法是检查宫颈的长度。通过超声可以测量宫颈长度，如果有宫颈变短或打开的迹象，医生可能会采取措施防止早产，比如要求你卧床休息等。

前有过早产史的人更应注意。对于有早产史或宫颈较短的女性来说，可以尝试每天或每周规律地服用一些黄体酮，或采用阴道栓剂、注射等方式预防早产。

耻骨联合分离症

什么是耻骨联合分离症？耻骨联合分离症是指支撑盆骨的韧带在孕期（尤其是分娩临近时）变得松弛、伸展（随着分娩临近，身体每个部位都做好了准备，韧带也松弛了下来），这种变化有可能引起骨盆关节（即耻骨联合）松弛、关节结构不稳定，从而引起了中至重度的疼痛。

耻骨联合分离症常见吗？确诊的耻骨联合分离症发生率大约为1/300，但部分专家认为其实有2%的孕妇会发生耻骨联合分离症，但并非所有患者都诊断出来了。

耻骨联合分离症的症状和体征是什么？耻骨联合分离症最常见的症状是酸痛(感觉骨盆快要分开了一样)及行走困难。在典型病例中，疼痛集中在耻骨区域，某些女性会感到疼痛放射到大腿根部和会阴。行走和进行其他需要承重的活动时疼痛加剧——特别是那些需要抬起一条腿的活动，例如上楼梯、穿裤子、上下车，甚至躺在床上需要翻身时。在极少数病例中，耻骨关节会彻底分开，使耻骨、腹股沟、臀部产生非常强烈的疼痛。

你和医生能做什么？如果你非常不舒服，避免一些增加下半身负担的体位，并减少对一条腿单独造成压力的活动——包括走路。穿一件能支持骨盆的“紧身衣”可以帮助松弛的韧带保持骨盆结构稳定。凯格尔运动和骨盆翘起运动可以加强盆底肌。如果疼痛非常严重，可以请医生采取一些镇痛措施，或尝试辅助疗法，例如针灸、脊柱按摩等。

非常少见的情况下，耻骨联合分离症会导致不能阴道分娩，只能实行剖宫产。更少数病例中，耻骨联合分离症会在分娩后进一步加重，这需要医疗干预。但对于大多数妈妈来说，一旦生下宝宝，松弛素（使得肌肉松弛的激素）分泌停止，韧带就可以恢复正常。

脐带缠绕

什么是脐带缠绕？偶尔，脐带会打成结并缠起来，或者缠绕着宝宝，通常是缠在宝宝的脖子上（就是通常说的“脐带绕颈”）。某些脐带缠绕发生在分娩时，另一些发生在怀孕过程中宝宝运动的时候。只要脐带绕成的结保持松弛，就不会引起任何问题。如果结变紧了，可能会影响胎盘到胎儿处的血液循环，妨碍给宝宝输送氧气和养料。这种不幸的情况非常少见，一般发生在胎儿在产道里下降的过程中。

脐带缠绕常见吗？真正意义上的脐带缠绕发生率约为1/100，但只有1/2000的分娩中会出现引发问题的严重脐带缠绕。脐带绕颈比较常见，几乎1/4的女性都经历过，这种情况一般不会对宝宝造成威胁。脐带长的宝宝及大于胎龄儿发生缠绕的可能性比较大。研究者们认为，缺乏营养、多胎妊娠、羊水过多、吸烟、服用成瘾性毒品等危险因素会影响到脐带表面的保护性结构，容易造成脐带缠绕。

脐带缠绕的症状和体征是什么？脐带缠绕最常见的症状是孕37周后宝宝的活动明显减少。如果担心在分娩中出现脐带缠绕，可以通过严密的胎心监护及时发现异常的心率变化。

你和医生能做什么？通过规律检查胎动来了解宝宝的情况，如果发现胎动有问题，及时通知医生。如果在分娩中脐带上的某个结变紧，医生会注意胎心率是否下降，并及时采取正确的措施保证宝宝平安降生。一般来说，最有效的办法就是及时实行剖宫产。

单脐动脉

什么是单脐动脉？正常的脐带中应该有3条血管——一条脐静脉（将营养和氧气输送给宝宝）和两条脐动脉（将宝宝产生的废物送回胎盘和妈妈的血液循环系统）。但在某些情况下，脐带中只有两条血管——一条脐静脉和一条脐动脉。

单脐动脉常见吗？怀有一个宝宝的孕妇发生单脐动脉的可能性约为1%，怀多胞胎的孕妇发病率为5%。高风险人群包括40岁以上的孕妇、多胎妊娠及患有糖尿病的孕妇。女宝宝比男宝宝更容易出现单脐动脉。

单脐动脉的症状和体征是什么？ 这种异常情况没有任何症状和体征，只能通过超声检查发现。

你和医生能做什么？ 如果没有其他异常表现，单脐动脉对妊娠不会造成任何危害，宝宝通常可以健康地出生。所以，你能做的就是不要担心。

如果发现是单脐动脉，就要保证自己的整个妊娠过程得到严密监控，因为宝宝可能会发育不良。

不常见的妊娠期并发症

以下这些妊娠期并发症非常少见。普通孕妇极少出现这些情况。所以，仅挑选你需要阅读的内容即可——只选择符合自身情况的部分阅读。如果你在孕期被诊断为患有下文提到的某种疾病，可以参考书中的一些知识及治疗方法（并学会在今后的妊娠中预防这些情况发生），但一定要清楚地知道，医生的指导原则和治疗方法会因为你的具体情况有所改变。

葡萄胎

什么是葡萄胎？ 所谓葡萄胎，是指胎盘发育不正常，形成了一团囊肿（也称为水泡状胎块），而没有正常的胎儿。一些病例中，可辨别出部分胚胎或胎儿组织，这种情况称为部分性葡萄胎。

葡萄胎的原因在于受精时异常。正常受精时，应该是一套父亲的染色体和一套母亲的染色体结合。出现部分性葡萄胎时，两套来自父亲的染色体和一套来自母亲的染色体融合；完全性葡萄胎时，只有两套来自父亲的染色体，而没有来自于母亲的染色体。大多数葡萄胎都可以在受精后几周内发现，所有葡萄胎的结局都是流产。

葡萄胎常见吗？ 幸运的是，葡萄胎非常少见，发病率约为0.1%。小于15岁或大于45岁、曾发生过多胞胎流产的女性患葡萄胎的概率稍高。

葡萄胎的症状和体征是什么？ 葡萄胎的症状包括：

- 间歇性或持续性的褐色阴道分泌物。
- 严重的恶心呕吐。
- 小腹不适、痉挛。
- 高血压。
- 子宫大于正常值。
- 子宫触诊如面团（正常情况下应该是坚实的）。
- 通过超声检查看不到胚胎或胎

> **你想知道的……**
>
> 患一次葡萄胎不意味着将来妊娠患葡萄胎的风险很高。事实上，在患过葡萄胎的女性中，只有1%～2%再次出现了葡萄胎。

儿组织。

●妈妈体内出现过量的甲状腺素。

你和医生能做什么？如果出现了上文提到的症状，给医生打电话。部分女性很难辨别究竟是葡萄胎的症状还是早期的妊娠反应（一些完全正常的怀孕也会有出血、小腹痉挛等症状，几乎所有正常的妊娠都会出现恶心），但相信你的直觉。如果觉得有问题，和医生聊一聊——他可以帮你做进一步检查，让你放心。

如果超声检查显示你出现了葡萄胎，需要通过清宫除去子宫内的异常组织。为了防止恶化成为绒毛膜癌（参考下文），随访非常关键。幸运的是，葡萄胎癌变的可能性非常小。医生可能会要求葡萄胎处理完毕一年后才能再次怀孕。

绒毛膜癌

什么是绒毛膜癌？绒毛膜癌是一种极少见的与怀孕直接相关的癌症。这种恶性疾病一般发生于葡萄胎、自然流产、人工流产及异位妊娠（留下一些胎盘组织继续发育）之后。只有15%的绒毛膜癌发生于正常妊娠之后。

绒毛膜癌常见吗？绒毛膜癌非常少见，发生率约为1/4000。

绒毛膜癌的症状和体征是什么？

你想知道的……

早期诊断并获得及时治疗的绒毛膜癌不会影响生育能力。不过通常来说，绒毛膜癌治疗完成后需要观察一年，确定没有残留病灶后再计划怀孕。

这种疾病的症状包括：

●流产、怀孕或去除葡萄胎后的间歇性出血。

●阴道分泌物异常。

●hCG水平升高，且不随妊娠结束而下降。

●阴道、子宫或肺部出现肿瘤。

●腹部疼痛。

你和医生能做什么？如果你出现了上述症状，马上去医院。但也要记住，这些症状并非确定为绒毛膜癌。如果确诊，也没必要担心，绒毛膜癌对化疗和放疗非常敏感，治愈率超过90%，一般不需要切除子宫。

子痫

什么是子痫？没有获得良好控制或治疗的先兆子痫(参考第538页)会发展为子痫。根据发生子痫的孕妇所处的妊娠阶段不同，宝宝面临早产的风险也不同，总体来说，立即生下宝宝是唯一的治疗措施。虽然子痫会

你想知道的……

规律接受产前检查的女性，即使出现了先兆子痫也能得到良好控制，几乎不会发展为子痫。

威胁到妈妈的生命，但因此而死亡的妈妈少之又少。通过科学的治疗和细心的随访，绝大多数患有子痫的女性都可以在产后恢复正常。

子痫常见吗？抽搐（通常在接近分娩或分娩过程中）是子痫的特征。产后也可能继续发生抽搐，一般在产后48小时内。

你和医生能做什么？如果你患有先兆子痫并已经出现抽搐，需要输氧并接受药物治疗，当你的情况稍微稳定，就需要进行催产或通过剖宫产生下宝宝。绝大多数女性在分娩后能很快恢复正常，但为了控制血压并预防再次抽搐，需要进行严格的随访。

子痫可以预防吗？规律地拜访医生可以让他及早发现先兆子痫的症状。如果你被诊断为先兆子痫，医生会密切关注你的情况（及血压），以确保病情不至于恶化成子痫。预防先兆子痫的措施也可以预防发生子痫。

胆汁淤积症

什么是胆汁淤积症？患上胆汁淤积症时，胆囊中胆汁的流动速度减慢（由于孕期激素的影响），引起肝脏里的胆汁酸淤积，并进入孕妇的血液。孕晚期激素分泌处于峰值，容易发生胆汁淤积症。这种疾病通常会在分娩后消失。

胆汁淤积症可能会增加胎儿窘迫、早产、死产等风险，所以早期诊断与治疗非常关键。

胆汁淤积症常见吗？每1000个孕妇中就有1~2个受到胆汁淤积症的困扰。在多胎妊娠、怀孕前出现过肝功能受损、妈妈或姐妹有胆汁淤积症的孕妇中更为常见。

胆汁淤积症的症状和体征是什么？大多数情况下，胆汁淤积症能被注意到的唯一症状是严重瘙痒，特别是手和脚，常发生于孕晚期。

你和医生能做什么？治疗胆汁淤积症的目标是减轻瘙痒并防止出现妊娠期并发症。局部止痒药物、沐浴露或类固醇激素都可以治疗瘙痒。有时候为了减少胆汁酸积聚，也可以使用某些药物。如果胆汁淤积症明显危害到了妈妈和宝宝，需要提前分娩。

深静脉血栓

什么是深静脉血栓？深静脉血栓是一种在深静脉中出现的血栓。这些血栓容易出现在下半身——特别是大腿部位。女性在孕期和分娩时，尤其是产后阶段，比较容易患深静脉血栓。这是由于大自然的考虑——它担心妈妈在分娩过程中出现大出血，所以增加了女性的凝血能力，不过偶尔有些过犹不及了。另一个诱因是子宫增大导致下肢血液循环不良，血液返回心脏困难。如果不经治疗，深静脉血栓会导致血栓随血液进入肺部，形成肺栓塞等致命的危害。

深静脉血栓常见吗？每1000～2000个孕妇（也可能发生于产后阶段）中会发生1例深静脉血栓。年龄偏大、吸烟、家族或个人有凝血倾向、有高血压、糖尿病或其他慢性病和血管性疾病的女性比较容易患深静脉血栓。

深静脉血栓的症状和体征是什么？深静脉血栓最常见的症状有：

- 腿部感到沉重和疼痛。
- 小腿和大腿有触痛感。
- 浅静脉扩张。
- 体前屈（让下巴接近脚趾时）时出现小腿疼痛。

如果血栓移动到肺部（肺栓塞），可能出现：

- 胸痛。
- 呼吸困难。
- 咳嗽，伴有血痰。
- 心率和呼吸加快。
- 嘴唇和指尖发青。
- 发热。

你和医生能做什么？如果你在之前的妊娠中被诊断为深静脉血栓或有过血栓史，一定要告诉医生。另外，孕期任何时候发现自己一条腿突然疼痛肿胀，应立即给医生打电话。

超声或核磁共振检查可以帮助诊断血栓。如果证实有血栓，需要使用肝素稀释血液，防止今后出现血栓（阵痛时需要暂时停止肝素的使用，以防止分娩中大出血）。整个过程中，你的凝血功能都要受到监控。

如果血栓移到肺部，要用溶栓药物（极少情况下需要通过手术）治疗伴随而来的其他症状。

深静脉血栓可以预防吗？通过改善血液循环可以预防血栓——充足的运动，避免长时间站立。如果你属于高风险人群，可以穿一双有支撑力的长筒袜预防血栓形成。

胎盘植入

什么是胎盘植入？胎盘植入是指胎盘异常附着在子宫肌层上。根据胎盘细胞侵入子宫肌层的深度，包括穿透性胎盘和植入性胎盘。胎盘植入增加了胎盘娩出时大出血的风险。

胎盘植入常见吗？这种异常情况的发生率约为1/2500。粘连性胎盘是这种胎盘附着性疾病中最常见的，占发病总数的75%。它是指胎盘深入到子宫内膜中，但没有穿透子宫肌层。植入性胎盘占胎盘植入的15%，是指胎盘侵入了子宫肌层；剩下10%

的胎盘植入属于穿透性胎盘，胎盘组织不仅深入到子宫肌层，还穿透了子宫肌壁,甚至会依附在毗邻的器官上。

如果有过一次以上剖宫产手术史,发生胎盘植入的风险会略有增加。

胎盘植入的症状和体征是什么？ 一般没有明显的症状和体征。通常这种疾病通过彩色多普勒超声检查或分娩时胎盘迟迟不能娩出（正常情况下胎盘很容易娩出）发现。

你和医生能做什么？ 不幸的是，你几乎无能为力。大多数病例中，胎盘需要在分娩结束后通过手术取出以防出血。极少数情况下，扎住出血的血管也无法控制出血，可能需要切除子宫。

前置血管

什么是前置血管？ 前置血管是指连接宝宝和妈妈的血管位于脐带外面，并沿着胎膜延伸到子宫颈处。阵痛开始后，随着宫颈口打开，血管面临着破裂的危险，有可能对宝宝造成威胁。这种疾病如果在阵痛开始前诊断出来，可以计划剖宫产，让宝宝安全出生。

前置血管常见吗？ 前置血管非常少见，约5200个孕妇中才有1例。患前置胎盘、有子宫手术史、多胎妊娠的女性风险较大。

前置血管的症状和体征是什么？ 前置血管几乎没有任何征兆，可能会在孕中期和孕晚期发生出血。

你和医生能做什么？ 诊断性检查如超声（最好是彩色多普勒超声）可以发现前置血管。诊断为前置血管的女性通常需要在37周前通过剖宫产生下宝宝，防止阵痛开始。研究者正致力于研究激光疗法是否可以封住这种位置异常的血管。

分娩和产后并发症

以下许多状况在阵痛或分娩时都不会出现，你没必要提早阅读这些内容,因为这些状况发生的概率很小。这里列出是为了以防万一，让你可以在事发后学习一点相关知识，防止在以后的妊娠中再次发生。

胎儿窘迫

什么是胎儿窘迫？ “胎儿窘迫”一词用来描述胎儿处于危险中的状态，大多数因为子宫内供氧不足，阵痛开始之前或之后都可能发生。引起胎儿窘迫的原因很多,例如先兆子痫、控制不佳的糖尿病、胎盘早剥、羊水过少或过多、脐带受压或缠绕、宫内发育迟缓或仅仅因为妈妈的体位压迫了大血管，影响了宝宝的血液供应。持续性缺氧或胎心率下降非常麻烦，需要尽快采取措施纠正——通常是即刻帮助孕妇分娩（除非阴道分娩迫在眉睫，否则均会采用剖宫产）。

胎儿窘迫常见吗？确切地说，胎儿窘迫的发生率还不确定，估计在1%～4%。

胎儿窘迫的症状和体征是什么？子宫内发育良好的宝宝一般有着强健、稳定的心跳，对外界刺激会作出恰当的反应。出现窘迫的宝宝一般会心率下降、胎动发生变化（甚至消失），或在子宫内第一次排便（胎便）。

你和医生能做什么？如果你发现胎动有变化（胎动明显减少、消失，变得混乱烦躁、频率很高，或其他一些你能发现的异常），怀疑宝宝出现窘迫，要立即去医院，你需要接受严密的监护，检查宝宝是否真的出现窘迫。通过吸氧提高供氧量及通过静脉输液增加液体摄入，你的血液中将获得更多氧气，帮助宝宝恢复正常的心率。左侧卧会有一定帮助，这样可以避免压迫大血管。如果这些措施无效，最好的治疗就是尽早分娩。

脐带脱垂

什么是脐带脱垂？在阵痛和分娩中，脐带先于宝宝从宫颈滑到产道中时，称为脐带脱垂。如果在分娩过程中脐带受压（比如胎头压迫了脱垂下来的脐带），宝宝的供氧就受到了威胁。

脐带脱垂常见吗？幸运的是，脐带脱垂并不常见，发生率约为1/300。某些并发症会增加脐带脱垂的风险，包括早产、羊水过多、臀位难产或任何非头位妊娠（因为胎儿先露部位相对较小，不能盖住宫颈）。这种情况也可能发生于双胞胎中的第二个宝宝分娩时。另外，如果在胎头“衔接”之前羊膜破裂，也可能导致脐带进入产道。

脐带脱垂的症状和体征是什么？脐带脱垂到阴道里，你完全可以看到或感觉到。如果脐带受到宝宝头部的压迫，从胎心监护仪上就会看出胎儿窘迫。

你和医生能做什么？宝宝的脐带是否脱垂无法预知。事实上，如果没有胎心监护仪，你只能在事情发生之后才知道。如果怀疑宝宝脐带脱垂，自己却不在医院，可以四肢着地，垂下头，抬高骨盆以减轻对脐带的压力。如果你看到脐带从阴道里出来，轻柔地用干净的毛巾托住它，立即拨打120或找人送你去医院（去医院的路上在车后座躺下，垫高臀部）。如果脐带脱垂时已经在医院，医生可能会要求你尽快换一个体位——一个让胎头能更快衔接、对脐带压力更小的体位。这时候尽快生下宝宝是最好的选择，通常会采用剖宫产。

肩难产

什么是肩难产？肩难产是一种分娩中发生的并发症，指胎儿一侧或双侧肩部卡在妈妈的盆骨里，无法下降到产道中。

肩难产常见吗？肩难时，胎儿的大小影响很大，常发生于较大的宝宝出生时。体重 2.7 千克的宝宝只有 1% 发生肩难产，但是对于 4 千克重的宝宝来说，这个数字就明显升高了。鉴于这个原因，糖尿病在孕期控制得不好或患有妊娠期糖尿病的妈妈更容易出现肩难产，因为她们很容易生下较大的宝宝。另外，如果分娩前宝宝已经超过了预产期（这样的宝宝容易过大）或妈妈有肩难产史，发生肩难产的概率性也会升高。不过，也有大量肩难产并未伴随任何危险因素。

肩难产的症状和体征是什么？分娩进行到胎头浮出时，肩部受阻没有出来。这种情况可能会发生在正常的妊娠中。

你和医生能做什么？肩难产时有许多解决措施，比如让妈妈的腿向腹部弯曲以改变分娩姿势，或在耻骨联合上方对腹部施压。

肩难产可以预防吗？控制好糖尿病或妊娠期糖尿病，孕期增重时注意遵守指导原则，这些措施都可以避免宝宝发育得太大，防止分娩时宝宝卡在产道里。分娩时选择让骨盆尽可能打开的体位，可以最大程度减少肩难产的发生。

严重会阴撕裂

什么是严重会阴撕裂？胎头挤压脆弱的宫颈和阴道组织，很可能造成会阴（肛门和阴道之间的部位）撕裂。

I 度撕裂（只有皮肤撕裂）和 II 度撕裂（皮肤和阴道肌肉撕裂）比较常见。但严重的撕裂（撕裂的伤口到达直肠附近，涉及阴道皮肤、组织及会阴肌肉，即 III 度撕裂）或伤及肛门括约肌的撕裂（IV 度撕裂）不仅会引起疼痛，延缓产后恢复时间，甚至会导致大便失禁及其他骨盆问题，有时候还会伤到宫颈。

严重会阴撕裂常见吗？任何阴道分娩都会面临撕裂的风险，约半数女性至少会在分娩后出现轻微的撕裂。III～IV 度的撕裂不太常见。

严重会阴撕裂的症状和体征是什么？最快出现的症状是出血；撕裂恢复后，伤口愈合处可能有疼痛或压痛感。

你和医生能做什么？总的来说，任何超过 2 厘米的撕裂伤口及持续流血的伤口都需要缝合。如果分娩中没有麻醉，缝合前医生会先进行局部麻醉。

在会阴撕裂或施行会阴切开术

后采用温水坐浴、冰敷、使用金缕梅药剂、麻醉喷雾或简单地将创口暴露在空气中，可以加快愈合速度并减轻疼痛（参考第 415 页）。

严重会阴撕裂可以预防吗？预产期前一个月按摩会阴或练习凯格尔运动（参考第 347、293 页）可以让会阴变得更强韧，伸展性更强，更好地应对胎头浮出时的压力。分娩过程中热敷或按摩会阴可以有效避免撕裂发生。

子宫破裂

什么是子宫破裂？当子宫壁出现薄弱点（通常出现在上次剖宫产或子宫纤维瘤切除后的伤口处），阵痛和分娩的压力可能导致子宫破裂。子宫破裂会引起无法控制的腹腔出血，极少数情况下，胎儿或部分胎盘会进入到腹腔中。

子宫破裂常见吗？对于之前没有接受过剖宫产或其他子宫手术的女性来说，子宫破裂非常少见。即便是接受过剖宫产又再次分娩的女性，子宫破裂的概率也只有 1/100（如果之后的分娩都是不经历阵痛的剖宫产，概率就更低）。有可能发生子宫破裂的高危人群是那些打算接受剖宫产后阴道分娩（VBAC）的女性，以及注射了前列腺素或催产素的女性。胎盘异常（例如胎盘早剥、胎盘植入）及胎位异常等因素也会增加子宫破裂的风险。子宫破裂常见于怀有 6 个以上宝宝的女性，因为宝宝越多，羊水越多，子宫膨胀的情况也越严重。

子宫破裂的症状和体征是什么？腹部灼痛（感觉到肚子里有“裂开”的感觉），接下来整个腹部出现扩散性疼痛或压痛，这是子宫破裂最常见的症状。最典型的情况下，胎心监护仪会显示出胎儿心率下降。产妇可能出现低血容量的症状，包括心率加快、低血压、眩晕、呼吸短促、失去意识等。

你和医生能做什么？如果你接受过剖宫产或其他切开子宫壁的手术，再次分娩时就应该仔细考虑采取何种方式，做出阴道分娩的决定一定要慎重。如果之前经历过子宫手术，和医生讨论一下能不能不使用前列腺素。

如果发生了子宫破裂，必须马上实施剖宫产并修复子宫。同时，采取抗生素治疗防止感染很重要。

子宫破裂可以预防吗？对于高危孕妇，阵痛期间的胎心监护可以时刻向医生发出警报，如果出现子宫破裂或其他危险情况，医生可以马上采取行动。打算在剖宫产后阴道分娩的女性，一定不能用前列腺素诱发宫缩。

子宫内翻

什么是子宫内翻？子宫内翻是

一种很少见的并发症，指分娩后胎盘未完全剥离时拉住子宫顶部，使得子宫局部塌陷并内翻（很像将袜子由里向外翻），有时甚至内翻到宫颈或阴道处。完全子宫内翻的诱因不明，但有时候由于胎盘没有完全和子宫内膜分离造成。子宫内翻如果没有及时发现并得到治疗，会引起严重的大出血及休克，但这种情况发生的可能性很小。

子宫内翻常见吗？子宫内翻非常少见，发生率从1/2000到几十万分之一不等。如果经历过一次，再次出现子宫内翻的风险会稍高。其他可能增加风险的因素包括产程延长（超过24小时）、多次阴道分娩、分娩过程中使用过硫酸镁及特布他林（预防早产）的孕妇。如果子宫过度松弛，或在第三产程牵拉脐带时用力过猛，也可能造成子宫内翻。

子宫内翻的症状和体征是什么？子宫内翻的症状有：

● 腹痛。

● 过量出血。

● 休克。

● 在子宫完全内翻的情况下，可以在阴道内看到部分子宫。

你和医生能做什么？如果曾发生子宫内翻，了解自己的危险情况并汇报给医生非常重要。如果的确发生了子宫内翻，医生可能尝试帮你复位，然后使用催产素来稳定子宫，促进子宫肌肉收缩。极少数情况下，上述措施无效，就需要进行外科手术。不管采用什么方法，你都需要接受输血来弥补内翻过程中的失血。为了防止感染，可以使用抗生素。

子宫内翻可以预防吗？发生过一次子宫内翻的女性也容易发生第二次，如果你有子宫内翻史，一定要让医生知道。

产后大出血

什么是产后大出血？分娩后的出血被称做恶露，这是正常的。但有时子宫在分娩后没有如预期那样收缩，引起产后大出血——在胎盘附着的地方出现过量或无法控制的出血。产后大出血也可能由未修复的阴道或宫颈撕裂引起。

如果胎盘碎片还附着或残留在子宫里，产后大出血可能会在分娩结束后持续1～2周。分娩刚结束时或结束后几周的感染也会引起产后大出血。

产后大出血常见吗？产后大出血的发生率为2%～4%。容易出现过量失血的情况有：子宫过于松弛，由于过长且疲惫的分娩导致宫缩乏力，多胎妊娠、巨大儿、羊水过多导致子宫过度伸展，胎盘畸形，胎盘早剥，患纤维瘤导致宫缩不对称，分娩时产妇身体虚弱（例如贫血、先兆子痫、极度疲惫）等。有的女性由于服用了某些药物或中草药（例如阿司匹林、布洛芬、银杏、大剂量维生素E）影响到凝血能力，发生产后大出血的风险也很高。极少数情况下，产后大出血的根源在于遗传因素导致的血液系统疾病，没有提前诊断出来。

产后大出血的症状和体征是什么？产后大出血的症状包括：

- 每小时出血量浸透一片以上卫生巾，并持续数小时。
- 排出物中有巨大的血块（柠檬大小或更大）。
- 分娩几天后下腹部疼痛或肿胀。

大量失血会使得产妇觉得头晕、气短、眩晕或心跳加速。

你和医生能做什么？胎盘分娩出来后，医生可能会仔细检查，确保没有碎片留在子宫里。他可能会为你注射催产素并按摩子宫，促进其收缩，从而减少出血。如果选择母乳喂养，尽快开始哺乳可以帮助子宫收缩。

一般分娩后都有出血，但如果你觉得出血异常严重或出现了上文提到的一些症状，就要马上通知医生。如果出血严重到属于大出血范围，需要静脉输液甚至输血。

产后大出血可以预防吗？避免服用任何可能影响凝血能力的补品或药物（例如前文提到的那些药物），特别是在孕晚期及产后初期，这样可以减少异常的产后出血。

产后感染

什么是产后感染？绝大多数女性分娩后不会出现问题，但是分娩偶尔会使产妇面临感染风险。这是因为分娩留下了太多开放性伤口——子宫内部（胎盘附着的地方）、宫颈、阴道、会阴（特别是会阴撕裂或实施会阴切开术的人，即使伤口恢复了也容易感染），以及剖宫产的切口处。如果使用了导尿管，产后感染也可能发生于膀胱或肾脏。残留在子宫内的胎盘碎片也会引起感染。最常见的产后感染是子宫内膜炎，即子宫内膜的感染。

虽然某些感染很危险——特别是没有发现、没有治疗的感染，但总的来说，感染最常见的后果只是产后恢复进程更慢、更难，让你没有更多时间和精力做最重要的事：开始了解宝宝。鉴于这一原因，尽可能早发现、早治疗产后感染非常重要。

产后感染常见吗？大约有8%的分娩会出现感染。剖宫产和胎膜早破的孕妇感染风险更高。

产后感染的症状和体征是什么？根据感染源、感染部位不同，产后感染的症状各不相同，但最常见的症状有：

- 发烧。
- 感染部位疼痛或压痛。

● 出现恶臭的分泌物（如果是子宫感染，分泌物从阴道流出；其他部位的分泌物由伤口流出）。

● 寒战。

你和医生能做什么？如果产后体温升高到37.8℃以上并持续超过1天，尽快去医院；如果体温更高或出现了上述症状，提前致电医生。如果感染了，医生会给你开一些抗生素。即使在服药后很快好转，也应该按医生的要求足量服用一个疗程。获得充足的休息（虽然家里有个新生儿会增加休息的难度，但也要尽力）和足量饮水很重要。如果采用母乳喂养，问问医生和药剂师，你服用的药物是否可以在哺乳期服用（大部分抗生素是可以的）。

产后感染可以预防吗？在产后对伤口进行细致的护理和清洗（接触会阴之前要洗手；大小便后要从前往后擦；只能用卫生巾，不能用卫生棉条）可以有效预防感染。

如果需要卧床休息

躺在床上捧着杂志，手里握着电视遥控器——这是多么惬意！但如果是处方上写出了这样的要求，恐怕你就没有惬意的感觉了。卧床休息并不是睡衣派对。一旦面对现实，外出约朋友喝杯咖啡都要受到限制，在家里休息的吸引力就会烟消云散。所以，你要在家里挂上很多有激励作用的画（健康的孕妇、健康的宝宝），提醒自己别忘了医生说的卧床休息的好处。

如果医生要求你卧床休息，实际上你有很多同伴。她们中的70%需要在40周妊娠的某个阶段里卧床休息。虽然卧床休息能带来的益处备受争议，不过大多数医生根据他们的临床经验仍然会给出这一建议，因为这样可以预防早产，延缓先兆子痫的病程发展，降低其他妊娠期并发症的发病率。这种建议基于以下原理：休息双脚可以减轻宫颈承受的压力；卧床休息可以降低心脏的压力并提高肾脏的血流量，帮助身体排出多余的液体；增加子宫的血液循环，为宝宝提供额外的氧气和营养；还可以最大程度降低血液中诱发宫缩的激素水平。

某些准妈妈可能更需要卧床休息，包括年龄大于35岁的准妈妈、怀有多胞胎的准妈妈、由于子宫颈机能不全发生过流产的准妈妈、患有某些妊娠期并发症的准妈妈，以及患有某些慢性病的准妈妈。

不管卧床休息是否真的可以预防早产、降低并发症的风险，这样做的确可以让你的双脚获得足够的休息。不过也带来了一些弊端——长期卧床休息的女性可能会出现臀部或全身肌肉疼痛、头痛、肌肉消失（分娩后难以恢复）、皮肤敏感、抑郁、容易出现血栓。不能四处走动也会加重

卧床休息的类型

“卧床休息”是医生限制你活动时的一种统称。它通常会是一张清单，明确地告诉你什么活动可以进行，什么活动是禁忌。“卧床休息”的种类很多，有可能允许你每几小时下床走走，也可能只允许你在床上周期性地坐起来活动一下，还可能严格到去卫生间时才能下床，最严格的一种是绝对卧床休息——每周 7 天，每天 24 小时都必须在床上（通常是在医院里）。你需要哪种形式取决于医生要求你卧床休息的原因。下面是一些常见的卧床休息类型：

定期卧床休息。为了防止将来面临要求更严格的卧床休息，医生要求某些高危孕妇（例如怀有多胞胎、高龄孕妇等）每天花一定的时间卧床休息。推荐的休息方式可能有：每天花两小时将双脚抬高或平躺（能打个盹儿更好）；清醒地活动 4 小时后侧躺休息 1 小时。有的医生可能只会要求你在孕晚期缩短工作时间，并严格限制相关活动，例如运动、爬楼梯、走路或长时间站立。

进一步卧床休息。对进一步卧床休息而言，你可能无法再工作、开车或做家务。坐在书桌前上网可以，短时间的站立（做一份三明治、淋浴）也没问题。每周可以有一个晚上出门，出门的活动中不能长时间走路或爬楼梯。进一步卧床休息并不要求在床上休息，沙发上的休息也会获得医生允许，只要限制上下楼梯的次数就可以了。

绝对卧床休息。这种情况意味着每天你除了去卫生间和简单的淋浴之外都必须平躺。如果家里有几层楼，你需要限制在其中一层的房间里休息（有的女性一天可以在房间里走一圈，有的女性只能一周走一圈）。你的丈夫（妈妈、朋友或雇来帮助你的人）需要包揽所有家务，并准备好满足你的一切需要。这可能包括在床边放一个迷你冰箱，里面塞满早餐、午餐、晚餐及各种健康的零食。

医院内卧床休息。如果早产已经开始，需要静脉输液，就要住院观察了。阵痛开始后，你也必须待在医院，保证完全卧床休息。你的病床可能需要设置一定的角度（脚高头低），借助重力的作用让宝宝尽可能待在子宫内。

某些妊娠期症状，例如烧心、便秘、腿部水肿、背痛等。卧床休息还可能降低你的食欲，这可能有利于塑造腰部曲线，却不利于宝宝的发育，因为他需要大量的热量和营养。

让你放心的好消息是，卧床休息的这些缺点都可以通过相关措施尽量使其最小化：

● 保持血液循环。侧躺，不要平躺，这样有利于增加子宫的血流量。充分利用枕头的作用——头下面放一个，肚子下放一个，双膝间放一两个，背后也可以放一个，可以让你身处摇篮般舒适中。每小时翻一次身，可以减轻身体疼痛并防止皮肤敏感。

● 尽可能运动。问问医生你可不可以每天做一些上肢运动（用重量轻的哑铃），以保证上肢肌肉不至于太虚弱——如果你不属于需要“绝对卧床休息”的那一类，医生基本都会同意。运动时，你可以坐着屈臂锻炼二头肌和三头肌，再做一些简单的伸展运动和扩胸运动。

● 尽可能伸展身体。先问问医生能否进行轻柔的腿部伸展活动——活动双脚和脚踝（站着时不要抬高到臀部水平），这可以作为基础的床上运动，防止下肢血液淤积和肌肉变得太虚弱。

● 注意饮食质量。妈妈的胃口下降会导致自己和宝宝体重下降——如果你发现自己消化不良，要注意饮食营养，选择容易消化的零食（高膳食纤维食品，可以对抗便秘）。当然，如果吃得太多（因为在家无聊或抑郁），可能会出现增重过多的问题——注意不要不停地吃，尤其不要吃太多高热量食品。

● 摄入足量液体。孕期摄入足量的水非常重要，尤其当你卧床休息时，大量喝水可以帮助消除水肿，对抗便秘，还能预防宫缩。所以，确保你的床头柜上有足够的水和其他饮料。

● 通过重力消除烧心。躺得越多，烧心会越严重。轻轻地坐起来（如果医生允许）——特别是在进食后——能有效防止烧心。

● 产后的期望要现实。产后也不要太松懈，要尽量活动。你一定不愿意身体的运动能力在产后几周明显下降——但事实上，几周的卧床时间就会让你不再运动自如。给自己一个恢复的机会，做好计划开始缓慢地运动。一旦医生允许你运动，慢走、产后瑜伽、游泳等都是很好的起步项目。

卧床休息不仅和身体状态有关，还和心理状态密不可分。在躺在床上的日子里，一定要保持：

和外界联络。身边放一部电话，让朋友和家人能够经常联系到你，不管是因疼痛发出的呻吟、因担心发出的抱怨、因开心绽放的笑声，都应该和他们分享。你也可以在身边放一台电脑或笔记本，通过电子邮件和别人联系。不要忘了浏览你最喜欢的孕产网站和论坛，你能在这里认识很多同道中人。

做好准备。预估一下自己每天需

要什么，让丈夫帮你准备好再离开。床头小冰箱里应该备好水、水果、酸奶、乳酪及三明治，也要保证电话、杂志、书籍和电视遥控器在触手可及的范围内。

规划好每一天。建立起规律的作息——即使每天的重点是午睡后泡个温水澡或下午睡一觉。只要规划合理，你就会觉得自己每天都很充实。

在家工作。如果你要进一步卧床休息，且工作环境比较自由，可以选择完全（或部分）在家工作——在床上工作。通过远程联络，你可以方便地参加商务会议，发送电子邮件，成为高效的职业孕妇。和医生及老板谈一谈，确保双方都了解你的切实处境和面临的限制（如果工作压力很大，需要得到产科医生同意才能继续工作）。

购物。很多东西需要购买，但不一定需要去商场——网上购物也是不错的选择。好好利用卧床休息的这段时间，在网上购买宝宝需要的东西吧。在最喜欢的婴儿用品店订购婴儿床，通过网络寻找未来的助产士和哺乳咨询人员，等你熟悉这一流程后，连日用百货都能在网上订购。

利用外卖。在等待分娩的这段时期，好好利用小区附近的餐饮网络。身边随时保留这些餐厅的菜单，或从网上查询。

感受电影的魔力。由于卧床休息，很多电影不能去电影院看，DVD 可以很好地弥补这一缺陷，你可以自己在家看这些错过的好片子——记住，有宝宝之后再想好好享受电影就没这么容易了。

在床上娱乐。找几个朋友到家里来吃顿便饭，也可以陪你在床上看电影、吃比萨。（这个计划的精髓是：由朋友们帮你收拾屋子，而不是亲力亲为。）

聪明地利用时间。这段时间可以学会编织和制作手工艺品。如果能找到一个在这方面很有天赋的朋友陪你更完美。你将会在这段时间里给宝宝创造出无数甜蜜可爱的财富，并和他建立起更深厚的感情。试试做一本剪贴簿（很快你就会有更多值得收藏的纪念品了）。

整理信息。把好朋友的老照片放到一个相册里，或打开电脑建一个通讯录，今后为他们发送宝宝满月酒的

互相帮助

每个孕期都会带来挑战，高危妊娠更是如此。当你有同伴陪在身边，面对挑战时就会轻松许多——那些有同样经历的妈妈们非常了解你的感受。你的居住地附近可能就有针对某种孕期特殊情况的互助组织（问问医生），也可以上网寻求帮助。

邀请函、感谢信、节日卡片时，可以选择打印地址，不必手写——这样更省事，你也会更开心。

保持美丽。每天都做一些能让自己心情愉快的事，哪怕有时它们看起来毫无意义。梳一个漂亮的发型，化个精致的妆，在腹部抹上大量香喷喷的润肤露（腹部皮肤很容易干燥、发痒）。如果经济情况允许，请一位美发师或美甲师来家里为你服务。不要抱着“没有人会看我”的心态——不管有没有人看你，保持美丽都能让你拥有好心情。

保持清爽。要求丈夫每周帮你换一次床单。把婴儿湿巾和洗手液放在手边，让自己保持干净、清爽。

写日记。想想事情积极的一面：卧床休息是一个最好的时机，可以静下来整理怀孕时期的思绪，把它们记录下来。你甚至可以写几封信给宝宝，和他分享你的生活，记录下孕期每一个精彩瞬间。

把注意力集中在即将到来的奖励上。将宝宝的超声照片裱起来，挂在身边的墙上——每当失去耐心、脾气暴躁时，就可以看着它提醒自己：世界上最美好的礼物即将来到你的身边！

第 23 章　积极面对妊娠失败

怀孕本应该是一段快乐的时光，充满兴奋、期盼及色彩斑斓的各种白日梦，还有一些正常的心慌和焦虑，但现实却不尽然。如果你经历了妊娠失败或失去新生的宝宝，肯定已经体会到了那种无法言喻的深深悲痛。本章致力于帮你应对这种悲痛——这种生命中最无法承受的痛苦。

流产

流产发生于孕早期，并不代表不会造成父母双方巨大的痛苦。不管发生得多早，跟随流产而来的悲伤都是那么真切。即使你从来没见过那个宝宝，或只通过超声检查看到了他，也已经切切实实地知道他在你体内生活过。无论他看上去多么抽象，你都已经和他建立了深厚的情感。从发现自己怀孕的那一刻起，你可能就天天幻想着自己当妈妈的样子，做着各种关于你和宝宝的白日梦。然而现在，所有激动的时光（包括你幻想的几年、几十年）都戛然而止。可以理解，你可能会百感交集：对失去的宝宝感到悲伤、沮丧；对于现实的玩弄感到愤怒、不公；很可能不愿意和朋友、家人联系（特别是那些已经怀孕或刚生了宝宝的人）。你也可能在刚开始时茶饭不思、彻夜难眠，但最终还要接受现实。你可能哭过很多次，也可能一滴眼泪都掉不下来。这些都是面对流产正常而健康的情绪反应。（记住，你的任何反应都是正常的。）

事实上，对于一些夫妻来说，应对早期妊娠中的流产可能会比晚一些的妊娠失败更困难。首先，因为大部分夫妻会在怀孕前 3 个月选择保守秘密，即使最亲密的朋友和家人都不一定知道你们怀孕的消息，所以一旦不幸发生，相应的社会支持比较少。即使对于那些已经知道你怀孕或得知流产消息的人来说，这时对你的关注和支持也会比更晚发生的流产要少。他们可能希望你小事化了，不要把这件事看得太重,只会简简单单说一句“不要担心，你们可以再尝试”。这是因为他们没有意识到，不管时间多早，你失去的也是一个宝宝，这种伤害是巨大的。其次，现实情况让你们不可能保存宝宝的身体、照片，或者像已故的亲人那样为其举行葬礼或留一片墓地——缺少这些仪式性的悲痛缓解方式会让情绪恢复更困难。

如果你已经发生了流产（或者异位妊娠、葡萄胎等)，一定要记住自己有权利尽情悲伤——当然，如果你只需要短暂的情绪发泄,就跟随感觉，以一种自己需要的方式疗伤，然后抬起头向前走。

或许你需要秘密举行一次纪念仪式来结束这件事(和其他家人一起，或只是你和丈夫两个人)。也有可能你需要把自己的情感发泄出来（自己冷静一下，通过互助组织，或在网上寻找出口)，可以向一些经历过流产的人倾诉。很多女性在育龄内都至少发生过一次流产，你会惊讶地发现原来身边有那么多人经历过和自己一样的悲痛，却从未向你提起，甚至根本没有对外讲过。(如果你不喜欢和别人谈论自己的感情，就不要谈论。所有选择权都在于你自己。）后文提到的一些适用于孕晚期妊娠失败的应对技巧也可能对你有帮助。你可能也想了解一些关于悲痛需要经历几个阶段的知识（参考第 575 页小贴士)，它或许会对你有所帮助。

接受现实，这一次妊娠失败可能会在你的心中永远留下一个烙印，以后每次遇到这次妊娠的预产期那一天及流产的那一天，你都会感到悲伤和沮丧。可以试试在那一天做一些特别的事，这样能帮助你振作精神，继续往前走：种一盆花或一棵树，在公园安静地进行一次野餐，和丈夫一起吃一次纪念晚餐。

一次个人的经历

对于如何应对流产和妊娠失败，没有一个现成的公式可供参考，每个人的情绪反应都不同。不同的夫妻在面对、处理感情方面有巨大差别。你可能会发现自己陷入了深深的悲伤，甚至快要被摧毁了——而且发现伤口愈合过程惊人的缓慢。你也可能更实际地面对这次失败，把它当做生育这条路上的一个小坎坷。也可能会发现自己在暂时的悲伤之后心情很快平复了——比想象中快得多，不再继续徘徊于妊娠失败，而会向前看，继续尝试怀孕。只需要记住：对于妊娠失败的任何情绪反应都是正常的，顺其自然是最好的疗伤方法，接下来你要做的是抬起头继续往前走。

应对反复流产

面对一次妊娠失败已经非常困难，如果多次遭遇流产，一定会更加痛苦。你可能会灰心、抑郁、愤怒、烦躁，对其他事情无法集中精力。心理伤口的愈合比身体伤口需要更长时间，悲伤会让你更加虚弱。更重要的是，情绪上的痛苦可能会引起一些身体上的症状，包括头痛、厌食或贪食、失眠及压倒一切的疲惫。（即使对于那些可以更现实地面对反复流产的夫妻，有这样的反应也是正常的。）

时间不能解决一切，但会有一定帮助。同时，耐心、知识及外界的支持会是你们最好的解药。如果需要的话（一些夫妻可能更喜欢其他形式的帮助），你居住的城市应该有相关的互助组织，也可以在网上找到这样的支持。和曾经有过类似经历的朋友聊聊天能让你觉得好过一些，感觉更有希望。最重要的是，不要让愧疚成为负担，流产不是你的错。相反，把精力集中在你强大的内心上，看看自己想要宝宝的决心有多大。

虽然为妊娠失败感到惋惜是正常的，但随着时间流逝，还是应该逐渐让生活走向正轨。如果你的情绪还没有恢复，或在处理情绪问题上存在困难（仍然不吃不睡，不能集中精力工作，逐渐疏远和孤立家人和朋友），依然觉得非常焦虑（焦虑是流产后的一种常见症状，比抑郁更常见），专业的心理咨询师能帮助你。

提醒自己可以（而且很快就能做到）再次怀孕并生下健康的宝宝。对于绝大多数女性来说，一生只会发生一次流产——事实上，这一次也是将来生育力的证明。

胎死宫内

如果你好几小时或更长时间没有感觉到宝宝的动静，担心最坏的事情发生是很自然的反应。是的，最坏的事就是未降生的宝宝已经夭折。

当你被告知宝宝的心跳无法确定，他已经死去时，很可能会处于无法相信的悲伤和迷茫中。怀着的宝宝不再有生命，继续正常生活很困难，甚至不可能。研究表明，如果确诊宝宝已经死亡，分娩拖延超过 3 天的话，产下死胎的女性更容易患上严重的抑郁症。因此，当医生决定下一步怎么做时，要考虑你的精神状态。如果分娩即将来临，或者已经开始，死去的宝宝会正常地生下来。如果还不清楚分娩何时开始，是否要立即催产，取决于预产期及你的身体和精神状况。

如果子宫内的宝宝夭折，你要经历的悲伤过程可能和宝宝在分娩时或分娩后夭折的父母一样。如果可行，为宝宝举行一个葬礼或追悼会（参考后文，了解更多）。

分娩时或分娩后宝宝夭折

有时宝宝的夭折发生在分娩中或分娩后。不管是什么时候，你眼前的世界都会坍塌。已经等了近9个月，现在却只能空手而归。

可能没有什么比失去宝宝更加令人痛苦。尽管不能帮助伤口愈合，你还是可以采取如下措施，将不可避免的伤心降至最低程度：

● 看一看、抱一抱宝宝，给宝宝起个名字。悲痛是你接受事实并从失去宝宝的痛苦中恢复过来的重要一步，如果你从来没见过这个宝宝，也没有给他取名字，会发现伤心更难抑制。即使宝宝是畸形儿，专家也建议看看他比不看好，因为想象中的事物比实际情况更可怕。抱抱他，让他的死亡更真实，也能让你的恢复过程更容易。安排一场葬礼或追悼会，也更有利于你的恢复，因为有另一个机会和他说再见。如果你为他准备了墓地，将是一种永恒的纪念方式，多年以后你还可以到那里去看看他。

● 保留一张照片或其他纪念品（一缕头发、一个脚印），这样将来想起夭折的宝宝时，就可以有一些切实的纪念品来怀念。注意那些你将来希望记住的细节——大眼睛、长睫毛、漂亮的小手、娇嫩的手指及浓密的头发。

● 和医生讨论验尸结果及其他医学报告，确定既成事实，帮助你舒解痛苦。可能在产房时，医生、护士已经告诉了你许多细节，但因为药物作用、激素水平、震惊的感觉等因素，并没有完全理解发生了什么。

● 要求朋友或亲人把你在家里为宝宝准备的物品都留下，不要收走，告诉他们你会自己收拾。虽然他们的本意是好的，但回到一个看起来仿佛什么都没有发生过的家里，只会使你更加无法接受发生的事。

● 记住，伤心会经历许多阶段，包括抵制、自闭、愤怒、消沉、接受，当然不一定是按照这个次序。出现这些情绪不要吃惊；如果没有经历所有这些情绪，或经历了比上面列举的更多的情绪，也很正常。人都是不同的，即使在相似的情况下，每个人的反应也会不同。

● 做好心理准备。你暂时会觉得消沉、空虚或压抑，非常悲伤，睡不着觉，吃不下饭，不能集中精力工作。你也有可能会和伴侣吵架，对其他孩子（如果有的话）发脾气；可能会感觉孤独（即使身边围绕了很多爱你的人），甚至出现幻觉，听到宝宝半夜在哭；也可能想让自己成为一个小宝宝，被宠爱、被骄纵、被照顾。这些都是正常的反应。

● 哭泣——只要你想哭，哭多长时间、哭多少次都没关系。

● 要意识到宝宝的爸爸也很伤心。有些情况下，爸爸们的伤心很短暂，不那么激烈——或看起来是这样。爸爸们有这种表现，部分原因是他们不像妈妈怀胎数月，但这并不影响他们痛苦的程度，也不说明他们的哀痛更容易恢复。有时，他们在表达悲痛的情感上有些困难，或者会把悲伤之情装在心里，表面看起来坚强。如果你感觉自己的丈夫是这种情况，可以和他好好谈一谈，这有助于你们两个人的情绪恢复。鼓励他分享你的情感，或找一个顾问，也可以让他和其他有类似经历的父亲聊一聊。

● 照顾好彼此。这时候人很容易陷入悲伤之中。你和丈夫可能发现彼此过于沉浸在自己的痛苦中，没有留出感情来安慰彼此。不幸的是，如果将丈夫拒之门外，就会出现婚姻问题，你会更难从痛苦中走出来。虽然你们有时候想自己待着，也应该留出时间来和对方交流。考虑找一位情感顾问，帮你们分担悲伤，或者加入一些家庭互助组织，这也许能帮助你们彼此感觉更放松，也能加深你们的感情。

● 不要独自面对。如果很害怕朋友友好地问你："生了么？"那么在开始阶段，带一个能帮你回答这些问题的好朋友一起出门吧，不管去超市还是去干洗店。确保公司及其他你常出现的地方的人们在你回去之前已经接到了通知，这样就可以避免出现不必要的尴尬局面。

● 意识到一些朋友或家人也许会不知道能为你做些什么，或者该说什么。有的人会觉得在悲伤的这段时间

妊娠失败和产后抑郁症

任何失去宝宝的家长都有悲伤的理由。但对于一些人来说，产后抑郁症或焦虑症会加深这种悲伤。没有得到正确治疗的产后抑郁症会让你的情感无法经历"悲痛"阶段，而这个阶段是情绪恢复的基础。虽然产后抑郁症和由丧子之痛引起的抑郁情绪很难区分，但是任何抑郁情绪都应该得到合适的帮助。如果你已经出现了抑郁症的症状（对日常活动丧失兴趣、入睡困难、没有食欲、极度伤心而影响到了日常生活），不要犹豫，立即寻求专业人员的帮助。和你的产科医生或熟悉的医生谈一谈，请他们帮你指定一位心理辅导人员。心理治疗——必要时辅以药物治疗——可以让你好转。

宝宝夭折后抑制泌乳

如果经历了失去宝宝的巨大痛苦，你最不愿面对的一定是这种痛苦被再三提醒。不幸的是，妊娠结束后，大自然的反应还是会不断提醒你这件事：出现的哺乳信号——你的双乳会充满奶水，提醒你本来需要哺育一个宝宝。这从身体和情绪上处理起来都很棘手——因为宝宝在你刚开始哺育或刚到新生儿重症监护室就夭折了，而乳房里的奶水在不断生产。

如果宝宝在子宫内或刚出生就夭折，你还没机会哺育他，需要应对的是涨奶。冰袋、效果缓和的镇痛药及支撑性胸罩可以帮助你减轻身体上的不适。避免洗热水澡、刺激乳房及吸奶，可以阻止乳汁进一步生产。这种涨奶现象会在几天后自动消失。

如果宝宝夭折之前你已经开始哺育他（常发生于送进新生儿重症监护室的宝宝），可以要求医院的护士和哺乳顾问帮助你。他们也许会建议你吸出适量的乳汁以减轻乳房压力，不要吸空，以免乳汁生产更多。吸奶持续时间和频率因人而异，取决于你的产奶量、哺育的频率及喂养宝宝的时间长短。但总的来说，应该逐渐延长两次吸奶的间隔时间，并缩短每次吸奶的时间。注意，吸奶结束几周甚至几个月之后，出现溢乳情况非常正常。

如果你的产奶量比较大（例如吸出来的乳汁可以喂养一对双胞胎），可以考虑把吸出来的奶捐献出去。这种捐献行为可以让你觉得宝宝的夭折更有意义。但还是那句话，选择对你最有帮助的形式。

里最好不要打扰你；还有的人不开口比开口强，因为他们说出的话会让你觉得很受伤，“我了解你的感受”或“没事，你会再生一个宝宝的”，甚至“宝宝这么早死去是好事，至少你们还没有建立太深的感情”。虽然他们说的不一定有错，但他们并不理解一个刚刚失去宝宝的人的心情，没有任何一个宝宝可以替代这个失去的宝宝，而且即使宝宝还没有出生，你也已经和他建立起了深厚感情。如果你经常听到这样的话，请一两个亲密的朋友或亲人向他们解释，并让他们了解你的想法，他们会理解的。

- 向有过类似经历的人求助。和其他家长一样，你们可以找到相关的互助组织，那些失去宝宝的家庭会建立起小组。互联网上也有这样的小组，它们可以让你们获得安慰。但不要让这些组织成为你的感情负担，不要沉浸在痛苦的回忆里，一定要走出来。如果一年后你还是无法面对宝宝死去的现实，及时寻求专业的治疗。

● 照顾好自己。面对这么多精神上的伤痛，你可能忽视了身体上的需要。合理饮食，获得足够的睡眠及运动，这些对于维持身体健康非常重要，也有助于精神创伤的恢复。即使不想吃饭，也要坐下来吃一点。上床睡觉之前洗个热水澡或做运动能帮助自己放松，很快入睡。白天干点体力活，哪怕只是饭前散步也可以。偶尔让自己从悲痛中走出来一会儿，看看电影，去朋友家，去乡村过周末——过得开心点，不要有内疚感。毕竟，生命要继续，你要好好生活下去。

● 根据你的需求，宝宝的事可以处理得较为私密，也可以完全公开。如果想举办纪念仪式，你可以按自己的想法进行。它可以是一场非常私人的仪式，只有你和丈夫两个人分享，也可以是比较公开的，让身边爱你们的亲戚朋友一起参与，给予你们足够的支持。

● 以一种对你有意义的形式纪念这个宝宝会很有好处。为幼儿园里有需要的孩子买些书，或向一些帮助弱势孕妇和新妈妈们的组织捐款；在院子或者当地的公园里种一棵树或花。

● 如果需要，可以求助于宗教。对于一些悲伤的父母来说，信仰是一种很大的安慰。

● 如果觉得自己需要，可以再次尝试成为父母——但不要带着“再有一个孩子可以解决这次痛苦”的心态。在尝试怀孕之前，最好已经从这次悲伤中完全走出来（参考第 573 页了解更多）。

● 要清楚地知道，悲伤会随时间消逝。开始一定是艰难的日子，中间可能夹杂一些快乐的日子，最后开心的日子会多起来。但也要为最坏的打算做好准备——剩下的艰苦日子会比想象中要长，悲伤的过程中可能经常出现噩梦，脑海里会闪过痛苦的画面——甚至可能持续 2 年或更长时间。但最糟糕的阶段最多到宝宝夭折后的 3～6 个月。如果超过了 6～9 个月，悲伤依然是你生活的重心，或仍然对其他事物没有兴趣——寻求帮助吧。另外，如果从一开始你就发现自己无法悲伤，也需要寻求帮助。记住，产后抑郁症会影响恢复进程（参考第 569 页）。

● 要意识到，愧疚会让悲伤的程度更严重，还会让你更难摆脱丧子的痛苦。如果你始终觉得宝宝的夭折是一种惩罚，惩罚你在怀孕时矛盾犹豫的心理，在怀孕期间没有保证足量的营养供给或其他原因——寻找一些专业人士吧，你会了解到，原来宝宝的夭折并不是自己的责任。如果你觉得过去一直在怀疑会不会无法生下一个活蹦乱跳的宝宝，而现在这个怀疑得到了验证，也需要寻求专业心理咨询人员的帮助。如果觉得自己回到正常的生活轨迹对已逝宝宝不忠诚，可以在精神上请求宝宝原谅你，并同意你好好生活，以“写信”的方式表达你的想法、希望和梦想。

● 如果宝宝是活着生下来的，但医生预测他的生存情况不佳，那么他的一些正常器官可以帮助到其他孩子。也许这样的捐献行为会让你觉得更有意义。

双胞胎夭折一个

对于双胞胎（包括三胞胎、四胞胎等所有多胎妊娠的情况）夭折一个宝宝的家长来说，一面要庆祝宝宝的出生，一面要面对另一个宝宝的葬礼，心情会非常矛盾。理解自己的感情可以让你更好地应对一切：

● 可能会感到心碎。你失去了一个宝宝，另一个宝宝的出生也不可能替代他的地位。你必须意识到，即使为生下来的宝宝庆祝，也有权为夭折的宝宝举行葬礼。事实上，埋葬夭折的宝宝对你的情感恢复起了很大作用。参考前面章节提到的措施，可以帮助你们更好地面对宝宝夭折的事实。

● 你可能开心，却很矛盾要不要显露出这种感情。不管怎么说，为了出生的宝宝感到兴奋似乎总有点不妥，会对夭折的宝宝显得不够忠诚。这是一种自然的感情，不必勉强自己，顺其自然吧。好好爱护活下来的宝宝，其实是对另一个宝宝的补偿，他会因此而感到骄傲。

● 也许你想庆祝，但不知道这样做是否合理。一个新生命的到来自然值得庆祝，即使伴随这个好消息到来的还有坏消息。如果你在得知一个宝宝夭折的情况下不愿意为活下来的宝宝举行欢迎仪式，考虑一下为已故的宝宝举行一个纪念性的葬礼。

● 你可能以为宝宝的夭折是对自己的惩罚——或许因为不确定自己有没有能力做多胞胎的父母，或许因为你喜欢女孩胜过男孩（反之亦然）。这种感情在经历妊娠失败的父母中很常见，不必担心，你的所思所想不可能引起妊娠失败。

● 你可能因为不能做多胞胎的父母而感到失望。这种失落很正常，特别是当你们几个月来已经为多胞胎的到来做了很多准备，有了很多幻想的时候。你甚至可能会在看到其他多胞胎宝宝时感到后悔而心痛难忍。不要因为有这些情绪而愧疚，这都可以理解。

● 你可能会觉得将这种情况告诉家人或朋友是一件很困难、很尴尬的事，特别是当他们都满心欢喜地以为生下了双胞胎时。为了面对起来更容易，可以选择一些亲密的朋友或亲戚帮忙传播这个消息，这样就不用自己开口了。在头几个星期，带宝宝出门时最好找个伴，这样可以避免一些你不想听到的、令人伤心的问题。

● 你可能在处理家人或朋友的反应和评价上感到很为难。很多家人和朋友为了帮助你们，尽量夸大了对存活宝宝的欢迎和激动，不提夭折的宝宝。他们还尽可能让你忘了夭折的宝宝，把注意力放在现在的宝宝身上。不要不好意思告诉他们你的感觉，尤其是那些和你关系亲近的人。告诉他们，你需要对夭折的宝宝感到悲痛，同时也会庆祝新生命的到来。

● 你可能过于抑郁而无法照顾好活下来的宝宝——或者，如果你还在妊娠期的话，可能无法好好照顾自己和肚子里的孩子。不要过度鞭策自己，不要强迫自己抛弃那些不开心或矛盾的感情。所有情绪都是正常且可以理解的。但是要确保自己获得了需要的帮助，这样才能开始满足肚子里宝宝的需求——包括身体上和精神上的。互助小组和专业心理咨询师都能提供帮助。

● 你可能感觉自己沉浸在悲伤中很孤单。向那些了解情况的人寻求帮助可以获得想象不到的益处。联系当地互助组织或通过网络寻找相关组织。

不管你的感觉如何，不论你的处境怎样，给自己一些时间。很可能你会慢慢发现自己更积极了一些——这种感觉非常棒。

为什么？

这个痛苦的问题——“为什么失去了一个宝宝？”可能永远不会被人问及。但是，了解胎儿或新生儿的死亡原因可以帮助你更好地面对现实。很多情况下，宝宝表面看起来很健康，要了解死亡原因只有认真分析你的怀孕史，以及对宝宝进行彻底的检查。对于死胎及死产的情况，请一位病理学家认真分析胎盘病理切片非常重要。知道发生了什么并不能告诉你为什么会发生这些事，却能为这件事画上一个句号，并为下一次妊娠做好准备。

再次尝试怀孕

下定决心再次尝试怀孕？做出这个决定非常不容易，比你和身边所有朋友的想象都要难得多。这是一种强烈的个人意愿，当然也充满了痛苦。下面是你在做决定前可能会考虑的事：

● 在有一个（或多个）宝宝夭折后考虑再次要宝宝需要巨大的勇气。告诉自己你应该这样做——找到能够鼓励自己的人拍拍你的肩——可以开

减胎术

有时候，超声检查结果显示多胎妊娠中有一个或几个宝宝不能存活，或者有严重畸形，出生后存活概率不大——更糟的是，可能会危害到妈妈或其他健康的宝宝。在这些情况下，医生可能会建议你实施减胎术。做出决定非常痛苦，让人充满愧疚、疑虑及矛盾之情。决定的过程因人而异，可能会很快、很容易，也可能非常痛苦而折磨。

得出答案没那么容易，当然也不会有最完美的选择，不过，一旦做了决定，你的所有行为和想法都必须和这个决定保持一致。和医生一起重新考虑目前的情况，如果对于目前的选择没有信心，讨论一下有没有备选方案。你也可以对亲密的朋友说说自己的想法，问问她的意见；也可以完全把这个决定保密。如果宗教在你的生命中占据重要地位，可能需要参考宗教的教义。一旦做出决定，就不要再犹豫了：接受这个决定，它就是此时最好的选择。不管选择是什么，都不要给自己增加愧疚的负担。这不是你的错，没有理由为它感到愧疚。

如果最终接受了减胎术，你可能会和那些一个或多个子女夭折的父母有相同的痛苦。

始新一轮的征程了。

● 恰当的时机就是适合你的时候。可能对你来说，调整好情绪再要一个宝宝所需的时间非常短——也可能很长。不要强迫自己很快尝试，也不要再三质疑自己一直拖着不去尝试。倾听内心的想法，你会知道什么时候伤口已经愈合，什么时候已经准备好再次面对新一次妊娠。

● 你也需要做好身体上的准备。问问医生是否需要一段时间恢复身体。一般情况下，只要你自己感觉可以就没问题。如果还有别的原因要你多等等（比如葡萄胎手术完成后），就好好利用这段时间锻炼身体，为怀孕做准备（参考第1章）。

● 下一次怀孕你就不会再欠缺相关知识了。现在你已经了解，并不是所有妊娠都可以得到圆满的结局，对于新的妊娠也不会有万无一失的期待。你可能会比第一次怀孕时更紧张，特别是在上一次妊娠失败的纪念日里。你可能会克制自己的兴奋之情，开心中夹杂着不安——不敢将自己和宝宝联系在一起，直到害怕宝宝夭折的恐惧消散。你可能会格外关心各种妊娠期症状——那些给予你希望的（乳房肿胀、晨吐、频繁出入卫生间），

悲伤的阶段

根据妊娠失败的时间不同（怀孕刚开始、接近预产期时或分娩时），你可能经历的感情和反应也不同。虽然悲伤不可避免，但理解悲伤也可以让你更好地面对妊娠失败后的情感。很多有过妊娠失败的人在情感伤口愈合过程中会经历几个阶段，尽管因人而异，但下面这几个阶段是常见的，你很可能也会出现这些感觉：

● 震惊并否认。很可能你会大脑麻木，不相信这是真的。“这不可能发生在我身上。”这种心理保护机制是你在面对丧子灾难时的正常保护措施。

● 愧疚和愤怒。急切地想责备某些因素，但最终可能会责难自己（“一定是我做错了什么，才引起这次流产”或者“如果我在孕期开心一点，宝宝现在还会好好活着”），或会责难别人——上天对你的不公，导致了这场事故发生；或者医生。你可能会对周围那些怀孕的女性或幸福的家长产生嫉妒或憎恨之情，心里甚至会闪过仇恨的念头。

● 抑郁或绝望。你可能发现自己每天大多数时间都感到沮丧，持续哭泣，不能吃东西，睡不着觉，对所有事情都没兴趣。甚至可能怀疑自己永远都不能再生一个健康的宝宝。

● 接受现实。最终，你会接受妊娠失败这个现实。记住，这并不意味着你遗忘了这件事——只因为你已经有能力接受现实，回到正常的生活轨道上来了。

那些引发内心焦虑的（骨盆刺痛、小腹痉挛）。所有这些心情都可以理解，而且完全正常——你可以在任何一个经历过足月妊娠后宝宝夭折的妈妈身上找到这些影子。如果这些感觉妨碍了你好好照顾肚子里的宝宝，就要赶紧想办法解决。

期待最终的回报吧——你会迫不及待想抱起这个新的宝宝，而不是一再回头纠结于上一次的妊娠失败——这会让你振作起来。记住，绝大多数经历了妊娠失败或宝宝出生后夭折的女性最后获得了完全正常的妊娠，并生下了非常健康的宝宝。

图书在版编目（CIP）数据

海蒂怀孕大百科 /〔美〕麦考夫；〔美〕梅泽尔著；王智瑶译 .－海口：南海出版公司，2013.6
ISBN 978-7-5442-6459-4

Ⅰ．①海… Ⅱ．①麦…②梅…③王… Ⅲ．①妊娠期－妇幼保健－基本知识 Ⅳ．①R715.3

中国版本图书馆 CIP 数据核字（2012）第 316372 号

著作权合同登记号 图字：30－2010－167
WHAT TO EXPECT WHEN YOU' RE EXPECTING:
4TH EDITION
by HEIDI MURKOFF (AUTHOR) & SHARON MAZEL

Cover illustration: Tim O'Brien
Book Design: Lisa Hollander, Kathy Herlihy Paoli, Susan Aronson Stirling
Interior book illustrations: Karen Kuchar

海蒂怀孕大百科
〔美〕海蒂·麦考夫 〔美〕莎伦·梅泽尔 著
王智瑶 译

出　　版　南海出版公司　（0898）66568511
　　　　　海口市海秀中路 51 号星华大厦五楼　　邮编 570206
发　　行　新经典发行有限公司
　　　　　电话（010）68423599　　邮箱 editor@readinglife.com
经　　销　新华书店

责任编辑　侯明明　崔莲花
责任印制　李海坡　史广宜
装帧设计　徐　蕊
内文制作　一鸣文化

印　　刷　北京天宇万达印刷有限公司
开　　本　700 毫米 ×990 毫米　1/16
印　　张　37
字　　数　500 千
版　　次　2013 年 6 月第 1 版
印　　次　2017 年 8 月第 14 次印刷
书　　号　ISBN 978-7-5442-6459-4
定　　价　49.80 元